PT・OTビジュアルテキスト 専門基礎

解剖学

監修
坂井建雄

著
町田志樹

第2版

【注意事項】本書の情報について─────────────────────────────
　本書に記載されている内容は，発行時点における最新の情報に基づき，正確を期するよう，執筆者，監修・編者ならびに出版社はそれぞれ最善の努力を払っております．しかし科学・医学・医療の進歩により，定義や概念，技術の操作方法や診療の方針が変更となり，本書をご使用になる時点においては記載された内容が正確かつ完全ではなくなる場合がございます．また，本書に記載されている企業名や商品名，URL等の情報が予告なく変更される場合もございますのでご了承ください．

■**正誤表・更新情報**

https://www.yodosha.co.jp/textbook/book/7271/index.html

本書発行後に変更，更新，追加された情報や，訂正箇所のある場合は，上記のページ中ほどの「正誤表・更新情報」を随時更新しお知らせします．

■**お問い合わせ**

https://www.yodosha.co.jp/textbook/inquiry/other.html

本書に関するご意見・ご感想や，弊社の教科書に関するお問い合わせは上記のリンク先からお願いします．

監修の序

　医学の急速な進歩，そして社会の高齢化を背景に，医療のニーズはますます高まり，そしてさまざまな職種の医療者が必要とされ，幅広い職場で活躍しています．医療は人の健康と生命を守る大切でやりがいのある仕事ですが，どのような医療職になるにしても，解剖学と生理学を通して人体の構造と機能を学ぶことは基本中の基本です．そして医療者になるための教育・学習のなかで，最も悩ましいのがこの解剖学と生理学かも知れません．

　医療職に必要とされる解剖学・生理学の知識は，職種によってそれぞれ違っています．医師はすべてにわたってオールラウンドの知識が必要となりますが，看護師ではフィジカル・アセスメントや身体の生命機能に関わることを深く学ぶでしょうし，理学療法と作業療法では上肢や下肢といった運動器や神経系について深い知識が求められるでしょう．

　それぞれの医療職のために特化した解剖学・生理学の教科書を書くということは，意外と難しいことです．医師や医学の研究者は，解剖学・生理学の知識を十分にもっていても，それぞれの医療職の仕事を深く理解しているわけではありません．またそれぞれの医療職の人たちは，臨床的な仕事がよくわかっていても，解剖学・生理学の知識が必ずしも十分とは言えないからです．

　本書『PT・OTビジュアルテキスト専門基礎　解剖学』は，そういった悩みを吹き飛ばしてくれる教科書で，理学療法と作業療法の学生にとって大きな福音となることでしょう．著者の町田志樹先生は，もちろん理学療法士であり，理学療法の学校で多くの学生を教えているばりばりの教員であり，さらに順天堂大学の解剖学教室で肉眼的な解剖学の研究を行ってきました．こうした経験をもとに「いまさら聞けない解剖学」というテーマの講習会を立ち上げ，これまで数多くの人たちに解剖学を楽しく学ぶノウハウを伝えてきて，町田先生の解剖学の教科書が出版されるのを待ち望んでいる人も数多くいることでしょう．

　著者には解剖学の教科書を初めて書くということに心配や戸惑いもあったのかも知れません．これまで数多くの解剖学書の翻訳や著述を手がけてきた私が，監修を依頼されてお引き受けすることにしました．とはいえ私はできあがった原稿について助言をしたに留まり，本書は最初から最後まで町田先生が独自のアイデアで書き上げたものであることは，言うまでもありません．今回の第2版は，令和6年版の理学療法士作業療法士国家試験出題基準にあわせたもので，各章末に国試練習問題を追加するなど，学生の役に立つ教科書として，さらに磨きがかかっています．

2023年10月

坂井建雄

第2版の序

　2018年に羊土社のPT・OTビジュアルテキスト専門基礎シリーズとして本書第1版が刊行されて以降，5年の月日が過ぎた．言うまでもなく，その歳月の間に理学療法士・作業療法士の学びの在り方は大きく変化し，それに伴うアップデートとして第2版を執筆するに至った．

　今回の改訂に際して最も念頭に置いたのは，令和6年から採用される約8年ぶりの国家試験出題基準の改定である．専門分野・専門基礎分野の新出題基準を踏まえ，改定後の国家試験範囲を網羅する内容になるよう加筆を行った．また，近年の国家試験出題傾向も踏まえたうえで掲載すべき用語，その表現の在り方を精査し，修正を実施している．特に出題率が増加傾向にある体表から骨格筋の位置や構造を問う設問については，被験者にそれを投影し，初学者でも視覚的に理解ができるよう配慮をした．2022年4月より改訂となった「関節可動域表示ならびに測定法」についてもこれまでの記載を一新し，関節や筋の運動の項目にもそれに伴う修正をしている．さらに，各章の最後には直近の国家試験出題事例を掲載し，具体的に設問を解くために必要な考え方も学ぶことができるよう心がけた．

　本改訂は本文だけではなく，図譜についても多くの追加と修正を実施している．理学療法士・作業療法士は他の医療職と比較し，運動器系の知識がより深く求められる．その点を踏まえ，個々の筋の形態やその作用を理解するための図を多数追加した．また，第1版で掲載した図譜についても近年の研究報告を踏まえ，より実際の構造を理解しやすくするための修正を行った．これらの改訂は卒前教育のみならず，卒後の臨床の一助にも十分になると確信している．

　数年間続いた人同士の交流の制約も落ち着き，最近では若い理学療法士・作業療法士から「在学中にPT・OTビジュアルテキストの解剖学で基礎を学びました」と声をかけられることが多くなってきた．また，現職の柔道整復師・鍼灸師の方々からも卒後学習に活用しているとのお言葉をいただき，著者冥利というものを改めて感じている．今回の第2版がより多くの方々に届き，学びの礎になることを心から願う．

2023年10月

町田志樹

第1版の序

　理学療法士・作業療法士の基礎の3本柱は解剖学・生理学・運動学である．現職者であれば，誰もがこの言葉を耳にしたことがあるだろう．当然ながら，解剖学の学習は学生の初年次のみで終わるものではなく，医療人として生涯を通じて継続しなければならない．しかし，近年の学生達を見ていると解剖学書ではなく，国家試験対策テキストで解剖学を学ぶ姿を多く目にする．この現状に対し，教育者として大きな違和感を抱いていた．約3年前，羊土社様より本書の依頼をいただいた際に上記に対応する書籍を作り上げたいと強く思ったことを，今も鮮明に覚えている．

　本書は順天堂大学 解剖学・生体構造科学講座の坂井建雄教授の監修のもと，理学療法士として初めて単著で書き上げた解剖学書である．以下に本書の特徴を挙げる．

　第1に用語の正確性である．現職者が日々の臨床現場で用いるリスター結節，第2肩関節，ジェルディ結節（ガーディ結節ではない）などは，解剖学用語としては扱われていない．そのため，一般的な解剖学書には記載されないのが通例である．しかし，それらは解剖学用語ではない反面，臨床用語としては非常に重要な意義をもっている．そこで本書では解剖学用語に準じたうえで，臨床用語についても記載を行っている．

　第2は図譜へのこだわりである．本書の執筆に際し，数百点の図譜の描き下ろしを依頼した．また併せて，臨床現場や国家試験などを想定し，非常に多くの修正を実施している（細やかな依頼に応えてくれたイラストレーターの吉田 壮氏には，心から敬服する）．どういった点にこだわりがあるかは是非，ご自身の目で確かめていただきたい．

　第3は理学療法士・作業療法士の教育を想定した構成である．我々の解剖学の教育において運動器の占める割合が多いことは，国家試験の出題率を見ても明白である．また，運動器の知識は運動学や整形外科，評価学などの履修に先立って身につけておかなければならない．そのうえで本書は，一般的な解剖学書よりも運動器に比重を置いた構成に仕上げている．また各章に多くのコラムを加えることにより，国家試験・臨床実習・卒後教育に直結する知識を身につけることができる内容となっている．

　本書を書き進めるうえで，分不相応な依頼ではないかと苦悩する時期もあった．しかし，本当に多くの方々の支えのおかげで今日という日を迎えることができた．本書の監修を快く引き受けていただき，いつも不肖の教え子に多くの学びを与えてくださる坂井建雄教授には心から深謝したい．そして同研究室で共に学ぶ吉田俊太郎先生，木ノ瀬翔太先生をはじめ，助言をくれた多くの同志達には感謝の念に堪えない．そして今回の企画を立ち上げてくれた羊土社様，とりわけ多くのサポートをしてくれた望月恭彰様，溝井レナ様に心から謝意を表したい．

　最後に，いつも心身ともに支えてくれた妻・芳恵，遊びたい気持ちを抑えて我慢してくれた3人の子供たち，そして職業人として学び続ける姿勢を背中で教えてくれた母・敏子に心から感謝する．

2018年10月

町田志樹

PT・OT ビジュアルテキスト 専門基礎
解剖学 第2版

contents

- 監修の序 ―――― 坂井建雄
- 第2版の序 ―――― 町田志樹
- 第1版の序 ―――― 町田志樹

第1章 総論

❶ 身体の区分 —— 18
- 1 体表での区分 —— 18
- 2 体内の腔所 —— 19
- 3 基本肢位 —— 19
- 4 安静立位姿勢における理想的アライメント —— 20

❷ 面や方向を示す用語 —— 21
- 1 人体の主要平面 —— 21
- 2 人体の方向を示す用語 —— 22
  - 1）矢状面における用語　2）冠状面における用語　3）水平面における用語
- 3 身体の基本的運動方向 —— 23

❸ 骨の構造 —— 27
- 1 骨の分類 —— 27
- 2 骨の構造 —— 28
  - 1）骨膜　2）軟骨質　3）骨質　4）骨髄
- 3 骨単位 —— 29
- 4 骨の再構築（リモデリング）—— 29

❹ 筋の構造 —— 31
- 1 筋の種類 —— 31
  - 1）骨格筋　2）平滑筋　3）心筋
- 2 骨格筋の各部の名称 —— 32
- 3 収縮の種類 —— 33
- 4 骨格筋の形状による分類 —— 34

❺ 関節の形態と可動域 —— 36
- 1 連結の分類 —— 36
  - 1）不動性の連結　2）可動性の連結
- 2 関節の構造（滑膜性の連結の構造）—— 37
  - 1）関節軟骨　2）関節腔　3）関節包　4）骨膜　5）骨端線
- 3 関節の形状と動き —— 38
  - 1）1軸性関節　2）2軸性関節　3）多軸性関節
- 4 関節とてこ —— 40
- 5 関節可動域 —— 40
- 6 歩行周期 —— 45
- ● 国家試験練習問題 —— 47

第2章　運動器系（上肢）

❶ 上肢の骨 — 48
- **1** 肩甲骨 — 48
- **2** 鎖骨 — 50
- **3** 上腕骨 — 51
- **4** 尺骨 — 53
- **5** 橈骨 — 54
- **6** 手根骨 — 55
  - 1）近位の手根骨　2）遠位の手根骨
- **7** 中手骨 — 57
- **8** 指骨 — 57

❷ 上肢の関節 — 58
- **1** 胸鎖関節 — 58
- **2** 肩鎖関節 — 59
- **3** 肩関節（肩甲上腕関節） — 60
- **4** 肘関節 — 61
- **5** 上橈尺関節 — 62
- **6** 下橈尺関節 — 63
- **7** 前腕骨間膜 — 63
- **8** 橈骨手根関節 — 64
- **9** 手根間関節 — 64
- **10** 手根中手関節 — 65
- **11** 中手指節関節 — 66
- **12** 指節間関節 — 67

❸ 上肢の筋 — 68
- **1** 胸部の筋 — 68
- **2** 背部浅層の筋 — 70
- **3** 肩甲骨周辺の筋 — 71
- **4** 上腕の筋 — 74
  - 1）上腕の屈筋群　2）上腕の伸筋群
- **5** 前腕の筋 — 77
  - 1）前腕の屈筋群　2）前腕の伸筋群
- **6** 手の筋 — 84
  - 1）母指球筋　2）小指球筋　3）中手筋

❹ 上肢の筋膜 — 88
- **1** 胸部浅層の筋膜 — 89
- **2** 背部浅層の筋膜 — 89
- **3** 肩甲骨周辺の筋膜 — 89
- **4** 上腕の筋膜 — 89
- **5** 前腕の筋膜 — 90
- **6** 手の筋膜 — 92

❺ 上肢の神経 — 93
- **1** 神経根 — 94
- **2** 神経幹 — 94
- **3** 神経束 — 95
  - 1）外側神経束　2）内側神経束　3）後神経束
- **4** 鎖骨上部と鎖骨下部 — 96

❻ 上肢の脈管 — 98
- **1** 上肢の動脈 — 98
  - 1）鎖骨下動脈　2）腋窩動脈　3）上腕動脈
  - 4）橈骨動脈　5）尺骨動脈　6）浅掌動脈弓
  - 7）深掌動脈弓
- **2** 上肢の静脈 — 102
  - 1）上肢の皮静脈　2）上肢の深静脈
- ● 国家試験練習問題 — 104

第3章 運動器系（下肢）

❶ 下肢の骨 — 105

1 寛骨 — 106
1）腸骨　2）坐骨　3）恥骨　4）閉鎖孔
5）寛骨臼
2 大腿骨 — 110
3 膝蓋骨 — 113
4 脛骨 — 114
5 腓骨 — 116
6 足根骨 — 117
1）距骨　2）踵骨　3）舟状骨　4）立方骨
5）内側・中間・外側楔状骨
7 中足骨 — 120
8 趾骨 — 121

❷ 下肢の関節 — 122

1 股関節 — 122
2 膝関節 — 124
3 脛腓関節，脛腓靱帯結合 — 127
1）脛腓関節　2）下腿骨間膜　3）脛腓靱帯結合
4 距腿関節（足関節） — 128
5 足の関節 — 129
1）距骨下関節（距踵関節）　2）横足根関節（Chopart関節）
6 足趾の関節 — 131
1）足根中足関節（Lisfranc関節）　2）中足間関節　3）中足趾節関節　4）趾節間関節

❸ 下肢の筋 — 134

1 大腿前面の筋 — 134
2 大腿内側の筋 — 137
3 殿部の筋 — 139
1）浅層　2）深層
4 大腿後面の筋 — 142
5 下腿前面の筋 — 144
6 下腿外側の筋 — 146
7 下腿後面の筋 — 147
1）下腿後面の浅層筋群　2）下腿後面の深層筋群
8 足の筋 — 150
1）足背の筋　2）足底の筋（第1層）　3）足底の筋（第2層）　4）足底の筋（第3層）
5）足底の筋（第4層）

❹ 下肢の筋膜 — 156

1 骨盤前面の筋膜 — 157
2 殿部と大腿の筋膜 — 157
3 下腿・足の筋膜 — 158

❺ 下肢の神経 — 160

1 腰神経叢 — 161
2 仙骨神経叢 — 162
3 尾骨神経叢 — 164

❻ 下肢の脈管 — 166

1 下肢の動脈 — 166
2 下肢の静脈 — 169
1）下肢の皮静脈　2）下肢の深静脈

● 国家試験練習問題 — 171

第4章 運動器系（頭頸部・体幹）

❶ 頭部の骨 —— 172

1 頭蓋の骨 …… 172
2 脳頭蓋を構成する骨 …… 172
1）前頭骨　2）頭頂骨　3）後頭骨
4）側頭骨　5）蝶形骨　6）篩骨
3 顔面頭蓋を構成する骨 …… 176
1）下鼻甲介　2）鋤骨　3）鼻骨　4）涙骨
5）頬骨　6）上顎骨　7）口蓋骨　8）下顎骨
9）舌骨
4 頭蓋の前面の構造物 …… 178
5 頭蓋の側面の構造物 …… 179
6 頭蓋の上面の構造物 …… 179
7 頭蓋の後面の構造物 …… 180
8 頭蓋の下面（外頭蓋底）の構造物 …… 180
9 内頭蓋底の構造物 …… 181

❷ 椎骨 —— 183

1 椎骨の基本形 …… 183
2 各椎骨の形態と特徴 …… 185
1）頸椎　2）胸椎　3）腰椎　4）仙骨　5）尾骨

❸ 胸郭の骨 —— 191

1 胸郭の骨格 …… 191
2 胸郭口 …… 191
3 胸椎 …… 192
4 肋骨 …… 192
5 典型的な肋骨の構造（第3〜10肋骨） …… 193
6 非典型的な肋骨の構造 …… 194
7 肋軟骨 …… 195
8 胸骨 …… 195

❹ 頭頸部と体幹の関節 —— 197

1 頭部の関節 …… 197
1）顎関節
2 脊柱の関節 …… 198
1）椎体の連結　2）椎弓の連結　3）頭蓋と頸椎の連結　4）肋骨と胸椎（胸郭）の連結
5）仙骨と腸骨（骨盤）の連結

❺ 頭頸部の筋 —— 208

1 顔面の筋 …… 208
1）顔面筋（表情筋）　2）咀嚼筋
2 頸部の筋 …… 212
1）浅頸筋　2）深頸筋

❻ 頸部の筋膜 —— 217

❼ 体幹の筋 —— 219

1 胸部の筋 …… 219
1）浅胸筋　2）深胸筋　3）横隔膜
2 腹部の筋 …… 222
1）前腹壁の筋　2）側腹壁の筋　3）後腹壁の筋
3 骨盤底の筋 …… 225
4 背部の筋 …… 227
1）浅層の背筋群　2）中間層の背筋群
3）深層の背筋群　4）後頭部の筋

❽ 体幹の筋膜 —— 233

1 腹部の筋膜 …… 233
2 背部の筋膜 …… 234
● 国家試験練習問題 …… 235

第5章　循環器系

- **1** 肺循環と体循環 — 236
- **2** 血管の構造 — 237
  - 1) 動脈　2) 静脈（容量血管）　3) 毛細血管　4) 側副循環と終動脈　5) リンパ系　6) リンパ節
- **3** 心臓 — 241
  - 1) 心臓の位置と外形　2) 心臓の内景　3) 心臓壁の構造　4) 心膜　5) 刺激伝導系　6) 冠状動脈（冠動脈）　7) 心臓の静脈　8) 心臓の神経支配
- **4** 全身の動脈 — 249
  - 1) 上行大動脈　2) 大動脈弓　3) 胸大動脈　4) 腹大動脈　5) 総腸骨動脈
- **5** 全身の静脈 — 254
  - 1) 主な静脈　2) その他の静脈
- ● 国家試験練習問題 — 257

第6章　呼吸器系

- **1** 鼻 — 259
  - 1) 外鼻　2) 鼻腔
- **2** 副鼻腔 — 260
- **3** 咽頭 — 260
- **4** 喉頭 — 260
  - 1) 喉頭の軟骨　2) 喉頭の筋　3) 喉頭腔
- **5** 気管と気管支 — 264
  - 1) 気管　2) 気管支
- **6** 肺 — 266
  - 1) 肺の外形　2) 右肺　3) 左肺　4) 胸膜　5) 肺の血管　6) 肺の神経
- **7** 縦隔 — 271
- **8** 呼吸筋 — 273
- ● 国家試験練習問題 — 275

第7章　消化器系

- **1** 口腔 — 277
- **2** 口唇，頰，口蓋 — 277
  - 1) 口唇　2) 頰　3) 口蓋
- **3** 舌 — 278
  - 1) 舌粘膜　2) 舌筋
- **4** 歯 — 280
  - 1) 歯の種類　2) 歯の形状　3) 歯の組織構造
- **5** 唾液腺 — 281
  - 1) 小唾液腺　2) 大唾液腺
- **6** 咽頭 — 282
  - 1) 咽頭の構造　2) 咽頭壁の筋
- **7** 食道 — 285
  - 1) 蠕動運動　2) 生理的狭窄部
- **8** 胃 — 285
  - 1) 胃の形状　2) 胃壁の構造
- **9** 小腸 — 287
  - 1) 十二指腸　2) 空腸・回腸　3) 小腸壁の構造
- **10** 大腸 — 290
  - 1) 盲腸と虫垂　2) 結腸　3) 大腸壁の構造　4) 直腸
- **11** 肝臓 — 293
  - 1) 肝臓の前面　2) 肝臓の後面　3) 肝臓の上面　4) 肝臓の下面　5) 肝臓の脈管　6) 肝臓の組織構造　7) 肝臓の機能
- **12** 胆嚢 — 297
- **13** 膵臓 — 298
  - 1) 膵臓の構造　2) 膵臓の導管
- **14** 脾臓 — 299
- **15** 胸腺 — 299
- **16** 腹膜 — 300
  - 1) 腹膜と腹膜腔　2) 腹膜と内臓の位置関係　3) 胃の周辺の間膜　4) 小腸・大腸の間膜
- **17** 嚥下 — 302
  - 1) 嚥下の過程　2) 嚥下の相
- ● 国家試験練習問題 — 303

第8章　内分泌系

1. 内分泌と外分泌 …………………… 304
2. 内分泌腺とホルモン ……………… 304
3. 視床下部 …………………………… 305
4. 下垂体 ……………………………… 306
   1) 下垂体前葉（腺下垂体）　2) 下垂体後葉（神経下垂体）
5. 松果体 ……………………………… 307
6. 甲状腺 ……………………………… 307
7. 副甲状腺（上皮小体） …………… 308
8. 膵臓 ………………………………… 309
9. 副腎 ………………………………… 310
   1) 副腎皮質　2) 副腎髄質
10. 腎臓 ………………………………… 312
11. 性腺（生殖腺）…………………… 313
12. 消化管 ……………………………… 313
    1) 胃　2) 十二指腸
13. 心臓 ………………………………… 314
14. 脂肪細胞 …………………………… 314
● 国家試験練習問題 ………………… 315

第9章　泌尿器系・生殖器系

1. 腎臓 ………………………………… 316
   1) 腎臓の構造　2) 腎臓の組織構造　3) 脈管と神経
2. 尿管 ………………………………… 320
3. 膀胱 ………………………………… 320
4. 尿道 ………………………………… 321
5. 生殖器 ……………………………… 322
   1) 男性生殖器　2) 女性生殖器　3) 会陰
● 国家試験練習問題 ………………… 329

第10章　神経系

1. 神経系の区分 ……………………… 330
2. 神経系を構成する細胞 …………… 331
   1) 神経細胞（ニューロン）　2) 支持細胞　3) 神経線維と興奮の伝導　4) 灰白質と白質
3. 中枢神経系の構成 ………………… 335
   1) 大脳（終脳）　2) 小脳　3) 間脳　4) 脳幹　5) 脊髄
4. 末梢神経系の構成 ………………… 355
   1) 神経線維の機能的区分　2) 脊髄神経の構成　3) 脳神経
5. 自律神経 …………………………… 363
   1) 自律神経の構成　2) 交感神経系の経路　3) 副交感神経系の経路
● 国家試験練習問題 ………………… 367

第11章　感覚器系

1. 外皮 ………………………………… 368
   1) 皮膚の構造　2) 皮膚の神経　3) 皮膚の付属器
2. 視覚器（眼窩と眼球）…………… 373
   1) 眼球　2) 副眼器　3) 眼筋（外眼筋）
3. 平衡聴覚器（耳）………………… 379
   1) 外耳　2) 中耳　3) 内耳
4. 嗅覚器 ……………………………… 382
5. 味覚器 ……………………………… 382
● 国家試験練習問題 ………………… 383

巻末付録

1. 人体の骨格，筋，動静脈 ……………… 384
2. 筋の起始・停止部 ……………………… 390
3. 筋の英名 ………………………………… 396
4. 正常MRI画像 …………………………… 398

- 参考文献 ……………………………………………………… 403
- 国家試験練習問題 正答・解説 ……………………………… 404
- 索引 …………………………………………………………… 414

※漢字表記について
本書では，右記の漢字は上段の表記にて統一しております．

頬	頚	鈎	鼡	腔	殿	嚢	母	弯
↑	↑	↑	↑	↑	↑	↑	↑	↑
頰	頸	鉤	鼠	腟	臀	囊	拇	彎

Point

- 主要平面の名称の由来 …………………… 21
- 骨の形状をあらわす用語 ………………… 30
- 四肢の骨格の特徴 ………………………… 30
- 「関節可動域表示ならびに測定法」改訂の概要 …… 45
- 解剖頸と外科頸 …………………………… 52
- 「狭義」と「広義」の肩関節 …………… 60
- 回旋筋腱板（腱板，rotator cuff）……… 73
- なぜ，ジャムのフタが開けられないことがあるのか ……………………………… 75
- 手の内在筋プラス肢位とマイナス肢位 … 87
- 腸骨・坐骨・恥骨の融合 ………………… 109
- 骨盤の性差 ………………………………… 110
- 頸体角と前捻角 …………………………… 112
- Lisfranc関節とChopart関節 …………… 133
- 大腿の筋区画（コンパートメント）…… 136
- 大腿三角（Scarpa三角）………………… 138
- 二関節筋 …………………………………… 144
- 下腿の筋区画（コンパートメント）…… 145
- 梨状筋と坐骨神経の関係 ………………… 165
- 眼窩を構成する骨 ………………………… 178
- 新生児の頭蓋骨 …………………………… 182
- 骨盤の構造 ………………………………… 190
- EPSPとIPSP ……………………………… 331
- 中枢神経の発生 …………………………… 334
- 大脳新皮質の細胞構築 …………………… 338
- 大脳皮質における「葉・回・野」……… 338
- 大脳辺縁系 ………………………………… 340
- 脳脊髄液の循環 …………………………… 343
- 血液脳関門 ………………………………… 344
- ベル‐マジャンディの法則 ……………… 356
- 筋膜 ………………………………………… 370
- 皮膚の役割 ………………………………… 370

Let'sTry

- 大結節・小結節を触ってみよう ………… 52
- 触って確認しよう
  〜胸鎖関節，肩鎖関節，烏口突起〜 …… 60
- 筋を触察してみよう　〜肩甲帯の筋〜 … 73
- 触って確認しよう
  〜長掌筋と手関節の屈筋群〜 …………… 77
- 筋を触察してみよう　〜膝内側の筋〜 … 139
- 筋を触察してみよう　〜下腿外側・前面の筋〜 … 147
- 筋を触察してみよう　〜下腿後面の筋〜 …… 150
- 下肢の動脈を触ってみよう ……………… 169
- 胸郭の各部位を触ってみよう …………… 196
- 筋を触察してみよう　〜頸部側面の筋〜 … 216

国試のPoint

- 立位姿勢の理想的アライメント …… 20
- 骨の機能 …… 27
- 軟骨の組織学的分類 …… 28
- 筋フィラメントと骨格筋の収縮 …… 35
- 滑液の「色」について …… 38
- 腕橈関節は球関節 …… 39
- 手の舟状骨 …… 56
- 腕橈骨筋の作用 …… 82
- 解剖学的嗅ぎタバコ入れ（anatomical snuff box） …… 83
- 神経麻痺と手の異常肢位 …… 97
- 顎関節の運動 …… 198
- Luschkaの椎体鈎状関節 …… 201
- 胎児の循環 …… 242
- 心臓の弁の構造 …… 244
- 頸動脈小体と頸動脈洞 …… 252
- 気管支の分岐部 …… 266
- 肺活量 …… 274
- 舌の神経支配 …… 280
- ワルダイエルの咽頭輪 …… 283
- 胃底腺とその分泌物 …… 287
- 門脈圧亢進症 …… 297
- ホルモンによるカルシウム代謝 …… 309
- ホルモンと内分泌異常 …… 314
- 尿生成のしくみ …… 320
- 排尿反射と排尿 …… 321
- 神経線維の分類 …… 333
- 視覚の伝導路と視野障害 …… 363
- 上皮組織の種類 …… 369
- 熱傷 …… 372
- カメラの機能と眼球の構造 …… 374
- 眼の遠近調節 …… 375
- 盲点 …… 376
- 耳管の働き …… 380

臨床で重要！

- 医療における左右 …… 26
- OKCとCKC …… 35
- 肩関節の内旋，外旋 …… 45
- ヒューター線とヒューター三角 …… 55
- 三角線維軟骨複合体（TFCC） …… 65
- 肩甲上腕リズム …… 73
- 上腕後面の神経と脈管の通路 …… 76
- 骨盤前面・後面の神経と脈管の通路 …… 108
- 大腿骨頸部骨折 …… 113
- 中殿筋と異常歩行（跛行） …… 141
- 足根管と足根管症候群 …… 164
- 深部静脈血栓症（deep venous thrombosis：DVT） …… 170
- 椎間板ヘルニア …… 200
- 呼吸時の胸郭の運動 …… 205
- 胸郭出口症候群 …… 216
- 胸郭出口症候群の誘発テスト …… 216
- 後頭下三角 …… 232
- 心拍出量と血圧 …… 238
- 浮腫の種類 …… 238
- 血栓症と塞栓症 …… 239
- 心電図 …… 247
- 虚血性心疾患 …… 248
- 左心不全と右心不全 …… 249
- 心不全患者の胸部X線画像所見 …… 249
- 大脳動脈輪（Willisの動脈輪） …… 252
- MRアンギオグラフィー（MRA） …… 253
- 発声と構音のしくみ …… 263
- 慢性閉塞性肺疾患（COPD） …… 265
- 胸膜の疾患 …… 269
- 胸部X線写真 …… 272
- 糖尿病とインスリン …… 310
- レニン-アンギオテンシン-アルドステロン系（RAA系） …… 312
- 骨盤底 …… 328
- 新皮質の機能局在 …… 339
- 視床核の区分 …… 348
- デルマトーム（分節性皮膚神経支配） …… 359
- ランガー線 …… 370
- 対光反射 …… 375
- 白内障と緑内障 …… 376
- 前庭動眼反射 …… 382

PT・OTビジュアルテキスト 専門基礎
解剖学 第2版

第1章 総論 … 18
1. 身体の区分 … 18
2. 面や方向を示す用語 … 21
3. 骨の構造 … 27
4. 筋の構造 … 31
5. 関節の形態と可動域 … 36

第2章 運動器系（上肢） … 48
1. 上肢の骨 … 48
2. 上肢の関節 … 58
3. 上肢の筋 … 68
4. 上肢の筋膜 … 88
5. 上肢の神経 … 93
6. 上肢の脈管 … 98

第3章 運動器系（下肢） … 105
1. 下肢の骨 … 105
2. 下肢の関節 … 122
3. 下肢の筋 … 134
4. 下肢の筋膜 … 156
5. 下肢の神経 … 160
6. 下肢の脈管 … 166

第4章 運動器系（頭頸部・体幹） … 172
1. 頭部の骨 … 172
2. 椎骨 … 183
3. 胸郭の骨 … 191
4. 頭頸部と体幹の関節 … 197
5. 頭頸部の筋 … 208
6. 頸部の筋膜 … 217
7. 体幹の筋 … 219
8. 体幹の筋膜 … 233

第5章 循環器系 … 236
第6章 呼吸器系 … 258
第7章 消化器系 … 276
第8章 内分泌系 … 304
第9章 泌尿器系・生殖器系 … 316
第10章 神経系 … 330
第11章 感覚器系 … 368

第 1 章 総論

1 身体の区分

学習のポイント
- 体表での区分や体腔の構造を理解する
- 基本的立位肢位と解剖学的正位の違いを説明することができる
- 安静立位姿勢を理解し，各アライメントを確認することができる

1 体表での区分

- 人体の表面は骨や筋の盛り上がりやくぼみを指標として区分され，それぞれ名称が付けられている．
- 人体は大きく頭部，頸部（けいぶ），体幹（たいかん）（胸部，腹部，骨盤），上肢（じょうし）（上肢帯ないし肩甲骨，上腕，前腕（かし），手），下肢（かたい）（下肢帯ないし骨盤帯，大腿（だいたい），下腿（かたい），足）に区分される（図1）．

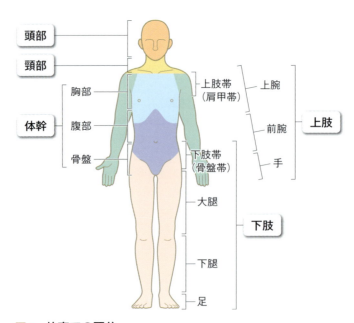

図1 体表での区分

2 体内の腔所

- 人体の中には骨格系および筋系によって囲まれた腔所（身体内部にある空洞）があり，それを**体腔**とよぶ．
- 体腔には**頭蓋腔**，**脊柱管**，**胸腔**，**腹腔**，**骨盤腔**などがあり，それぞれ主要な臓器が収められている（図2）．

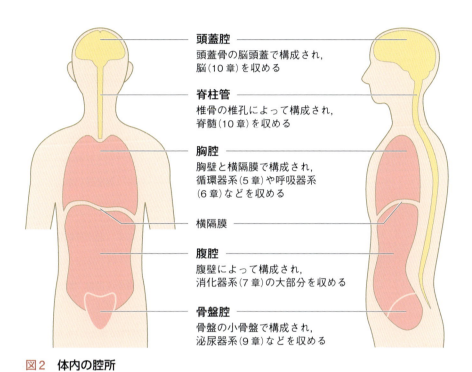

頭蓋腔
頭蓋骨の脳頭蓋で構成され，脳（10章）を収める

脊柱管
椎骨の椎孔によって構成され，脊髄（10章）を収める

胸腔
胸壁と横隔膜で構成され，循環器系（5章）や呼吸器系（6章）などを収める

横隔膜

腹腔
腹壁によって構成され，消化器系（7章）の大部分を収める

骨盤腔
骨盤の小骨盤で構成され，泌尿器系（9章）などを収める

図2　体内の腔所

3 基本肢位

1 基本的立位肢位

- 立位で顔面が正面を向き，両上肢が体幹に沿って下垂して手掌を体側に向け，足趾が平行かつ前方を向いた姿勢をいう（図3左）．

2 解剖学的正位※

- 基本的立位肢位で前腕を回外位（⇨p.24）にし，手掌を前方に向けた姿勢をいう（図3右）．
- 身体の構造物の位置や，相互の関係を記載する際の基準となる姿勢である．

※解剖学的立位肢位と記載されることもある．

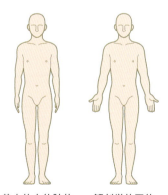

基本的立位肢位　　解剖学的正位

図3　基本肢位

4 安静立位姿勢における理想的アライメント

- 安静立位は，重力の影響が最小で自発的な身体動揺が少なく，かつ保持に要するエネルギー消費が最小である姿勢が理想的とされる．
- 理想的な**アライメント**（3つ以上の指標が一直線に並ぶこと）は，図4, 5の指標が左右ないし前後方向において，垂直線上に位置する．

> **国試のPoint　立位姿勢の理想的アライメント**
> 立位姿勢の理想的なアライメントは文献によって記載の差異があり，学習に苦心する点でもある．本書では，過去の理学療法士国家試験の出題傾向をもとに作図を行った．また，国家試験では頭頸部の左右方向の指標を「後頭隆起」と記載することが多いが，解剖学用語としては「外後頭隆起」が正しい．

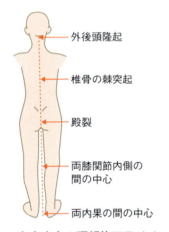

図4　左右方向の理想的アライメント

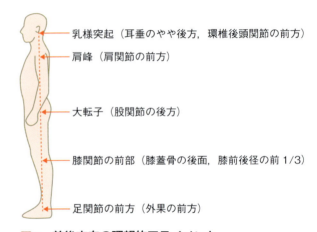

図5　前後方向の理想的アライメント

第1章 総論

2 面や方向を示す用語

学習のポイント
- 人体の主要平面を理解する
- 人体の方向を表現する用語を理解する
- 基本的な運動方向を説明することができる

1 人体の主要平面（図1）

1 矢状面
- 身体の前後方向を通る面であり，身体を左右に分ける．また，正中を通って身体を左右半分に分ける面を**正中矢状面**（正中面）という．

2 冠状面（前頭面，前額面）
- 身体の左右方向を通る面であり，身体を前後に分ける．

3 水平面
- 身体を水平に横断する面であり，身体を上下に分ける．

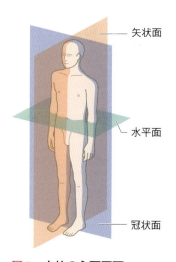

図1 人体の主要平面

> **Point** 主要平面の名称の由来
> 人体の主要平面の冠状面は，頭蓋骨の**冠状縫合**（⇨p.179）と平行であることから名付けられた．また，矢状面も**矢状縫合**（⇨p.179）と平行であることが名称の由来とされる．

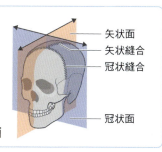

図 頭蓋骨の縫合と主要平面

2 人体の方向を示す用語

1) 矢状面における用語（図2）

❶ 吻側（頭側）と尾側
- 頭頸部や体幹では頭の先の方向を**吻側**（**頭側**），その反対側を**尾側**という．

❷ 掌側と背側
- 手において手掌の側を**掌側**，手背の側を**背側**という．

❸ 底側と背側
- 足において足底の側を**底側**，足背の側を**背側**という．

2) 冠状面における用語（図3）

❶ 近位と遠位
- 上肢や下肢では体幹に近い側を**近位**，遠い側を**遠位**という．また，消化管などでは始まりに近い側を近位，遠い側を遠位という．

❷ 橈側と尺側
- 上肢において橈骨の側を**橈側**，尺骨の側を**尺側**という．

❸ 脛側と腓側
- 下肢において脛骨の側を**脛側**，腓骨の側を**腓側**という．

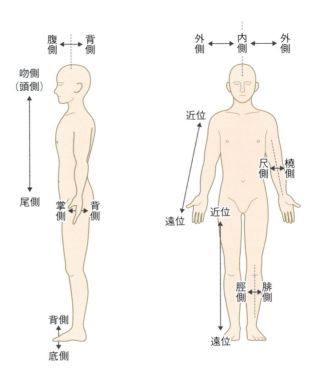

図2 矢状面における用語　　図3 冠状面における用語

3）水平面における用語（図4）

❶ 内側と外側
- 身体の正中面に近い側を**内側**，遠い側を**外側**という．

❷ 腹側と背側
- 身体の前面に近い側を**腹側**，後面に近い側を**背側**という．

❸ 浅と深
- 体表に近い側を**浅**，遠い側を**深**という．

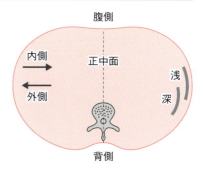

図4　水平面における用語

3 身体の基本的運動方向

❶ 屈曲と伸展（図5）

- 矢状面の運動で，隣接する2つの部位が近づく運動を**屈曲**，遠ざかる運動を**伸展**という．
  - ▶ 椎間関節の場合には屈曲を**前屈**，伸展を**後屈**，手関節の場合には屈曲を**掌屈**，伸展を**背屈**，距腿関節（足関節）の場合には足底への動きを**底屈**，足背への動きを**背屈**という．
- ▶ 母趾・足趾に関しては足底への動きが屈曲，足背への動きが伸展となる．

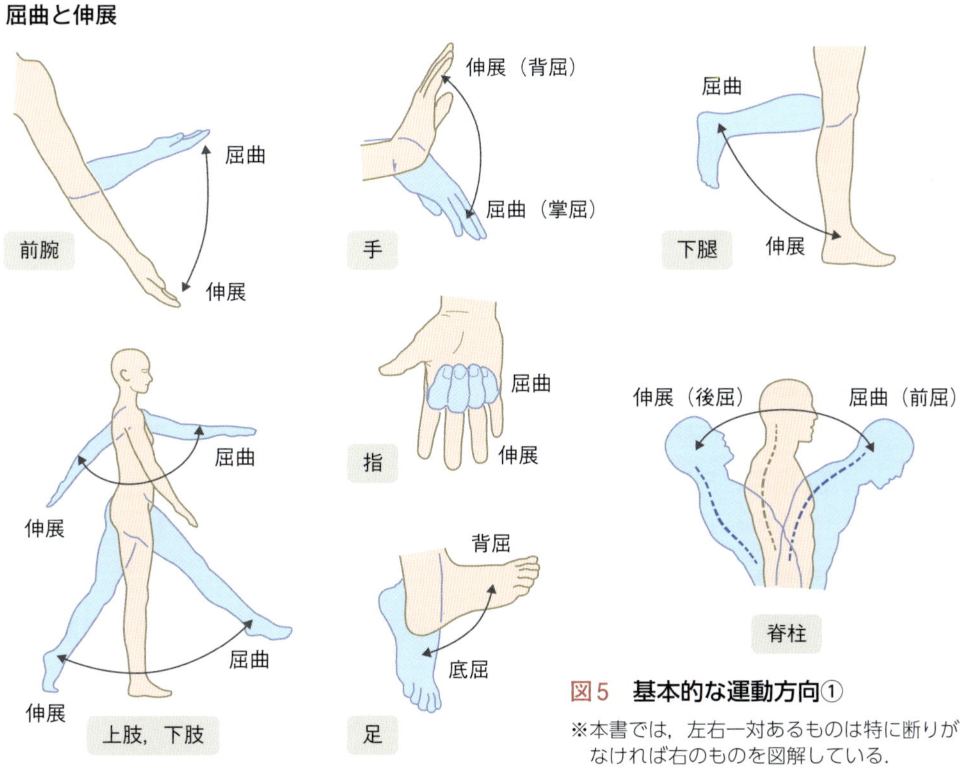

屈曲と伸展

図5　基本的な運動方向①

※本書では，左右一対あるものは特に断りがなければ右のものを図解している．

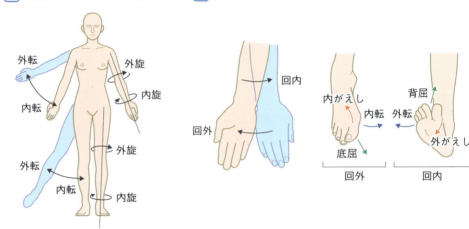

図6 基本的な運動方向②

2 外転と内転（図6A）
- 冠状面の運動で，体幹の軸や手指の軸から遠ざかる運動を**外転**，近づく運動を**内転**という．

3 外旋と内旋（図6A）
- 上腕ないし大腿軸を中心として外方へ回旋する運動を**外旋**，内方へ回旋する運動を**内旋**という．

4 回外と回内（図6B）
- 冠状面の運動で，前腕と足部でその定義が異なる．
  - 前腕：前腕軸を中心として外方へ回旋する運動を**回外**，内方へ回旋する運動を**回内**という．
  - 足部：いずれも足部の複合運動であり，底屈・内転・内がえしからなるものを**回外**，背屈・外転・外がえしからなるものを**回内**という．

5 水平屈曲と水平伸展（図7A）
- 水平面の運動で，肩関節90°外転位から前方への運動を**水平屈曲**，後方への運動を**水平伸展**という．

6 側屈（図7B）
- 頸部や体幹の冠状面の運動で，右側への運動を**右側屈**，左側への運動を**左側屈**という．

7 回旋（図7C）
- 頸部や胸腰部の水平面の運動で，右側への回旋を**右回旋**，左側への回旋を**左回旋**という．

8 橈屈と尺屈（図7D）
- 手の掌側面の運動で，橈側への運動を**橈屈**，尺側への運動を**尺屈**という．

9 挙上と下制（図8）
- 上肢帯の冠状面の運動で，上方への運動を**挙上**，下方への運動を**下制**という．

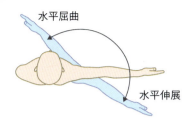
A 水平屈曲と水平伸展

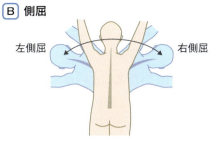
B 側屈

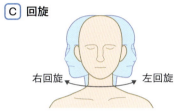
C 回旋

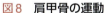
D 橈屈と尺屈

図7 基本的な運動方向③

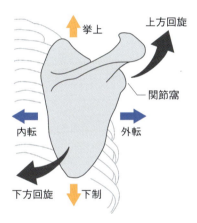

図8 肩甲骨の運動

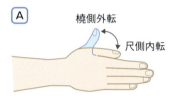
A 橈側外転・尺側内転

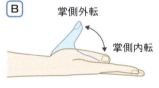
B 掌側外転・掌側内転

図9 母指の運動

10 上方回旋と下方回旋（図8）

- 肩甲骨の運動で，関節窩（⇨p.49）を上方へ向ける運動を**上方回旋**，下方へ向ける運動を**下方回旋**という．

11 母指の橈側外転と尺側内転（図9A）

- 母指の掌側面の運動で，母指を示指※から離す運動を**橈側外転**，その逆の運動を**尺側内転**という．

  ※解剖学では手の親指を第1指（母指），人差し指を第2指（示指），中指を第3指（中指），薬指を第4指（環指），小指を第5指（小指）とよぶ．また，足の指の部位名は「指」ではなく，「趾」を用いることが多い（例：足の親指は第1趾ないし母趾）．

12 母指の掌側外転と掌側内転（図9B）

- 掌側面に対して直角方向に，母指を示指から離す運動を**掌側外転**，その逆の運動を**掌側内転**という．

13 対立（図10）

- 母指が小指の尖端または基部に触れる運動で、**掌側外転・屈曲・回旋**の3要素が複合した運動である．

14 外がえしと内がえし（図11）

- 冠状面の距腿関節（足関節）・足部に関する運動で、足底が外方を向く動きを**外がえし**、足底が内方を向く動きを**内がえし**という．

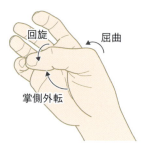

図10　対立

掌側外転：母指が手掌から離れる運動
屈曲：母指の中手指節関節（MP関節）が曲がる運動
回旋：母指の指腹が他の指と向き合う運動（軽度）

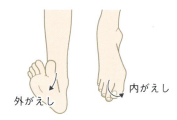

図11　外がえしと内がえし

臨床で重要！

医療における左右

　一般に図や絵を見た際、観察者（読者）から見た左側が左、右側が右と表現される．しかし、本書における左右は観察者側ではなく、対象者側から見た向きとして扱っている．解剖学では左右差がある身体構造を正しく理解するために、左右の表現を対象者側の視点に統一している（例：p.243図5の左心室は観察者から見て右側に位置している）．この表現は解剖学のみではなく、臨床現場で問診や各種検査を行う際も同様に用いられる（例：「左の膝が痛い」との訴えがあった場合、対象となる膝は観察者から見て右側である）．

　また、医療現場では左右の取り違えが、重篤な医療事故を引き起こす可能性につながる．将来の医療事故を防ぐためにも、初学年の段階から左右の表現に慣れる必要がある．

第1章 総論

3 骨の構造

> **学習のポイント**
> - 骨の構造を理解する
> - 骨質の構造を理解する
> - 骨の成長や再構築（リモデリング）について説明することができる

1 骨の分類

- 骨は非常に硬い結合組織で，骨格の大部分を構成している．骨は細胞外基質のコラーゲン線維にリン酸カルシウムが加わることによって硬度を得ている．骨組織は生きた組織であるため，血管が隅々まで分布し，高い修復能力をもつ．
- 人体には約206個の骨があり，その形状によって表1のように分類される．

表1 骨の分類

骨の形状	特徴	例
長骨（長管骨）	長い管状（髄腔をもつ）	上腕骨，大腿骨など
短骨	短い塊状	手根骨，足根骨など
扁平骨	扁平な板状	肩甲骨，腸骨など
含気骨	骨の内部に空洞（含気洞）をもつ	上顎骨，前頭骨など
不規則骨	不規則な形状	椎骨，下顎骨など
種子骨	腱の内部に形成される骨	膝蓋骨など

> **国試のPoint**
>
> **骨の機能**
> 成人の骨格の骨は，以下の5つの機能をもつ．
> ①付着する骨格筋の収縮により，運動の力学的基礎として働く．
> ②軟骨や線維性結合組織とともに骨格を形成し，身体と体腔の構造を支持する．
> ③脳や臓器などの構造を，外部の衝撃から保護する．
> ④成人の体内のカルシウム量の約99％（体重の約1.5％）を貯蔵する．
> ⑤赤色骨髄（⇨p.29）で造血を行う（赤血球，白血球，血小板など）．

2 骨の構造

- 骨は**骨膜・軟骨質・骨質・骨髄**から構成される（図1B）．また，形状によって成り立ちが異なり，長骨では中央部を**骨幹**，両端を**骨端**という（図1A）．

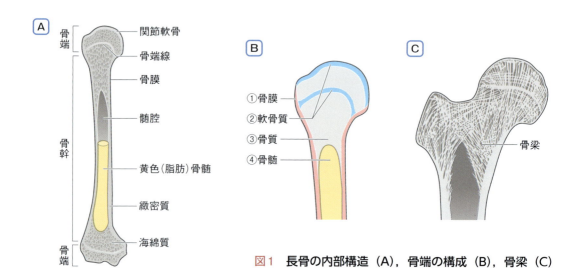

図1　長骨の内部構造（A），骨端の構成（B），骨梁（C）

1) 骨膜

- 感覚神経および血管に富む結合組織性の膜で，骨の外側（関節軟骨および筋の付着部を除く）を覆っている．骨端では**関節包**に移行している（⇨1章-5図2）．
- 骨膜は**シャーピー線維**によって骨質と結合しており（図2），骨の横軸方向（太さ）の成長に関与している．

2) 軟骨質

- **関節軟骨**と**骨端軟骨**からなり，いずれも**硝子軟骨**によって構成される．
- 関節軟骨は骨の関節面を覆っており，骨同士が接触する際の衝撃を緩和する働きをもつ．また，関節軟骨には血管やリンパ管は存在せず，滑液によって栄養が行われる．そのため，再生能力が非常に低い．
- 骨端軟骨は骨端と骨幹の間にあり，骨の縦軸方向（長さ）の成長に関与する．また，青年期以降では成長が止まって骨化し，**骨端線**となる（図1A）．

> **国試のPoint　軟骨の組織学的分類**
> 軟骨は細胞外基質のコラーゲン線維とプロテオグリカンによって構成されており，半透明で弾力性をもつ．組織学的に以下の3つに分類される．
> ①**硝子軟骨**：人体で最も広く分布する軟骨で，**関節軟骨**に加え**肋軟骨・喉頭軟骨**（喉頭蓋軟骨は除く）**・気管軟骨・気管支軟骨**でみられる．
> ②**弾性軟骨**：大量の弾性線維を含む軟骨で，**耳介軟骨**や**喉頭蓋軟骨**でみられる．
> ③**線維軟骨**：大量の膠原線維を含む軟骨で，**椎間円板・恥骨結合・関節半月・関節円板・関節唇**でみられる．

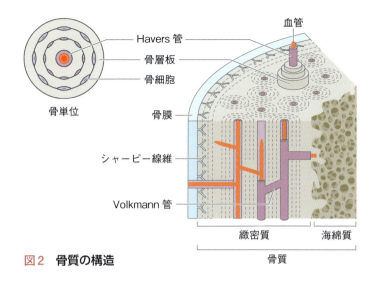

図2 骨質の構造

3) 骨質

- **緻密質**（緻密骨，皮質骨）と**海綿質**（海綿骨）からなる．緻密質は骨表面の緻密な骨質で，**骨単位**が集まって形成される（図2）．海綿質は骨内部のスポンジ状の骨質であり，**骨梁**（図1C）によって形成される．骨梁の方向には規則性があり，外力に抗して骨を支えるのに適した構造をしている．
- 骨質の内部には**髄腔**という空洞があり，その中は**骨髄**によって満たされている（図1A）．

4) 骨髄

- 長骨の髄腔や，他の形状の骨の海綿質の間隙を満たす組織で，**造血機能**をもつ．
- 造血機能をもつ骨髄は赤色なので**赤色骨髄**とよばれる．しかし，出生後は造血機能が低下し，思春期以降では赤色骨髄は脂肪組織に置換される．これを**黄色骨髄**という．

3 骨単位

- 緻密質の組織は，顕微鏡で見える**骨単位**からできている．骨単位はHavers管（ハバース）という管を中心として，**骨層板**という薄い層板が木の年輪状に取り囲んだものである（図2）．Havers管の中には細い血管などが走行しており，骨層板内の骨細胞を栄養している．
- 隣り合ったHavers管同士を結ぶ管を**Volkmann管**（フォルクマン）という．

4 骨の再構築（リモデリング）

- 骨膜や骨質には，**破骨細胞**や**骨芽細胞**が存在する．破骨細胞は古くなった骨質の吸収と破壊（骨吸収）に，骨芽細胞は新しい骨の形成（骨形成）に関与する．この働きを**骨の再構築**（リモデリング）という．20〜30代では数年で全身の骨が入れ替わるとされている．

Point 骨の形状をあらわす用語

骨には数多くの凹凸部があり，その大多数には筋や腱が付着している．これらの部位名は，筋の起始・停止を暗記するのに先立って覚えなければならない．骨の凹凸部には，その形状をあらわす特有の名称がついており，それを理解することが学習の一助となる．

顆（か）（丸いでっぱり，特に関節面）	果（か）（丸い突起，特にくるぶし）
上顆（じょうか）（顆の上方のでっぱり）	切痕（せっこん）（骨のへりの切れ込み）
稜（りょう）（骨の尾根）	隆起（りゅうき）（突出部）
面（めん）（平坦部，特に関節する平滑面）	棘（きょく）（トゲのように突き出た部位）
孔（こう）（骨を通る穴）	転子（てんし）（大きく太い盛り上がり）
窩（か）（中空あるいはくぼんだ領域）	結節（けっせつ）（盛り上がった部位）
線（せん）（線状の隆起）	粗面（そめん）（ざらざらした面）

Point 四肢の骨格の特徴

　ヒトの上肢と下肢は一見，形態が大きく異なっているように見えるが，骨格から比較をすると類似点が非常に多い．近年の研究では上肢と下肢は共通の遺伝情報を有しており，適応によって骨格の形態形成が行われることが明らかにされている．つまり肩甲骨は寛骨，上腕骨は大腿骨と対応しているのだが，鎖骨に対応する構造は下肢にはない．

　鎖骨は数ある哺乳類のなかでも，ヒトとごく一部の動物にしか存在していない．鎖骨をもたない大半の哺乳類は，肩甲骨と体幹が筋のみで連結している．それに対し，ヒトの肩甲骨と体幹の連結は筋のみではなく，鎖骨も加わっている．鎖骨が連結に加わることにより，肩には多数の解剖学的・機能的関節が形成され，その可動性に寄与している（⇨p.60 Point, p.73 臨床で重要！）．

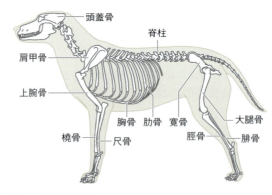

図　イヌの骨格
肩甲骨の位置と鎖骨の有無に着目．

第1章 総論

4 筋の構造

学習のポイント

- 筋の各種類の特徴を説明することができる
- 骨格筋の収縮様式の違いを説明し，実際に身体で行うことができる
- 骨格筋の形状の特徴を理解する

1 筋の種類

- 筋はその収縮によって**張力**を発生させ，身体や内部の器官の運動や立位姿勢の保持をする組織である．筋はその構造と収縮様式の違いにより，表1のように分けられる．

表1 筋の種類と主な機能

筋の種類		主な機能	横紋構造の有無	支配神経	随意性の有無
骨格筋		身体の運動と姿勢保持	○	運動神経	○
平滑筋		臓器の運動		自律神経	
心筋	固有心筋	心臓のポンプ作用	○	自律神経	
	特殊心筋	興奮の自動発生とその伝導	○	自律神経	

1）骨格筋（図1A）

- 骨格筋は体重の約25〜35％を占め，その数は約600種に及ぶ．骨格に動きを与え，身体の運動や姿勢保持に働く．意思によって制御することができるため**随意筋**とよばれ，**運動神経**によって支配される．
- 骨格筋は太さ約100 μm，長さが約10 cmの筋線維から構成されており，その中には**横紋**という縞模様があるため，**横紋筋**ともよばれる．

2）平滑筋（図1B）

- 平滑筋は，長細い紡錘状の**平滑筋細胞**によって構成される．内腔をもつ臓器（消化管・気管・尿管・膀胱・子宮など）の筋層や，血管壁，皮膚の立毛筋，眼球の瞳孔括約筋・瞳孔散大筋や毛様体筋として存在する．

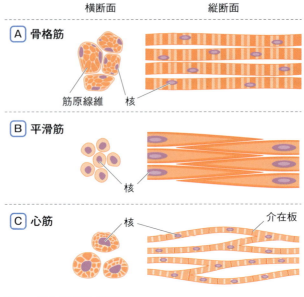

図1 筋の種類と構造

- 骨格筋とは異なり，意識的に動かすことができないため**不随意筋**とよばれ，**自律神経**によって支配される．平滑筋の核は中央付近にあり，横紋構造はみられない．

3) 心筋（図1C）

- 心筋は，横紋構造をもつ**心筋細胞**によって構成される**横紋筋**である（横紋筋ではあるが，平滑筋と同様に**自律神経**によって支配される**不随意筋**である）．
- 心筋細胞はその両端に存在する**介在板**によって細胞同士が結合され，網の目状の構造をしている（この結合を**ギャップ結合**とよぶ）．ギャップ結合の働きによって1個の心筋細胞の興奮が隣接する心筋細胞に伝わり，心房・心室の全体が興奮することになる．
- 心筋は心筋層を構成する**固有心筋**と，興奮の自動発生とその伝導を行う**特殊心筋**に分けられる．また，特殊心筋は**刺激伝導系**（⇨p.246）を構成している．

2 骨格筋の各部の名称

- 1つの骨格筋は通常，2つの付着部を骨にもつ（皮膚に停止する**皮筋**や，筋膜に付着する筋を除く）．筋は**腱**によって骨と付着し，張力を骨格に伝えている．
- 筋が付着する部位のうち，原則として身体の中心に近い側を**起始**，遠い側を**停止**とよぶ（図2）．筋の作用により，起始と停止は三次元的に接近するように運動する．
- 筋の起始側を**筋頭**，停止側を**筋尾**，その中央部の筋の本体を**筋腹**という．

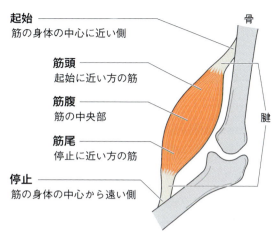

図2 骨格筋の各部の名称

3 収縮の種類

- 骨格筋が運動神経の興奮を受け,張力を発生することを**収縮**という.骨格筋の収縮には以下の種類がある(図3).

1 求心性収縮:筋長が短くなりながら張力を発揮する収縮をいう.
2 遠心性収縮:筋長が長くなりながら張力を発揮する収縮をいう.遠心性収縮は求心性収縮よりも大きな張力を発揮することができる.
3 等尺性収縮:筋長が変化せずに張力を発揮する収縮をいう.
4 等張性収縮:筋張力が変化せずに収縮する状態をいう(例:4kgのダンベルを持って行う肘関節屈曲運動など).
5 等速性収縮:角速度(関節などの回転運動の速度)が変化せずに張力を発揮する収縮をいう.

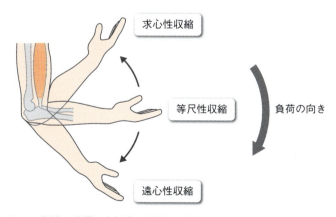

図3 収縮の種類(上腕二頭筋の例)

4 骨格筋の形状による分類

- 骨格筋はその形状や形態により，以下に分類される（図4）．

1 扁平筋：筋線維は平行に走行し，しばしば腱膜をもつ（外腹斜筋など）．

2 羽状筋：筋線維が羽状に走行する筋であり，**半羽状筋**（長趾伸筋など），**羽状筋**（前脛骨筋など），**多羽状筋**（三角筋など）がある．

3 紡錘状筋：丸く太い筋腹と，細い両端をもつ形状の筋である（上腕筋など）．

4 多頭筋：起始となる2頭以上の筋頭をもち，**二頭**（上腕二頭筋など），**三頭筋**（上腕三頭筋など），**四頭**（大腿四頭筋など）がある．

5 多腹筋：収縮する筋腹を2つ以上もつ筋である（顎二腹筋や腹直筋など）．

6 方形筋：形状が正方形に近く，四辺の長さがほぼ等しい筋である（方形回内筋など）．

7 輪筋および括約筋：身体の開口部を取り巻く筋で，収縮によって開口部を締める（口輪筋など）．

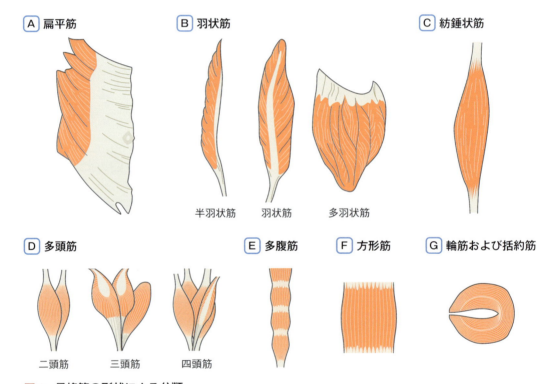

図4 骨格筋の形状による分類

臨床で重要！ OKCとCKC

「ある関節で運動が生じると，その運動の影響が隣接関節に波及すること」を**運動連鎖**とよぶ（Steindler, 1955）．また，運動時に遠位の肢節が動くことを**開放運動連鎖**（open kinetic chain：**OKC**），地面などにより遠位部が固定された状態で近位の肢節が動くことを**閉鎖運動連鎖**（closed kinetic chain：**CKC**）とよぶ．姿勢分析や動作分析を考えるうえで，OKCやCKCの概念は重要である．

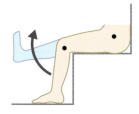 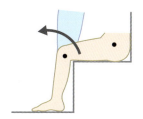

図　OKCとCKC

国試のPoint 筋フィラメントと骨格筋の収縮

骨格筋の細胞のなかには**筋フィラメント**（**細胞骨格**）とよばれる線維系タンパク質群が存在する．筋フィラメントには細い**アクチンフィラメント**（径約6 nm）と太い**ミオシンフィラメント**（径約15 nm）があり，櫛の歯が噛み合うように配置されている．骨格筋の収縮は，アクチンフィラメントがミオシンフィラメントの間に滑り込むことによって行われる．これを**滑走説**（**滑り説**：sliding theory）という．

- **A帯**：アクチンフィラメントとミオシンフィラメントが重なっている部分で，暗く見えるため**暗帯**ともいう（A帯の中央には部分的に筋フィラメントが重なっていない領域があり，ここをH帯という）．筋収縮の際でも長さは変化しない．
- **I帯**：アクチンフィラメントとミオシンフィラメントが重なっていない部分（アクチンフィラメントのみの領域）で，明るく見えるため**明帯**ともいう．筋収縮の際に長さが短くなる．
- **M線**：A帯（暗帯）の中央部分．両側に伸びるミオシンフィラメントの一端を固定している（H帯の中央部分でもある）．
- **Z帯**（**Z膜**）：I帯（明帯）の中央部分．両側に伸びるアクチンフィラメントの一端を固定している．
- **筋節**：Z帯から隣のZ帯までの部位で，筋原線維の最小単位となる．
- **H帯**：A帯の中央部にあるアクチンフィラメントとミオシンフィラメントが重なっていない部分（ミオシンフィラメントのみの領域）．筋収縮の際に長さが短くなる．

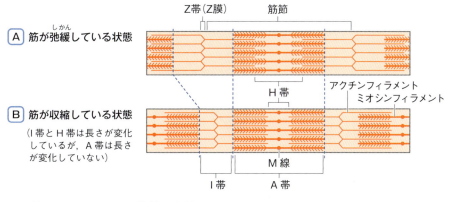

図　筋フィラメントと骨格筋の収縮

第1章 総論

5 関節の形態と可動域

> **学習のポイント**
> - 骨の連結の分類を覚える
> - 滑膜性関節の構造を図示できるようになる
> - 関節の形状と，それに伴う運動を理解する
> - 実際に歩行を行いながら，歩行周期の各相を説明することができる

1 連結の分類

- 骨同士の連結（**広義の関節**）は，可動性のあるものとないものに分けられる．

1）不動性の連結

- 可動性のない連結は**不動性の連結**とよばれ，骨と骨の隙間が組織によって埋められている．隙間を埋める組織の種類によって，図1のように分類される．

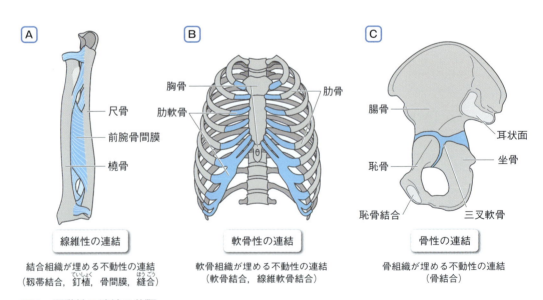

A 線維性の連結
結合組織が埋める不動性の連結
（靱帯結合，釘植，骨間膜，縫合）

B 軟骨性の連結
軟骨組織が埋める不動性の連結
（軟骨結合，線維軟骨結合）

C 骨性の連結
骨組織が埋める不動性の連結
（骨結合）

図1　不動性の連結の分類

2) 可動性の連結

- 可動性のある連結は**滑膜性の連結**（狭義の関節）とよばれ，骨と骨の間に**関節腔**という隙間があり，その中を**滑液**（関節の動きを潤滑にする役割をもつ）が満たす．

2 関節の構造（滑膜性の連結の構造）

- 関節を形成する骨は通常，一方が凸で他方が凹の形状をしており，凸の方を**関節頭**，凹の方を**関節窩**という．関節は以下により構成される（図2）．

1) 関節軟骨

- 関節軟骨は**硝子軟骨**によって構成されており，関節面を覆って骨同士がぶつかった際の衝撃を吸収する役割をもつ．関節軟骨には血管やリンパ管は存在せず，滑液によって栄養される．そのため，再生能力が非常に低い．
- 一部の関節には，以下の補助的な構造がみられる（図3）．
  - ▶ **関節半月**：関節包から伸びる半円状の線維軟骨で，**膝関節**にみられる．
  - ▶ **関節円板**：関節包から伸びる板状の線維軟骨で，**顎関節・胸鎖関節・下橈尺関節**にみられる（肩鎖関節も含まれることがあるが，形状が不完全な場合が多い）．
  - ▶ **関節唇**：関節窩周囲の輪状の線維軟骨で，**肩関節と股関節**にみられる．

2) 関節腔

- 骨端と骨端の間にある隙間で，外周は関節包によって覆われている．その内部は**滑液**によって満たされている．

3) 関節包

- 関節の周囲を覆っている構造で，その外側を**線維膜**，内側を**滑膜**という．滑膜はその名のとおり，関節包の内側を覆う「つるり」とした膜で，関節軟骨を栄養する**滑液**を産生する．
- 関節包の線維膜の一部は肥厚して**靱帯**を形成し，関節を補強する役割をもつ．また，一部の靱帯は，関節包から独立している（例：前十字靱帯など）．

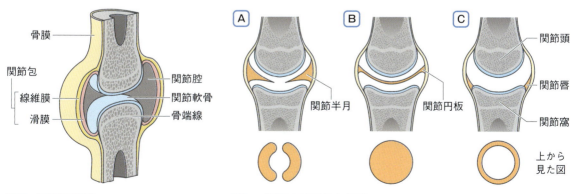

図2 関節の構造

図3 関節の補助的な構造

4）骨膜

- 骨幹を包む線維性の結合組織の膜で，関節包の線維膜に移行している．
- 骨膜には神経・血管が密に分布しており，骨の横軸方向（太さ）の成長にも関与する．

5）骨端線

- 骨幹と骨端の間に位置する骨組織で，青年期以前は**骨端軟骨**とよばれて骨の縦軸方向（長さ）の成長に関与する．また，青年期以降では**骨端線**へと変化し，骨の成長は止まる．
- 骨端軟骨から起こる骨の発生は，**軟骨内骨化**とよばれている．また，軟骨組織ではなく，結合組織から起こる骨の発生を**膜性骨化**（**膜内骨化**）という．頭蓋骨の大部分や鎖骨は，膜性骨化によって形成されている．

> **国試のPoint　滑液の「色」について**
> 国家試験では「滑液は黄褐色である」という設問がよく出題されるが，滑液は基本的には**無色透明**であるため，誤りである．なお，滑液は炎症が起こった際に黄褐色に変化する特徴をもつ．

3　関節の形状と動き

- 関節の動きは，関節頭と関節窩の形状によって以下のように分類される．

1）1軸性関節（図4A）

- 1つの運動軸を中心に運動が可能な関節をいう．

❶ 車軸関節：円筒状の関節頭と，車の軸受けのような関節窩からなる．骨の長軸まわりに一方向の回転運動を行う（正中環軸関節，上・下橈尺関節など）．

❷ 蝶番関節：円筒状の関節頭と，それがはまり込むような関節窩からなり，一方向の回転運動を行う（近位・遠位指節間関節など）．

❸ らせん関節：蝶番関節の変形とみるべき関節で，屈曲・伸展時に回旋が伴い，「らせん状」の運動を行う（腕尺関節，距腿関節，脛骨大腿関節※など）．

※脛骨大腿関節は2つの顆状の関節面をもつ1軸性関節であるため，**双顆関節**と記載されることもある．

2）2軸性関節（図4B）

- 2つの直交した運動軸を中心に運動が可能な関節をいう．

❶ 楕円関節（顆状関節）：楕円球状の関節頭と，それに対応する関節窩からなり，直交する長軸と短軸の2軸性の運動を行う（橈骨手根関節，顎関節など）．

❷ 鞍関節：双方の関節面が馬の鞍のような形状をした関節で，直交する2つの運動軸をもち，二方向に運動を行う（母指の手根中手関節，胸鎖関節など）．

3）多軸性関節（図4C）

- 3つ以上の運動軸をもち，あらゆる方向への運動が可能な関節をいう．

A 1軸性関節

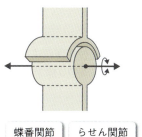

車軸関節　　蝶番関節　らせん関節

B 2軸性関節

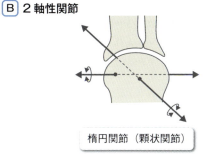
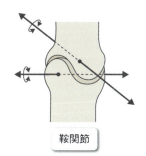

楕円関節（顆状関節）　　鞍関節

C 多軸性関節

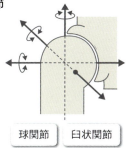
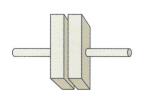

球関節　臼状関節　　平面関節　半関節

図4　関節の形状と動き
文献22をもとに作成．

1. **球関節**※：球状の関節頭と，浅くくぼんだ関節窩からなり，あらゆる方向に大きな可動域を有する（肩関節，腕橈関節）．
   ※股関節では**臼状関節**ともよばれる．

2. **平面関節**：両関節面が平面状の関節で，互いにずれるような滑走運動を行う（肩鎖関節，手根間関節，第2〜5指の手根中手関節，膝蓋大腿関節，椎間関節など）．

3. **半関節**：平面関節の一種で，強靱な靱帯と丈夫な関節包，平滑ではない関節面をもつ（仙腸関節など）．

> **国試のPoint　腕橈関節は球関節**
> 国家試験において「腕橈関節が球関節であるかどうか」という設問がよく出題される．「球関節＝可動域の広い関節」というイメージが強いため，誤って覚えてしまう学生が多い印象を受ける．腕橈関節は肘関節の屈曲・伸展と前腕の回内・回外を行う関節であるため，多軸性関節の球関節ではないと覚えてしまう傾向がある．しかし，腕橈関節は上腕骨小頭と橈骨頭上面の形状から「球関節」として扱われるため，注意が必要である．

4 関節とてこ

- 身体の運動や姿勢制御には「てこの機構」が関与しており，関節は支点の働きを果たす．てこの種類には以下の3種がある（図5）．

1 第1のてこ

- 支点が力点と荷重点の間にあり，その特徴は安定性である（例：環椎後頭関節を支点とした頭頸部の前後屈運動，片脚立位時の中殿筋の作用など）．

2 第2のてこ

- 荷重点が支点と力点の間にあり，その特徴は力の有利性である（例：肘関節屈曲時の腕橈骨筋の作用，顎関節を支点とした下顎の運動など）．人体での適用例は少ない．

※立位における下腿三頭筋による踵挙上（爪先立ち）については状況によって各点の位置関係が変化するため，第1ないし第2のてことして扱われる．

3 第3のてこ

- 力点が支点と荷重点の間にあり，その特徴は速さの有利性である（例：肘関節屈曲時の上腕二頭筋の作用など）．人体での適用例が最も多い．

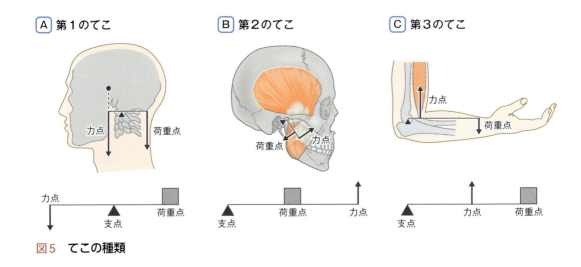

図5 てこの種類

5 関節可動域

- 関節が動く範囲を**関節可動域**という．関節可動域は関節の形状や年齢，個体差によって異なる．そのため，日本リハビリテーション医学会，日本整形外科学会，日本足の外科学会によって，各関節の標準的な可動域が定められている（表1）．

表1 関節可動域表示ならびに測定法

Ⅰ．上肢測定

部位名	運動方向	参考可動域角度	基本軸	移動軸	測定肢位および注意点	参考図
肩甲帯 shoulder girdle	屈曲 flexion	0-20	両側の肩峰を結ぶ線	頭頂と肩峰を結ぶ線		
	伸展 extension	0-20				
	挙上 elevation	0-20	両側の肩峰を結ぶ線	肩峰と胸骨上縁を結ぶ線	背面から測定する．	
	引き下げ（下制） depression	0-10				
肩 shoulder（肩甲帯の動きを含む）	屈曲（前方挙上） forward flexion	0-180	肩峰を通る床への垂直線（立位または座位）	上腕骨	前腕は中間位とする．体幹が動かないように固定する．脊柱が前後屈しないように注意する．	
	伸展（後方挙上） backward extension	0-50				
	外転（側方挙上） abduction	0-180	肩峰を通る床への垂直線（立位または座位）	上腕骨	体幹の側屈が起こらないように90°以上になったら前腕を回外することを原則とする． →［Ⅴ．その他の検査法］参照	
	内転 adduction	0				
	外旋 external rotation	0-60	肘を通る前額面への垂直線	尺骨	上腕を体幹に接して，肘関節を前方に90°に屈曲した肢位で行う．前腕は中間位とする． →［Ⅴ．その他の検査法］参照	
	内旋 internal rotation	0-80				
	水平屈曲 horizontal flexion (horizontal adduction)	0-135	肩峰を通る矢状面への垂直線	上腕骨	肩関節を90°外転位とする．	
	水平伸展 horizontal extension (horizontal abduction)	0-30				
肘 elbow	屈曲 flexion	0-145	上腕骨	橈骨	前腕は回外位とする．	
	伸展 extension	0-5				
前腕 forearm	回内 pronation	0-90	上腕骨	手指を伸展した手掌面	肩の回旋が入らないように肘を90°に屈曲する．	
	回外 supination	0-90				
手 wrist	屈曲（掌屈） flexion (palmar flexion)	0-90	橈骨	第2中手骨	前腕は中間位とする．	
	伸展（背屈） extension (dorsiflexion)	0-70				
	橈屈 radial deviation	0-25	前腕の中央線	第3中手骨	前腕を回内位で行う．	
	尺屈 ulnar deviation	0-55				

（次ページへ続く）

Ⅱ．手指測定

部位名	運動方向	参考可動域角度	基本軸	移動軸	測定肢位および注意点	参考図
母指 thumb	橈側外転 radial abduction	0-60	示指（橈骨の延長上）	母指	運動は手掌面とする．以下の手指の運動は，原則として手指の背側に角度計をあてる．	
	尺側内転 ulnar adduction	0				
	掌側外転 palmar abduction	0-90			運動は手掌面に直角な面とする．	
	掌側内転 palmar adduction	0				
	屈曲（MCP） flexion	0-60	第1中手骨	第1基節骨		
	伸展（MCP） extension	0-10				
	屈曲（IP） flexion	0-80	第1基節骨	第1末節骨		
	伸展（IP） extension	0-10				
指 finger	屈曲（MCP） flexion	0-90	第2～5中手骨	第2～5基節骨	→［Ⅴ．その他の検査法］参照	
	伸展（MCP） extension	0-45				
	屈曲（PIP） flexion	0-100	第2～5基節骨	第2～5中節骨		
	伸展（PIP） extension	0				
	屈曲（DIP） flexion	0-80	第2～5中節骨	第2～5末節骨	DIPは10°の過伸展をとりうる．	
	伸展（DIP） extension	0				
	外転 abduction		第3中手骨延長線	第2, 4, 5指軸	中指の運動は橈側外転，尺側外転とする．→［Ⅴ．その他の検査法］参照	
	内転 adduction					

Ⅲ. 下肢測定

部位名	運動方向	参考可動域角度	基本軸	移動軸	測定肢位および注意点	参考図
股 hip	屈曲 flexion	0-125	体幹と平行な線	大腿骨（大転子と大腿骨外顆の中心を結ぶ線）	骨盤と脊柱を十分に固定する．屈曲は背臥位，膝屈曲位で行う．伸展は腹臥位，膝伸展位で行う．	
	伸展 extension	0-15				
	外転 abduction	0-45	両側の上前腸骨棘を結ぶ線への垂直線	大腿中央線（上前腸骨棘より膝蓋骨中心を結ぶ線）	背臥位で骨盤を固定する．下肢は外旋しないようにする．内転の場合は，反対側の下肢を屈曲挙上してその下を通して内転させる．	
	内転 adduction	0-20				
	外旋 external rotation	0-45	膝蓋骨より下ろした垂直線	下腿中央線（膝蓋骨中心より足関節内外果中央を結ぶ線）	背臥位で，股関節と膝関節を90°屈曲位にして行う．骨盤の代償を少なくする．	
	内旋 internal rotation	0-45				
膝 knee	屈曲 flexion	0-130	大腿骨	腓骨（腓骨頭と外果を結ぶ線）	屈曲は股関節を屈曲位で行う．	
	伸展 extension	0				
足関節・足部 foot and ankle	外転 abduction	0-10	第2中足骨長軸	第2中足骨長軸	膝関節を屈曲位，足関節を0°で行う．	
	内転 adduction	0-20				
	背屈 dorsiflexion	0-20	矢状面における腓骨長軸への垂直線	足底面	膝関節を屈曲位で行う．	
	底屈 plantar flexion	0-45				
	内がえし inversion	0-30	前額面における下腿軸への垂直線	足底面	膝関節を屈曲位，足関節を0°で行う．	
	外がえし eversion	0-20				
第1趾，母趾 great toe, big toe	屈曲（MTP）flexion	0-35	第1中足骨	第1基節骨	以下の第1趾，母趾，趾の運動は，原則として趾の背側に角度計をあてる．	
	伸展（MTP）extension	0-60				
	屈曲（IP）flexion	0-60	第1基節骨	第1末節骨		
	伸展（IP）extension	0				
趾 toe, lesser toe	屈曲（MTP）flexion	0-35	第2～5中足骨	第2～5基節骨		
	伸展（MTP）extension	0-40				
	屈曲（PIP）flexion	0-35	第2～5基節骨	第2～5中節骨		
	伸展（PIP）extension	0				
	屈曲（DIP）flexion	0-50	第2～5中節骨	第2～5末節骨		
	伸展（DIP）extension	0				

（次ページへ続く）

Ⅳ．体幹測定

部位名	運動方向		参考可動域角度	基本軸	移動軸	測定肢位および注意点	参考図
頸部 cervical spine	屈曲（前屈）flexion		0-60	肩峰を通る床への垂直線	外耳孔と頭頂を結ぶ線	頭部体幹の側面で行う．原則として腰かけ座位とする．	
	伸展（後屈）extension		0-50				
	回旋 rotation	左回旋	0-60	両側の肩峰を結ぶ線への垂直線	鼻梁と後頭結節を結ぶ線	腰かけ座位で行う．	
		右回旋	0-60				
	側屈 lateral bending	左側屈	0-50	第7頸椎棘突起と第1仙椎の棘突起を結ぶ線	頭頂と第7頸椎棘突起を結ぶ線	体幹の背面で行う．腰かけ座位とする．	
		右側屈	0-50				
胸腰部 thoracic and lumbar spines	屈曲（前屈）flexion		0-45	仙骨後面	第1胸椎棘突起と第5腰椎棘突起を結ぶ線	体幹側面より行う．立位，腰かけ座位または側臥位で行う．股関節の運動が入らないように行う．→［Ⅴ．その他の検査法］参照	
	伸展（後屈）extension		0-30				
	回旋 rotation	左回旋	0-40	両側の後上腸骨棘を結ぶ線	両側の肩峰を結ぶ線	座位で骨盤を固定して行う．	
		右回旋	0-40				
	側屈 lateral bending	左側屈	0-50	ヤコビー（Jacoby）線の中点に立てた垂直線	第1胸椎棘突起と第5腰椎棘突起を結ぶ線	体幹の背面で行う．腰かけ座位または立位で行う．	
		右側屈	0-50				

Ⅴ．その他の検査法

部位名	運動方向	参考可動域角度	基本軸	移動軸	測定肢位および注意点	参考図
肩 shoulder（肩甲骨の動きを含む）	外旋 external rotation	0-90	肘を通る前額面への垂直線	尺骨	前腕は中間位とする．肩関節は90°外転し，かつ肘関節は90°屈曲した肢位で行う．	
	内旋 internal rotation	0-70				
	内転 adduction	0-75	肩峰を通る床への垂直線	上腕骨	20°または45°肩関節屈曲位で行う．立位で行う．	
母指 thumb	対立 opposition				母指先端と小指基部（または先端）との距離（cm）で表示する．	
指 finger	外転 abduction		第3中手骨延長線	2, 4, 5指軸	中指先端と2, 4, 5指先端との距離（cm）で表示する．	
	内転 adduction					
	屈曲 flexion				指尖と近位手掌皮線（proximal palmar crease）または遠位手掌皮線（distal palmar crease）との距離（cm）で表示する．	
胸腰部 thoracic and lumbar spines	屈曲 flexion				最大屈曲は，指先と床との間の距離（cm）で表示する．	

Ⅵ．顎関節計測

顎関節 temporomandibular joint	開口位で上顎の正中線で上歯と下歯の先端との間の距離（cm）で表示する．左右偏位（lateral deviation）は上顎の正中線を軸として下歯列の動きの距離を左右ともcmで表示する．参考値は上下第1切歯列対向縁線間の距離5.0 cm，左右偏位は1.0 cmである．

「関節可動域表示ならびに測定法改訂について（2022年4月改訂）」，日本リハビリテーション医学会，日本整形外科学会，日本足の外科学会より引用．

> **Point** 「関節可動域表示ならびに測定法」改訂の概要
>
> 「関節可動域表示ならびに測定法」(表1) は2022年4月に日本リハビリテーション医学会, 日本整形外科学会, 日本足の外科学会により, 約27年ぶりの改訂が行われた. 主な変更内容は以下のとおりである (2022年以前の国家試験等の問題には改訂前のものが出題されているため, 注意していただきたい).
>
> ①足の矢状面の運動
>   かつては屈曲 (底屈)・伸展 (背屈) であったが, 底屈・背屈に統一.
> ②足関節・足部の内転・外転運動の基本軸と移動軸
>   かつては第1・2中足骨の間の中央線であったが, 第2中足骨長軸に統一.
> ③足部の外がえしと内がえし
>   改訂前：外がえしは足部の回内・外転・背屈, 内がえしは足部の回外・内転・底屈の複合運動.
>   改訂後：足底が外方を向く動きを外がえし, 足底が内方を向く動きを内がえしに修正.
> ④足部の回外と回内
>   改訂前：足部の冠状面での運動で, 回外は外方へ回旋する運動, 回内は内方へ回旋する運動.
>   改訂後：回外は底屈・内転・内がえし, 回内は背屈・外転・外がえしの複合運動.
> ⑤参考可動域角度
>   かつては最終可動域のみの記載であったが, 0°から最終可動域までの範囲を示すようになった (例：肩関節屈曲180°→0-180°).
>   また, 外反・内反は変形を意味する用語であるため, 関節運動の名称としては用いないことが改めて示された.

> **臨床で重要!** 肩関節の内旋, 外旋
>
> 「関節可動域表示ならびに測定法」(表1) では, 肩関節の内旋および外旋の関節可動域の出発肢位を上腕下垂位, 肘関節90°屈曲位としている. しかし, 臨床場面ではその出発肢位の違いによって**1stポジション**, **2ndポジション**, **3rdポジション**の3種に区分することがある.

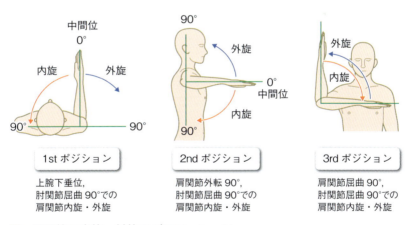

図　肩関節の内旋, 外旋のバリエーション

6 歩行周期

- 歩行は重力に抗して立位姿勢を保ちつつ, 全身を移動させる複雑な動作である. その周期は, 足が地面に着いている時期 (**立脚相**) と足が地面から離れている時期 (**遊脚相**) に区分される. 1歩行周期における両者の割合は<u>立脚相が60％, 遊脚相が40％</u>に相当する (図6).

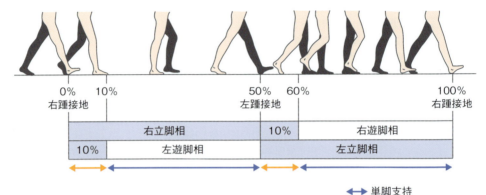

図6　歩行周期

- 立脚相の最初と最後には，両脚が同時に地面に接している時期（**同時定着時期**）が存在する．同時定着時期は1歩行周期で10％ずつ2回，計20％みられる．
- 立脚相と遊脚相は以下のように分かれる．

1 立脚相（図7）

- 踵接地 heel contact（**初期接地** initial contact）
- 足底接地 foot flat（**荷重応答期** loading response）
- 立脚中期 mid stance
- 踵離地 heel off（**立脚後期，立脚終期** terminal stance）
- 爪先離地 toe off（**前遊脚期** pre-swing）

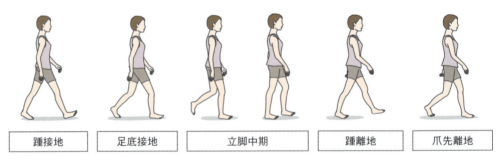

図7　歩行周期の立脚相

2 遊脚相（図8）

- 加速期 acceleration
  （遊脚初期 initial swing）
- 遊脚中期 mid swing
- 減速期 deceleration
  （遊脚後期，遊脚終期 terminal swing）

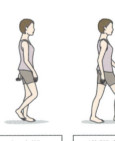

図8　歩行周期の遊脚相

国家試験練習問題

問1 骨で正しいのはどれか．[第58回PM問51]
1. 短骨には髄腔がある．
2. 黄色骨髄は造血機能を持つ．
3. 海綿骨にはHavers管がある．
4. 骨芽細胞は骨吸収に関与する．
5. 皮質骨表面は骨膜で覆われている．

問2 運動軸が2つの関節はどれか．[第53回AM問52]
1. 手指PIP関節
2. 橈骨手根関節
3. 腕尺関節
4. 上橈尺関節
5. 肩甲上腕関節

問3 骨について正しいのはどれか．[第56回PM問53]
1. 皮質骨は骨梁から形成される．
2. 幼児期の骨髄は黄色骨髄である．
3. 海綿骨の表面は骨膜で覆われている．
4. 皮質骨にはHavers〈ハバース〉管が存在する．
5. 骨は軟骨よりもプロテオグリカンを豊富に含む．

問4 膜性骨化で形成されるのはどれか．[第51回PM問51]
1. 肋骨
2. 頭蓋骨
3. 上腕骨
4. 手根骨
5. 大腿骨

問5 関節とその形状の組合せについて正しいのはどれか．[第50回AM問51]
1. 肩関節 ── 鞍関節
2. 肘関節 ── 球関節
3. 上橈尺関節 ── 車軸関節
4. 橈骨手根関節 ── 平面関節
5. 母指CM関節 ── 蝶番関節

第2章 運動器系（上肢）

1 上肢の骨

学習のポイント
- 上肢の骨の名称を覚える
- 各骨の起始・停止にかかわる部位名を覚える
- 骨の各部位に，どの筋が起始・停止するかを理解する

- 臨床実習や国家試験において，**運動器系**※を構成する筋の名称やその起始・停止，神経支配，作用などの知識を問われないことはまずないだろう．当然ながら，これらの知識なくしてリハビリテーションを実施することはできない．運動器を理解するためには，各筋が起始ないし停止をする骨の名称を覚える必要がある．本節では，上肢の筋の起始・停止をふまえたうえで各骨の特徴を解説する．
- 上肢の骨格は**肩甲骨**，**鎖骨**，**上腕骨**，**尺骨**，**橈骨**，**手根骨**（8個），**中手骨**（5個），**指骨**（14個）からなる（図1）．

※身体運動にかかわる骨，関節，筋，筋膜などの総称．

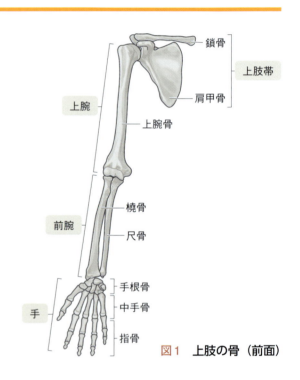

図1　上肢の骨（前面）

1 肩甲骨（図2）

⇒関節：2章-2 **2** **3**，筋：2章-3 **3**

- 三角形の扁平な形状をした骨で，**肩関節（肩甲上腕関節）**・**肩鎖関節**および機能的な**肩甲胸郭関節**の形成にかかわる．

1 **肩甲棘・肩峰**（起始 三角筋，停止 僧帽筋）

- 肩甲骨の上1/3に位置する横向きの隆起を**肩甲棘**という．その外側端の大きな突起が**肩峰**で

ある（肩の外側で，最も突出している部位）．また，肩峰の下部の突出した部位を**肩峰角**という．肩峰は鎖骨との間に**肩鎖関節**を形成する．

❷ 棘上窩（ 起始 棘上筋），**棘下窩**（ 起始 棘下筋）
- 肩甲棘の上方のくぼみを**棘上窩**，下方のくぼみを**棘下窩**という．

❸ 内側縁（ 停止 小・大菱形筋，前鋸筋），**外側縁**（ 起始 小円筋，大円筋）
- 内側の縁（脊柱に向く縁）を**内側縁**，外側の縁（上腕骨に向く縁）を**外側縁**とよぶ．

❹ 上角（ 停止 肩甲挙筋，前鋸筋），**下角**（ 起始 広背筋，大円筋， 停止 前鋸筋）
- 肩甲骨の上内方にある角を**上角**，下方にある角を**下角**という．特に下角は体表からも容易に触ることが可能であり，評価の指標としても役立つ．

❺ 烏口突起（ 起始 上腕二頭筋短頭，烏口腕筋， 停止 小胸筋）
- 肩甲骨の上角の外側を追っていくと，**肩甲切痕**という小さな切れ込みがある．さらにその外側を確認すると前外方に向かって突出した部位がある．この部位が**烏口突起**である（体幹前面から触ることができる）．

❻ 関節窩，関節上結節（ 起始 上腕二頭筋長頭），**関節下結節**（ 起始 上腕三頭筋長頭）
- 関節窩とその周囲の構造物を図2Cに示す．

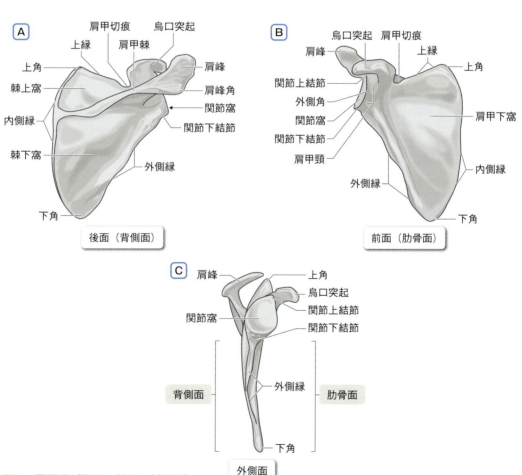

図2　肩甲骨（後面，前面，外側面）

- 関節窩は肩甲骨の外側面に位置し，上腕骨頭との間に**肩関節（肩甲上腕関節）**を形成する．関節窩の上端の隆起部を**関節上結節**，下端の隆起部を**関節下結節**とよぶ．関節上結節には**上腕二頭筋長頭**が，関節下結節には**上腕三頭筋長頭**が起始している．

7 肩甲下窩 （起始 肩甲下筋）

- 肩甲骨の肋骨面にある広いくぼみを**肩甲下窩**といい，**肩甲下筋**が起始している．

2 鎖骨 （図3，起始 三角筋，大胸筋，停止 僧帽筋） ⇨関節：2章-2 **1 2**，筋：2章-3 **1 2**

- 鎖骨はゆるやかなS字状の形状をしており，上肢を体幹に結びつける唯一の骨である．胸骨との間に**胸鎖関節**を，肩甲骨との間に**肩鎖関節**を形成する．また，機能的関節である**肩甲胸郭関節**の形成にも関与する．

1 胸骨端

- 鎖骨の内側で太く，楕円形の関節面をもつ．**胸鎖関節**によって胸骨の胸骨柄・第1肋軟骨と関節する．

2 肩峰端

- 鎖骨の外側の前方に出た部分で，扁平な形状をしている．肩甲骨の肩峰との間に**肩鎖関節**を形成する．

3 円錐靱帯結節

- 肩峰端の近くにあり，烏口鎖骨靱帯の内側部の**円錐靱帯**が付着する．

4 菱形靱帯線

- 肩峰端の近くにあり，烏口鎖骨靱帯の外側部の**菱形靱帯**が付着する．

5 鎖骨下筋溝 （停止 鎖骨下筋）

- 鎖骨下面の中央にある浅い溝で，**鎖骨下筋**が停止する．

6 肋鎖靱帯圧痕

- 鎖骨の内側にあるくぼんだ楕円形の部位であり，第1肋骨と鎖骨をつないでいる．

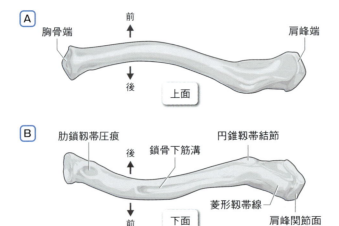

図3　鎖骨（上面，下面）

3 上腕骨（図4）　　　⇨関節：2章-2 3～5，筋：2章-3 4

- 上腕の骨格を形成する骨で，肩関節（肩甲上腕関節）・肘関節（腕尺関節・腕橈関節・上橈尺関節）の形成にかかわる．

1 上腕骨頭

- 半球形で内側上方に向かって曲がり，肩甲骨の関節窩との間に肩関節（肩甲上腕関節）をつくる．

2 大結節（停止 棘上筋，棘下筋，小円筋）

- 上腕骨近位にある2つの盛り上がった部位のうち，後外側にある大きな隆起である．**肩関節の外旋筋群（棘下筋・小円筋）や棘上筋が停止する**．

3 小結節（停止 肩甲下筋）

- 上腕骨近位の前方にある小さな隆起である．**肩関節の内旋筋（肩甲下筋）が停止する**．また，大結節との間の溝を**結節間溝**といい，**上腕二頭筋長頭**がこの部位を通過する．

4 大結節稜（停止 大胸筋），小結節稜（停止 大円筋，広背筋）

- 大結節稜は大結節から伸び出る骨稜である．大結節には主に外旋筋群が付着しているのに対し，大結節稜には肩関節の内旋作用をもつ**大胸筋が停止する**．
- 小結節稜は小結節から下方に伸び出る骨稜で，小結節と同様に**肩関節の内旋筋群（大円筋・広背筋）が停止する**．

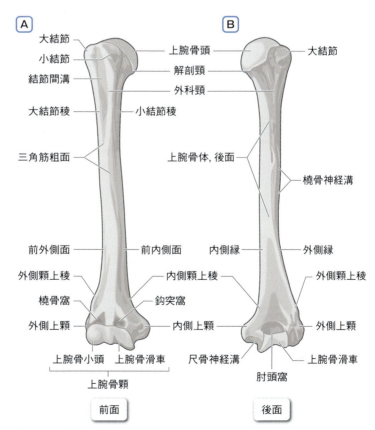

図4　**上腕骨（前面，後面）**

Let's Try　大結節・小結節を触ってみよう

下記の手順で大結節ならびに小結節を触って確認してみよう．
①肩関節内外転中間位，肘関節屈曲90°位で肩関節を最大内旋位にする．
②**写真A**の位置に対側の示指，中指，環指を置く．この部位に位置しているのが**大結節**である．
③徐々に肩関節を外旋させていくと，少しくぼんだ感触の後に，小さな盛り上がりを触れることができる．この部位が**小結節**である．
④上記とは逆の手順を行うことにより，大結節の盛り上がりを再び感じることができる．

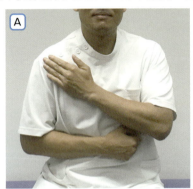
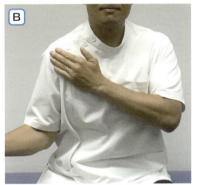

Point　解剖頸と外科頸

初学者の場合，この両者を混同して覚えてしまうことがある．構造だけではなく，その意義もふまえてしっかりと分けて学習しよう．
解剖頸は，上腕骨頭のまわりのやや細くなった部位であり，上腕骨頭と大・小結節とを分けている．一方，**外科頸**は大・小結節と上腕骨体の間の細い部分である．外科頸は上腕骨近位端の関節外骨折の好発部でもあるため，臨床的にも非常に重要な部位である．

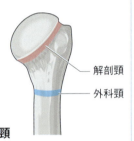

図　解剖頸と外科頸

5　上腕骨体（**起始** 上腕筋，上腕三頭筋内側頭・外側頭，**停止** 烏口腕筋）
● 上腕骨の上端と下端の間の部位（骨幹）で，その外側面には**三角筋粗面**，後面には**橈骨神経溝**が位置している．

6　三角筋粗面（**停止** 三角筋）
● 上腕骨の前外側面にあるV字状の粗い面で，ほぼ中央の高さに位置する．**三角筋**が停止する．

7　橈骨神経溝
● 上腕骨後面の上内側方から下外側方に走る斜めの溝で，**橈骨神経**が通る．

8　内側上顆（**起始** 円回内筋，橈側手根屈筋，長掌筋，尺側手根屈筋，浅指屈筋），**外側上顆**（**起始** 肘筋，短橈側手根伸筋，総指伸筋，小指伸筋，尺側手根伸筋の上腕頭，回外筋）
● 上腕骨の遠位部で扁平に拡大し，内側および外側に著しく突出した部位をそれぞれ**内側上顆，外側上顆**という．内側上顆の後面には**尺骨神経溝**とよばれる溝があり，**尺骨神経**が通る．
● 内側上顆，外側上顆それぞれの上方の近位部は**内側顆上稜，外側顆上稜**（**起始** 腕橈骨筋，長橈側手根伸筋）とよばれる．

9 上腕骨顆

- 上腕骨遠位の下面には**上腕骨顆**という隆起があり，以下の5つの部位からなる（図5）．
- ①**上腕骨滑車**：上腕骨顆の内側2/3にある滑車状の部位で，尺骨の**滑車切痕**と関節して**腕尺関節**を形成する．
- ②**上腕骨小頭**：上腕骨顆の外側1/3にある球状の部位で，橈骨の**橈骨頭**の関節窩と関節して**腕橈関節**を形成する．
- ③**肘頭窩**：上腕骨下端の背側にあるくぼみで，肘関節を完全に伸展した際に尺骨の**肘頭**が収まる．
- ④**鉤突窩**：上腕骨下端の腹側にあるくぼみで，肘関節を完全に屈曲した際に尺骨の**鉤状突起**がはまり込む．
- ⑤**橈骨窩**：上腕骨小頭のすぐ上方にあるくぼみで，肘関節を完全に屈曲した際に**橈骨頭**の先端が収まる．

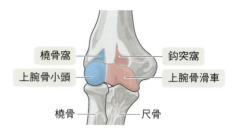

図5　上腕骨顆（前面）
肘頭窩は後面にある（⇨図4B）．

4 尺骨（図6）

⇨関節：2章-2 **4**〜**6**，筋：2章-3 **5**

- 前腕の2本の骨のうち小指側にある骨で，橈骨よりも長い．

1 肘頭（起始 尺側手根屈筋の尺骨頭，停止 上腕三頭筋，肘筋）

- 尺骨の近位端が後方に突出した部位で，肘関節を完全伸展させた際に上腕骨の**肘頭窩**に収まる．

2 鉤状突起（起始 浅指屈筋，円回内筋の尺骨頭）

- 尺骨の近位端が前方に突出した部位で，肘関節屈曲時に上腕骨の**鉤突窩**に収まる．

3 滑車切痕

- 肘頭の前方にあるC字状のくぼみで，**上腕骨滑車**と関節して**腕尺関節**を形成する．

4 尺骨粗面（停止 上腕筋）

- 尺骨の鉤状突起のすぐ下にある粗い面で，**上腕筋**が停止する．

5 尺骨体（起始 深指屈筋，方形回内筋，回外筋，尺側手根伸筋の尺骨頭ほか，停止 肘筋）

- 尺骨の上端と下端の間の部位（骨幹）で，下端へ向かうほど細くなる．

6 橈骨切痕

- 尺骨の鉤状突起の外側にある滑らかなくぼみで，**橈骨頭**と関節して**上橈尺関節**を形成する．

7 尺骨頭，尺骨茎状突起

- 尺骨の遠位の膨れた部位を**尺骨頭**といい，その円錐状の突出部を**尺骨茎状突起**とよぶ．尺骨頭の関節面（関節環状面）は橈骨の**尺骨切痕**と関節し，**下橈尺関節**を形成する．

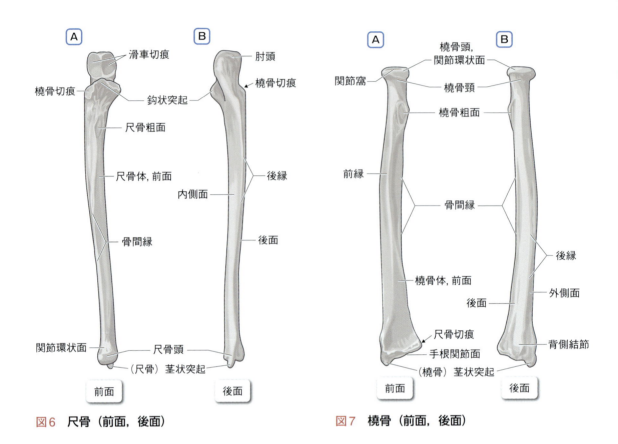

図6 尺骨（前面，後面）

図7 橈骨（前面，後面）

5 橈骨（図7） ⇨関節：2章-2 4 〜 6 8，筋：2章-3 5

- 前腕の2本の骨のうち母指側にある骨で，尺骨よりも短い．

1 橈骨頭

- 橈骨の近位端にある膨らんだ部分で，その上面は**関節窩**とよばれる．関節窩は**上腕骨小頭**と関節し，**腕橈関節**を形成する．

2 橈骨頸

- 橈骨頭のすぐ遠位にあるくびれた部分である．

3 橈骨粗面（停止 上腕二頭筋長頭・短頭）

- 橈骨頸の遠位の内側にあり，**上腕二頭筋短頭・長頭**が停止する．

4 橈骨体（起始 浅指屈筋，長母指屈筋ほか　停止 円回内筋，方形回内筋，回外筋）

- 橈骨の上端と下端の間の部位（骨幹）で，下端へ向かうほど太くなっている．

5 尺骨切痕

- 橈骨の遠位端の内側のくぼみで，**尺骨頭**がはまり込んで**下橈尺関節**を形成する．

6 （橈骨）茎状突起（停止 腕橈骨筋）

- 橈骨の遠位端の外側の突出部をいう．

7 背側結節

- 橈骨茎状突起のすぐ背側にある突出部で，**長母指伸筋**が走る溝と**短橈側手根伸筋**が走る溝の間に位置する．臨床上，**リスター結節**ともよばれる．

> **臨床で重要！** **ヒューター線とヒューター三角**
> 上腕骨の内側上顆と外側上顆，尺骨の肘頭のそれぞれの頂点は，肘関節を伸展した際は直線をなし，屈曲した際には二等辺三角形を形成する．このときの直線を**ヒューター線**とよび，二等辺三角形を**ヒューター三角**という．肘関節の骨折や脱臼があった際には，このヒューター三角が変形する．
>
>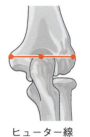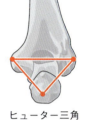
>
> 図　ヒューター線とヒューター三角
> 　　（肘関節，後面）
> 　　ヒューター線（伸展位）　ヒューター三角（屈曲位）

6 手根骨（図8）

⇨関節：2章-2 **8**〜**10**，筋：2章-3 **6**

- 手首の骨格を**手根**という．手根は8個の手根骨が，近位と遠位に4個ずつ配列することによって形成される．

1）近位の手根骨

1 舟状骨 （起始 短母指外転筋）

- 近位列の手根骨のうちで最も大きい．**舟状骨結節**という隆起部をもち，**短母指外転筋**が起始する．また，舟状骨は近位では**月状骨**，遠位では**大菱形骨・小菱形骨・有頭骨**と接している．

2 月状骨

- 半月状で舟状骨と三角骨の間に位置する．舟状骨とともに関節面をつくり，**橈骨手根関節**を形成する．

3 三角骨

- 近位列の手根骨のうちで最内側にあり，**三角錐状**の形をしている．

4 豆状骨 （起始 小指外転筋，停止 尺側手根屈筋）

- 小さな豆状の骨で，三角骨の掌側面と関節する．

2）遠位の手根骨

1 大菱形骨 （起始 短母指外転筋，短母指屈筋深頭，母指対立筋）

- 遠位列の手根骨のうちで最も外側にあり，四角い形状をしている．母指の中手骨の近位端との間に母指の**手根中手関節（CM関節）**を形成する．また，**大菱形骨結節**という隆起部をもち，**短母指屈筋，母指対立筋**が起始している．

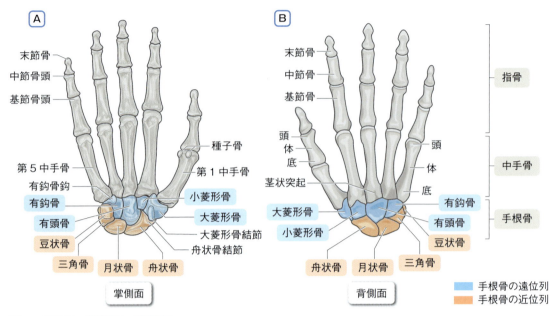

図8　手の骨（掌側面，背側面）

2 小菱形骨
- 大菱形骨に似た形状の骨で，楔状の形をしている．

3 有頭骨（起始 短母指屈筋深頭，母指内転筋斜頭）
- 手根骨のなかで最も大きな骨であり，頭に似た丸い突出部をもつ．

4 有鈎骨（起始 小指対立筋，短小指屈筋，停止 尺側手根屈筋）
- 遠位列の手根骨のなかで最も内側にあり，掌側に**有鈎骨鈎**というフック状の突出部をもつ．有鈎骨鈎には**尺側手根屈筋**が停止している．

国試のPoint

手の舟状骨

手の舟状骨は，骨折後の無腐性壊死や偽関節の好発部位として出題されることが多い．

① 無腐性壊死
無菌性ないし非感染性の壊死で，血流障害が原因となるもの（他にも**大腿骨頸部**，**距骨**，**上腕骨解剖頸**で好発する）．

② 偽関節
骨折部位の不十分な整復や固定，感染，骨欠損などにより骨の癒合が阻害され，骨折面の癒合機転が停止してしまった状態．その名称のとおり，関節が存在するかのような異常可動性を認める（他にも**大腿骨頸部**，**脛骨遠位1/3**で好発する）．

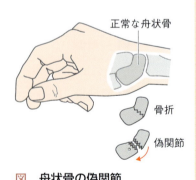

図　舟状骨の偽関節

7 中手骨（図8） ⇨関節：2章-2 10 11，筋：2章-3 6

起始
- 第1〜5中手骨：背側骨間筋
- 第2・3中手骨の底：母指内転筋斜頭
- 第2・4・5中手骨：掌側骨間筋
- 第3中手骨：母指内転筋横頭

停止
- 第1中手骨の底：長母指外転筋
- 第1中手骨の外側面：母指対立筋
- 第2中手骨の底：橈側手根屈筋，長橈側手根伸筋
- 第3中手骨の底：短橈側手根伸筋
- 第5中手骨の底：尺側手根屈筋，尺側手根伸筋
- 第5中手骨の内側面：小指対立筋

- 手根と指をつなぐ手の本体の骨格を**中手**という．中手は5本の**中手骨**からなり，いわゆる「手の甲」の部位に相当する．
- 中手骨の近位端は**底**，骨幹部は**体**，遠位端は**頭**とよばれる．また，第3中手骨の底の背側には，**茎状突起**という隆起が存在する（他の中手骨ではみられない）．
  - ▶**底**：中手骨の近位端で，手根骨と関節する．
  - ▶**体**：底と頭の間の部分をいう．
  - ▶**頭**：中手骨の遠位端で，指骨の基節骨と関節する．握りこぶしの角の部分をつくる．

8 指骨（図8） ⇨関節：2章-2 11 12，筋：2章-3 6

停止
- 第1指の基節骨の底：短母指伸筋
- 第1指の基節骨の底の外側面：短母指外転筋，短母指屈筋
- 第1指の基節骨の底の内側面：母指内転筋
- 第1指の末節骨の底：長母指屈筋，長母指伸筋
- 第2〜4指の基節骨の底：背側骨間筋
- 第2〜5指の中節骨の底：浅指屈筋
- 第2〜5指の末節骨の底：深指屈筋
- 第2・4・5指の基節骨の底：掌側骨間筋
- 第5指の基節骨の底：小指外転筋，短小指屈筋

- 第1指（母指）を除いた4本の指には，3つの指骨（近位から順に**基節骨**，**中節骨**，**末節骨**とよばれる）がある．母指には基節骨と末節骨の2つしかないが，他の指の指骨と比較して太い．中手骨と同様に，近位から順に**底**，**体**，**頭**とよばれる．

第2章 運動器系（上肢）

2 上肢の関節

学習のポイント
- 上肢の関節の名称と構造を覚える
- 各関節の運動方向を理解する
- 一部の関節については触知し，確認することができる

- 上肢の運動を行う際には単一の関節のみではなく，複数の関節が同時に働く．そのため，1カ所でも関節の機能が低下すると，その動きは著しく制限を受ける．上肢の機能を考えるうえで，関節の構造を正しく理解することは非常に重要である．

1 胸鎖関節（図1） ⇨骨：2章-1 **2**，4章-3

- 滑膜性の**鞍関節**で，**関節円板**を有する．胸鎖関節は鎖骨の胸骨端が胸骨柄よりも上方にあるため，触知を行いやすい．

ⓐ 構成：鎖骨の胸骨端が，**胸骨柄・第1肋軟骨**と関節する．

ⓑ 関節包：線維性の関節包が関節を包み，関節面の周縁ならびに関節円板の辺縁に付着する．

ⓒ 靭帯
① 前・後胸鎖靭帯：関節包の前面と後面を補強する．
② 鎖骨間靭帯：一方の鎖骨の胸骨端から他方の鎖骨の胸骨端に位置し，関節包上面を補強する．
③ 肋鎖靭帯：鎖骨の胸骨端の下面と第1肋骨・肋軟骨をつなぐ．

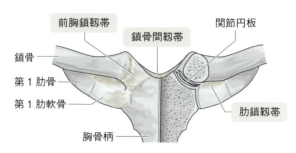

図1　胸鎖関節（前面）

d 可動性：非常に可動性に富んでおり，鎖骨の胸骨端は最大で約60°挙上し，前後方向の運動も25〜30°まで可能である．**分回し運動**※も行うことができる（分回し運動ができる点を踏まえ，例外的に3軸性の関節として扱われる場合もある）．

※関節を頂点として，体節が円錐を描くような運動のこと（外旋・内旋などの回旋は含まれない）．

e 神経支配：内側鎖骨上神経，鎖骨下筋神経

2 肩鎖関節（図2）

⇨骨：2章-1 **1** **2**

- 滑膜性の**平面関節**で，不完全な**関節円板**によって分けられる．鎖骨の肩峰端は肩峰よりも上方にあるため，胸鎖関節と同様に容易に触知ができる．

a 構成：鎖骨の**肩峰端**が，肩甲骨の**肩峰**と関節する．

b 関節包：関節包の線維層は比較的ゆるく，関節面の辺縁に付着する．僧帽筋の線維によって上面が補強されている．

c 靱帯

① **肩鎖靱帯**：関節包の前面を補強する．

② **烏口鎖骨靱帯**：肩甲骨の烏口突起と鎖骨を強固に固定する靱帯であり，以下の2つから構成される．

▶ **円錐靱帯**：鎖骨の**円錐靱帯結節**から起こる．菱形靱帯の後方を走行し，烏口突起に付着する．

▶ **菱形靱帯**：鎖骨の**菱形靱帯線**から起こる．円錐靱帯の前方を走行し，烏口突起に付着する．

d 可動性：胸鎖靱帯と比べると，その可動性は低い．烏口鎖骨靱帯の緊張により，運動が制限される．

e 神経支配：鎖骨上神経，外側胸筋神経，腋窩神経

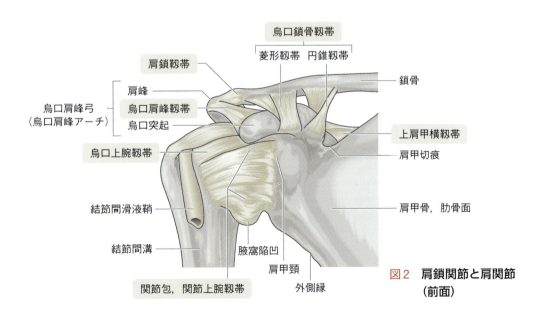

図2 肩鎖関節と肩関節（前面）

Let'sTry 触って確認しよう　〜胸鎖関節，肩鎖関節，烏口突起〜

胸鎖関節と肩鎖関節は，関節する骨の一方が上方に位置しているため，触知による確認が容易である．また，慣れると関節の間隙（かんげき）も確認することができる．右の写真や図，学校の骨標本を参考にして確認してみるとよい．

また，近年の国家試験では体表から触知できる骨についての問題が増加傾向にある．上記の関節に加えて，烏口突起や肩峰なども確認しておこう（烏口突起は鎖骨の下方に位置している突起である．「先端が外側を向く」ことに注意すること）．

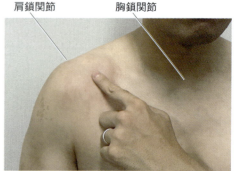

※被験者は烏口突起を指さしている

3 肩関節※（肩甲上腕関節）（図2）　⇨骨：2章-1 1 3

- 滑膜性の**球関節**で，関節窩には輪状の**関節唇**がみられる．
  ※肩関節は臨床上，**肩甲上腕関節**とよばれる．

a 構成：球形の**上腕骨頭**が，浅くくぼんだ形状の**肩甲骨の関節窩**と関節する．関節窩は関節唇によって軽度ではあるが深くなっている．

b 関節包：線維性の関節包が関節をゆるく取り巻き，内側では関節窩の辺縁，外側では上腕骨の**解剖頸**（⇨p.52）に付着する．線維性の関節包を覆う滑膜が，上腕二頭筋長頭の腱を取り囲んで鞘（さや）（結節間腱鞘）をつくっている．

c 靱帯

①上・中・下関節上腕靱帯：関節包の前面を補強する．
②烏口上腕靱帯：関節包の上方を補強する．
③上腕横靱帯：上腕骨の**結節間溝**（大結節と小結節の間の溝）をまたぐ線維束で（⇨2章-3図10A），運動時に滑膜と上腕二頭筋腱を固定する．

d 可動性：身体の関節のなかで最も自由度が高い．屈曲・伸展，外転・内転，水平屈曲・水平伸展，外旋・内旋，分回し運動などのすべての運動が可能である．

e 神経支配：肩甲上神経，腋窩神経，外側胸筋神経

> **Point**　「狭義」と「広義」の肩関節
> 肩の広範な運動には，単一の関節のみではなく複数の関節が関与する．そのため，肩の関節は以下のように区分される．
> 1) **狭義の肩関節**：肩関節（肩甲上腕関節）
> 2) **広義の肩関節**
>   ①解剖学的関節
>   ・胸鎖関節
>   ・肩鎖関節
>   ・肩関節（肩甲上腕関節）

②機能的関節
- **肩甲胸郭関節**
  胸鎖関節と肩鎖関節の動きを，肩甲骨の肋骨面上の動きとして現す機能的関節．
- **肩峰下関節**（図参照）
  上方は**烏口肩峰弓**（肩峰下面，烏口肩峰靱帯，烏口突起によって形成され，烏口肩峰アーチともよばれる），下方は**回旋筋腱板**（⇨p.73）の上面によって構成される機能的関節．臨床上，**第2肩関節**とよばれる．

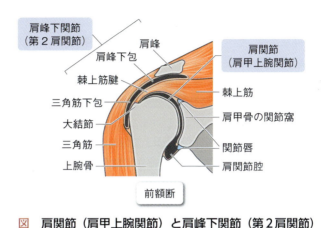

図 肩関節（肩甲上腕関節）と肩峰下関節（第2肩関節）

4 肘関節（図3）

⇨骨：2章-1 3〜5

- 上腕骨，尺骨，橈骨からなる複合的な滑膜性関節である．前腕回外位で肘関節を伸展させると，前腕は上腕に対して軽度，橈側を向く．これを**生理的外反肘**（**肘角**）とよぶ〔手に物をぶらさげて運ぶ際に著明になることから，**運搬角**（carrying angle）ともよばれる〕．成人男性では約10°であるのに対し，小児や女性では15°以上のこともある．また，前腕を回内すると生理的外反肘は消失する（図4）．

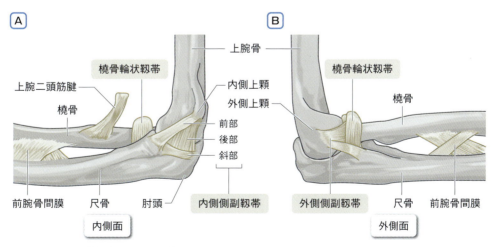

図3 肘関節（内側面，外側面）

a 構成：上腕骨滑車と尺骨の滑車切痕が**腕尺関節**（蝶番関節，らせん関節），**上腕骨小頭**と橈骨頭の関節窩が**腕橈関節**（球関節），橈骨頭と尺骨の橈骨切痕が**上橈尺関節**（車軸関節）を形成する．

b 関節包：関節包が関節を包む．下方では上橈尺関節の滑膜につながる．関節包は前方と後方は弱いが，両側は**内側側副靱帯**と**外側側副靱帯**によって強く補強されている．

c 靱帯

①橈骨輪状靱帯：橈骨頭を取り巻いて尺骨の橈骨切痕に固定し，**上橈尺関節**の一部をつくる．
②方形靱帯：尺骨の橈骨切痕の遠位部から橈骨頸の間を結ぶ薄い線維束である（⇨図5B）．
③外側側副靱帯：線維性の三角形の線維束で，関節包の外側の肥厚部である．上腕骨の外側上顆から伸び，下方で**橈骨輪状靱帯**に混ざり込む．
④内側側副靱帯：外側側副靱帯と同様の三角形の肥厚部で，関節包の内側にある．上腕骨の内側上顆から尺骨の鉤状突起・肘頭まで伸びる．内側側副靱帯は以下の3つの線維束からなる．
  ▸ 前部：ひも状の形状で，3つのなかで最も強靱である．肘関節伸展時に緊張する．
  ▸ 後部：扇状の形状で，3つのなかで最も弱い．肘関節屈曲時に緊張する．
  ▸ 斜部：上腕骨滑車の陥凹を深くする役割をもつ．

d 可動性：肘関節では屈曲と伸展，回外と回内が起こる．

e 神経支配：筋皮神経，正中神経，橈骨神経

5 上橈尺関節

⇨骨：2章-1 **4** **5**

- 肘関節の一部を構成する滑膜性の**車軸関節**で，橈骨と尺骨の近位部に位置する（図4）．尺骨上での橈骨頭の運動を可能にする．

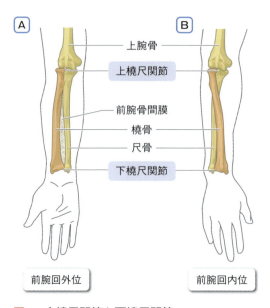

図4 上橈尺関節と下橈尺関節

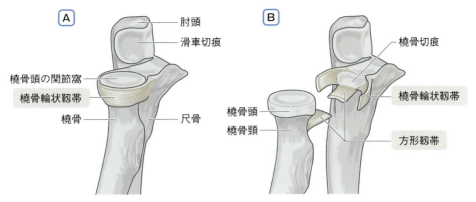

図5　上橈尺関節の靱帯

a **構成**：**橈骨頭**が尺骨の**橈骨切痕**と関節する．橈骨頭は**橈骨輪状靱帯**によって保持されている．

b **関節包**：関節包の線維層がこの関節を覆い，腕尺・腕橈関節まで続く．

c **靱帯**：強靭な**橈骨輪状靱帯**が，尺骨の橈骨切痕の前端と後端に付着する（図5）．

d **可動性**：前腕の回外と回内を行う．その際に橈骨頭は橈骨輪状靱帯と尺骨の橈骨切痕がつくる輪の中を回転する．

e **神経支配**：筋皮神経，正中神経，橈骨神経

6 下橈尺関節

⇨骨：2章-1 4 5

- 滑膜性の**車軸関節**で，橈骨と尺骨の遠位部に位置する（図4）．また，関節腔に線維軟骨性の**関節円板**を有する（臨床上，**三角線維軟骨**とよばれる ⇨p.65）．

a **構成**：円形の**尺骨頭**が，橈骨の**尺骨切痕**と関節する．

b **関節包**：橈骨手根関節と共通の関節包によって包まれている．

c **靱帯**：弱い前後の靱帯が，関節包の線維層を補強する．

d **可動性**：前腕の回外・回内時に，尺骨頭が橈骨の尺骨切痕の中で回転する．

e **神経支配**：前骨間神経，後骨間神経

7 前腕骨間膜

- 橈骨と尺骨の間に張る膜は**前腕骨間膜**とよばれ（図6，**起始** 深指屈筋，長母指屈筋，長母指外転筋，短母指伸筋，長母指伸筋，示指伸筋），その近位部には**斜索**という尺骨粗面から橈骨粗面の遠位部に向かって走行する線維束が存在する．前腕骨間膜の線維の大部分は，橈骨側の近位から尺骨側の遠位に向かって斜めに走行している．これにより，橈骨に加わった外力を尺骨に伝達し，さらに上腕骨に伝える役割をもつ．

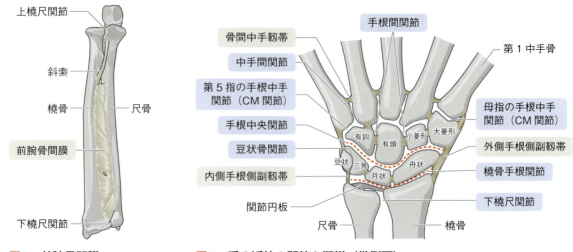

図6 前腕骨間膜　　図7 手の近位の関節と靱帯（掌側面）

- また，前腕骨間膜の近位部と斜索の間には小さな円形の孔があり，**後骨間動静脈**や**前骨間動静脈貫通枝**が通過している．

8 橈骨手根関節

⇨骨：2章-1 4～6

- 前腕と手の間に位置する主要な関節であり，滑膜性の**楕円関節**（**顆状関節**）である．

a 構成：橈骨の下端と下橈尺関節の関節円板が，豆状骨を除く**手根骨の近位列**と関節する（図7）．

b 関節包：関節包の線維層が手根の関節を取り囲み，橈骨と尺骨の下端と手根骨の近位列に付着する．

c 靱帯：関節包の線維層は，以下の強靱な靱帯によって補強される．
　①掌側橈骨手根靱帯：関節包の掌側を補強する．
　②背側橈骨手根靱帯：関節包の背側を補強する．
　③内側手根側副靱帯：関節包の内側を補強する．尺骨の茎状突起と三角骨・豆状骨に付着する．
　④外側手根側副靱帯：関節包の外側を補強する．橈骨の茎状突起と舟状骨・大菱形骨に付着する．

d 可動性：屈曲・伸展（掌屈・背屈），橈屈・尺屈，分回し運動が可能である．

e 神経支配：正中神経の前骨間枝，橈骨神経の後骨間枝，尺骨神経の背側枝・深枝

9 手根間関節

⇨骨：2章-1 6

- 手根骨の間を連結する関節であり，滑膜性の**平面関節**である．

a 構成：関節する部位により，以下に分類される（図7）．
　①近位列の手根骨間の関節
　②遠位列の手根骨間の関節
　③手根中央関節：手根骨の近位列と遠位列の間に形成される複合関節である．
　④豆状骨関節：豆状骨と三角骨の掌側面の間を関節する．

b 関節包：連続した共通の関節腔が手根間関節，手根中手関節の間につくられる．

c 靱帯：手根骨は前面・後面・骨間の靱帯によって結合されている．

d 可動性：橈骨手根関節の運動に付随して，わずかなすべり運動が起こる（手根骨近位列は遠位列に比べて可動性が高い）．

e 神経支配：正中神経の前骨間枝，橈骨神経の後骨間枝，尺骨神経の背側枝・深枝

> **臨床で重要！　三角線維軟骨複合体（TFCC）**
>
> 手の領域の関節は橈骨手根関節と手根間関節から構成されるが，「尺骨手根関節」は存在しない．尺骨と手根骨の間には**関節円板（三角線維軟骨）**，**内側手根側副靱帯**，**掌側尺骨手根靱帯**などの結合組織の複合体が存在し，その間隙を満たしている．この結合組織の複合体は臨床上，**三角線維軟骨複合体**（triangular fibrocartilage complex：**TFCC**）とよばれる．TFCCは手根骨と尺骨の間にかかる負荷を均等化し，下橈尺関節を安定させる作用をもつ．
>
>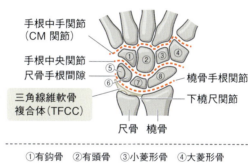
>
> **図　三角線維軟骨複合体（TFCC）の構成**

10　手根中手関節

⇨骨：2章-1 6 7

● 滑膜性の**平面関節**で臨床上，**CM関節**（carpometacarpal joint）とよばれる．母指の手根中手関節だけは例外的に**鞍関節**である．また，中手骨の底の隣り合った面は**中手間関節**をつくる．

a 構成：**手根骨の遠位列**が，**中手骨の底**と関節する．母指の手根中手関節では，大菱形骨と第1中手骨の底が関節する（図7）．

b 関節包：母指を除く4つの手根中手関節とそこに形成される3つの中手間関節は，掌側面と背側面を共通の関節包に取り囲まれている．また，母指の手根中手関節は独立した関節腔をもつ．

c 靱帯：手根骨は前面・後面・骨間の靱帯，中手骨の底は**骨間中手靱帯**によって結合されている．

d 可動性

① 母指の手根中手関節：屈曲・伸展，外転・内転，分回し運動などのあらゆる面での運動が可能であり，母指の対立を行うことができる．
② 第2・3指の手根中手関節：ほとんど動きがない．
③ 第4指の手根中手関節：軽度に運動が可能である．
④ 第5指の手根中手関節：中等度の運動（屈曲・伸展，軽度回旋）が可能である．

e 神経支配：正中神経の前骨間枝，橈骨神経の後骨間枝，尺骨神経の背側枝・深枝

11 中手指節関節

⇨骨：2章-1 **7** **8**

- 滑膜性の顆状関節（楕円関節）で臨床上，**MP関節**（metacarpophalangeal joint）とよばれる（図8）．

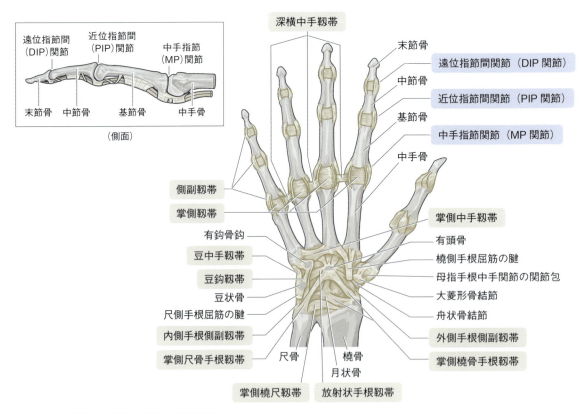

図8 手の遠位の関節と靱帯（掌側面）

a 構成：中手骨の頭が，基節骨の底と関節する．

b 関節包：関節包が各関節を包む．

c 靱帯：以下の4つの靱帯によって補強される．
　①内側の側副靱帯
　②外側の側副靱帯
　③掌側靱帯
　④深横中手靱帯：第2～5指の掌側靱帯を結合する．

d 可動性
　①第2～5指の中手指節関節：屈曲・伸展，外転・内転，分回し運動が起こる．
　②母指の中手指節関節：屈曲・伸展は可能だが，外転・内転は制限される．

e 神経支配：尺骨神経，正中神経

12 指節間関節 ⇨骨：2章-1 8

- 滑膜性の**蝶番関節**である．臨床上，第2～5指の基節骨の頭と中節骨の底が関節するものを**近位指節間関節**または**PIP関節**（proximal interphalangeal joint），第2～5指の中節骨の頭と末節骨の底が関節するものを**遠位指節間関節**または**DIP関節**（distal interphalangeal joint）という（図8）．
- また，母指には中節骨が存在しないため，基節骨の頭と末節骨の底が**指節間関節**または**IP関節**（interphalangeal joint）を形成する．
- MP関節屈曲・PIP関節伸展・DIP関節伸展位は**手の内在筋プラス肢位**（⇨p.87 Point）とよばれている．

a 構成：指節骨の頭が，遠位の指節骨の底と関節する．

b 関節包：関節包が各関節を包む．

c 靱帯：内側と外側の側副靱帯によって補強されている．

d 可動性：屈曲と伸展のみが起こる．

e 神経支配：尺骨神経，正中神経

第2章 運動器系（上肢）

3 上肢の筋

学習のポイント

- 上肢の各筋の起始・停止，支配神経を暗記する
- 体表から，筋の起始・停止を指で指し示すことができる
- 各筋の働きを自分の身体で表現することができる

1 胸部の筋（図1，表1）

⇨骨：2章-1 **1 2**，4章-3

- 胸壁に付着して上肢を動かす筋には，以下の4つがある．

1 大胸筋（だいきょうきん）

- 胸郭（⇨p.191）の上部を覆う大きな扇状の筋で，**腋窩前壁**（えきかぜんへき）の大半と**前腋窩ヒダ**（ぜんえきか）（腋窩前壁の最下部）をつくる．

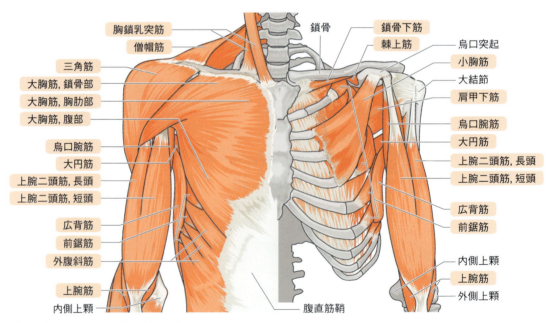

図1 上肢帯と肩関節の前面の筋

表1　胸部の筋

筋	起始	停止	神経支配	作用
大胸筋	鎖骨の内側1/2，胸骨，第1〜7肋軟骨，腹直筋鞘の前葉	上腕骨の大結節稜	内側・外側胸筋神経（C5〜T1）	肩関節の屈曲・内転・内旋，努力性吸気
小胸筋	第3〜5肋骨	肩甲骨の烏口突起	内側・外側胸筋神経（C6〜T1）	肩甲骨の下制・下方回旋
鎖骨下筋	第1肋骨とその軟骨部	鎖骨の外側1/3の下面	鎖骨下筋神経（C5・6）	鎖骨の下制
前鋸筋	第1〜9肋骨の外側面	肩甲骨の上角・内側縁・下角	長胸神経（C5〜7）	肩甲骨の外転・上方回旋

- 頭方から順に**鎖骨部**，**胸肋部**，**腹部**に分かれる．大胸筋鎖骨部と三角筋の間には**鎖胸三角**（三角筋胸筋三角）という隙間があり，そこを**橈側皮静脈**が通る（⇨2章-6図8）．
- 肩関節の屈曲・内転・内旋の作用に加え，**努力性吸気**（⇨p.273）にもかかわっている．

2 小胸筋（図2）

- 大胸筋の深層にある三角形の筋で，大胸筋とともに**腋窩前壁**を形成している．肩甲骨の烏口突起とともに，上腕に向かう血管（**腋窩動静脈とその枝**⇨2章-6図3）や神経（**腕神経叢**⇨2章-5図4）の上に覆いかぶさっている．

3 鎖骨下筋（図2）

- 鎖骨の直下にある小さく丸い筋で，鎖骨骨折の際に鎖骨下動静脈や腕神経叢の上神経幹を保護する働きがある．

4 前鋸筋（図3）

- その名のとおり，起始部の筋束が「鋸の歯」のような形状をした筋で，胸郭の外側部を覆い，**腋窩の内側壁**を構成している．
- 前鋸筋は上肢帯の筋のなかで最も大きな張力を発揮する筋であり，パンチを打つ動作にも関与するため通称，ボクサー筋ともよばれる．また，小・大菱形筋などとともに肩甲骨を胸郭に押し付ける作用をもち，他の筋が上腕骨を動かす際にも重要な働きをする．
- 長胸神経の損傷に伴う前鋸筋の麻痺により，上肢挙上時に肩甲骨が胸郭から離れ，内側縁が浮き出てしまうことを**翼状肩甲**という．

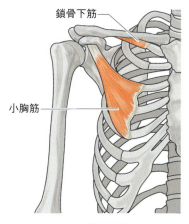

図2　小胸筋，鎖骨下筋

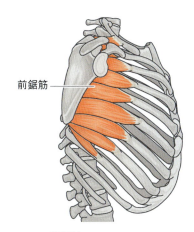

図3　前鋸筋

2 背部浅層の筋 (図4, 表2)

⇨骨：2章-1 **1 3**, 4章-2

- 背部の筋は浅層・中間層（⇨p.227）・深層（⇨p.228）に区分され，そのうち，浅層の5つの筋が肩甲骨と肩関節の運動にかかわっている．

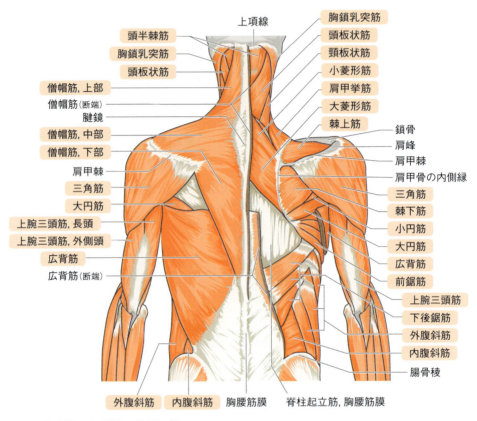

図4　上肢帯と肩関節の後面の筋

表2　背部浅層の筋

筋	起始	停止	神経支配	作用
僧帽筋	後頭骨の上項線の内側1/3と外後頭隆起，項靱帯，第7頸椎・第1～12胸椎の棘突起，棘上靱帯	鎖骨の外側1/3，肩甲骨の肩峰・肩甲棘	副神経，頸神経（C2～4）	上部（下行部）：肩甲骨の内転・挙上・上方回旋 中部（水平部）：肩甲骨の内転 下部（上行部）：肩甲骨の内転・下制・上方回旋
広背筋	胸腰筋膜を介して第7～12胸椎・第1～5腰椎の棘突起，仙骨の正中仙骨稜，下位の肋骨，腸骨稜，肩甲骨の下角	上腕骨の小結節稜	胸背神経（C6～8）	肩関節の伸展・内転・内旋
肩甲挙筋	第1～4頸椎の横突起の後結節	肩甲骨の上角	肩甲背神経（C5），頸神経（C3・4）	肩甲骨の挙上・下方回旋
小菱形筋	第7頸椎・第1胸椎の棘突起，項靱帯	肩甲骨の内側縁の上部	肩甲背神経（C4・5）	肩甲骨の内転・挙上・下方回旋
大菱形筋	第2～5胸椎の棘突起	肩甲骨の内側縁	肩甲背神経（C4・5）	肩甲骨の内転・挙上・下方回旋

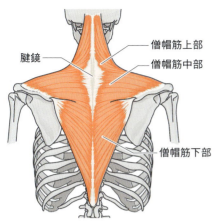
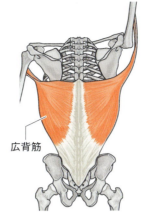
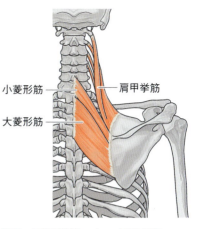

図5　僧帽筋　　　　　　　　　図6　広背筋　　　　　　　　　図7　肩甲挙筋，小・大菱形筋

1 僧帽筋（図5）

- 頸部の後面や体幹の後上半部を覆う大きな三角形の筋で，筋束は**上部・中部・下部**（もしくは下行部・水平部・上行部）の3つに分かれる．上肢帯を頭蓋と脊柱につなぎ，上肢を吊り下げるのを助ける．
- 僧帽筋の筋束は上部と下部は薄く，中部が厚い．また，中部の領域から起こる起始腱は非常に長く，**腱鏡**とよばれる菱形の領域を形成している．
- 「僧帽」という名称は，海外の修道士がかぶるフードに形状が似ていることに由来している※．
  ※両側の僧帽筋（Trapezius）を合わせた形が，菱形（ギリシャ語でTrapizum）であることが語源という説もある．

2 広背筋（図6）

- 背部の下部を覆う，大きな扇形の筋である．広背筋は体幹から起こって上腕骨の小結節稜に向かって走行し，肩関節には直接的に，上肢帯（肩甲胸郭関節）には間接的に作用する．

3 肩甲挙筋（図7）

- 太いひも状の筋で，上1/3は胸鎖乳突筋の深層に，下1/3は僧帽筋の深層に位置する．その名のとおり，肩甲骨を挙上させる働きをもつ．

4 小菱形筋, 5 大菱形筋（図7）

- 僧帽筋の深層にある平行四辺形の形状をした筋で，脊柱から肩甲骨の内側縁までを斜め下方に走る．下方に位置する大菱形筋は，上方の小菱形筋の約2倍の幅がある．
- 小・大菱形筋は肩甲骨の内転・挙上・下方回旋に加え，前鋸筋と共同して肩甲骨を胸壁へ固定する作用をもつ．

3 肩甲骨周辺の筋（図8，表3）　　　⇨骨：2章-1 1 3

- 肩甲骨周辺の筋は以下の6つがある．いずれの筋も短い形状をしており，肩甲骨と上腕をつないでいる．

1 三角筋

- その名のとおり，逆三角形の形状をした厚く強靱な筋で，肩の外観の丸みを形成する．三角筋はその位置によって**前部・中部・後部**に分かれ，部分ごとあるいは全体として作用する．

2 棘上筋

- 肩甲骨の**棘上窩**（肩甲棘の上のくぼみ）に位置する筋で，肩関節を外転した際に三角筋と共同して働く．

3 棘下筋

- 肩甲骨の**棘下窩**（肩甲棘の下のくぼみ）に位置する筋で，部分的に三角筋や僧帽筋に覆われている．

4 小円筋

- 棘下筋の下方にある，幅が狭くて細長い筋である．実際には棘下筋との境界が不明瞭なことが多い（不明瞭な場合でも，神経支配は異なる）．

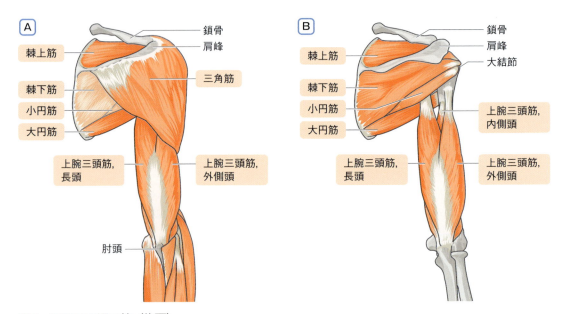

図8　肩甲骨周辺の筋（後面）
Aの棘下筋・小円筋は棘下筋膜（⇨p.89）によって覆われている．BはAの三角筋および前腕の筋を取り除いたもの．

表3　肩甲骨周辺の筋

筋	起始	停止	神経支配	作用
三角筋	鎖骨の外側1/3，肩甲骨の肩峰・肩甲棘	上腕骨の三角筋粗面	腋窩神経（C5・6）	前部：肩関節の屈曲・外転・内旋・水平屈曲 中部：肩関節の外転 後部：肩関節の伸展・外転・外旋・水平伸展
棘上筋	肩甲骨の棘上窩	上腕骨の大結節	肩甲上神経（C4〜6）	肩関節の外転
棘下筋	肩甲骨の棘下窩	上腕骨の大結節	肩甲上神経（C4〜6）	肩関節の外旋
小円筋	肩甲骨の外側縁	上腕骨の大結節	腋窩神経（C5・6）	肩関節の外旋
大円筋	肩甲骨の外側縁・下角	上腕骨の小結節稜	肩甲下神経（C5〜8）	肩関節の伸展・内転・内旋
肩甲下筋	肩甲骨の肩甲下窩	上腕骨の小結節	肩甲下神経（C5〜8）	肩関節の内旋

5 大円筋

- 肩甲骨の背面の外側下方にある，厚い楕円形状の筋である．大円筋は広背筋の停止腱とともに**後腋窩ヒダ**（腋窩後壁の最下部）を形成する．

6 肩甲下筋（図9）

- 肩甲下窩（肩甲骨の肋骨面）から起こる，厚い三角形の筋である．**腋窩後壁**の形成に部分的に加わる．

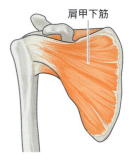

図9　肩甲下筋

臨床で重要！

肩甲上腕リズム

肩甲上腕リズムとは，基本肢位から肩関節を外転する際に，肩甲上腕関節（狭義の肩関節）と肩甲胸郭関節との間に起こる「特有の運動のリズム」をいう．肩関節の外転運動は肩甲上腕関節と肩甲胸郭関節の複合運動であり，肩関節の3°の外転は肩甲上腕関節2°と肩甲胸郭関節1°によって構成される．つまり，2：1の割合で肩関節の外転運動は行われる．また，肩甲上腕リズムについての見解は文献や研究によって差異があり，学生諸君としてはどの文献で覚えればよいか悩むところだろう．しかし，諸家による見解に差異があるということ自体に意義があり，その違いを学習することが重要だと筆者は考える．

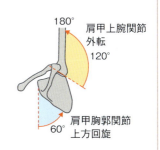

図　肩甲上腕リズム

Point▶ 回旋筋腱板（腱板，rotator cuff）

肩甲骨と上腕を結ぶ筋のうち，**棘上筋・棘下筋・小円筋・肩甲下筋**の4つを合わせて**回旋筋腱板**（腱板，rotator cuff）とよぶ．回旋筋腱板はその英名の「cuff」が示すように，4つの筋がYシャツの袖口（cuff）のようにぐるりと肩関節の周囲を覆う構造をしている．これらの筋の腱は，肩関節の関節包と混ざりあって腱性の回旋筋腱板を形成し，肩関節の保護と安定化に関与している．

Let'sTry 筋を触察してみよう ～肩甲帯の筋～

肩甲帯の筋の触察は，臨床を行ううえでも非常に重要である．肩甲棘を指標とし，上方には**棘上筋**，下方には**棘下筋**が位置している．棘上筋は内側では筋腹を触察できるが，外側は鎖骨と肩峰の深層を通過するため，部分的にしか触ることができない．棘下筋には上部・中部・下部といった名称は与えられていないが，明瞭に3部に分けて触察することができる．棘下筋の下方には**小円筋**，そして腋窩後壁を構成する**大円筋**と**広背筋**が位置している．

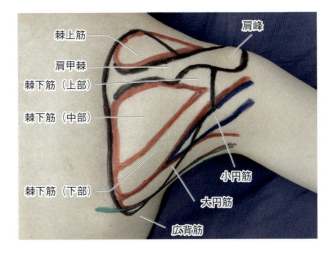

4 上腕の筋

⇨骨：2章-1 1 3〜5

- **上腕**とは，肩関節から肘関節までの間をいう．上腕の筋は，腹側の**屈筋群**と背側の**伸筋群**に分かれる．両群は主に肘関節に作用するが，一部は肩関節にも働く．

1) 上腕の屈筋群（図10，表4）

1 上腕二頭筋（じょうわんにとうきん）

- 2つの筋頭から構成される筋で，外側を**長頭**，内側を**短頭**という．

① **上腕二頭筋長頭**：肩甲骨の**関節上結節**から起こり，**結節間溝**（上腕骨の大結節と小結節の間の「溝（みぞ）」）を通る．また，その溝の上には**上腕横靱帯**が張り，結節間溝をトンネルのような形状にしている．

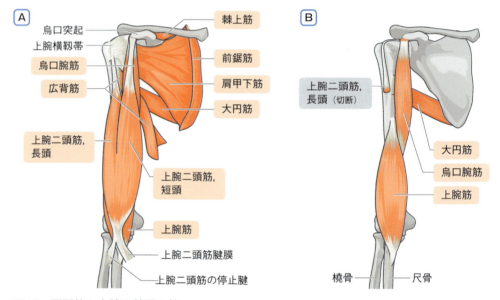

図10　肩関節と上腕の前面の筋
BはAの上腕二頭筋および肩甲骨周囲の筋を取り除いたもの．

表4　上腕の屈筋群

筋	起始	停止	神経支配	作用
上腕二頭筋	長頭：肩甲骨の関節上結節 短頭：肩甲骨の烏口突起	橈骨粗面，前腕筋膜（上腕二頭筋腱膜を介して）	筋皮神経（C5・6）	肩関節の屈曲（両頭）・外転（短頭）・内転（長頭），肘関節の屈曲，前腕の回外
上腕筋	上腕骨の前面の下部，内側・外側上腕筋中隔	尺骨粗面	筋皮神経（C5・6） ※ときに橈骨神経も加わる	肘関節の屈曲
烏口腕筋	肩甲骨の烏口突起	上腕骨の内側面の中央部	筋皮神経（C5〜7）	肩関節の屈曲・内転・水平屈曲

②上腕二頭筋短頭：肩甲骨の**烏口突起**から起こった後に，上腕の中央からやや遠位で上腕二頭筋長頭と筋腹が癒合する．遠位部では上腕二頭筋の停止腱は**橈骨粗面**に停止し，**上腕二頭筋腱膜**が前腕の屈筋を覆う**前腕筋膜**に放散して終わっている．

2 上腕筋

- 上腕二頭筋の深層に位置する平たい紡錘状の筋で，上腕の屈筋群のなかで最も筋力が大きい．
- 上腕筋は前腕の回内位・中間位・回外位のいずれにおいても肘関節の屈曲に大きくかかわる．

3 烏口腕筋

- 肩甲骨の**烏口突起**から起こる細長い形状の筋で，上腕二頭筋短頭の内側に位置する．肩関節の屈曲・内転に加え，肩関節90°外転位での水平屈曲にも作用する．約95％で**筋皮神経**が筋腹を貫いている．
- また，**正中神経**や**上腕動静脈**が深層を走行することがあり，その場合は烏口腕筋によって圧迫を受ける可能性がある．

> **Point** なぜ，ジャムのフタが開けられないことがあるのか
>
> 皆さんは朝，パンにジャムを塗ろうと思ってフタを開けようとしたとき，フタが固くて開かなかった経験はないだろうか．フタを開けられない原因には，上腕二頭筋の作用が大きく関与している．
> 瓶のフタは原則的に左（反時計回り）に回すと開き，逆に右（時計回り）に回すと閉まる．つまり，フタを開けるときには「前腕の回内」，閉めるときには「前腕の回外」を行うことになる（右手で行う場合）．前腕の回外時に働く上腕二頭筋は，回内時に働く円回内筋や方形回内筋よりもはるかに大きく，張力も強い．この差が，フタを開けられなくなってしまう原因となる．

2) 上腕の伸筋群（図11，表5）

1 上腕三頭筋

- 上腕の後面にある大きな紡錘状の筋で，**長頭・内側頭・外側頭**の3つの筋頭に分かれる．また，これらは収束して1つの共同腱をつくり，尺骨の**肘頭**の上部に停止する．

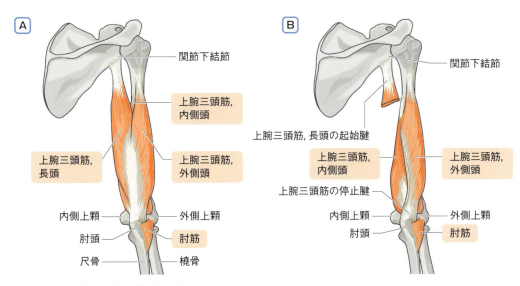

図11　肩関節と上腕の後面の筋
BはAの上腕三頭筋長頭を取り除いたもの．

表5 上腕の伸筋群

筋	起始	停止	神経支配	作用
上腕三頭筋	長頭：肩甲骨の関節下結節 内側頭：上腕骨後面で橈骨神経溝の内下方，内側上腕筋間中隔 外側頭：上腕骨後面で橈骨神経溝の外上方，外側上腕筋間中隔	尺骨の肘頭	橈骨神経（C6～8）	肘関節の伸展 ※長頭のみ肩関節の伸展・内転にも働く
肘筋	上腕骨の外側上顆，肘関節包	尺骨の肘頭，尺骨後面の上部	橈骨神経（C6～8）	肘関節の伸展，肘関節包の緊張

① **上腕三頭筋長頭**：3つの筋頭のなかで唯一の**二関節筋**（⇨ p.144 Point）であり，肘関節の伸展に加えて肩関節の伸展・内転にも働く．

② **上腕三頭筋内側頭**：上腕骨の後面で，橈骨神経溝の内下方に位置する．

③ **上腕三頭筋外側頭**：上腕骨の後面で，橈骨神経溝の外上方に位置する．

2 肘筋

- 肘関節の後外側面にある小さな三角形の筋である．部分的に**上腕三頭筋内側頭**と癒合していることが多く，肘関節を伸展させた際に肘関節の関節包を緊張させる機能をもっている．

臨床で重要！ 上腕後面の神経と脈管の通路

腋窩の後壁を構成する筋と骨は，3つの小窓を形成している．それぞれの小窓からは主要な神経・脈管が通過しており，その理解は臨床場面で重要である．

① **外側腋窩隙（四角間隙）**：以下によって構成された四角形の小窓で，**腋窩神経**と**後上腕回旋動静脈**が通過している（この領域で腋窩神経の障害が起こりやすい）．
- 上辺：肩甲下筋※と小円筋
- 下辺：大円筋
- 外側辺：上腕骨
- 内側辺：上腕三頭筋長頭

② **内側腋窩隙（三角間隙）**：以下によって構成された三角形の小窓で，**肩甲回旋動静脈**が通過している．
- 上辺：肩甲下筋※と小円筋
- 下辺：大円筋
- 外側辺：上腕三頭筋長頭

③ **三頭筋裂孔**：以下によって構成された逆三角形の小窓で，**上腕深動脈**と**橈骨神経**が通過している．
- 上辺：大円筋
- 外側辺：上腕骨
- 内側辺：上腕三頭筋長頭

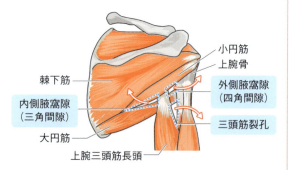

図 上腕後面の神経と脈管の通路

※過去の国家試験では，肩甲下筋を外側・内側腋窩隙の構成に含めない出題例もある．

5 前腕の筋

⇨骨：2章-1 3 ～ 8

- 前腕とは，肘関節から手関節までの間をいう．前腕の筋は，肘・手首・指の関節に作用する．これらの筋は上腕骨の内側・外側上顆から起こるものが多い．一部の例外を除いて**内側上顆**からは**回内・掌屈筋群**が，**外側上顆**からは**回外・背屈筋群**が起始している．

1) 前腕の屈筋群

- 前腕の屈筋群は**浅層**，**中間層**，**深層**の3層に分かれる．

浅層（図12A，表6，⇨図16～18）

1 円回内筋

- 浅層の屈筋群のなかで最も外側（橈側）に位置し，肘窩（肘の前面にある三角形のくぼみ）の内側縁を形成する．**上腕頭**と**尺骨頭**に分かれ，その間を**正中神経**が通過する（円回内筋によって正中神経の絞扼が起こることを**円回内筋症候群**という）．

2 橈側手根屈筋

- 円回内筋のすぐ内側に位置し，第2中手骨の底に停止する（前腕の回内にも働くことに注意）．

3 長掌筋

- 細い紡錘状の筋で，約14％の人で欠如している．長掌筋の腱は移植腱として用いられることが多い．

4 尺側手根屈筋

- 浅層の屈筋群のなかで最も内側（尺側）に位置する．起始部では**上腕頭**と**尺骨頭**に分かれ，その間を**尺骨神経**が走行する．また，尺側手根屈筋の両頭の間の腱膜を整形外科領域では**Osborne**（オズボーン）**バンド**とよぶ．

Let'sTry 触って確認しよう　～長掌筋と手関節の屈筋群～

利き手側の母指と小指の先端を合わせ，写真のように軽度掌屈をさせてみよう．すると，手根の中央に強く浮き出る，逆三角形様の腱が見える．これが**長掌筋**の腱である（見えない人は欠損例の約14％に該当する可能性が高い．反対側で確認するか，同級生に見せてもらおう）．

長掌筋の腱からすぐ橈側には**橈側手根屈筋**の腱が，尺側の少し離れたところには**尺側手根屈筋**の腱が確認できる．また，反対側の中指を長掌筋と尺側手根屈筋の間に，同じく示指を長掌筋と橈側手根屈筋の間に置き，利き手側の指を動かすと筋の収縮を触れることができる．これが**浅指屈筋**の腱である．

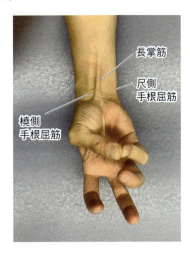

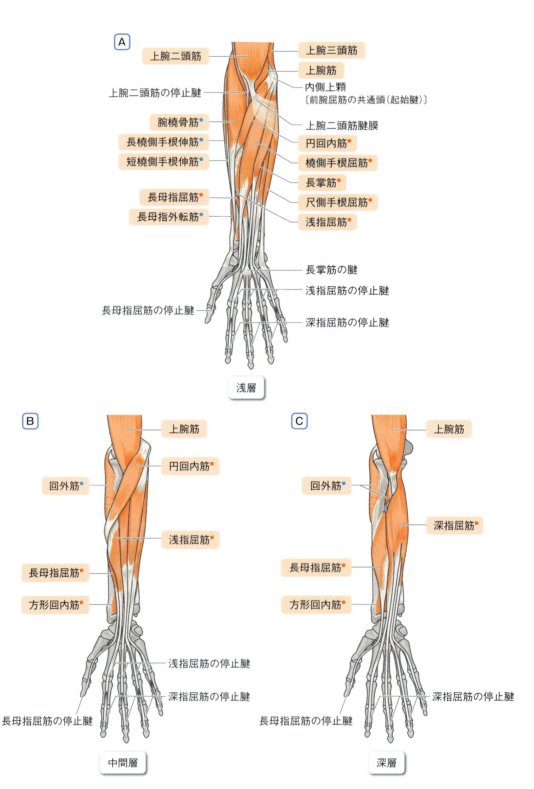

図12 前腕の前面の筋（浅層，中間層，深層）
●：前腕の屈筋群，●：前腕の伸筋群

表6 前腕の屈筋群（浅層）

筋	起始	停止	神経支配	作用
円回内筋	上腕頭：上腕骨の内側上顆 尺骨頭：尺骨の鉤状突起	橈骨の中央の外側面	正中神経（C6・7）	前腕の回内，肘関節の屈曲
橈側手根屈筋	上腕骨の内側上顆	第2中手骨の底	正中神経（C6～8）	手関節の掌屈・橈屈，前腕の回内
長掌筋	上腕骨の内側上顆	屈筋支帯の遠位，手掌腱膜の近位	正中神経（C8・T1）	手関節の掌屈，手掌腱膜の緊張，肘関節の屈曲
尺側手根屈筋	上腕頭：上腕骨の内側上顆 尺骨頭：尺骨の肘頭	豆状骨，有鉤骨鉤，第5中手骨の底	尺骨神経（C7～T1）	手関節の掌屈・尺屈

表7 前腕の屈筋群（中間層）

筋	起始	停止	神経支配	作用
浅指屈筋	上腕尺骨頭：上腕骨の内側上顆，尺骨の鉤状突起 橈骨頭：橈骨の前面の上半部	第2～5指の中節骨の底の掌側面	正中神経（C7～T1）	第2～5指のMP・PIP関節の屈曲，手関節の掌屈，肘関節の屈曲

表8 前腕の屈筋群（深層）

筋	起始	停止	神経支配	作用
深指屈筋	尺骨の前面の近位2/3と，それに近接する前腕骨間膜	第2～5指の末節骨の底の掌側面	橈側部（第2・3指）：前骨間神経※（C8・T1） 尺側部（第4・5指）：尺骨神経（C8・T1）	第2～5指のMP・PIP・DIP関節の屈曲，手関節の掌屈
長母指屈筋	橈骨の前面の中央部と，それに隣接する前腕骨間膜	母指の末節骨の底の掌側面	前骨間神経※（C8・T1）	母指のMP・IP関節の屈曲・CM関節の対立，手関節の掌屈・橈屈
方形回内筋	尺骨の前面の遠位1/4	橈骨の前面の遠位1/4	前骨間神経※（C8・T1）	前腕の回内

※正中神経の背側から起こる枝．

中間層（図12B，表7，⇨図16～18）

1 浅指屈筋

- 非常に大きな筋であり，起始部は**上腕尺骨頭**と**橈骨頭**に分かれる．両頭の間を**正中神経**と**尺骨動静脈**が通過する．手関節の近くで浅指屈筋は4本の腱に分かれ，手根管（⇨p.91）を通って第2～5指に停止する．

深層（図12C，表8，⇨図17）

1 深指屈筋

- 前腕屈筋群の深層で尺骨側から起こり，第2～5指の**遠位指節間関節（DIP関節）**を屈曲させることができる唯一の筋である．また同時に，**近位指節間関節（PIP関節），中手指節関節（MP関節），手関節**を屈曲させることができる．
- 深指屈筋の筋腹は前腕内側の領域で，皮下組織の直下に触れることができる．

2 長母指屈筋

- 前腕屈筋群の深層で橈骨側から起こる筋で，母指の**指節間関節（IP関節）**を屈曲させることができる唯一の筋であり，手関節の掌屈にも補助的に働く．

3 方形回内筋

- 深指屈筋・長母指屈筋のさらに深層に位置する長方形の筋で，前腕を回内させる働きをもつ．

2) 前腕の伸筋群

- 前腕の伸筋群は**浅層**，**深層**の2層に分かれる．

浅層（図13A，14AB，15，表9）

1 腕橈骨筋

- 前腕の浅層の前外側に位置する筋で，肘窩の外側縁を形成する（⇨図12A）．前腕の筋は通常，内側上顆からは回内・掌屈筋群が，外側上顆からは回外・背屈筋群が起始している．しかし，腕橈骨筋は屈筋であるにもかかわらず，<u>外側上顆（厳密には，その近位部の外側顆上稜）から起こる例外的な筋</u>である．

2 長橈側手根伸筋

- 腕橈骨筋とともに上腕骨の**外側顆上稜**から起こる筋で，同筋との癒合例もしばしばみられる．

3 短橈側手根伸筋

- 長橈側手根伸筋が上腕骨の外側顆上稜から起こるのに対し，やや遠位の外側上顆から起始している．また，その名称が示すとおり，長橈側手根伸筋よりも一回り短い形状をしている．

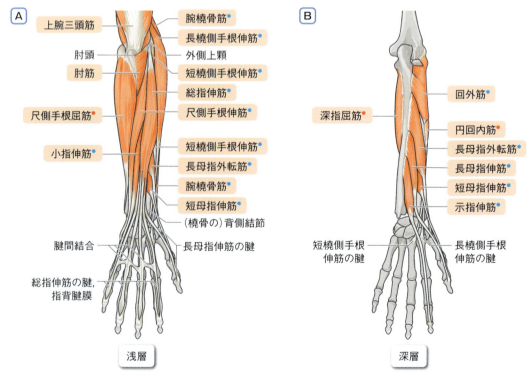

図13 前腕の後面の筋（浅層，深層）

- ●：前腕の屈筋群，●：前腕の伸筋群

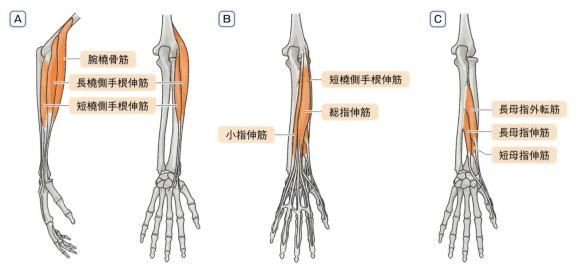

図14 前腕の伸筋群
A）腕橈骨筋，長・短橈側手根伸筋（外側面，背側面），B）短橈側手根伸筋，総指伸筋，小指伸筋（背側面），C）長母指外転筋，長母指伸筋，短母指伸筋（背側面）

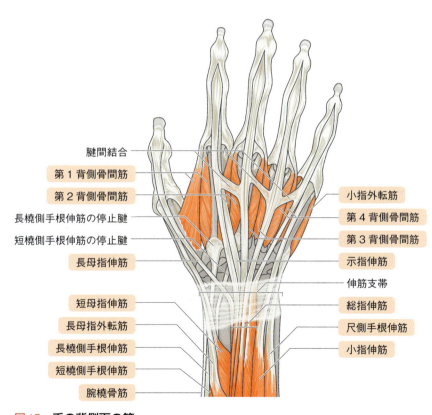

図15 手の背側面の筋

表9　前腕の伸筋群（浅層）

筋	起始	停止	神経支配	作用
腕橈骨筋	上腕骨の外側顆上稜の近位2/3，外側上腕筋間中隔	橈骨の茎状突起	橈骨神経（C5〜7）	肘関節の屈曲，前腕の回外・回内（中間位に戻す）
長橈側手根伸筋	上腕骨の外側顆上稜の遠位1/3，外側上腕筋間中隔	第2中手骨の底	橈骨神経（C5〜7）	手関節の背屈・橈屈，肘関節の屈曲
短橈側手根伸筋	上腕骨の外側上顆	第3中手骨の底	後骨間神経※（C5〜7）	手関節の背屈・橈屈，肘関節の屈曲
総指伸筋（指伸筋）	上腕骨の外側上顆	第2〜5指の指背腱膜	後骨間神経※（C6〜8）	第2〜5指のMP・PIP・DIP関節の伸展，手関節の背屈
小指伸筋	上腕骨の外側上顆	小指の指背腱膜	後骨間神経※（C6〜8）	小指のMP・PIP・DIP関節の伸展，手関節の背屈
尺側手根伸筋	上腕頭：上腕骨の外側上顆　尺骨頭：尺骨の後面	第5中手骨の底	後骨間神経※（C6〜8）	手関節の背屈・尺屈

※橈骨神経の深枝の終枝．

4 総指伸筋（指伸筋）

- 母指以外の4指の主要な伸筋で，その起始部は前腕後面の大半を占めている．停止部では4本の腱は扁平になり，小指伸筋・示指伸筋の腱とともに**指背腱膜**を形成している．

5 小指伸筋

- 紡錘状の筋束で，総指伸筋の一部が分離したものである．

6 尺側手根伸筋

- **上腕頭**と**尺骨頭**からなる細長い形状の筋で，主な作用は手関節の背屈と尺屈である．尺側手根屈筋と共働することにより，より強力な尺屈を行うことができる．

> **国試のPoint　腕橈骨筋の作用**
> 　腕橈骨筋の作用は「肘関節の屈曲＋前腕の回外・回内」である．前腕には回外・回内に働く筋がそれぞれ存在するが，両方とも働く筋は腕橈骨筋のみである．ではなぜ，「回外と回内の両方」に働くのだろうか．
> 　腕橈骨筋の作用は「肘関節の屈曲＋**前腕の回外・回内**」というよりも，「肘関節の屈曲＋**前腕を中間位に戻すための回旋**」と解釈したほうが理解しやすい．つまり，肘関節の屈曲に加えて，回内位から中間位（運動は回外），回外位から中間位（運動は回内）の作用を有しているのである（併せて「ビールのジョッキを持ち上げるような運動時に働く筋」と覚えるとよい）．

深層（図13B，14C，15，表10）

1 回外筋

- 肘窩の深層にある板状の筋で（⇨図12BC），**橈骨神経の深枝（後骨間神経）**が筋腹を貫く．

2 長母指外転筋

- 回外筋のすぐ遠位にある細長い形状の筋で，短母指伸筋と接している．

3 短母指伸筋

- 細長く短い母指の伸筋で，長母指外転筋のすぐ遠位に位置する．

表10 前腕の伸筋群（深層）

筋	起始	停止	神経支配	作用
回外筋	上腕骨の外側上顆，外側側副靱帯，橈骨の輪状靱帯，尺骨の回外筋稜	橈骨の近位1/3の外側面	後骨間神経※（C5・6）	前腕の回外
長母指外転筋	橈骨・尺骨・前腕骨間膜の後面の近位1/2	母指の中手骨の底	後骨間神経※（C6～8）	母指のCM関節の外転，手関節の橈屈
短母指伸筋	橈骨・前腕骨間膜の後面の中間1/3	母指の基節骨の底の背側面	後骨間神経※（C6～8）	母指のMP関節の伸展・CM関節の外転
長母指伸筋	尺骨・前腕骨間膜の後面の中間1/3	母指の末節骨の底の背側面	後骨間神経※（C6～8）	母指のMP・IP関節の伸展，手関節の背屈・橈屈
示指伸筋	尺骨・前腕骨間膜の後面の遠位1/3	示指の指背腱膜	後骨間神経※（C6～8）	示指のMP・PIP・DIP関節の伸展，手関節の背屈

※橈骨神経の深枝の終枝．

4 長母指伸筋

- その名称が示すとおり，短母指伸筋よりも筋腹と腱が長い筋である．

※長母指外転筋・短母指伸筋・長母指伸筋は**解剖学的嗅ぎタバコ入れ**の形成にかかわる．

5 示指伸筋

- 長母指伸筋のすぐ尺側を走行する細長い筋で，単独もしくは総指伸筋と共働して示指を伸展させる．

> **国試のPoint　解剖学的嗅ぎタバコ入れ（anatomical snuff box）**
>
> 　母指を伸展・外転した際にみられるくぼみで，内側は**長母指伸筋の腱**，外側は**短母指伸筋・長母指外転筋の腱**，底は**舟状骨**と**大菱形骨**によって構成される．かつて，このくぼみに嗅ぎタバコ（鼻粘膜から吸収するタバコ）を載せて吸っていたことがその語源とされており，臨床では**タバチエール**ともよばれる．
>
> 　また，解剖学的嗅ぎタバコ入れの中には**橈骨動脈**（拍動を触れることができるので，確認してみよう）が走行し，近位部では**橈骨の茎状突起**を，遠位部では**母指の中手骨の底**を触知することができる．

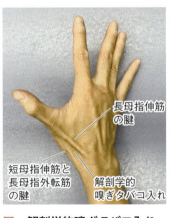
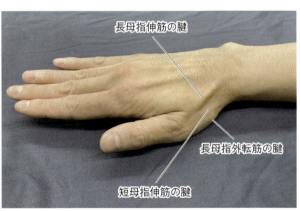

図　解剖学的嗅ぎタバコ入れ

6 手の筋

⇨骨：2章-1 6 ～ 8

- 手の筋は，**外在筋**（前腕から起始した後に手に停止する筋で，**外来筋・手外筋**ともいう．5 前腕の筋にて解説）と**内在筋**（手に起始・停止がある筋で，**手内筋**ともいう）に分けることができる．さらに内在筋は**母指球筋・小指球筋・中手筋**の3部に分かれる．

1）母指球筋（図16～18，表11）

- 母指の付け根の膨らんだ部分（**母指球**）を形成する．

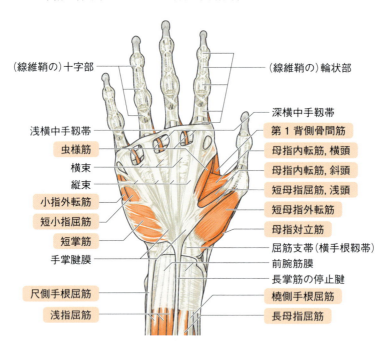

図16 手の掌側面の筋（浅層）

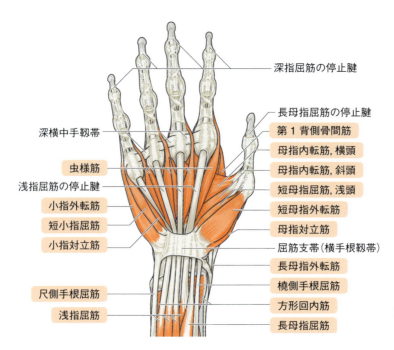

図17 手の掌側面の筋（中間層）

1 短母指外転筋

- 母指球の外側に位置する筋で，母指の外転に加えて対立運動の初期にも補助的に働く．

2 母指対立筋

- 短母指外転筋の深層・橈側にある筋で，短母指屈筋と筋腹が癒合している．母指の運動のなかでも最も重要である対立運動に大きく関与する．

3 短母指屈筋

- 短母指外転筋のすぐ内側に位置している．筋腹は**浅頭**と**深頭**の2つに分かれており，それぞれ異なる神経が支配する．両頭の間を長母指屈筋の腱が通過する．

4 母指内転筋

- 手の深層にある扇形の筋で，筋腹は短母指屈筋と癒合している．**斜頭**と**横頭**に分かれ，その名が示すように母指の内転に働き，握りこぶしをつくる際に強い力を与える．

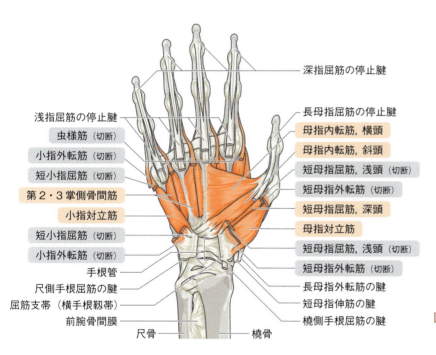

図18 手の掌側面の筋（深層）

表11 手掌の筋（母指球筋）

筋	起始	停止	神経支配	作用
短母指外転筋	舟状骨結節，大菱形骨，屈筋支帯	母指の基節骨の底の外側面	正中神経（C6・7）	母指のMP関節の屈曲・CM関節の外転
母指対立筋	大菱形骨結節，屈筋支帯	母指の中手骨の外側面	正中神経（C6・7）	母指のCM関節の対立
短母指屈筋	浅頭：屈筋支帯 深頭：有頭骨，大菱形骨結節	母指の基節骨の底の外側面	浅頭：正中神経（C6・7） 深頭：尺骨神経（C8・T1）	母指のMP関節の屈曲・CM関節の対立
母指内転筋	斜頭：有頭骨，第2・3中手骨の底 横頭：第3中手骨の掌側面	母指の基節骨の底の内側面	尺骨神経（C8・T1）	母指のMP関節の屈曲・CM関節の内転

表12　手掌の筋（小指球筋）

筋	起始	停止	神経支配	作用
短掌筋	手掌腱膜の内側	小指球の皮膚	尺骨神経（C8・T1）	小指球の皮膚を緊張させる
小指外転筋	豆状骨	小指の基節骨の底の内側面，指背腱膜	尺骨神経（C8・T1）	小指のMP関節の屈曲・外転，PIP・DIP関節の伸展
短小指屈筋	有鈎骨鈎，屈筋支帯	小指の基節骨の底の内側面	尺骨神経（C8・T1）	小指のMP関節の屈曲
小指対立筋	有鈎骨鈎	第5中手骨の内側面	尺骨神経（C8・T1）	小指のCM関節の屈曲

2) 小指球筋（図16〜18，表12）

- 小指の付け根の膨らんだ部分（**小指球**）を形成する．

1 短掌筋

- 皮下組織内にある薄く小さい皮筋で，小指球の皮膚にしわをつくって手指を握る動作を助ける．長掌筋と名称は似ているが，形状・作用は全く異なる筋である．

2 小指外転筋

- 小指球筋のうち最も尺側にある筋で，小指球の盛り上がりをつくっている．短小指屈筋と筋腹が癒合している．

3 短小指屈筋

- 小指外転筋の橈側に位置する筋で，その大きさは個人差がある．小指外転筋と筋腹が癒合している．

4 小指対立筋

- 小指外転筋と短小指屈筋の深層に位置する四角形の筋である．筋腹は独立している．

3) 中手筋（図15〜19，表13）

- 母指球と小指球の間の領域（中手部）にある筋で，3種11個の筋によって構成される．

1 虫様筋

- 4つの細長い形状の筋で，内側と外側でそれぞれ形状と神経支配が異なる（第1・2虫様筋は半羽状筋で正中神経支配，第3・4虫様筋は羽状筋で尺骨神経支配）．中手指節関節（MP関節）の屈曲と近位・遠位指節間（PIP・DIP）関節の伸展を同時に行う．

2 掌側骨間筋

- 中手骨の間に3つ存在し，手指を**内転**させる作用をもつ．

3 背側骨間筋

- 中手骨の間に4つ存在し，手指を**外転**させる作用をもつ．

表13 手掌の筋（中手筋）

筋	起始	停止	神経支配	作用
虫様筋	第1・2虫様筋： 　第2・3指の深指屈筋の腱 第3・4虫様筋： 　第3〜5指の深指屈筋の腱	第2〜5指の指背腱膜の外側面	第1・2虫様筋： 　正中神経（C8・T1） 第3・4虫様筋： 　尺骨神経（C8・T1）	第2〜5指のMP関節の屈曲，PIP・DIP関節の伸展
掌側骨間筋 （第1〜3）	第2・4・5中手骨の掌側面	第2・4・5指の基節骨の底，指背腱膜	尺骨神経（C8・T1）	第2・4・5指のMP関節の内転，虫様筋の補助
背側骨間筋 （第1〜4）	各指の中手骨の間	第2〜4指の基節骨の底，指背腱膜	尺骨神経（C8・T1）	第2〜4指のMP関節の外転，虫様筋の補助

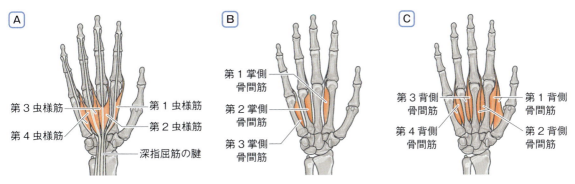

図19　虫様筋，掌側骨間筋，背側骨間筋（掌側面）

> **Point** 手の内在筋プラス肢位とマイナス肢位
>
> 　手の内在筋（母指球筋，小指球筋，中手筋）が機能した状態は**手の内在筋プラス肢位**（MP関節屈曲・PIP関節伸展・DIP関節伸展位），機能していない状態は**手の内在筋マイナス肢位**（MP関節伸展・PIP関節屈曲・DIP関節屈曲位）とよばれている．
>
> 　手の内在筋プラス肢位の際に働く主要な筋である**虫様筋**は尺側（第3・4虫様筋）が尺骨神経，橈側（第1・2虫様筋）が正中神経によって支配されている．そのため，尺骨神経麻痺の際には環指と小指のみが手の内在筋マイナス肢位となる（**鷲手** ⇨ p.97 国試のPoint）．
>
>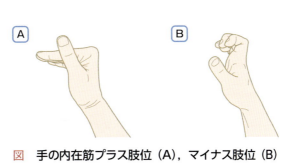
>
> 図　手の内在筋プラス肢位（A），マイナス肢位（B）

第2章 運動器系（上肢）

4 上肢の筋膜

学習のポイント
- 上肢の各部位を覆う筋膜の名称を覚える
- 上腕と前腕の筋区画と，その内部の構造を理解する

- 骨格筋の表面と内部に広がる線維性結合組織の被膜を**筋膜**※という．筋膜は骨格筋を包んで保護するとともに，いくつかの**筋区画**（コンパートメント）を形成している．筋膜の構造はこれまで軽視され続けてきたが，近年，骨格筋系アプローチの新しい分野として非常に着目されている．上肢の筋膜を図1に示す．

※英米系の教科書では骨格筋を包む筋膜を**深筋膜**というのに対し，その浅層を覆う皮下組織を**浅筋膜**とよんでいる．臨床では深筋膜・浅筋膜に区分する機会が多いため，本書でも同様に記載する．

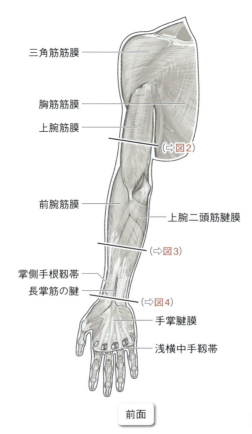

前面

図1　上肢の深筋膜

1 胸部浅層の筋膜

1 胸筋筋膜
- 大胸筋の前面と後面を覆う深筋膜で，**腋窩筋膜や三角筋筋膜**へとつながる．

2 鎖骨胸筋筋膜
- 鎖骨下筋と小胸筋を覆う深筋膜で，**腋窩筋膜**ともつながっている．大胸筋と小胸筋を分ける役割をもつ．

3 肋骨烏口膜
- 鎖骨胸筋筋膜の一部で，小胸筋の内側の領域をいう．

4 腋窩筋膜
- 腋窩の底面を構成する深筋膜で，腋窩の脂肪体を包んでいる．深部は**鎖骨胸筋筋膜**とつながっている．

2 背部浅層の筋膜

- 胸腰筋膜：⇨p.234

3 肩甲骨周辺の筋膜

1 三角筋筋膜
- 三角筋の表面を覆う深筋膜で，以下の構造物と連続性をもつ．
    - ▶上方：鎖骨，肩峰，肩甲棘
    - ▶下方：上腕筋膜
    - ▶前方：胸筋筋膜
    - ▶後方：棘下筋膜

2 棘上筋膜・棘下筋膜
- 棘上筋膜は棘上筋，棘下筋膜は棘下筋・小円筋をそれぞれ覆う深筋膜で，部分的に各筋の起始部となっている．
- 肩甲骨周辺の筋膜のなかでも特に丈夫で，不透明な筋膜である．

4 上腕の筋膜

1 上腕筋膜
- 上腕の前面・後面の筋を覆う深筋膜で，以下の構造物と連続性をもつ．
    - ▶上方：胸筋筋膜，三角筋筋膜，腋窩筋膜
    - ▶下方：上腕骨の内側上顆・外側上顆，前腕筋膜

2 上腕の筋区画（コンパートメント）

- 上腕の筋は**外側上腕筋間中隔・内側上腕筋間中隔**により，2つの筋区画に分かれる（図2）．
  - 前区画（屈筋区画）：上腕の屈筋群（⇨p.74）の区画
  - 後区画（伸筋区画）：上腕の伸筋群（⇨p.75）の区画

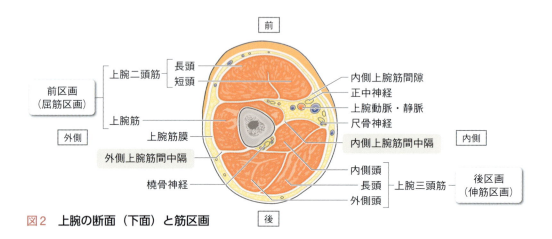

図2　上腕の断面（下面）と筋区画

5 前腕の筋膜

1 前腕筋膜

- 前腕の前面・後面の筋を覆う深筋膜で，以下の構造物と連続性をもつ．また，**上腕二頭筋腱膜**（⇨2章-3図10A）が放散して付着している．
  - 上方：上腕筋膜
  - 下方：屈筋支帯・掌側手根靱帯を介して手掌腱膜

2 前腕の筋区画（コンパートメント）

- 前腕の筋は**外側前腕筋間隙・前腕骨間膜**により，2つの筋区画に分かれる（図3）．
  - 前区画（屈筋区画）：前腕の屈筋群（⇨p.77）の区画
  - 後区画（伸筋区画）：前腕の伸筋群（⇨p.80）の区画

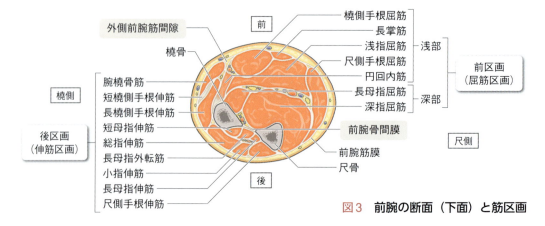

図3　前腕の断面（下面）と筋区画

3 屈筋支帯

- 舟状骨と大菱形骨，三角骨と有鈎骨の間に張る強靱な靱帯で，**手根管**という通路を形成している．屈筋支帯は近位では**前腕筋膜**，遠位では**手掌腱膜**と連続性をもつ（⇨2章-3図16）．
- 手根管には以下の構造物が通過している（図4）．
  - ▶4本の浅指屈筋腱
  - ▶4本の深指屈筋腱
  - ▶長母指屈筋腱
  - ▶正中神経

4 掌側手根靱帯

- 前腕筋膜の肥厚部で，屈筋支帯の浅層に位置している．掌側手根靱帯と屈筋支帯の間の尺側部には**尺骨神経管（Guyon管）**という管があり，**尺骨神経**や**尺骨動静脈**が通過している（図4）．

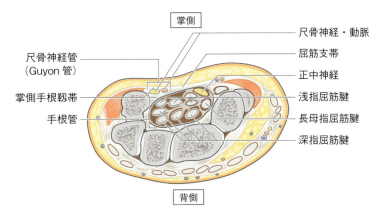

図4　手根の断面

5 伸筋支帯

- 手背筋膜の肥厚部で，その深層に6つの腱区画を形成している．以下の腱は**腱鞘（滑液鞘）**に包まれた後，それぞれの腱区画を通過する（図5）．
  - ▶第1腱区画：長母指外転筋腱，短母指伸筋腱
  - ▶第2腱区画：長橈側手根伸筋腱，短橈側手根伸筋腱
  - ▶第3腱区画：長母指伸筋腱
  - ▶第4腱区画：総指伸筋腱（4本），示指伸筋腱
  - ▶第5腱区画：小指伸筋腱
  - ▶第6腱区画：尺側手根伸筋腱

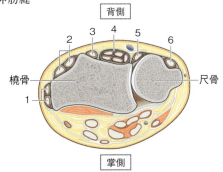

図5　手根の伸筋腱区画（横断面）

6 手の筋膜（図6）

1 手背筋膜
- 手背の腱を覆う深筋膜で，手掌の筋膜と比較して非常に薄い．伸筋支帯を介して，**前腕筋膜**と連続している．

2 手掌腱膜
- 手掌の筋膜の中央部が肥厚した部位で，近位端は**屈筋支帯・長掌筋腱**と連続性をもつ．

3 浅横中手靱帯
- 中手骨の頭の高さで手掌腱膜を横につなぐ靱帯．

4 深横中手靱帯
- 中手骨の頭の掌側面を横につなぐ靱帯．

5 指の線維鞘
- 各指の屈筋腱（第2～5指は浅・深指屈筋腱，母指は長母指屈筋腱）を包む結合組織性の管で，以下の2部からなる．
  - ▶十字部：指の線維鞘の斜走する部位．
  - ▶輪状部：指の線維鞘の横走する部位．

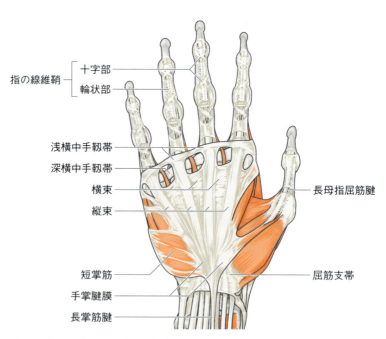

図6 手掌腱膜と指の線維鞘（掌側面）

第2章 運動器系（上肢）

5 上肢の神経

> **学習のポイント**
> - 腕神経叢の主要な枝について説明することができる
> - 腕神経叢のすべての枝を図示することができる
> - 腕神経叢のそれぞれの枝が支配する筋・皮膚を説明することができる

- 上肢に分布する神経の大半は，第5〜8頸神経（C5〜8）ならびに第1胸神経（T1）の前枝（神経根）が形成する**腕神経叢**に由来している．腕神経叢の「叢」は，訓読みでは「くさむら」や「むらがる」と読むことができる．その名が示すように，各神経根は神経網を形成しつつ，頸部から腋窩に向かって広がっている（図1，2）．

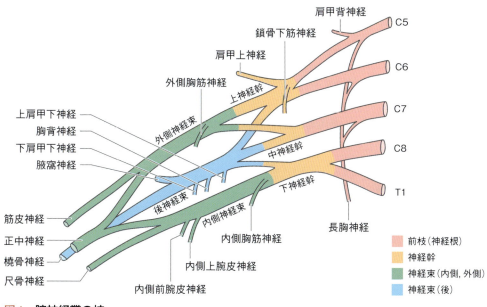

図1 腕神経叢の枝

1 神経根

- 5本の**神経根**（第5〜8頸神経ならびに第1胸神経の前枝）は，**斜角筋隙**※（前斜角筋と中斜角筋の間）を**鎖骨下動脈**とともに通過する（図2）．その際に中頸神経節と頸胸神経節（星状神経節）の灰白交通枝を受ける．

※斜角筋隙で起こる腕神経叢などの絞扼症状を**胸郭出口症候群**という（正確には斜角筋隙，鎖骨と第1肋骨，小胸筋の下層での絞扼症状の総称 ⇨p.216）．

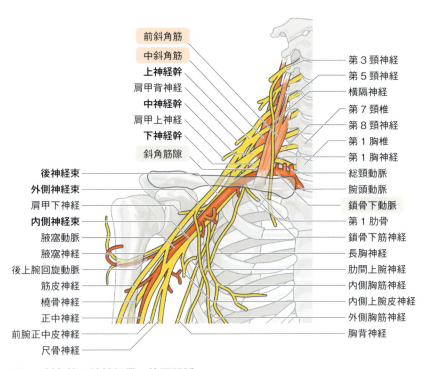

図2 斜角筋と腕神経叢の位置関係

2 神経幹

- 5本の神経根は，頸の下部で3本の**神経幹**を形成する．
- 神経幹は鎖骨の後面で前枝（屈筋群に分布）と後枝（伸筋群に分布）に分かれる．

1 上神経幹：第5・6頸神経の神経根によって形成される．

2 中神経幹：第7頸神経の神経根の延長である．

3 下神経幹：第8頸神経・第1胸神経の神経根によって形成される．

3 神経束

- 神経幹の前枝と後枝は3つの**神経束**をつくる．また，それぞれの名称は**腋窩動脈**との位置関係（図3）に由来している（例：外側神経束は，腋窩動脈の外側を走行する）．

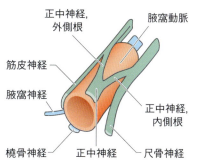

図3 腕神経叢と腋窩動脈の位置関係

1) 外側神経束

- 主に第5～7頸神経の線維を運び，以下の3本の枝を出す（⇨図1）．

1 外側胸筋神経（C5～7）

- 内側胸筋神経との間に交通枝をもち，**大胸筋**と**小胸筋**を支配する．

2 筋皮神経（C5～7）

- 烏口腕筋を貫いた後に上腕二頭筋と上腕筋に枝を出し，**外側前腕皮神経**（前腕の外側の皮膚を支配）となって終わる．

3 正中神経の外側根

- 正中神経の内側根と合流し，**正中神経**（C6～8・T1）を構成する．

2) 内側神経束

- 第8頸神経・第1胸神経の線維を運び，以下の5本の枝に分かれる（⇨図1）．

1 内側胸筋神経（C8・T1）

- 外側胸筋神経との間に交通枝をもち，**大胸筋**と**小胸筋**を支配する．

2 内側上腕皮神経（C8・T1）

- 腕神経叢のなかで最も細い枝であり，**上腕と前腕近位の内側**の皮膚を支配する．

3 内側前腕皮神経（C8・T1）

- 前腕の内側の皮膚を支配する．

4 尺骨神経（C8・T1）

- 上腕骨の内側上顆の背側（**尺骨神経溝**）を通り，前腕の尺側を走行する．**尺側手根屈筋**と**深指屈筋の尺側部**，手の内在筋のほぼすべてと手の尺側の皮膚を支配する．

5 正中神経の内側根

- 正中神経の外側根と合流し，**正中神経**（C6～8・T1）を構成する．また，正中神経の背側からは**前骨間神経**が起こる（**長母指屈筋**，**方形回内筋**，**深指屈筋の橈側部**を支配する）．

3）後神経束

- 各神経幹の後枝によって形成される．第5～8頸神経・第1胸神経の線維を運び，以下の5本の枝に分かれる（⇨図1）．

① 上肩甲下神経（C5・6）
- 肩甲下筋の上部を支配する．

② 胸背神経（C6～8）
- 上下の肩甲下神経の間から起こり，**広背筋**を支配する．

③ 下肩甲下神経（C5・6）
- 肩甲下筋の下部と**大円筋**を支配する． ※上肩甲下神経と下肩甲下神経は合流して**肩甲下神経**を形成する．

④ 腋窩神経（C5・6）
- 後上腕回旋動脈とともに**外側腋窩隙**（⇨p.76）を通過する．**小円筋**と**三角筋**を支配し，**上外側上腕皮神経**を分枝する．

⑤ 橈骨神経（C6～8・T1）
- 腕神経叢の最大の枝で，上腕骨の後面にある橈骨神経溝を上腕深動脈とともに走行する．
- 橈骨神経は肘窩で**浅枝**と**深枝**に分かれ，浅枝は**上腕と前腕の後面の皮膚**を支配する．また，深枝は**腕橈骨筋**と**長橈側手根伸筋**に枝を出した後に回外筋を貫き，**後骨間神経**となる．後骨間神経は回外筋，短橈側手根伸筋，総指伸筋，小指伸筋，尺側手根伸筋，長母指外転筋，短母指伸筋，長母指伸筋，示指伸筋を支配する．

4 鎖骨上部と鎖骨下部

- 腕神経叢は鎖骨によって**上部**と**下部**に分類される（図4）．鎖骨下部の枝は鎖骨の下方に位置し，神経束から分枝する（前項で説明した枝はすべて鎖骨下部である）．

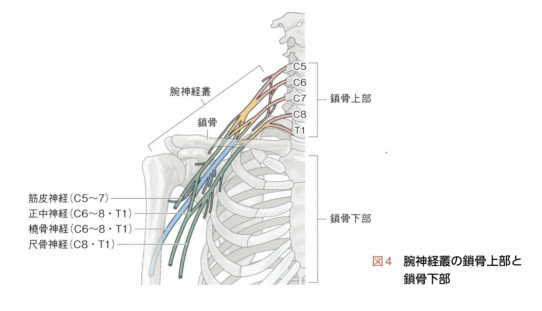

図4 **腕神経叢の鎖骨上部と鎖骨下部**

- 鎖骨上部の枝は神経根と神経幹から分枝し，以下の4つがある（⇨図1）．

1 肩甲背神経（C4・5）
- 中斜角筋を貫いた後に**肩甲挙筋**，**小・大菱形筋**を支配する．

2 長胸神経（C5〜7）
- 腕神経叢のなかで最も近位から分岐する枝で，**前鋸筋**を支配する．

3 肩甲上神経（C4〜6）
- **肩甲切痕**と**上肩甲横靱帯**（⇨2章-2 図2）が形成した孔を通過する．**棘上筋**と**棘下筋**を支配する．

4 鎖骨下筋神経（C5・6）
- 鎖骨下筋を支配する．

国試のPoint

神経麻痺と手の異常肢位

腕神経叢の枝のうち，橈骨神経・尺骨神経・正中神経は圧迫や外傷によって運動麻痺や感覚障害を起こすことがある．その際には以下のような異常肢位がみられる．

表　神経麻痺による手の異常肢位とその特徴

	神経	特徴
下垂手（かすいしゅ）	橈骨神経	手関節と指のMP関節の伸展ができず，手が下垂した状態となる．
鷲手（わしで）	尺骨神経	骨間筋と虫様筋が麻痺した結果，MP関節の過伸展とPIP・DIP関節の屈曲が起こる（一般的には環指と小指にみられる）．
猿手（さるて）	正中神経	母指球筋が麻痺・萎縮し，母指の対立運動ができなくなる．

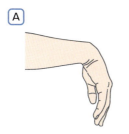  

橈骨神経麻痺による下垂手　　尺骨神経麻痺による鷲手　　正中神経麻痺による猿手

図　神経麻痺による手の異常肢位

第2章 運動器系（上肢）

6 上肢の脈管

学習のポイント
- 鎖骨下動脈，腋窩動脈，上腕動脈がそれぞれどの部位で名称が変わるかを理解する
- 主要な動脈・静脈から起こる枝を覚える
- 前腕・手部にどのように脈管が分布するかを説明することができる

1 上肢の動脈

- 上肢の動脈は，**大動脈弓**から起こる**鎖骨下動脈**から始まる（図1）．鎖骨下動脈は，第1肋骨の外側縁を通過すると**腋窩動脈**に名称が変わる．また，腋窩動脈は大円筋の下縁を通過すると，**上腕動脈**となる．その後，上腕動脈は**橈骨動脈**と**尺骨動脈**に分かれて手に達する．各動脈から分岐する枝は以下のとおりである．

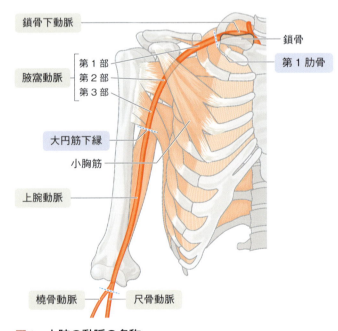

図1　上肢の動脈の名称

1）鎖骨下動脈（図2）

- 左鎖骨下動脈は**大動脈弓**から直接起こり，右鎖骨下動脈は**腕頭動脈**から分枝する（⇨p.251）．鎖骨下動脈からは以下の5つの枝が起こる（腕頭動脈は右側にしか存在しない）．

1 椎骨動脈：分枝した後に，第6から第1頸椎の横突孔を上行する．脳幹の橋の下縁で左右が合流し，**脳底動脈**を形成する．脳底動脈は**大脳動脈輪**（⇨p.252）の形成に関与する．

2 内胸動脈：鎖骨下動脈の下面から起こり，胸郭内面（胸骨の外側）を下行する．胸壁や横隔膜に多数の枝を出す．

3 甲状頸動脈：太く短い動脈で，以下の3本の枝に分かれる．

① **下甲状腺動脈**：外頸動脈の枝である**上甲状腺動脈**とともに，**甲状腺**を栄養する．さらに**上行頸動脈**が分かれる．

② **頸横動脈**：後頸三角の筋（頭板状筋，肩甲挙筋，中斜角筋，後斜角筋など）や僧帽筋，肩甲骨内側の筋に血液を送る．さらに**浅頸動脈**という枝が起こる（**肩甲背動脈**が分枝する例もある）．

③ **肩甲上動脈**：肩甲骨の後面を走行し，棘上筋と棘下筋に血液を送る．

4 肋頸動脈：鎖骨下動脈の後面から起こって上行し，以下の2本に分かれる．

① **深頸動脈**：頸部後面の筋に血液を送る．

② **最上肋間動脈**：第1・2肋間に血液を送る．

5 肩甲背動脈：通常は鎖骨下動脈から起こる枝ではあるが，頸横動脈の深枝として起こることもある（約40％）．肩甲挙筋と小・大菱形筋を栄養する．

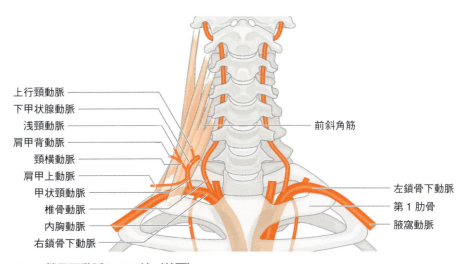

図2　鎖骨下動脈とその枝（前面）

※1：肋頸動脈とその枝は鎖骨下動脈の後面から起こるため，本図では省略している．
※2：本図では肩甲背動脈は頸横動脈の枝として描いている．

2）腋窩動脈（図3）

- 鎖骨下動脈は第1肋骨の外側縁を通過した後に，**腋窩動脈**に名称が変わる．腋窩動脈は大円筋の下縁まで続く．腋窩動脈は小胸筋との位置関係により，以下の3部に分かれる．

1 第1部：小胸筋よりも近位の部分で，**最上胸動脈**が分枝する．
- **最上胸動脈**：鎖骨下筋，第1・2肋間の筋，前鋸筋の上部に分布する．

2 第2部：小胸筋の深層の部分で，**胸肩峰動脈**が分枝する．
- **胸肩峰動脈**：大胸筋の鎖骨部の深層で**胸筋枝**，**三角筋枝**，**肩峰枝**，**鎖骨枝**などに分かれる．

3 第3部：小胸筋よりも遠位の部分で，以下の4本の枝が起こる．
① **外側胸動脈**：小胸筋の外側縁に沿って下行し，**前鋸筋**と**大・小胸筋**に分布する．
② **肩甲下動脈**：腋窩動脈の枝のなかで最も太く短い枝である．さらに2本の枝に分かれる．
　▶ **肩甲回旋動脈**：**内側腋窩隙**（⇨p.76）を通った後に**小円筋**と**棘下筋**に分布している．
　▶ **胸背動脈**：**広背筋**と**大円筋**に分布している．
③ **前上腕回旋動脈**：上腕骨の外科頸の前面を回り，烏口腕筋や上腕二頭筋に分布する．
④ **後上腕回旋動脈**：腋窩神経とともに**外側腋窩隙**（⇨p.76）を通過した後に，**三角筋・小円筋**と**肩関節**に分布する．

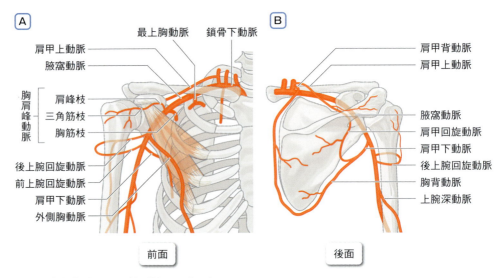

図3　腋窩動脈とその枝（前面，後面）

3）上腕動脈（図4）

- 腋窩動脈の延長で，大円筋の下縁から始まり，肘窩の橈骨頭の高さで終わる．血圧測定の際に動脈圧を測る動脈でもあり，その際には上腕遠位部の上腕二頭筋腱の内側で触知が可能である．

- 上腕動脈は以下の3本の枝を分岐した後に，上腕二頭筋腱膜の下で**橈骨動脈**と**尺骨動脈**に分かれる．

1　上腕深動脈：上腕動脈の枝のなかで最も太い枝で，**橈骨神経**とともに橈骨神経溝を下行する．上腕骨体の後面に回り込んで**上腕三頭筋**に枝を出した後に，**中側副動脈**と**橈側側副動脈**に分かれる．

2　上尺側側副動脈：上腕骨内側上顆の後面を走行し，肘関節の動脈網に加わる．

3　下尺側側副動脈：上腕骨内側上顆の前面を走行し，肘関節の動脈網に加わる．

4) 橈骨動脈（図5）

- 上腕動脈の2本の終枝のうち，細い枝が橈骨動脈である．分枝した後に前腕の外側を走行し，橈骨遠位部の外側面を回り込んで**解剖学的嗅ぎタバコ入れ**（⇨p.83）の底を通過する．その後，**第1背側骨間筋**を貫いて手掌に至る．また，橈側手根屈筋の遠位部の外側で脈拍を触れることができる．

5) 尺骨動脈（図5）

- 上腕動脈の2本の終枝のうち，太い枝が尺骨動脈である．分枝した後に前腕の内側を走行し，手の屈筋支帯の浅層で**尺骨神経管**（Guyon管）を通過して手掌に至る．尺側手根屈筋の遠位部の外側で非常に弱い脈拍を触れることができる．また，肘窩の高さで**総骨間動脈**が分枝して深部に向かい，さらに**前骨間動脈**と**後骨間動脈**に分かれる．

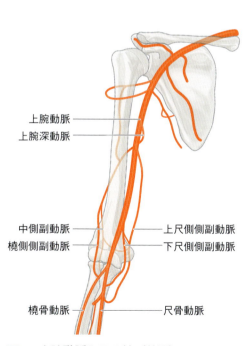

図4　上腕動脈とその枝（前面）

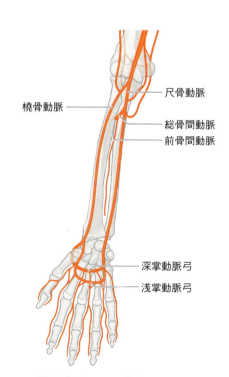

図5　橈骨動脈・尺骨動脈とその枝（前面）

6）浅掌動脈弓（図6）

- 尺骨動脈から直接つながる手の動脈弓で，3〜4本の**総掌側指動脈**が起こる．総掌側指動脈は深掌動脈弓から起こる**掌側中手動脈**と吻合し，一対の**固有掌側指動脈**となって第2〜5指の両側（母指以外）に沿って走行する．

7）深掌動脈弓（図6）

- 橈骨動脈から直接つながる手の動脈弓で，尺骨動脈の枝と吻合をもつ．深掌動脈弓からは3〜4本の**掌側中手動脈**と1本の**母指主動脈**を送る．

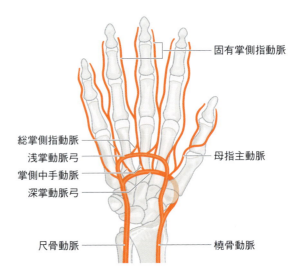

図6　浅掌動脈弓と深掌動脈弓（掌側面）

2　上肢の静脈

- 上肢の静脈は**皮静脈**（皮下組織を走行する静脈）と**深静脈**（同名の動脈に並行する静脈）に分かれる．

1）上肢の皮静脈（図7，8）

1. **手背静脈網**：母指側では**橈側皮静脈**に，小指側では**尺側皮静脈**につながっている．
2. **橈側皮静脈**：三角筋胸筋三角（三角筋，大胸筋鎖骨部，鎖骨によって形成される三角形の領域）から**腋窩静脈**に注ぐ．
3. **尺側皮静脈**：上腕の中央部から深部へ入り，**上腕静脈**に注ぐ．
4. **肘正中皮静脈**：肘の前面にある皮静脈で，橈側皮静脈と尺側皮静脈をつないでいる．また，肘正中皮静脈は静脈血採血の穿刺部位としても用いられることが多い．

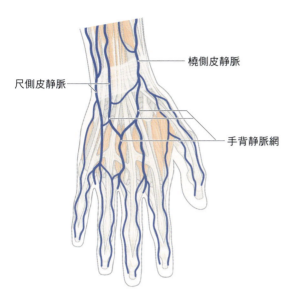

図7　手背の皮静脈

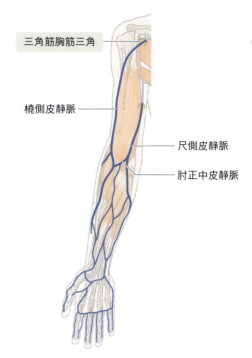

図8　上肢前面の皮静脈

2）上肢の深静脈（⇨5章図12）

- いずれの枝も，同名の動脈と伴行している．

1 尺骨静脈：深掌静脈弓と浅掌静脈弓が流入する．

2 橈骨静脈：橈骨動脈と伴行する．

3 上腕静脈：肘の高さで尺骨静脈と橈骨静脈が合流して始まり，**尺側皮静脈**と合流して腋窩静脈になる．

4 腋窩静脈：上腕静脈と**尺側皮静脈**が大円筋の下縁で合流して形成される静脈で，第1肋骨の外側縁で終わる．**三角筋胸筋三角**を通過した**橈側皮静脈**が加わる．

5 鎖骨下静脈：腋窩静脈の続きで第1肋骨の外側で始まり，前斜角筋の内側で終わる（斜角筋隙は通過しないことに注意）．内頸静脈と合流して**腕頭静脈**を形成する（腕頭動脈は右側にしかないが，腕頭静脈は両側に存在する）．

国家試験練習問題

問1 腱板を構成する筋はどれか．[第56回PM問54]
1. 肩甲下筋
2. 三角筋
3. 上腕筋
4. 僧帽筋
5. 大円筋

問2 橈骨粗面に付着する筋はどれか．[第56回AM問52]
1. 肘筋
2. 上腕筋
3. 腕橈骨筋
4. 上腕二頭筋
5. 橈側手根屈筋

問3 手の外来筋はどれか．[第58回AM問51]
1. 短母指外転筋
2. 短小指屈筋
3. 短母指屈筋
4. 短母指伸筋
5. 短掌筋

問4 右手背部の写真を図1に示す．矢印が示す腱はどれか．[第57回AM問60]
1. 短母指伸筋腱
2. 長母指伸筋腱
3. 母指内転筋腱
4. 短母指外転筋腱
5. 長母指外転筋腱

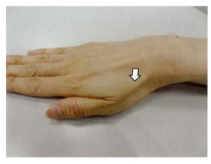

図1

問5 外側腋窩隙を構成する筋はどれか．[第53回AM問53]
1. 棘上筋
2. 棘下筋
3. 広背筋
4. 大円筋
5. 肩甲下筋

第3章 運動器系（下肢）

1 下肢の骨

学習のポイント

- 下肢の骨の名称を覚える
- 寛骨を形成する骨と，その主要な部位を説明することができる
- 骨の各部位に，どの筋が起始・停止するかを理解する

- 下肢の骨は，上肢と比較して体重の支持や歩行，平衡を保つために特殊化している．歩行や立位などの姿勢・動作分析を行ううえでも，その構造を正しく理解することは非常に重要である．
- 下肢の骨格は**寛骨**（**腸骨・坐骨・恥骨**），**大腿骨，膝蓋骨，脛骨，腓骨，足根骨**（7個），**中足骨**（5個），**趾骨**（14個）からなる（図1）．

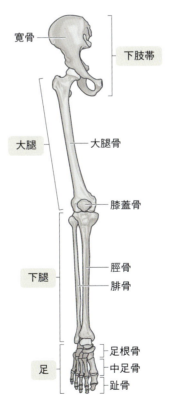

図1 下肢の骨（前面）

1 寛骨 (図2)

⇨関節：3章-2 **1**，4章-4 **2** 5)，筋：3章-3 **1** 〜 **4**

- 仙骨と大腿骨をつなぎ，体幹と下肢との間を連絡する役割をもつ．寛骨は**腸骨・坐骨・恥骨**によって形成されており（図3），仙骨・尾骨とともに**骨盤**を構成している．

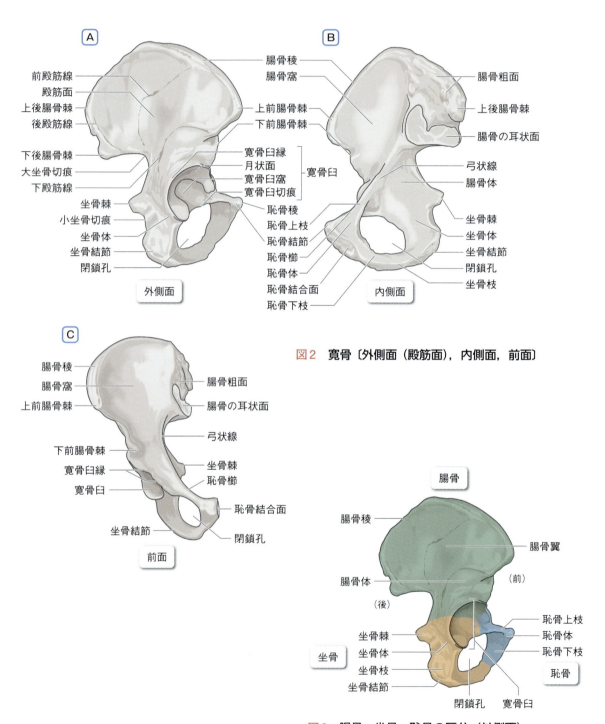

図2 寛骨〔外側面（殿筋面），内側面，前面〕

図3 腸骨・坐骨・恥骨の区分（外側面）

1）腸骨

- 寛骨上方の最も大きな部分で，**寛骨臼**（大腿骨頭と関節する深いカップ状の凹み）の上部をつくる．

1 腸骨体

- 腸骨の主要部で，恥骨と坐骨と融合して**寛骨臼**を形成する．

2 腸骨翼

- 腸骨の後外側の薄い部分で，表面に以下の3種の粗い曲線をもつ（図2A）．
- ①前殿筋線（起始 中殿筋，小殿筋）：腸骨翼のほぼ中央にある骨線．
- ②後殿筋線（起始 大殿筋，中殿筋）：大殿筋と中殿筋の起始部の中央にある骨線．
- ③下殿筋線（起始 小殿筋）：寛骨臼のすぐ上方にある骨線．

3 腸骨稜 （起始 大腿筋膜張筋，広背筋）

- 腸骨翼の上部の厚い部分をいう．

4 上前腸骨棘 （起始 大腿筋膜張筋，縫工筋）

- 腸骨稜の前端にある骨の突出部．

5 上後腸骨棘

- 腸骨稜の後端にある骨の突出部．

6 下前腸骨棘 （起始 大腿直筋）

- 上前腸骨棘の下方にある骨の突出部．

7 下後腸骨棘

- 上後腸骨棘の下方かつ，大坐骨切痕の上端にある骨の突出部．

8 腸骨窩 （起始 腸骨筋）

- 腸骨翼の内側面にある大きなくぼみ．

9 耳状面

- 腸骨の内側面にあり，その名称のとおり「耳の表面のような形状」をしている．関節面は線維軟骨によって覆われており，仙骨との間に**仙腸関節**を形成する．

10 腸骨粗面

- 耳状面の上方にある部位で，左右の腸骨と仙骨を結ぶ滑膜や靱帯結合が付着している．

11 弓状線

- 大骨盤と小骨盤の境界となるアーチ状の稜線（⇨p.190 Point）．

2）坐骨

- 寛骨臼および寛骨の後下部を形成する．

1 坐骨体

- 閉鎖孔の上方にある部位で，前下部は**寛骨臼**を形成する．

2 坐骨枝 （起始 大内転筋内転筋部）

- 閉鎖孔の下方にある部位で，その前端は恥骨下枝と結合して**坐骨恥骨枝**という棒状の骨となる．

3 大坐骨切痕

- 坐骨の後縁にある深い切れ込み状の部位で，下後腸骨棘と坐骨棘の間に位置している．

4 坐骨棘 （起始 上双子筋）

- 大坐骨切痕と小坐骨切痕の間に位置する骨の突出部で，**仙棘靱帯**が付着している．

5 小坐骨切痕

- 坐骨棘と坐骨結節の間にある浅い切れ込み状の部位で，骨盤の内面から起始する**内閉鎖筋**の滑車としての役割をもつ．

6 坐骨結節 （起始 下双子筋，大腿方形筋，半腱様筋，半膜様筋，大腿二頭筋長頭，大内転筋膝窩腱筋部）

- 坐骨体の下端と坐骨枝の結合部にある大きな隆起部で，数多くの筋に起始部を与える．座位の際には，この部分に体重が加わる．また，その内側縁には**仙結節靱帯**が付着している．

臨床で重要！ 骨盤前面・後面の神経と脈管の通路

骨盤から下肢へ向かう主要な神経と脈管は，以下の通路を通過している．

1) 骨盤前面の通路（図A）
   ①閉鎖管：寛骨の閉鎖膜に開いている小さな孔で，閉鎖神経と閉鎖動静脈が通過する．
   ②鼠径下裂孔：鼠径靱帯と坐骨恥骨枝の間の空間を鼠径下裂孔という．この孔は**腸恥筋膜弓**（⇨p.157）によって2つに分けられる．
     ・筋裂孔：二分されたうちの外側浅層の部分で，腸腰筋と大腿神経が通過する．
     ・血管裂孔：二分されたうちの内側深層の部分で，大腿動静脈とリンパ管が通過する．

2) 骨盤後面の通路
   ・仙棘靱帯と仙結節靱帯により，2つの孔が形成される（⇨4章-4図8も参照）．
     ①大坐骨孔：大坐骨切痕と仙棘靱帯による孔．
     ②小坐骨孔：小坐骨切痕と仙棘靱帯・仙結節靱帯による孔で，内閉鎖筋および陰部神経，内陰部動静脈が通過する．
   ・大坐骨孔は梨状筋によって上下に分けられる（図B）．
     ①梨状筋上孔：梨状筋によって二分された上の部分で，上殿神経と上殿動静脈が通過する．
     ②梨状筋下孔：梨状筋によって二分された下の部分で，下殿神経と下殿動静脈，坐骨神経，陰部神経，内陰部動静脈，後大腿皮神経，内閉鎖筋と大腿方形筋への神経の枝が通過する（そのうち，陰部神経と内陰部動静脈は小坐骨孔を通過して会陰へ入る）．

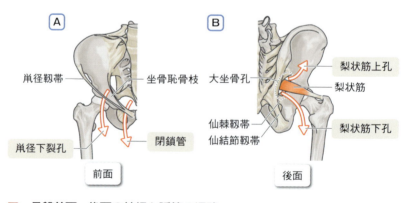

図　骨盤前面・後面の神経と脈管の通路

3）恥骨

- 寛骨の前内側部ならびに寛骨臼の前部を形成し，大腿の内側の筋群の起始部となる．

1 恥骨体（起始 恥骨筋，短内転筋，薄筋）
- 恥骨上部の扁平な部位で，閉鎖孔の前方に位置する．

2 恥骨上枝（起始 恥骨筋）
- 恥骨体から上方へ伸びる部位で，閉鎖孔の前上方に位置する．

3 恥骨下枝（起始 大内転筋内転筋部，短内転筋，薄筋）
- 恥骨体から下方へ伸びる部位で，閉鎖孔の前下方に位置する．

4 恥骨結合（起始 腹直筋，錐体筋）
- 左右の恥骨体の結合面をつなぐ部位．

5 恥骨結節（起始 長内転筋）
- 恥骨体の上面にある突出部で，鼠径靱帯（外腹斜筋腱膜の下縁の肥厚部）が付着する．

6 恥骨稜（起始 腹直筋，錐体筋）
- 恥骨体の内側にある突出部で，恥骨結合まで続く．

7 恥骨櫛
- 恥骨体の外側にある部位で，鋭く尖った形状をしている．

> **Point** 腸骨・坐骨・恥骨の融合
> 寛骨は腸骨・坐骨・恥骨によって形成されるが，小児期まではその結合は**硝子軟骨**によって行われている．その後，発達とともに下記のように骨の癒合が進む．
> ① 9歳頃：恥骨と坐骨の結合が進み，坐骨恥骨枝は完全に癒合する．
> ② 15～17歳：**三叉軟骨**（寛骨臼を中心に，3つの骨を隔てるY字状の軟骨）の消失と骨化が始まる．
> ③ 20～25歳：融合線の痕跡は，ほぼ認められない．

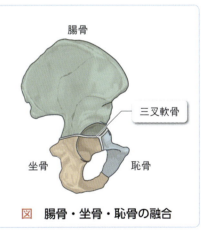

図　腸骨・坐骨・恥骨の融合

4）閉鎖孔

- 寛骨臼の下方にある大きな開口部で，坐骨と恥骨によって形成されている．

1 閉鎖膜（起始 内閉鎖筋，外閉鎖筋）
- 閉鎖孔を覆う薄く強靱な結合組織膜．その内側と外側にはそれぞれ，内閉鎖筋と外閉鎖筋が起始している．

2 閉鎖管
- 閉鎖膜の開口部で，**閉鎖神経**（⇨p.162）と**閉鎖動静脈**（⇨3章-6図1）が通過する．

5） 寛骨臼 （起始 大腿直筋）

- 腸骨・坐骨・恥骨によって形成される関節窩で，前外側を向いている．大腿骨頭と関節し，多軸性の**股関節**（**臼状関節**）を形成する．

❶ 寛骨臼縁
- 寛骨臼周囲の明瞭な縁の部分．

❷ 寛骨臼切痕
- 寛骨臼縁の下方の部位で，寛骨臼縁の一部を中断する．

❸ 月状面
- 寛骨臼の関節面の部位で，平坦な形状をしている．その表面は関節軟骨で覆われている．

❹ 寛骨臼窩
- 月状面に囲まれる寛骨臼のくぼみの部分．

> **Point** 骨盤の性差
>
> 骨盤（⇨p.190）は全骨格のうち，最も性差が著しい．男女で形状を比較したとき，女性の骨盤は分娩機能に適合するためにさまざまな形状が異なっている．男女の骨盤には以下のような差がみられる．

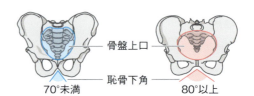

表　骨盤の性差

	男性	女性
一般構造	厚く重い	薄く軽い
大骨盤	深い	浅い
小骨盤	狭く深い	広く浅い
骨盤上口	ハート形で狭い	楕円ないし卵形で広い
骨盤下口	比較的小さい	比較的大きい
恥骨弓と恥骨下角	狭い（70°未満）	広い（80°以上）
閉鎖孔	円形	卵形
寛骨臼	大きい	小さい
岬角	著しく突出する	わずかに突出する

2　大腿骨（図4）　⇨関節：3章-2 ❶ ❷，筋：3章-3 ❶～❹

- 人体のなかで最長・最大の骨で，直立した際に体重を寛骨から脛骨に伝える．その長さは，身長の約1/4に及ぶ．

❶ 大腿骨体 （起始 中間広筋，膝関節筋）
- 大腿骨の骨幹部で，前方に弓なり状にカーブしている．大腿骨体の後面には**粗線**とよばれる

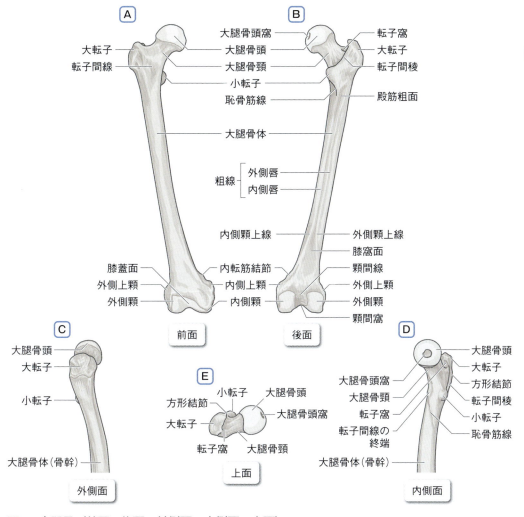

図4 大腿骨（前面，後面，外側面，内側面，上面）

2本の幅の広い粗い線がある．
① **内側唇**（起始 内側広筋，停止 長内転筋，短内転筋，大内転筋内転筋部）：2本の粗線のうち，内側のものを**内側唇**という．内側唇は上方では**恥骨筋線**（停止 恥骨筋，短内転筋），下方では**内側顆上線**（停止 大内転筋内転筋部）へとつながっている．
② **外側唇**（起始 外側広筋，大腿二頭筋短頭）：2本の粗線のうち，外側のものを**外側唇**という．外側唇は上方では**殿筋粗面**（停止 大殿筋，大内転筋内転筋部），下方では**外側顆上線**（起始 大腿二頭筋短頭）へとつながっている．

2 大腿骨頭

- 大腿骨の近位端で，内側上方に伸びて**寛骨臼**と関節する．その形状は丸みを帯びており，**大腿骨頭靱帯**が付着する**大腿骨頭窩**以外は，関節軟骨で覆われている．

3 大腿骨頸

- 大腿骨頭と大転子の間の部分で，その長軸は大腿骨体に対して上内方に向いている．

> **Point** 頸体角と前捻角
>
> 大腿骨の骨幹部と頸部は，下記のような傾きと捻じれをもつ．
> ①**頸体角**：大腿骨の骨幹部と頸部が冠状面上でなす角度（正常では125〜130°）．
> ②**前捻角**：大腿骨の骨幹部と頸部が水平面上でなす角度（正常では15〜20°）．
>
>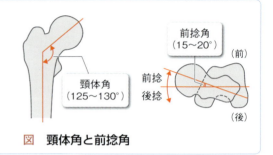
>
> 図　頸体角と前捻角

4 小転子 （停止 大腰筋，腸骨筋）

- 大腿骨頸と大腿骨体の間にある2つの隆起部のうち，小さいものを**小転子**という．円錐状で先端が丸く，内側に突き出るような形状をしている．

5 大転子 （起始 外側広筋， 停止 小殿筋，中殿筋，梨状筋）

- 大腿骨頸と大腿骨体の間にある2つの隆起部のうち，大きいものを**大転子**という．大腿骨の外上方に突き出るような形状をしている．
- また，大転子を後上方からみると確認できる深いくぼみを**転子窩**（停止 内閉鎖筋，外閉鎖筋，上双子筋，下双子筋）という．

6 転子間線 （起始 内側広筋）

- 大腿骨の前面で，大転子と小転子の間にある粗線を**転子間線**という．転子間線には**股関節包**と**腸骨大腿靱帯**が付着する．

7 転子間稜

- 大腿骨の後面で，大転子と小転子の間にある大きな骨稜を**転子間稜**という．また，転子間稜にある丸い隆起部を**方形結節**（停止 大腿方形筋）という．

8 恥骨筋線 （停止 恥骨筋，短内転筋）

- 粗線の内側唇と小転子の間にある部位で，恥骨筋などが停止する．

9 殿筋粗面 （停止 大殿筋，大内転筋内転筋部）

- 粗線の外側唇と大転子の間にある粗面で，大殿筋などが停止する．

10 内側顆

- 大腿骨下端の内側にある丸い突起部で，脛骨との間に**膝関節**を形成する．また，内側面には**後十字靱帯**（⇨p.126）が付着している．

11 内側上顆 （起始 腓腹筋内側頭）

- 内側顆の内側にある隆起部で，**内側側副靱帯**が付着している．その後上方には**内転筋結節**（停止 大内転筋膝窩腱筋部）が位置する．

12 外側顆 （起始 足底筋）

- 大腿骨下端の外側にある隆起部で，内側顆と同様に**膝関節**の形成に関与する．また，内側面には**前十字靱帯**（⇨p.126）が付着している．

13 外側上顆 （起始 腓腹筋外側頭）

- 外側顆の外側にある隆起部で，**外側側副靱帯**が付着している．外側上顆と外側顆の間には

膝窩筋溝（ 起始 膝窩筋）が位置する．

14 顆間窩

- 大腿骨の後面で，内側顆と外側顆の間のくぼみを**顆間窩**という．

15 膝蓋面

- 大腿骨の前面で，内側顆と外側顆の間のくぼみを**膝蓋面**という．膝蓋面は**膝蓋骨**と関節する．

> **臨床で重要！ 大腿骨頸部骨折**
>
> 大腿骨頸部骨折は高齢者に好発する骨折で，特に屋内での転倒が原因となることが多い．関節内骨折であることから骨癒合が不良で，重症度によって人工骨頭置換術が適応となる．大腿骨頸部骨折の分類にはさまざまなものがあるが，代表的なものにGarden分類がある．
>
> **Garden分類**：転位の程度による分類で，以下の4段階に分かれる．
>   Stage Ⅰ：不完全骨折
>   Stage Ⅱ：転位のない完全骨折
>   Stage Ⅲ：部分的に転位した完全骨折
>   Stage Ⅳ：完全に転位した完全骨折
>
>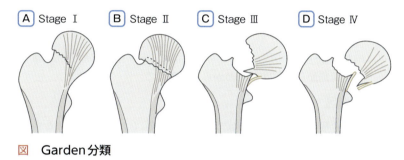
>
> 図 Garden分類

3 膝蓋骨（図5）

⇨関節：3章-2 2

- 元来は大腿四頭筋の腱の中に発生した種子骨で，「人体最大の種子骨」としても知られる．

1 膝蓋骨底

- 上方にある幅の広い縁で，**大腿四頭筋腱**が付着している．

2 膝蓋骨尖

- 下方にある尖った縁で，膝蓋腱につながる．膝蓋腱は膝蓋骨と脛骨とを連絡する．

3 関節面

- 膝蓋骨の大腿骨に向く面で，関節軟骨によって覆われている．

4 前面

- 膝蓋骨の前方の面である．

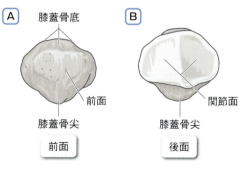

図5 膝蓋骨（前面，後面）

4 脛骨 (図6, 7)

⇨関節：3章-2 **2**〜**4**，筋：3章-3 **5**〜**7**

- 下腿の骨格を形成する2本の骨のうち，内側にある大きい骨を**脛骨**という．上方では大腿骨の内側顆と外側顆，下方では距骨と関節し，体重を支持する役割をもつ．

1 内側顆（停止 半膜様筋）
- 脛骨上端の内側にある膨隆部で，大腿骨の内側顆と関節する．

2 外側顆〔起始 長趾伸筋，停止 大腿筋膜張筋（腸脛靱帯を介して）〕
- 脛骨上端の外側の膨隆部で，大腿骨の外側顆と関節する．前外側には**前外側脛骨結節**（Gerdy結節）が位置し，**腸脛靱帯**が付着する．後外側には**腓骨関節面**があり，腓骨頭との間に**脛腓関節**を形成する．

3 上関節面
- 脛骨の近位端で，平坦な形状をしている．大腿骨の内側顆・外側顆と関節して**膝関節**を形成する．

4 顆間隆起
- 内側顆と外側顆の間にある骨の隆起部で，**前・後十字靱帯**と**外側・内側半月**が付着する．**内側顆間結節**と**外側顆間結節**から構成される．

5 前顆間区
- 顆間隆起の前方にある区域で，**前十字靱帯**（⇨p.126）が付着する．

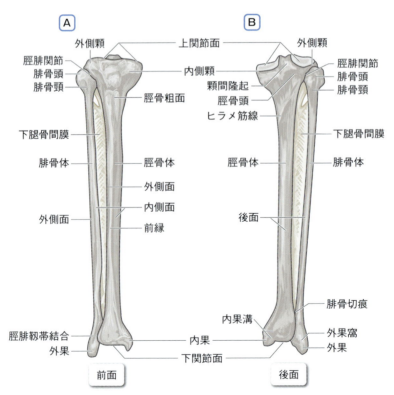

図6 **脛骨と腓骨（前面，後面）**

6 後顆間区

- 顆間隆起の後方にある区域で，**後十字靱帯**（⇨p.126）が付着する．

7 脛骨体

- 脛骨の骨幹部で，その横断面は三角形の形状をしている．3つの面と3つの縁を有している（図8）．

①脛骨の面

- **後面**（起始 長趾屈筋，後脛骨筋，停止 膝窩筋）：骨間縁と内側縁の間にある領域で，外側上方から内側下方に向かって**ヒラメ筋線**（起始 ヒラメ筋，停止 膝窩筋）という粗い隆起部が位置する．
- **内側面**：前縁と内側縁の間にある広い領域で，体表から容易に触知が可能である．
- **外側面**（起始 前脛骨筋）：前縁と骨間縁の間の領域をいう．

②脛骨の縁

- **前縁**：脛骨のなかで最も前方に突き出ており，一般に「すね」とよばれる部分である．挫傷による損傷が多い部位でもある．また，その上端には**脛骨粗面**（停止 大腿四頭筋，縫工筋，薄筋，半腱様筋）が位置し，**膝蓋靱帯**が付着している．
- **内側縁**：脛骨の内側にある縁で，骨幹の中央部では鋭い形状をしている．
- **骨間縁**：脛骨の外側で腓骨に向く縁で，下腿の2本の骨を結合する**下腿骨間膜**（起始 前脛骨筋，長趾伸筋，長母趾伸筋，第三腓骨筋，長母趾屈筋，後脛骨筋）が付着する．

8 内果

- 脛骨の遠位端が内側に隆起した部位で，いわゆる「うちくるぶし」である．その外側面は

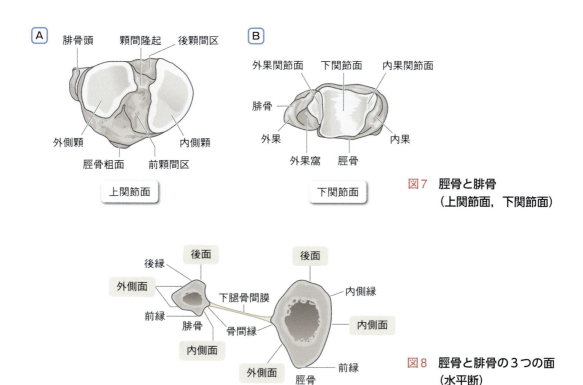

図7 脛骨と腓骨（上関節面，下関節面）

図8 脛骨と腓骨の3つの面（水平断）

内果関節面といい，関節軟骨に覆われている．また，後面には**内果溝**という小さな溝があり，**後脛骨筋**と**長趾屈筋**が走行する（⇨3章-3図11）．

9 腓骨切痕

- 脛骨の遠位端の外側にある溝で，腓骨がはまり込む形状をしている．

10 下関節面

- 脛骨の下端にある，距骨へ向く関節面をいう．

5 腓骨（図6, 7）　⇨関節：3章-2 2～4，筋：3章-3 5～7

- 下腿の骨格を形成する2本の骨のうち，外側にある細い骨を**腓骨**という．骨間膜を含む**脛腓靱帯結合**によって，脛骨と強力につながれている．腓骨は数多くの筋に付着部を与えている．

1 腓骨頭（起始 長腓骨筋，ヒラメ筋． 停止 大腿二頭筋）

- 腓骨の近位端の大きな部分をいう．上方には**腓骨頭尖**という尖った部位があり，大腿二頭筋の停止部となっている．また，後外側には脛骨の腓骨関節面と関節する**腓骨頭関節面**が存在する．

2 腓骨頸

- 腓骨頭と腓骨体の間の部分をいう．**総腓骨神経**（⇨p.163）が後外側面を通過する．

3 腓骨体

- 腓骨の骨幹部で，脛骨と同様に横断面は三角形の形状をしている．3つの面と3つの縁から構成されている（図8）．

①腓骨の面
- **外側面**（起始 長腓骨筋，短腓骨筋）：前縁と後縁の間の面．
- **後面**（起始 ヒラメ筋，長母趾屈筋，後脛骨筋）：後縁と骨間縁の間の面．
- **内側面**：前縁と骨間縁の間の面．

②腓骨の縁
- **前縁**（起始 長趾伸筋，長母趾伸筋，第三腓骨筋）：前方を向く，鋭利な縁の部分．
- **後縁**：後外側に向く縁の部分．
- **骨間縁**：腓骨の内側で脛骨に向く縁で，下腿の2本の骨を結合する**下腿骨間膜**（起始 前脛骨筋，長趾伸筋，長母趾伸筋，第三腓骨筋，長母趾屈筋，後脛骨筋）が付着する．

4 外果

- 腓骨の遠位端が外側に隆起した部分で，いわゆる「そとくるぶし」である．内側にある距骨を向く関節面を**外果関節面**といい，その表面は関節軟骨で覆われている．また，内側の後方には**外果溝**という溝があり，**長・短腓骨筋**が通過する（⇨3章-3図9）．

5 外果窩

- 外果の後内側にあるくぼみで，**後距腓靱帯**および**踵腓靱帯**が付着する．

6 足根骨 (図9)

⇨関節：3章-2 **4** **5**，筋：3章-3 **8**

- 足根骨は、以下の7つの骨から形成される。

1) 距骨 (図9, 10)

- 脛骨・腓骨・踵骨との間に距腿関節を形成する骨であり、**距骨体・距骨頸・距骨頭**からなる。また、距骨は筋や腱の付着部をもたない唯一の足根骨である。

1 距骨体

- 距骨の後方の大部分を占める部位である。
- ①距骨滑車：距骨体の上面にある部位で、脛骨・腓骨との間に**距腿関節**を形成している。下腿から伝わる体重を受ける役割をもつ。
- ②外果面：距骨滑車の外側にある関節面で、腓骨の外果と関節する。
- ③内果面：距骨滑車の内側にある関節面で、脛骨の内果と関節する。
- ④距骨後突起：距骨滑車の後下方にある骨の隆起部で、**内側結節**と**外側結節**からなる。
- ⑤長母趾屈筋腱溝：距骨後突起の内側結節と外側結節の間にある溝で、**長母趾屈筋**の腱が走行する（⇨3章-3図11）。
- ⑥距骨外側突起：外側に向かって出る骨の突出部で、外果面の下方に位置する。

2 距骨頸

- 距骨体の前方にあるくびれた部分であり、**距骨体**と**距骨頭**を結ぶ。また、下面に**中踵骨関節面**をもつ。

3 距骨頭

- 距骨頸の前方にある丸い突出した部位で**舟状骨関節面、前踵骨関節面、底側踵舟靱帯関節面、底側二分踵舟靱帯関節面**をもつ。

2) 踵骨 (図9, 10. 起始 短趾伸筋, 短母趾伸筋)

- 踵の形状を構成する骨で足部の骨のなかで最も大きく、頑強な構造をしている。立位時に脛骨から伝わる体重の大部分を、距骨から地面に伝える役割をもつ。

1 腓骨筋滑車

- 踵骨の外側面を斜めに走る稜線で、**長腓骨筋**の滑車として働く。

2 載距突起

- 踵骨の内側面から起こる棚のような骨の突起部で、距骨頭を支えるような形状をしている。

3 踵骨隆起 (起始 足底方形筋, 停止 腓腹筋, ヒラメ筋, 足底筋)

- 踵骨の後面にある骨の隆起部で、最も体重を支える部位である。その後面には**踵骨腱**（下腿三頭筋腱、もしくはアキレス腱）が停止する（⇨3章-4図3）。また、下面には**踵骨隆起内側突起**（起始 母趾外転筋, 短趾屈筋, 小趾外転筋）と**踵骨隆起外側突起**（起始 小趾外転筋）が位置する。

4 踵骨突起

- 踵骨前方の下面に位置する突起部で、**底側踵立方靱帯**が付着する。

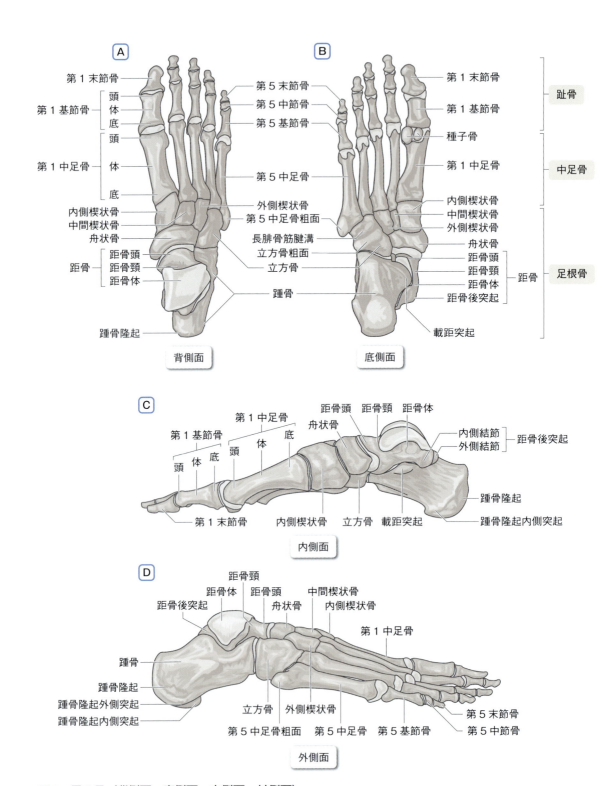

図9 足の骨（背側面，底側面，内側面，外側面）

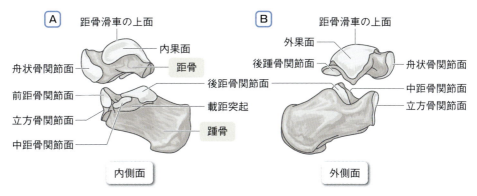

図10 距骨と踵骨（内側面，外側面）

3）舟状骨

- ラテン語で「小さい船」という意味をもつ骨で，その名のとおりボートのような形状をしている．後方には距骨の距骨頭，前方には内側・中間・外側楔状骨が位置している．足の**内側縦アーチのかなめ石**（Keystone）としての役割をもつ．

1 舟状骨粗面 （停止 後脛骨筋）

- 舟状骨の内側面に位置する粗い面．

4）立方骨 （起始 短母趾屈筋，母趾内転筋斜頭， 停止 後脛骨筋）

- おおよそ立方体の形状をした骨で，踵骨と第4・5中足骨の間に位置する．

1 立方骨粗面

- 立方骨の下面に位置し，**長足底靱帯**が付着している．

2 長腓骨筋腱溝

- 立方骨粗面のすぐ前方にある溝で，**長腓骨筋**の腱が通過する（⇨3章-3図9）．

5）内側・中間・外側楔状骨

1 内側楔状骨 （起始 短母趾屈筋， 停止 前脛骨筋，長腓骨筋，後脛骨筋）

- 3つのなかで最も大きな骨で，舟状骨と第1中足骨の間に位置する．

2 中間楔状骨 （起始 短母趾屈筋， 停止 後脛骨筋）

- 3つのなかで最も小さな骨で，舟状骨と第2中足骨の間に位置する．

3 外側楔状骨 （起始 短母趾屈筋，母趾内転筋斜頭， 停止 後脛骨筋）

- 舟状骨と第3中足骨の間に位置する．また，3つのなかで唯一，立方骨とも接している．

7 中足骨 (図9)

⇨関節：3章-2 6，筋：3章-3 8

起始
- 第1〜5中足骨：背側骨間筋
- 第2〜4中足骨の底：母趾内転筋斜頭
- 第3〜5中足骨：底側骨間筋
- 第5中足骨の底：短小趾屈筋

停止
- 第1中足骨の底：前脛骨筋，長腓骨筋
- 第2〜4中足骨の底：後脛骨筋
- 第5中足骨の底：第三腓骨筋，短腓骨筋

- 第1〜5中足骨の5つの骨からなり，内側（母趾側）から順に番号がつけられている．中手骨と同様に，近位から**底・体・頭**の3部に分けられる．
    - ▶底：中足骨の近位部で，足根骨の遠位部と関節する．
    - ▶体：底と頭の間の部分をいう．
    - ▶頭：中足骨の遠位部で，基節骨と関節する．

1 第1中足骨

- 中足骨のなかで最も短く太い．中足骨の底の底側面外側に**第1中足骨粗面**（**停止** 前脛骨筋，長腓骨筋）という隆起部がある．また，中足骨の頭の底側面には内側・外側に一対の**種子骨**がみられる．

2 第2中足骨

- 中足骨のなかで最も長い形状をしている．

3 第5中足骨

- 立方骨の外側面に関節している．また，近位外側に**第5中足骨粗面**（**停止** 短腓骨筋）という骨の突出部がある．

8 趾骨 (図9)

⇨関節：3章-2 6，筋：3章-3 8

停止
- 第1趾の基節骨の底：短母趾伸筋，短母趾屈筋，母趾内転筋，母趾外転筋
- 第1趾の末節骨の底：長母趾伸筋，長母趾屈筋
- 第2趾の基節骨：第1背側骨間筋
- 第2～4趾の基節骨：第2～4背側骨間筋
- 第2～4趾の中節骨の底：短趾伸筋
- 第2～5趾の中節骨の底：短趾屈筋
- 第2～5趾の中節骨と末節骨の底：長趾伸筋
- 第2～5趾の末節骨の底：長趾屈筋
- 第3～5趾の基節骨の底：底側骨間筋
- 第5趾の基節骨の底：小趾外転筋，短小趾屈筋

- 第1趾（母趾）を除いた各趾には，3つの趾骨（近位から順に**基節骨**，**中節骨**，**末節骨**）がある．
- 母趾には基節骨と末節骨の2つしかなく，短くて幅も広い構造をしている．また，第5趾の中節骨と末節骨は癒合することがある．

第3章 運動器系（下肢）

2 下肢の関節

学習のポイント
- 下肢の関節の名称と構造を理解する
- 関節を補強する靱帯を覚える
- 各関節の働きを理解する

- 下肢の関節には**股関節**，**膝関節**，**脛腓関節**，**脛腓靱帯結合**，**距腿関節**および**足の各関節**がある（腰仙関節，仙腸関節，恥骨結合も広義には下肢の関節に含まれるが，第4章-4で述べる）．また，下肢の関節は骨折や疾患などとの関連も深いため，構造を正しく理解する必要がある．

1 股関節（図1） ⇨骨：3章-1 1 2

- 自由下肢と骨盤の間をつなぐ，多軸性で滑膜性の**球関節**（**臼状関節**）である．寛骨臼には輪状の**関節唇**が付着しており，関節の適合性を高めている．

a 構成：大腿骨頭が，寛骨の**寛骨臼**と関節する．

b 関節包：股関節の関節包は強靱かつ，ゆるみがあるのが特徴である．近位・遠位では，以下の部位に付着する．
- ・近位：寛骨臼，寛骨臼縁，寛骨臼横靱帯
- ・遠位：転子間線（前面），転子間稜の近位部（後面）

c 靱帯

①**寛骨臼横靱帯**：寛骨臼切痕を横断する靱帯で，関節唇や関節包，大腿骨頭靱帯の一部が付着する．

②**大腿骨頭靱帯**：近位部では寛骨臼切痕と寛骨臼横靱帯，遠位部では大腿骨頭窩に付着する．本来は血管（閉鎖動脈の寛骨臼枝）を連絡させるための滑膜ヒダであるため非常に弱く，股関節の補強には関与していない．

③**輪帯**：関節包内で大腿骨頸を取り囲む輪状の靱帯である．大腿骨頭を寛骨臼内に固定する役割をもつ．

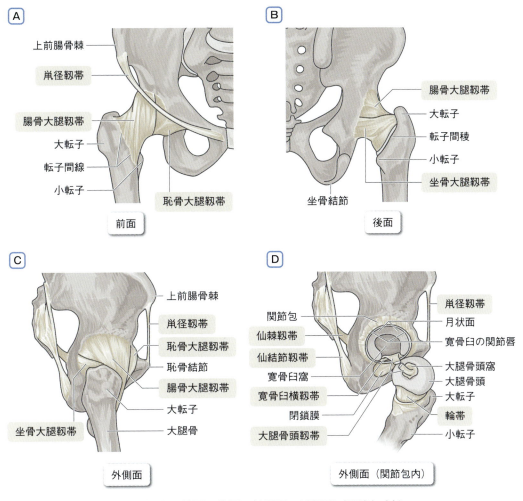

図1 股関節とその周囲の靱帯〔前面,後面,外側面,外側面(関節包内)〕

- 関節包の一部は肥厚し,以下の靱帯を形成する.いずれも寛骨から大腿骨までをらせん状に走行し,関節包を補強する役割をもつ.
- ④**腸骨大腿靱帯**:全身のなかで最も強靱な靱帯で,関節包の前面を補強する.近位では下前腸骨棘と寛骨臼縁から起こり,2部に分かれて転子間線に停止する.その形状が,アルファベットのYの字を逆さまにしたように見えるため通称,**ビゲロウのY靱帯**ともよばれる.
- ⑤**恥骨大腿靱帯**:関節包の下方と前方を補強する靱帯で,恥骨の腸恥隆起から起こり,小転子付近の関節包の線維性部に合流する.
- ⑥**坐骨大腿靱帯**:関節包の後面を補強する靱帯で,3つの靱帯のなかで最も弱い.寛骨臼縁の坐骨部から起こり,大転子の底の内側部に付着する.

d 可動性:股関節の屈曲・伸展,外転・内転,外旋・内旋,および円運動を行う.

e 神経支配:大腿神経,閉鎖神経,坐骨神経,上殿神経

2 膝関節（図2）

⇨骨：3章-1 2 ～ 4

- 滑膜性のらせん関節で，大腿骨・脛骨・膝蓋骨によって構成される（腓骨は関与していない）．

a 構成：人体で最も大きな関節で，関節面は複雑で不調和な形状をしていることが特徴である．膝関節は以下の関節から構成される．

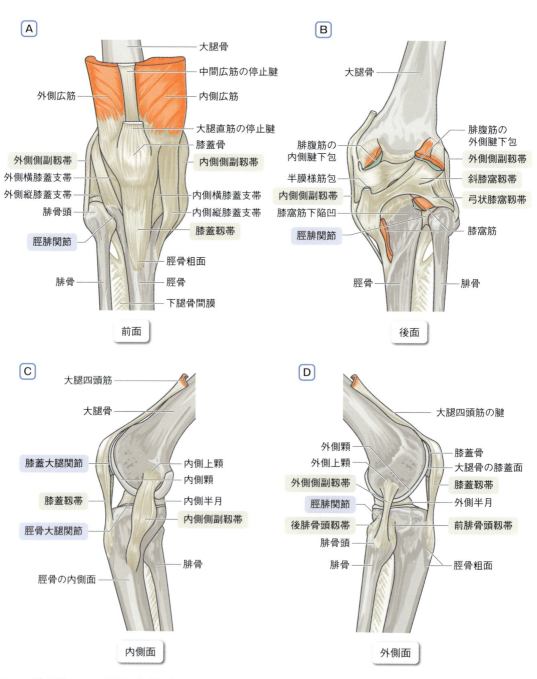

図2 膝関節とその周囲の靱帯（前面，後面，内側面，外側面）

①脛骨大腿関節：**脛骨**の内側顆・外側顆と，**大腿骨**の内側顆・外側顆の間で形成される関節である．

②膝蓋大腿関節：滑膜性の**平面関節**で，**膝蓋骨**の関節面と**大腿骨**の膝蓋面によって構成される．

b 関節包：膝関節の関節包は近位・遠位で以下の部位に付着する．

- 近位：大腿骨の内側顆，外側顆，顆間窩
- 遠位：脛骨の上関節面の周囲の縁
- また，関節包の内側にある滑膜が発達し，以下を形成する（図3）．

①膝蓋下滑膜ヒダ：滑膜によって形成されたヒダで，大腿骨の顆間窩から起こって膝蓋骨の下方にある**膝蓋下脂肪体**※に達し，関節腔を左右に分割する．

※膝蓋骨の下方にある脂肪のかたまりで，膝関節が運動した際に関節包内の死腔を埋める役割をもつ．

②翼状ヒダ：滑膜が形成するヒダで，膝蓋下脂肪体の両側にある．膝蓋骨の両側に広がっており，膝関節の関節裂隙の前方を満たしている．

③膝蓋上包：大腿四頭筋の遠位部深層と大腿骨の間にある滑液包で，膝関節腔とほぼつながっている．

④深膝蓋下包：大腿四頭筋の膝蓋靭帯と脛骨の間にある滑液包である．

c 靭帯：膝関節の靭帯は**関節包外靭帯**と**関節包内靭帯**に分かれ，関節包に含まれるものと独立するものがある．

①関節包外靭帯：関節包の周囲を補強する靭帯で，前・後十字靭帯のような関節包内の靭帯とは区分される．以下の5つがある（図2）．

- **膝蓋靭帯**：大腿四頭筋腱の遠位部にあり，膝蓋骨尖から脛骨粗面に至る．内側および外側広筋の遠位部の腱膜である**内側・外側膝蓋支帯**を受け，深筋膜を覆う．
- **内側側副靭帯**：平らな帯状の靭帯で，関節包の一部が肥厚したものである．大腿骨の内側上顆から下方へ伸び，脛骨の内側面の上部に至る．関節包ならびに内側半月と付着している．外側側副靭帯よりも脆弱で，損傷しやすい．
- **外側側副靭帯**：丸いひも状の靭帯で，大腿骨の外側上顆から下方へ伸び，腓骨頭の外側に至る．内側側副靭帯とは異なり，関節包ならびに関節半月には付着しない．
- **斜膝窩靭帯**：関節包の後壁で，半膜様筋の腱の下端から反転して斜め後方に広がり，大腿骨の外側顆に達したもの．膝関節の関節包を補強する役割をもつ．

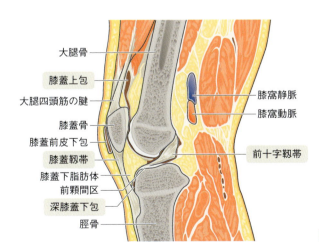

図3　膝の正中矢状断面

- ▶ **弓状膝窩靱帯**：腓骨頭の後面から起こり，上内側に向かって関節包の後面に広がる．斜膝窩靱帯とともに関節包を補強する役割をもつ．

②**関節包内靱帯**：関節包内の靱帯には前後の十字靱帯がある（図4）．

- ▶ **前十字靱帯**：脛骨の前顆間区から起こり，後上方へ走行して大腿骨の外側顆の内側に停止する靱帯で，後十字靱帯よりも弱い．膝関節が伸展する際に緊張することによって，大腿骨の後方への転位や膝関節の過伸展を防いでいる．

- ▶ **後十字靱帯**：脛骨の後顆間区から起こり，前上方へ走行して大腿骨の内側顆の内側に停止する靱帯で，前十字靱帯よりも強い．膝関節が屈曲する際に緊張することによって，大腿骨の前方への転位や膝関節の過屈曲を防いでいる．

③**その他**：膝関節には，以下の骨格要素がある（図4）．

- ▶ **内側半月**：C字状の形状をした線維軟骨で，後方が前方よりも幅の広い形状をしている．前端（前角）は前顆間区・前十字靱帯の付着部の前方に付き，後端（後角）は後顆間区・後十字靱帯の付着部の前方に付く．内側側副靱帯と強く結合しているため可動範囲が狭く，

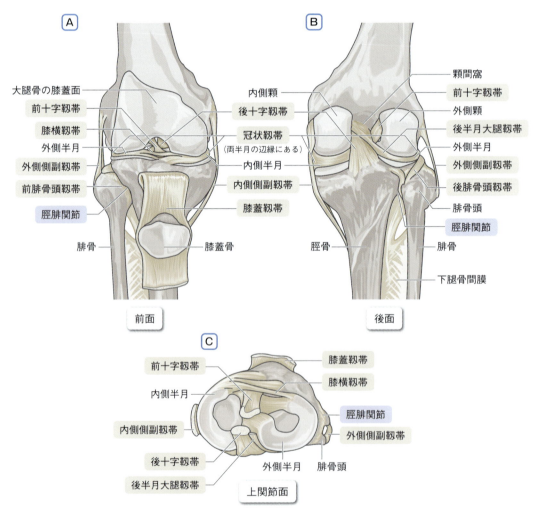

図4　十字靱帯
〔前面（膝蓋靱帯を反対），後面，上関節面〕

損傷も受けやすい．
- ▶**外側半月**：O字状の形状をした線維軟骨で，内側半月よりも小さい．外側側副靱帯と結合していないため，その可動域は大きい．膝窩筋の腱が外側半月と外側側副靱帯の間を通過している．
- ▶**冠状靱帯**：関節包の線維の一部で，両半月の辺縁を脛骨の内側顆と外側顆につなぐ．
- ▶**膝横靱帯**：細い帯状の線維束で，内側半月と外側半月の前縁を横につないでいる．膝横靱帯が前縁をつなぐことにより，大腿骨と脛骨の運動に伴って両半月は動く．
- ▶**後半月大腿靱帯**：外側半月の後端から起こり，後十字靱帯の後方を通って大腿骨の内側顆に至る．
- ▶**前半月大腿靱帯**：外側半月の後端から起こり，後十字靱帯の前方を通って大腿骨の内側顆に至る靱帯であるが，欠損する例が多い．

d 可動性：屈伸運動と回旋運動が主要な運動である．
①屈伸運動：大腿骨の脛骨上での運動で，**転がり運動**と**すべり運動**の複合運動である．完全伸展位からの屈曲の初期には転がり運動のみが起こるが，徐々にすべり運動の要素が加わり，屈曲の最終域ではすべり運動のみとなる．
②回旋運動：膝関節は完全伸展位になる直前に外旋し，完全伸展位から屈曲した直後に内旋する．これを**終末強制回旋運動**（Screw-home movement）という．

e 神経支配：閉鎖神経，大腿神経，脛骨神経，総腓骨神経

3 脛腓関節，脛腓靱帯結合 (⇨図2, 4, 6)　　⇨骨：3章-1 **4 5**

- 脛骨と腓骨は上端部は**脛腓関節**，骨幹部は**下腿骨間膜**，下端部は**脛腓靱帯結合**によって連結している．

1）脛腓関節

a 構成：滑膜性の**平面関節**で，腓骨頭の平らな関節面が**脛骨外側顆**の後外側面と関節する．

b 関節包：関節包が関節を包み，脛骨と腓骨の関節面の周囲に付着する．

c 靱帯：以下の2つの靱帯が，関節包を補強する（⇨図2D）．
①前腓骨頭靱帯：脛骨外側から腓骨内側の前面を補強する靱帯である．
②後腓骨頭靱帯：脛骨外側から腓骨内側の後面を補強する靱帯である．

d 可動性：足関節の背屈と底屈の際にわずかに動く．

e 神経支配：総腓骨神経

2）下腿骨間膜

- 脛骨と腓骨の骨間縁に付着する膜で，下腿の筋の起始部となる（**起始** 前脛骨筋，長趾伸筋，長母趾伸筋，第三腓骨筋，長母趾屈筋，後脛骨筋）．

3）脛腓靱帯結合

a 構成：腓骨の下端の内側面にある粗い三角形の関節面が，**脛骨の下端**の関節面と結合する．

b 関節包：脛腓靱帯結合によってつながれるため，関節腔をもたない．

c 靱帯：脛骨と腓骨の遠位は**脛腓靱帯結合**によってつながれる．脛腓靱帯結合は複合線維結合であり，以下によって構成される（⇨図6D）．
　①**前脛腓靱帯**：脛骨の下端の前面と，腓骨の外果を連結する．
　②**後脛腓靱帯**：脛骨の下端の後面と，腓骨の外果を連結する．

d 可動性：足関節の背屈の際に，距骨に合わせて滑るように動く．

e 神経支配：深腓骨神経，脛骨神経，伏在神経

4 距腿関節（足関節）（⇨図6） ⇨骨：3章-1 4～6

- 滑膜性の**らせん関節**で，脛骨と腓骨の遠位端と距骨の上部によって構成されている．

a 構成：脛骨と腓骨の下端が合わさって深い受け口のような構造をつくり，そこに**距骨**がはまるように関節している．

b 関節包：前方と後方は薄いが，側方では強力な靱帯によって補強されている．

c 靱帯
　①**外側側副靱帯**：足関節の外側の靱帯は複合靱帯であり，明瞭に以下の3部に分けることができる．
　　▶**前距腓靱帯**：平たく薄い靱帯で，腓骨の外果から距骨頸の外側に向かって走る．
　　▶**後距腓靱帯**：分厚い強力な靱帯で，腓骨の外果窩から距骨後突起の外側結節に向かって走る．
　　▶**踵腓靱帯**：丸い帯状の靱帯で，腓骨の外果の先端から踵骨の外側面に達する．
　②**内側靱帯**※：非常に大きくて厚い靱帯で，**三角靱帯**ともよばれる．以下の4つの部位に分けられる． ※「内側側副靱帯」ではないことに注意．
　　▶**脛舟部**：脛骨の内果から，舟状骨の背面および内側面に張る線維である．
　　▶**脛踵部**：脛骨の内果から，踵骨の載距突起に向かって張る線維である．
　　▶**前脛距部**：脛骨の内果から，距骨頸の内側面に向かって張る線維である．
　　▶**後脛距部**：脛骨の内果から，距骨後突起に向かって張る線維である．

d 可動性：足関節の背屈と底屈に働く．距骨滑車の関節面は前方が広く，後方が狭い形状をしているため，足関節の背屈・底屈時には以下の運動が腓骨に起こる（図5）．
　・背屈時：距骨滑車の関節面が広いため，腓骨が外側へと移動する（外旋・挙上を伴う）．
　・底屈時：距骨滑車の関節面は狭いため，腓骨が内側へと移動する（内旋・下制を伴う．またこの際に，足関節のゆるみが生じる）．

e 神経支配：脛骨神経，深腓骨神経

A 距骨の関節面（上面）	B 足関節の底背屈と脛腓靱帯結合
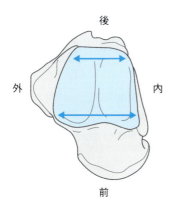	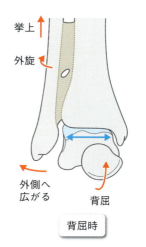 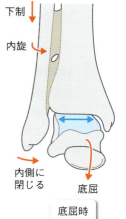

図5 距骨の関節面（上面），足関節の底背屈と脛腓靱帯結合
文献17をもとに作成．

5 足の関節（図6） ⇨骨：3章-1 ６

- 足の関節は，足根骨によって構成される．重要な足根間関節には，**距骨下関節**と**横足根関節**がある．

1）距骨下関節（距踵関節）

ａ 構成：滑膜性の顆状関節（楕円関節）で，距骨体の下面が踵骨の上面に載るように関節している．

ｂ 関節包：関節包は，関節面の辺縁に付着している．

ｃ 靱帯：以下の①〜③の靱帯が弱い関節包を補強する．また，④骨間距踵靱帯は骨と骨とを結合している．

　①内側距踵靱帯：足部の内側面で，距骨後突起の内側結節から踵骨の載距突起に張る靱帯である（図6C）．
　②外側距踵靱帯：足部の外側面で，距骨滑車から踵骨の外側面に張る靱帯である．
　③後距踵靱帯：距骨後突起から踵骨に張る靱帯で，長母趾屈筋の腱の表面を覆う．
　④骨間距踵靱帯：距骨溝と踵骨溝が合わさって形成される足根洞の内部で，距骨と踵骨を結ぶ板状の靱帯である（図6D）．

ｄ 可動性：足関節の外がえしと内がえしを行う．

ｅ 神経支配：内側足底神経，外側足底神経，深腓骨神経

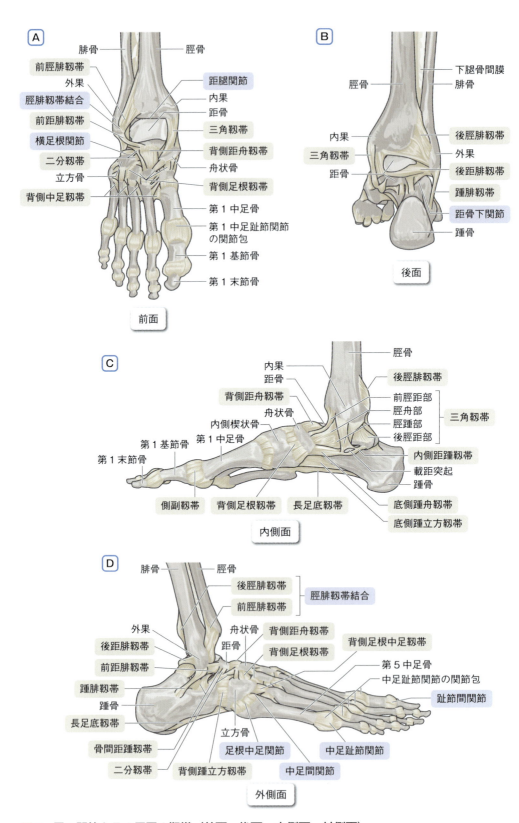

図6 足の関節とその周囲の靱帯（前面，後面，内側面，外側面）

2）横足根関節（Chopart関節） (⇨p.133 Point)

- 横足根関節は**距踵舟関節**と**踵立方関節**からなる．

距踵舟関節

a 構成：滑膜性の**顆状関節**（楕円関節）で，以下の3つの関節面をもつ．
  ① 距骨頭と舟状骨の後面の間
  ② 前踵骨関節面（距骨頭の下面）と踵骨上面の間
  ③ 中踵骨関節面（距骨頭の下面）と踵骨上面の間

b 関節包：3つの関節面を1つの関節包が包む．

c 靱帯：底側踵舟靱帯が，距骨頭を支えるように位置している（図6C）．

- **底側踵舟靱帯**：踵骨の載距突起から舟状骨の足底・内側面に張る靱帯で，距骨頭の関節面を補強する．また，弾性線維を多量に含んでいるため，**跳躍靱帯**※（spring ligament）ともよばれる．　※臨床場面では「ばね靱帯」とよぶ場合もある．

d 可動性：すべりと回転の運動が可能である．

e 神経支配：内側足底神経，外側足底神経，深腓骨神経

踵立方関節

a 構成：滑膜性の**平面関節**で，**踵骨**の前端が**立方骨**の後面と関節している．

b 関節包：関節包が関節を包んでいる．

c 靱帯：以下の靱帯が関節包を補強している．
  ① 背側踵立方靱帯：二分靱帯の外側に位置する靱帯である（図6D）．
  ② 底側踵立方靱帯：底側踵舟靱帯と長足底靱帯の間に位置し（図6C），足の**内側・外側縦アーチ**の維持に関与している．また，線維の一部は長腓骨筋腱のためのトンネルを形成している．
  ③ 長足底靱帯：踵骨の底面から立方骨の長腓骨筋腱溝まで伸びる靱帯で（図6C），**内側・外側縦アーチ**の維持に重要な役割を果たす．

d 可動性：足関節の外がえしと内がえしを行う．

e 神経支配：内側足底神経，外側足底神経，深腓骨神経

6 足趾の関節（図6） ⇨骨：3章-1 6〜8

- 足趾の関節は，遠位の足根骨と中足骨，趾骨によって形成される．

1）足根中足関節（Lisfranc関節） (⇨p.133 Point)

a 構成：滑膜性の**平面関節**で，遠位の足根骨（内側・中間・外側楔状骨，立方骨）が**中足骨**の底と関節する．

b 関節包：関節包が関節を包む．

- **c 靱帯**
  - ①背側足根中足靱帯：足背にあって，足根骨と中足骨の間に張る靱帯である（図6D）．
  - ②底側足根中足靱帯：足底にあって，足根骨と中足骨の間に張る靱帯である．
  - ③骨間楔中足靱帯：楔状骨と中足骨の間の関節裂隙にある靱帯である．
- **d 可動性**：関節面でのすべり運動に加え，わずかに足関節の底屈・背屈，外転・内転を行う．
- **e 神経支配**：内側足底神経，外側足底神経，深腓骨神経，腓腹神経

2）中足間関節

- **a 構成**：滑膜性の**平面関節**で，隣り合う**中足骨の底同士**が関節を形成する．
- **b 関節包**：関節包が各関節を包む．
- **c 靱帯**：以下の3つの靱帯が，骨同士をつないでいる．
  - ①骨間中足靱帯：関節裂隙の間に位置し，隣り合う中足骨の底同士をつなぐ靱帯である．
  - ②背側中足靱帯：背側で，隣り合う中足骨の底同士をつなぐ靱帯である（図6A）．
  - ③底側中足靱帯：底側で，隣り合う中足骨の底同士をつなぐ靱帯である．
- **d 可動性**：骨それぞれの動きは非常に少ない．
- **e 神経支配**：足趾に分布する神経

3）中足趾節関節

- **a 構成**：滑膜性の**顆状関節（楕円関節）**で臨床上，**MTP関節**（metatarsophalangeal joint）とよばれる．**中足骨の頭**が，**基節骨の底**と関節を形成する．
- **b 関節包**：関節包が各関節を包む．
- **c 靱帯**：以下の3つの靱帯が，関節包を補強している．
  - ①側副靱帯：関節包の内外側を補強する靱帯である（図6C）．
  - ②底側靱帯：関節包の底側を補強する靱帯である．
  - ③深横中足靱帯：中足骨の頭を結ぶ，横走する靱帯である．
- **d 可動性**：足趾の屈曲・伸展，外転・内転および回旋を行う．
- **e 神経支配**：足趾に分布する神経

4）趾節間関節

- **a 構成**：滑膜性の**蝶番関節**で臨床上，**IP関節**（interphalangeal joint）とよばれる．**趾骨の頭**が，**遠位の趾骨の底**と関節を形成する．母趾は中節骨がないためIP関節は1つのみであるが，第2〜5趾には**近位趾節間関節**（PIP関節：proximal interphalangeal joint）と**遠位趾節間関節**（DIP関節：distal interphalangeal joint）が存在する．
- **b 関節包**：関節包が各関節を包む．
- **c 靱帯**：**側副靱帯**と**底側靱帯**が，関節包を補強している．
- **d 可動性**：足趾の屈曲と伸展を行う．
- **e 神経支配**：足趾に分布する神経

> **Point** **Lisfranc関節とChopart関節**
>
> Lisfranc関節（足根中足関節）とChopart関節（横足根関節）は，足部の切断を行う際の指標となる部位である．切断の原因としては，傷による血行不全や糖尿病による閉塞性動脈硬化症があげられる．また，Chopart関節の直上に位置する**二分靱帯**（踵舟靱帯と踵立方靱帯の総称）を切断すると，Chopart関節は容易に離開する．そのため，二分靱帯は「ショパールの鍵」ともよばれている．
>
>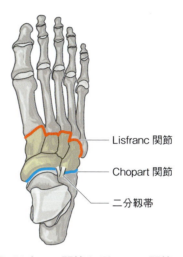
>
> 図　Lisfranc関節とChopart関節

第3章 運動器系（下肢）

3 下肢の筋

学習のポイント

- 下肢の各筋の起始・停止を暗記する
- 体表から，筋の起始・停止を指で指し示すことができる
- 各筋の働きを，身体を使って表現することができる

1 大腿前面の筋（図2，表1，2） ⇨骨：3章-1 1 2

- 大腿前面の筋は，主に股関節の屈筋と膝関節の伸筋から構成される．

1 腸腰筋（図1）

- **腸骨筋**と**大腰筋**を合わせて**腸腰筋**という．
① **腸骨筋**：腸腰筋の外側部を構成する筋である．腸骨窩の広い領域から起こって下内側へ走行し，大腰筋と合して大腿骨の小転子に付着する．
② **大腰筋**：腸腰筋の内側部を構成する筋である．起始領域は**浅頭**と**深頭**に区分され，その間を**腰神経叢**（⇨p.161）の枝が走行する．また，大腰筋の表面を覆う筋膜は上部では肥厚して**内側弓状靱帯**となり，横隔膜の起始部となる．

2 小腰筋

- 第12胸椎・第1腰椎から起始し，大腰筋の前方を下行して薄い腱膜となり，腸恥隆起の付近に停止する．日本人では約60％で欠如する（そのため，腸腰筋には含まれない）．

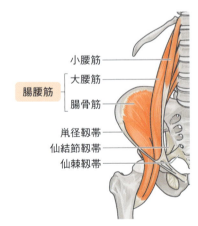

図1　腸腰筋

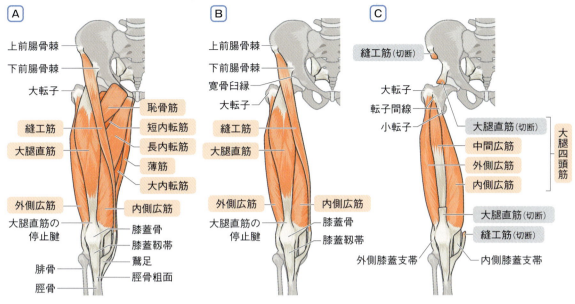

図2 大腿前面の筋
BはAの恥骨筋と大腿内側の筋を取り除いたもの，CはBの縫工筋と大腿直筋を取り除いたもの．

表1 大腿前面の筋①

筋		起始	停止	神経支配	作用
腸腰筋	腸骨筋	腸骨窩	大腿骨の小転子，大腰筋の腱	大腿神経（L2・3）	股関節の屈曲・外旋
	大腰筋	第12胸椎〜第5腰椎の椎体の側面，椎間円板，第1〜5腰椎の肋骨突起	大腿骨の小転子	腰神経叢の枝（L1〜3）	股関節の屈曲
小腰筋		第12胸椎・第1腰椎の椎体の側面，椎間円板	寛骨の腸恥隆起	腰神経叢の枝（L1・2）	腰椎の軽度屈曲
恥骨筋		恥骨体，恥骨上枝	大腿骨の恥骨筋線・小転子のすぐ下方	大腿神経（L2・3）※閉鎖神経から枝を受けることもある	股関節の屈曲・内転
縫工筋		腸骨の上前腸骨棘	脛骨粗面の内側（鵞足となって付着）	大腿神経（L2・3）	股関節の屈曲・外転・外旋，膝関節の屈曲

表2 大腿前面の筋②

筋		起始	停止	神経支配	作用
大腿四頭筋	大腿直筋	腸骨の下前腸骨棘，寛骨臼の上縁	脛骨粗面	大腿神経（L2〜4）	股関節の屈曲，膝関節の伸展
	外側広筋	大腿骨の大転子・粗線の外側唇，外側大腿筋間中隔	脛骨粗面	大腿神経（L2〜4）	膝関節の伸展
	内側広筋	大腿骨の転子間線・粗線の内側唇，内側大腿筋間中隔	脛骨粗面	大腿神経（L2〜4）	膝関節の伸展
	中間広筋	大腿骨体の前面・外側面	脛骨粗面	大腿神経（L2〜4）	膝関節の伸展
膝関節筋		大腿骨体の前面の下部	膝関節包，膝蓋上包	大腿神経（L2〜4）	膝関節伸展時に膝関節包を上方に引く

第3章-3 下肢の筋

3 恥骨筋

- 平坦な四角形の筋で，しばしば浅層と深層の2層に分かれる．**大腿神経**と**閉鎖神経**の前枝からの二重神経支配を受ける．

4 縫工筋

- 大腿前面の最浅層を走行し，股関節と膝関節を越える**二関節筋**（⇨p.144 Point）である．細長い形状をしており，人体の中で最も筋線維が長い（固有背筋の最長筋が「最長の筋」ではない）．停止部では半腱様筋，薄筋とともに**鵞足**を形成している．

5 大腿四頭筋

- 大腿の前面と側面の大部分を覆う筋で，**大腿直筋・外側広筋・内側広筋・中間広筋**から構成される．非常に強力な膝関節の伸筋であり，拮抗筋であるハムストリングスの3倍の張力を発揮することができる．
- 遠位部では4つの筋の腱は合流し，**大腿四頭筋腱**を形成する．また，その延長部は**膝蓋靱帯**となって膝蓋骨を脛骨粗面につなぐ役割をもつ．
① **大腿直筋**：大腿四頭筋で唯一の二関節筋であり，膝関節伸展に加えて股関節屈曲の作用をもつ．
② **外側広筋**：大腿四頭筋のなかで最も大きい筋で，大腿の外側面を覆う筋である．
③ **内側広筋**：大腿の内側面を覆う筋である．
④ **中間広筋**：大腿直筋の深層で，外側広筋と内側広筋の間にある筋である．

6 膝関節筋（⇨図3B）

- 大腿四頭筋の深層にある小さな筋束で，中間広筋の一部が分かれたものである．大腿骨体の前面下部から起こった後に，膝の関節包と膝蓋上包に付着している．
- 膝関節筋は膝関節を伸展する際に関節包を上方に引いて，膝蓋骨と大腿骨の間に挟まれることを防ぐ役割をもつ．

> **Point**　**大腿の筋区画（コンパートメント）**
> 大腿の筋は厚く強靱な**大腿筋膜**（下肢の深筋膜）に覆われており，筋間中隔によって以下の3つの**筋区画（コンパートメント）**に分かれている（⇨3章-4図2も参照）．
> ① **前区画（前部コンパートメント）**：主に膝関節の伸筋群から構成され，**大腿神経支配**の筋が多い．
> ② **内側区画（内側コンパートメント）**：主に股関節の内転筋群から構成され，**閉鎖神経支配**の筋が多い．
> ③ **後区画（後部コンパートメント）**：主に膝関節の屈筋群から構成され，**脛骨神経支配**の筋が多い．

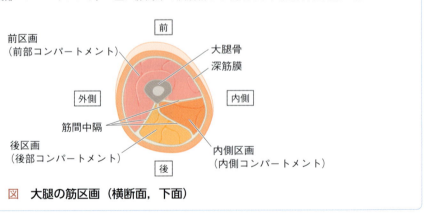

図　大腿の筋区画（横断面，下面）

2 大腿内側の筋 (図3, 表3)

⇨骨：3章-1 1 2

- 大腿内側の筋は**内転筋群**とよばれ，主に**閉鎖神経**によって支配されている．

1 長内転筋

- 扇形の大きな筋で，内転筋群のなかで最も浅層に位置する．

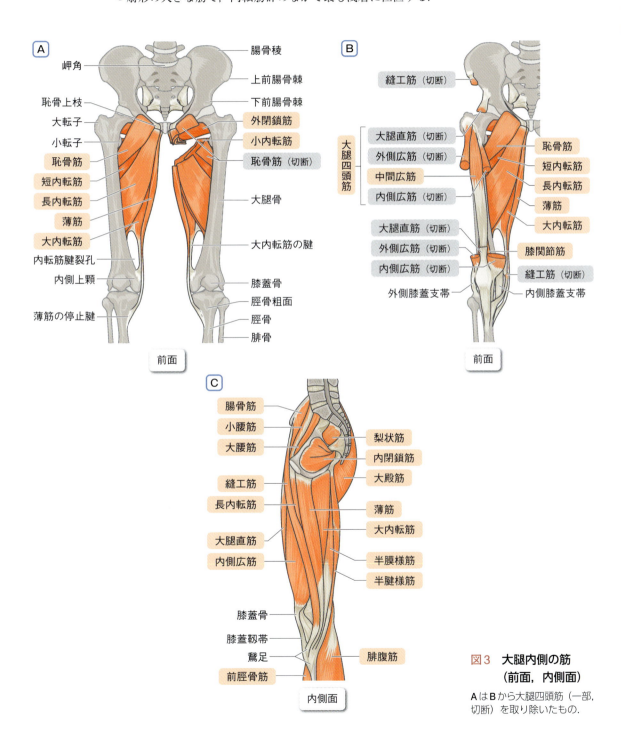

図3　大腿内側の筋（前面，内側面）

AはBから大腿四頭筋（一部，切断）を取り除いたもの．

表3　大腿内側の筋

筋	起始	停止	神経支配	作用
長内転筋	恥骨結節の下部	大腿骨の粗線の内側唇の中間1/3	閉鎖神経（L2〜4）	股関節の屈曲・内転
短内転筋	恥骨体，恥骨下枝	大腿骨の恥骨筋線・粗線の内側唇の近位1/3	閉鎖神経（L2〜4）	股関節の屈曲・内転
大内転筋	内転筋部：恥骨下枝，坐骨枝 膝窩腱筋部：坐骨結節	内転筋部：大腿骨の殿筋粗面・粗線の内側唇・内側顆上線 膝窩腱筋部：大腿骨の内転筋結節	内転筋部：閉鎖神経（L2〜4） 膝窩腱筋部：坐骨神経の脛骨神経部（L4）	股関節の伸展・内転
薄筋	恥骨体，恥骨下枝	脛骨粗面の内側（鵞足となって付着）	閉鎖神経（L2・3）	股関節の内転，膝関節の屈曲・内旋
外閉鎖筋	閉鎖膜の外面と閉鎖孔の周辺	大腿骨の転子窩	閉鎖神経（L3・4）	股関節の内転・外旋

2 短内転筋

- 恥骨筋・長内転筋の深層に位置する筋で，前面は**閉鎖神経の前枝**，後面は**後枝**が下行する．

3 大内転筋

- 内転筋群のなかで最も大きく，最も深層に位置する筋である．**内転筋部**と**膝窩腱筋部**によって構成される筋で，それぞれ起始・停止，神経支配などが異なる．また，大内転筋は数本の**貫通動脈**（⇨p.167）によって貫かれており，第1貫通動脈より上方の筋束が明瞭に分かれている場合，これを**小内転筋**という（分かれていることが多い）．
- 大内転筋の2つの停止部と大腿骨の間の間隙を**内転筋腱裂孔**といい，**大腿動静脈**はこの部位を通過した後に**膝窩動静脈**となる（⇨p.167）．

4 薄筋

- 大腿の内側の浅層を走行する帯状の長い筋で，大腿内側の筋のなかで唯一の**二関節筋**である．その停止部は縫工筋，半腱様筋とともに**鵞足**を形成する．

5 外閉鎖筋

- 大腿の深部に位置する扇状の筋で，梨状筋，上・下双子筋，内閉鎖筋，大腿方形筋と合わせて**深層外旋六筋**ともよばれる．

> **Point** 大腿三角（Scarpa三角）
>
> 大腿三角（Scarpa三角）は，股関節を屈曲・外転・外旋位にした際に，鼠径靱帯のすぐ下方に見えるくぼんだ領域である．三角形のそれぞれの「辺」は以下によって構成される．三角形の底は**腸恥窩**とよばれ，腸腰筋と恥骨筋が位置している．
> 　①上方の辺：**鼠径靱帯**
> 　②内側の辺：**長内転筋**
> 　③外側の辺：**縫工筋**
> また，大腿三角は内側から順番に大腿静脈，大腿動脈，大腿神経が走行する．この関係は「内からVAN（静脈Vein, 動脈Artery, 神経Nerve）」と覚えるとよい．

図　大腿三角

> **Let'sTry** 筋を触察してみよう 〜膝内側の筋〜

縫工筋は腸骨の上前腸骨棘から起こった後に，大腿を斜め下方に走行して脛骨粗面の内側に向かう．そのため，縫工筋の遠位部は膝関節の内側で確認することができる．縫工筋の筋腹は指2本程度の太さで，大腿骨の内側上顆のやや後方を通過している．

また，縫工筋のすぐ後方には**薄筋**が走行している．薄筋の近位部は幅の広い筋腹だが，遠位部では細い腱となる．膝の内側で縫工筋と薄筋を触察する際には，両筋の感触の違いも指標にするとよい．

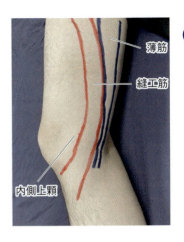

3 殿部の筋

⇨骨：3章-1 **1** **2**

- 骨盤の後面で，後外側に向かって隆起した体表の領域を**殿部**という．殿部は上縁の**腸骨稜**（⇨p.107）から下縁の**殿溝**の間に位置しており，左右の殿部の間には**殿裂**がある．
- 殿部の筋は，二足歩行や直立姿勢の維持と密接な関係をもつ．また，殿部の隆起した形態はヒト固有の特徴でもある．殿部の筋は，浅層と深層の2層から構成される．

1）浅層（図4〜6，表4）

1 大殿筋

- 殿筋群で最も浅層に位置する筋で，人体の筋で最も大きい．大殿筋の主な作用は股関節の伸展と外旋であり，座位からの立ち上がりや階段の昇段，走行の際に特に働く．停止部では上部と下部に分かれ，上部と下部の浅層線維は**腸脛靱帯**，下部の深層線維は大腿骨の**殿筋粗面**に停止している．
- 大殿筋の深層には**殿部滑液包**という3つの滑液包があり，下層の構造から大殿筋を隔てている．
  ①転子包：大殿筋の上部線維と大腿骨の大転子を隔てる．
  ②坐骨包：大殿筋の下部線維と坐骨結節を隔てる．
  ③殿筋大腿包：大殿筋と外側広筋の上部を隔てる．

2 中殿筋

- 大殿筋の深層に位置する筋で，小殿筋のほぼ全体を覆う．中殿筋と小殿筋の間には**上殿神経**と**上殿動静脈**が走行する．

3 小殿筋

- 中殿筋の深層に位置する扇状の筋で，その表面は広い停止腱に覆われている．

4 大腿筋膜張筋

- 長さ約15 cmの筋で，大腿筋膜に由来する2層の筋膜によって挟まれている．停止部は大殿筋の一部とともに，腸脛靱帯を介して脛骨の外側顆に付着する共通の腱膜を形成している．

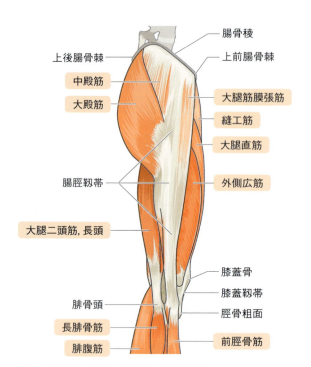

図4 殿部とその周辺の筋（外側面）

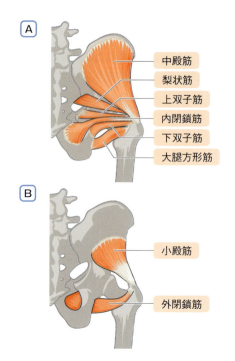

図6 殿部の筋（後面）
A）中殿筋と深層外旋六筋（外閉鎖筋を除く），
B）小殿筋と外閉鎖筋

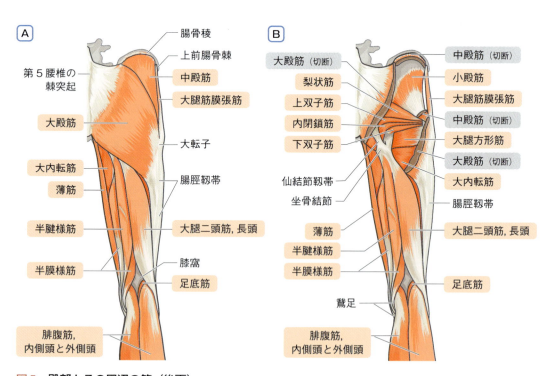

図5 殿部とその周辺の筋（後面）
BはAの大殿筋と中殿筋を取り除いたもの．

表4 殿部の筋（浅層）

筋	起始	停止	神経支配	作用
大殿筋	腸骨の後殿筋線の後方，仙骨と尾骨の背側面，仙結節靱帯	腸脛靱帯，大腿骨の殿筋粗面	下殿神経（L5〜S2）	股関節の伸展（特に屈曲位からの伸展）・外旋
中殿筋	腸骨の外側面（前殿筋線と後殿筋線の間）	大腿骨の大転子の外側面	上殿神経（L4〜S1）	股関節の外転・内旋
小殿筋	腸骨の外側面（前殿筋線と下殿筋線の間）	大腿骨の大転子の前面	上殿神経（L4〜S1）	股関節の外転・内旋
大腿筋膜張筋	腸骨の上前腸骨棘・腸骨稜の前部	腸脛靱帯	上殿神経（L4〜S1）	股関節の屈曲・外転・内旋

臨床で重要！　中殿筋と異常歩行（跛行）

中殿筋や小殿筋などの股関節の外転筋群は，片脚立位の際に非支持側に骨盤が傾斜するのを防ぐ（図A）．外転筋群の筋力低下や上殿神経の麻痺が起こると，片脚立位の際に骨盤を水平に保つことができずに，非支持側に傾いてしまう．この現象を**トレンデレンブルグ（Trendelenburg）徴候**という（図B）．また，片脚立位時に支持側に体幹と骨盤が傾くことを**デュシェンヌ（Duchenne）徴候**という（図C）．両徴候陽性に伴い，下記のような異常歩行（跛行）がみられる．
①**トレンデレンブルグ歩行**：歩行の立脚期に，トレンデレンブルグ徴候をきたす歩行．
②**中殿筋歩行**：歩行の立脚期に，デュシェンヌ徴候をきたす歩行．

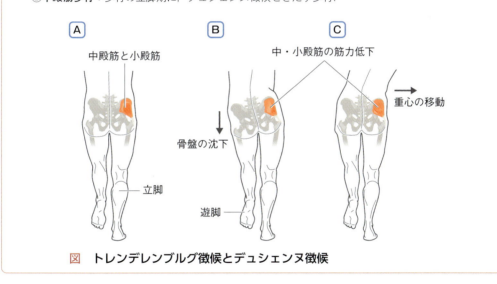

図　トレンデレンブルグ徴候とデュシェンヌ徴候

2）深層（図5，6，表5．臨床上，下記❶〜❺の筋に外閉鎖筋を加え**深層外旋六筋**ともよぶ）

❶ 梨状筋

- 洋梨のような形状をしていることが語源とされる筋で，大坐骨孔を**梨状筋上孔**と**梨状筋下孔**に分ける（⇨p.108）．また，約15〜20％で**総腓骨神経**が梨状筋を貫く（⇨p.165 Point）．

❷ 上双子筋

- 坐骨棘から起こり，内閉鎖筋の腱を介して大腿骨の転子窩に付着する筋である．

❸ 内閉鎖筋

- 小骨盤の内側壁の大部分を覆う大きな筋で，深層外旋六筋のなかで最も大きい．また，内閉

表5 殿部の筋（深層）

筋	起始	停止	神経支配	作用
梨状筋	仙骨の前面，仙結節靱帯	大腿骨の大転子の上縁	仙骨神経叢の枝（L5〜S2）	股関節の外転・外旋
上双子筋	坐骨棘	内閉鎖筋の腱を介して大腿骨の転子窩	仙骨神経叢の枝（L5〜S2）	股関節の外転・外旋
内閉鎖筋	閉鎖膜の内面，閉鎖孔の周辺	大腿骨の転子窩	仙骨神経叢の枝（L5〜S2）	股関節の外転・外旋
下双子筋	坐骨結節	内閉鎖筋の腱を介して大腿骨の転子窩	仙骨神経叢の枝（L5〜S2）	股関節の外転・外旋
大腿方形筋	坐骨結節の外側縁	大腿骨の転子間稜の方形結節	仙骨神経叢の枝（L5〜S2）	股関節の外旋

鎖筋の腱には上双子筋と下双子筋が停止し，三頭筋のような形態をしている．

4 下双子筋

- 坐骨結節から起こり，内閉鎖筋の腱を介して大腿骨の転子窩に付着する筋である．

5 大腿方形筋

- 長方形の短い筋で，股関節の外旋に強力に作用する．内閉鎖筋と上双子筋，下双子筋の共同腱の下方に位置している．

4 大腿後面の筋 （図7，表6）　⇨骨：3章-1 1 2 4 5

- 大腿後面にある4つの筋（**半腱様筋，半膜様筋，大腿二頭筋長頭・短頭**）を総称し，**ハムストリングス**とよぶ．ハムストリングスのうち，半腱様筋・半膜様筋・大腿二頭筋長頭は坐骨結節から起始する二関節筋で，その作用は股関節と膝関節の運動に関与する（大腿二頭筋短頭を除く3つの筋をハムストリングスとして扱う場合もある）．

1 半腱様筋

- 大腿二頭筋長頭とともに坐骨結節の下内側部から起こり，脛骨の内側顆を回り込むように走行して脛骨上部の内側面に付着する．その名が示すように，遠位1/3が索状の腱になっている．
- 停止部は縫工筋，薄筋の腱性部とともに**鵞足**を形成する．

2 半膜様筋

- 坐骨結節の上外側部から起こる幅の広い筋である．特に起始部ではその名のとおり，平坦な膜状の外形をしている．
- 停止部では以下の3つの領域に分かれる．
  ①脛骨の内側顆の後面に直接，付着する領域
  ②**膝窩筋膜**と合流する領域（臨床上，**深鵞足**とよぶことがある）
  ③**斜膝窩靱帯**（⇨p.125）として，膝関節の関節包の後面を補強する領域

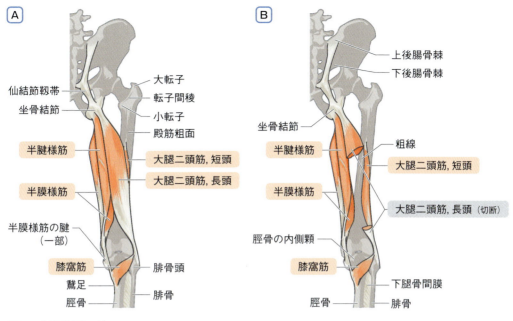

図7 大腿後面の筋
BはAの大腿二頭筋長頭を取り除いたもの.

表6 大腿後面の筋

	筋	起始	停止	神経支配	作用
ハムストリングス	半腱様筋	坐骨結節	脛骨粗面の内側 (鵞足となって付着)	脛骨神経（L5～S2）	股関節の伸展・内旋, 膝関節の屈曲・内旋
	半膜様筋	坐骨結節	脛骨の内側顆の後部, 斜膝窩靱帯,膝窩筋膜	脛骨神経（L5～S2）	股関節の伸展・内旋, 膝関節の屈曲・内旋
	大腿二頭筋長頭	坐骨結節	腓骨頭	脛骨神経（L5～S2）	股関節の伸展・外旋, 膝関節の屈曲・外旋
	大腿二頭筋短頭	大腿骨の粗線の外側唇の 中間1/3・外側顆上線	腓骨頭	総腓骨神経（L5～S2）	膝関節の屈曲・外旋

3 大腿二頭筋

- 2つの筋頭から構成される筋で,**長頭**と**短頭**に分かれる.

①**大腿二頭筋長頭**：坐骨結節から起こり,遠位部では腱状になって短頭と合流して腓骨頭に付着する.膝関節を抵抗に抗して屈曲した際に,膝窩部の外側に腱が強く浮き出る（容易に確認できるので,観察ならびに触察をしてみるとよい）.

②**大腿二頭筋短頭**：大腿骨の粗線の外側唇の中間1/3と外側顆上線から起こる.他のハムストリングスはいずれも**脛骨神経**に支配されるが,大腿二頭筋短頭のみ**総腓骨神経**によって支配される.

> **Point** 二関節筋
>
> 通常，骨格筋は1つのみの関節を越えるように位置しているが，ハムストリングスのように2つの関節を越える筋も存在する．前者を**単関節筋**，後者を**二関節筋**※という．ハムストリングスは股関節の伸展と膝関節の屈曲の作用をもつため，股関節の屈曲と膝関節の伸展時に伸張される．以上をふまえ，以下を同級生と行ってみよう．
> ①検者と被験者を決め，被験者は背臥位をとる．
> ②膝関節伸展位のままで，股関節屈曲の関節可動域を測定する（図A）．
> ③次に膝関節屈曲位で，股関節屈曲の関節可動域を測定する（図B）．
> 膝関節伸展時と比べ，屈曲時の方が股関節屈曲の関節可動域は大きくなる．これは膝関節が伸展することによって，ハムストリングスの伸張の程度が増大するためである．
> ※二関節筋には2つ以上の関節を越えるものもある（深指屈筋など）．

図　二関節筋の作用

5　下腿前面の筋（図8，表7）　　⇨骨：3章-1 4 ～ 8

- 下腿前面の筋は骨間膜の前方と脛骨の外側面から起こり，主に足関節の背屈と足趾の伸展の作用をもつ．また，歩行の遊脚相において求心性収縮を行い，足前部が地面に触れないように背屈位を保つ働きをする．

1 前脛骨筋

- 脛骨の外側面から起こり，内側楔状骨と第1中足骨の底に停止する．足関節の背屈にかかわる筋のなかで，最も筋力が強い．また，収縮した際に，足関節の前面でその停止腱を確認することができる．

2 長趾伸筋

- 下腿前面の筋のなかで最も外側に位置する．脛骨から起始するのは一部のみで，その大半は腓骨の内側面と下腿骨間膜の近位から起こる．足関節の少し近位で4本の腱に分かれ，母趾以外の4趾の中節骨および末節骨の底に停止する．

3 長母趾伸筋

- 前脛骨筋と長趾伸筋の深層に位置する薄い筋で，母趾の末節骨の底に停止する．

4 第三腓骨筋

- 長趾伸筋の一部が分かれたもので，趾節骨ではなく第5中足骨の底に停止する．足関節外側面において，外果の前方を走行している．日本人では約4～8％で欠如する．

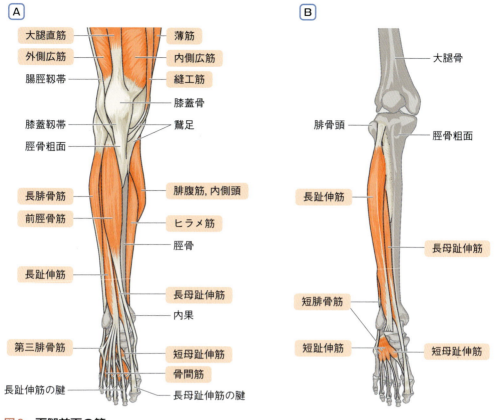

図8 下腿前面の筋
BはAの下腿前面の筋以外を取り除き，長趾伸筋の腱を切除したもの．

> **Point** 下腿の筋区画（コンパートメント）
> 下腿の筋は**前下腿筋間中隔**，**後下腿筋間中隔**，**下腿骨間膜**によって3つの**筋区画（コンパートメント）**に分かれている．
> ①**前区画（前部コンパートメント）**：主に足関節の背屈筋群から構成され，**深腓骨神経**が支配する．
> ②**外側区画（外側コンパートメント）**：主に足関節の底屈と外がえしに関与する群から構成され，**浅腓骨神経**が支配する．
> ③**後区画（後部コンパートメント）**：主に足関節の底屈筋群から構成され，**脛骨神経**が支配する．また，後区画はさらに浅層と深層の2部に分かれる（⇨3章-4図4）．

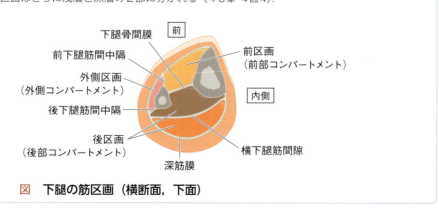

図 下腿の筋区画（横断面，下面）

第3章-3 下肢の筋

表7 下腿前面の筋

筋	起始	停止	神経支配	作用
前脛骨筋	脛骨の外側面の近位1/2, 下腿骨間膜	内側楔状骨の内側面・下面, 第1中足骨の底	深腓骨神経（L4・5）	足関節の背屈・内がえし
長趾伸筋	脛骨の外側顆, 腓骨体の前縁, 下腿骨間膜の近位3/4	第2〜5趾の中節骨・末節骨の底の背側面, 趾背腱膜	深腓骨神経（L5・S1）	第2〜5趾のMTP・PIP・DIP関節の伸展, 足関節の背屈・外がえし
長母趾伸筋	腓骨の前面の中部, 下腿骨間膜の中部	母趾の末節骨の底の背側面	深腓骨神経（L5・S1）	母趾のMTP・PIP・DIP関節の伸展, 足関節の背屈
第三腓骨筋	腓骨体の前面の下部, 下腿骨間膜の遠位1/3	第5中足骨の底	深腓骨神経（L5・S1）	足関節の背屈・外がえし

6 下腿外側の筋 （図9, 表8）

⇨骨：3章-1 5 〜 7

- 下腿の外側には，**長腓骨筋**と**短腓骨筋**が位置する．いずれも外果の内側後方にある**外果溝**を通過し，足関節の底屈と外がえしの作用をもつ．

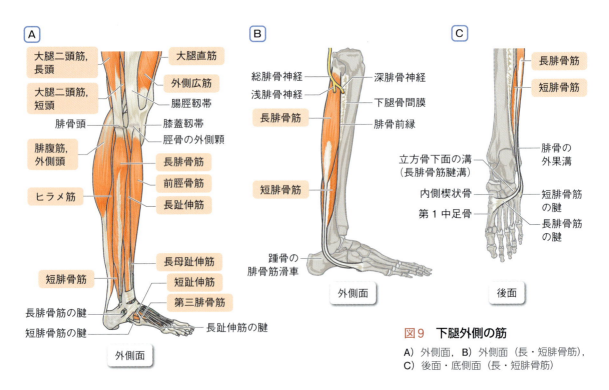

図9 下腿外側の筋

A）外側面，B）外側面（長・短腓骨筋），
C）後面・底側面（長・短腓骨筋）

表8 下腿外側の筋

筋	起始	停止	神経支配	作用
長腓骨筋	腓骨外側面の近位2/3, 腓骨頭, 前下腿筋間中隔, 後下腿筋間中隔, 下腿筋膜	内側楔状骨, 第1中足骨の底	浅腓骨神経（L5〜S2）	足関節の底屈・外がえし
短腓骨筋	腓骨外側面の遠位2/3, 前下腿筋間中隔, 後下腿筋間中隔	第5中足骨の底	浅腓骨神経（L5〜S2）	足関節の底屈・外がえし

1 長腓骨筋

- 2つの腓骨筋のうちの長い方の筋で，腓骨体の近位の外側から起こる．足部の**内側・外側縦アーチ**の形成にかかわっている．

2 短腓骨筋

- 2つの腓骨筋のうちの短い方の筋で，長腓骨筋の深層に位置する．足部の**外側縦アーチ**の形成にかかわっている．

> **Let's Try** 筋を触察してみよう　〜下腿外側・前面の筋〜

下腿の外側には長・短腓骨筋が位置している．**長腓骨筋**は腓骨頭から起こり，下腿の近位2/3の領域で確認することができる．また，下腿の遠位2/3には**短腓骨筋**が起始しており，下腿中央付近で両筋を確認することができる（短腓骨筋の表層を長腓骨筋の腱が走行している）．

また，下腿の外側から前方を追うと**長趾伸筋**，**前脛骨筋**を触察することができる．長母趾伸筋は下腿の中央付近から起こるため，近位の領域では確認することができない．

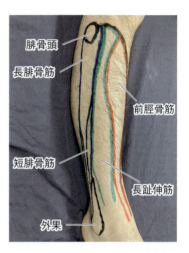

7 下腿後面の筋

⇨骨：3章-1 4 〜 8

- 下腿後面の筋は，**横下腿筋間隙**によって**浅層筋群**と**深層筋群**に分けられる．

1) 下腿後面の浅層筋群（図10, 表9）

- いわゆる「ふくらはぎ」の大部分を形成する．浅層筋群は腓腹筋内側頭・外側頭，ヒラメ筋の3つで構成され，それらを合わせて**下腿三頭筋**という．

1 腓腹筋

- ふくらはぎの近位部に位置し，**内側頭**と**外側頭**からなる．両頭とも大半は**Type II 線維**（**白筋線維・速筋線維**）によって形成される．
- 遠位部では扁平な腱膜となってヒラメ筋と合わさり，**踵骨腱（アキレス腱）**によって踵骨に付着する．

2 ヒラメ筋

- 腓腹筋の深層に位置する筋で，その形状が魚の平目に似ていることが学名の語源とされる．
- ヒラメ筋は腓骨と脛骨の近位部から起こり，起始部付近で**ヒラメ筋腱弓**を形成する．ヒラメ筋腱弓はアーチ状の「通り道」を形成し，そこを膝窩動静脈と脛骨神経が通過する．
- ヒラメ筋の大部分は**Type I 線維**（**赤筋線維・遅筋線維**）によって構成され，立位の姿勢保持に関与する．

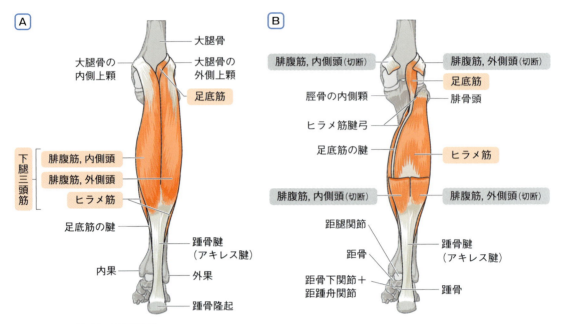

図10 下腿後面の浅層筋群
BはAの腓腹筋内側頭・外側頭を部分的に取り除いたもの．

表9 下腿後面の浅層筋群

筋		起始	停止	神経支配	作用
下腿三頭筋	腓腹筋	内側頭：大腿骨の内側上顆 外側頭：大腿骨の外側上顆	踵骨腱を介して踵骨隆起	脛骨神経（S1・2）	膝関節の屈曲，足関節の底屈
	ヒラメ筋	腓骨頭の後面，腓骨の後面の近位1/4，脛骨のヒラメ筋線，ヒラメ筋腱弓	踵骨腱を介して踵骨隆起	脛骨神経（S1・2）	足関節の底屈
足底筋		大腿骨の外側顆の後面	踵骨腱を介して踵骨隆起	脛骨神経（S1・2）	腓腹筋の作用をわずかに補助（膝関節の屈曲，足関節の底屈）

3 足底筋

- 大腿骨の外側顆の下端に位置する小さい筋で，短い筋腹と長い腱をもつ．約5〜10％で欠損し，その大きさや形状の個体差が著しい．

2）下腿後面の深層筋群（図11，表10）

1 膝窩筋

- 薄い三角形の形状をした筋で，大腿骨の外側上顆の外側面（膝窩筋溝）ならびに膝関節包から丸みを帯びた腱として起こる．外側側副靱帯の深層を通った後に，脛骨のヒラメ筋線のすぐ近位に付着する．

2 長母趾屈筋

- 母趾のすべての関節を屈曲させる強力な筋である．歩行周期の立脚相の後半に母趾を屈曲させ，最終的な推進力を与える．

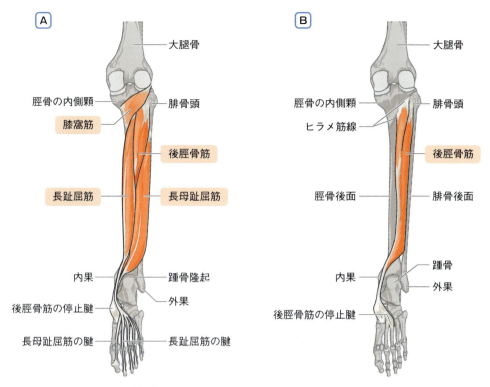

図11 下腿後面の深層筋群
BはAの膝窩筋，長母趾屈筋，長趾屈筋を取り除いたもの．

表10 下腿後面の深層筋群

筋	起始	停止	神経支配	作用
膝窩筋	大腿骨の外側上顆の外側面（膝窩筋溝），膝関節包	脛骨体の後面・ヒラメ筋線の上部	脛骨神経（S1・2）	膝関節の屈曲・内旋
長母趾屈筋	腓骨体の後面の下2/3，下腿骨間膜の下部	母趾の末節骨の底の底側面	脛骨神経（S2・3）	母趾のMTP・PIP・DIP関節の屈曲，足関節の底屈・内がえし
長趾屈筋	脛骨体の後面の中央1/3	第2〜5趾の末節骨の底の底側面	脛骨神経（S2・3）	第2〜5趾のMTP・PIP・DIP関節の屈曲，足関節の底屈・内がえし
後脛骨筋	脛骨・腓骨の後面，下腿骨間膜の上部	舟状骨粗面，第2〜4中足骨の底，内側・中間・外側楔状骨，立方骨	脛骨神経（L4〜S1）	足関節の底屈・内がえし

3 長趾屈筋

- 母趾以外の4趾を屈曲する筋ではあるが，その大きさは長母趾屈筋よりも小さい．長趾屈筋は内果の後下方を通って足底に入ると，4本の腱に分かれて第2〜5趾の末節骨の底に向かう．
- 腱が分かれる付近には**足底方形筋**が停止し，腱が分かれた後の部分からは**虫様筋**が起こる．

4 後脛骨筋

- 下腿の深層筋群のなかでも最も深部の筋で，長趾屈筋と長母趾屈筋の間に位置する．体重を荷重した際に，足部の**内側縦アーチ**を形成・維持する役割をもつ．

Let's Try 筋を触察してみよう ～下腿後面の筋～

下腿の後面の表層には下腿三頭筋が位置している．下腿三頭筋の近位の領域は**腓腹筋**によって構成されており，内側頭・外側頭に分けて触察することができる（足関節を底屈させると，肉眼でも両筋の筋腹を明瞭に確認することができるのでやってみよう）．腓腹筋は外側頭よりも内側頭が遠位部まで付着している．下腿三頭筋の遠位の領域には**ヒラメ筋**が位置しており，足関節の後面で固い**踵骨腱**（アキレス腱）となって踵骨に付着している．

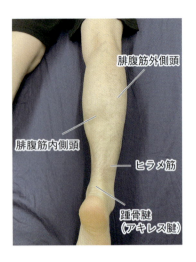

8 足の筋（図12, 13）　　⇨骨：3章-1 6 ～ 8

- 足の筋は体重支持や歩行に関与するため臨床上，非常に重要である．足背と足底で比べると，足背には2つの筋しかないが，足底には数多くの筋が存在する．足底の筋は，さらに4つの層に分かれる．

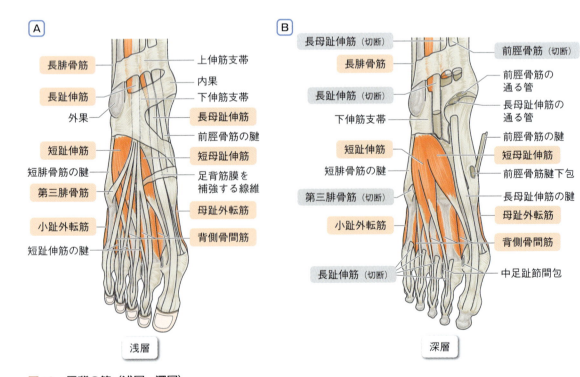

図12　足背の筋（浅層，深層）

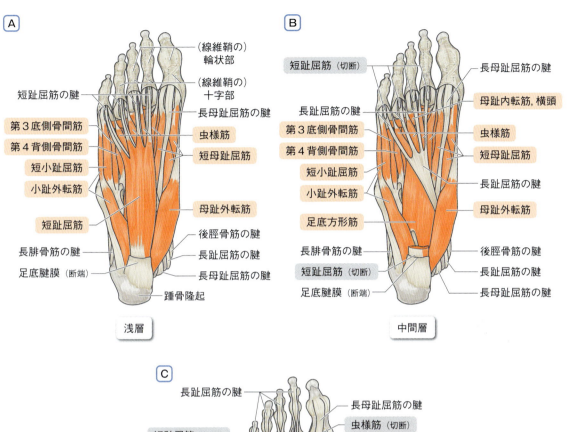
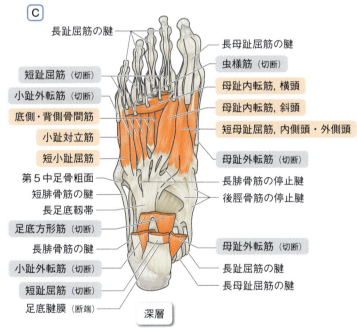

図13 足底の筋（浅層，中間層，深層）

1）足背の筋（図14, 表11）

❶ 短趾伸筋
- 幅が広く薄い筋で，第2〜4趾の長趾伸筋の腱と癒合して趾背腱膜に移行する．短趾伸筋と短母趾伸筋は，外果の前方で密接に癒合している．

❷ 短母趾伸筋
- 短趾伸筋とともに踵骨から起こり，母趾の基節骨の底に付着する．

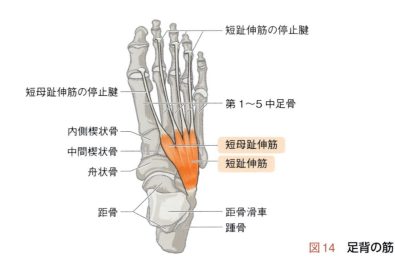

図14　足背の筋

表11　足背の筋

筋	起始	停止	神経支配	作用
短趾伸筋	踵骨の背面	第2〜4趾の趾背腱膜，第2〜4趾の中節骨の底の背側面	深腓骨神経（L5・S1）	第2〜4趾のMTP・PIP関節の伸展
短母趾伸筋	踵骨の背面	母趾の趾背腱膜，母趾の基節骨の底の背側面	深腓骨神経（L5・S1）	母趾のMTP関節の伸展

2）足底の筋（第1層）（図15, 表12）

❶ 母趾外転筋
- 踵骨隆起の内側突起と隣接する足底腱膜から起こる．足底の内側の膨らみの形成に関与する．

❷ 短趾屈筋
- 踵骨隆起の内側突起と隣接する足底腱膜から起こり，4本の腱に分かれて第2〜5趾に向かって走行する．その後，各趾へ向かう腱は基節骨の底の近くで二股に分かれ，長趾屈筋の腱の内外側を通過して中節骨の両側にそれぞれ付着する．

❸ 小趾外転筋
- 踵骨隆起の内側・外側突起と足底腱膜の一部から起こり，足底の外側の膨らみの形成に関与する．

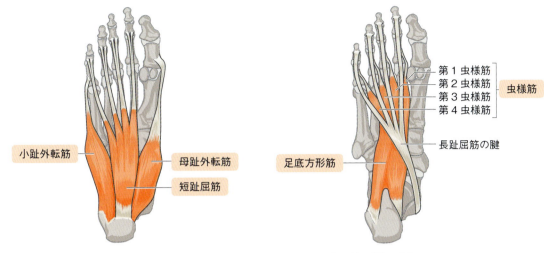

図15　足底の筋（第1層）　　　図16　足底の筋（第2層）

表12　足底の筋（第1層）

筋	起始	停止	神経支配	作用
母趾外転筋	踵骨隆起の内側突起，足底腱膜	母趾の基節骨の底の内側面	内側足底神経（S1〜3）	母趾のMTP関節の屈曲・外転
短趾屈筋	踵骨隆起の内側突起，足底腱膜	第2〜5趾の中節骨の底の底側面	内側足底神経（L5・S1）	第2〜5趾のMTP・PIP関節の屈曲
小趾外転筋	踵骨隆起の内側・外側突起，足底腱膜	小趾の基節骨の底の外側面	外側足底神経（S1〜3）	小趾のMTP関節の屈曲・外転

表13　足底の筋（第2層）

筋	起始	停止	神経支配	作用
足底方形筋	踵骨隆起の底面の内側縁・外側縁	長趾屈筋の腱の外側縁	外側足底神経（S1・2）	長趾屈筋の作用の補助
虫様筋	長趾屈筋の腱の内側縁	第2〜5趾の趾背腱膜	第1・2虫様筋：内側足底神経（S1〜3）　第4虫様筋：外側足底神経（S1〜3）　第3虫様筋の神経支配は個体差が大きい．	第2〜5趾のMTP関節の屈曲，PIP・DIP関節の伸展

3）足底の筋（第2層）（図16，表13）

1 足底方形筋

- 踵骨から起こる平らな四角形の筋で，長趾屈筋の腱が4本に分かれる付近に付着する．足底方形筋は足底を斜めに走る長趾屈筋の腱を後方に牽引し，筋の収縮のベクトルを調整する機能をもつ．

2 虫様筋

- 細長い形状をした4本の筋で，長趾屈筋の4本の腱から起こって第2〜5趾の趾背腱膜に付着する．

4) 足底の筋（第3層）（図17, 表14）

1 短母趾屈筋

- 内側・中間・外側楔状骨，立方骨から起こった後に，**内側頭**と**外側頭**に分かれる．両頭はそれぞれ，内側・外側種子骨を介して母趾の基節骨の底に付着する．

2 母趾内転筋

- **横頭**と**斜頭**の2つの筋頭として起こる．両頭は融合し，母趾の基節骨の底に付着する．
- ①横頭：第3〜5趾の中足趾節関節（MTP関節）の関節包から起こる．足部の**横アーチ**の形成にかかわっている．
- ②斜頭：横頭よりも一回り大きい筋頭で，第2〜4趾の中足骨の底，外側楔状骨，立方骨から起こる．

3 短小趾屈筋

- 小趾の中足骨の底から起こり，小趾の基節骨の底に付着する．また，短小趾屈筋の深層部が分離し，第5中足骨の遠位部に付着するものを**小趾対立筋**という（⇨図13C）．

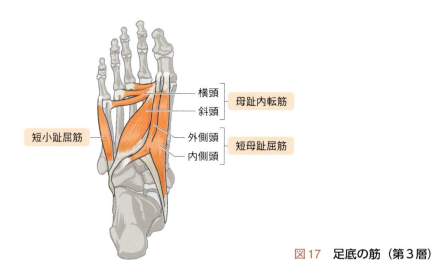

図17　足底の筋（第3層）

表14　足底の筋（第3層）

筋	起始	停止	神経支配	作用
短母趾屈筋	内側・中間・外側楔状骨，立方骨	母趾の基節骨の底の内・外側面	内側頭：内側足底神経（L5・S1） 外側頭：外側足底神経（S1・2）	母趾のMTP関節の屈曲
母趾内転筋	横頭：第3〜5趾のMTP関節の関節包 斜頭：第2〜4中足骨の底，外側楔状骨，立方骨	母趾の基節骨の底の内側面	外側足底神経（S1・2）	母趾のMTP関節の屈曲・内転
短小趾屈筋	小趾の中足骨の底	小趾の基節骨の底の底側面	外側足底神経（S2・3）	小趾のMTP関節の屈曲

5) 足底の筋（第4層）（図18，表15）

❶ 底側骨間筋
- 第3～5趾の中足骨から半羽状筋として起こる，3つの筋の総称である．主に第3～5趾を内転させる作用をもつ．

❷ 背側骨間筋
- 第1～5趾の隣り合う中足骨から羽状筋として起こる，4つの筋の総称である．主に第2～4趾を外転させる作用をもつ．

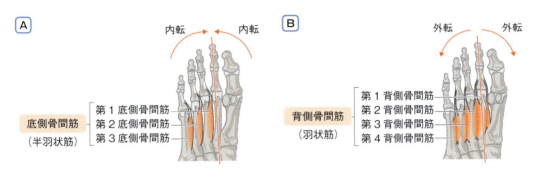

図18　足底の筋（第4層）

表15　足底の筋（第4層）

筋	起始	停止	神経支配	作用
底側骨間筋（3筋）	第3～5中足骨の内側面	第3～5趾の基節骨の底の内側面，趾背腱膜	外側足底神経（S1・2）	第3～5趾のMTP関節の屈曲・内転，PIP・DIP関節の伸展
背側骨間筋（4筋）	第1～5中足骨の隣接面	第1背側骨間筋：第2趾の基節骨の内側面　第2～4背側骨間筋：第2～4趾の基節骨の外側面	外側足底神経（S1・2）	第2～4趾のMTP関節の屈曲・外転，PIP・DIP関節の伸展

第3章 運動器系（下肢）

4 下肢の筋膜

学習のポイント
- 下肢の各部位を覆う筋膜の名称を覚える
- 下肢の各部位の筋区画と，その内部の構造を理解する

- 下肢の筋膜は図1のように各部に名称が与えられているが，本質的には連続した構造物である．また，その一部は筋間中隔を介して骨と連絡をもち，筋にも付着部を与えている．下肢の筋膜の構造を正しく知ることは，運動器を理解するうえで非常に重要である．

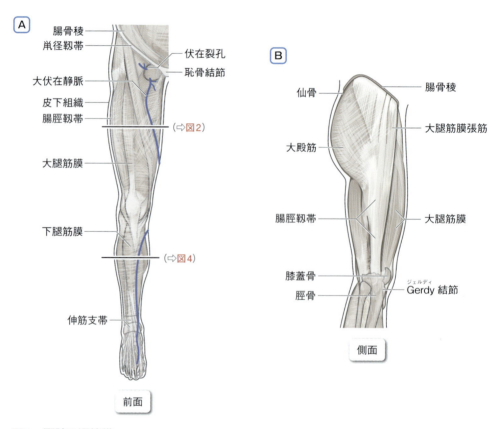

図1　下肢の深筋膜

1 骨盤前面の筋膜

1. **腸腰筋筋膜**：腹壁の筋膜の一部で，**腸腰筋**の表面を覆っている．
2. **腰筋筋膜**※：**大腰筋**の表面を覆う深筋膜で，上方では横隔膜の**内側弓状靱帯**（⇨4章-7 図5）に付着している．　　※「大腰筋膜」ではないことに注意．
3. **腸骨筋筋膜**：鼠径靱帯から下方に伸びる部分で，**腸恥筋膜弓**を形成する．
4. **腸恥筋膜弓**：鼠径靱帯と寛骨の間の空間を**筋裂孔**（腸腰筋・大腿神経・外側大腿皮神経が通過）と**血管裂孔**（大腿動脈・大腿静脈・陰部大腿神経大腿枝が通過）に分ける．

2 殿部と大腿の筋膜

1 大腿筋膜

- 殿部と大腿の筋を覆う深筋膜で，前方では腸骨稜と鼠径靱帯に付着している．
  ① **殿筋腱膜**：**中殿筋**の表面を覆う大腿筋膜の肥厚部で，中殿筋の起始部としての役割ももつ．
  ② **腸脛靱帯**：大腿筋膜の外側の肥厚部で，腸骨稜の前部から脛骨の外側顆の間※に位置する．**大殿筋**と**大腿筋膜張筋**の停止部となり，筋の張力を脛骨へと伝えて膝を安定させる役割をもつ．　　※腸脛靱帯の脛骨の付着部を臨床上，Gerdy結節とよぶ．
  ③ **伏在裂孔**：鼠径靱帯のすぐ下にある大腿筋膜の開口部で，**大伏在静脈**が通過する（通過後，大腿静脈に流入する）．

2 大腿の筋区画（コンパートメント）

- 大腿の筋は**外側大腿筋間中隔・内側大腿筋間中隔・後大腿筋間隙**により，3つの筋区画に分かれる（図2）．
  ▶ **前区画**：大腿の伸筋群（⇨p.136）の区画
  ▶ **内側区画**：大腿の内転筋群（⇨p.137）の区画
  ▶ **後区画**：大腿の屈筋群（⇨p.142）の区画

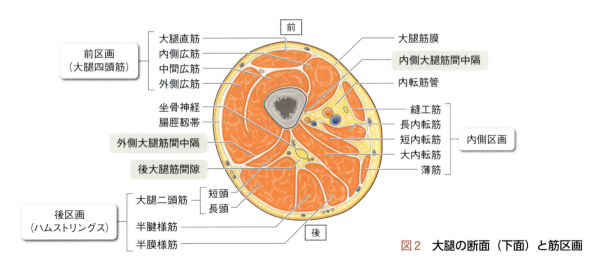

図2　大腿の断面（下面）と筋区画

3 下腿・足の筋膜

1 下腿筋膜

- 下腿の筋を包む深筋膜で，部分的に下腿の筋の起始部にもなっている．下腿筋膜は足部の領域で肥厚し，**支帯**という帯状の線維束を形成する（図3）．支帯は下腿から起こって足部に向かう筋の腱を保持する役割をもつ．

①**上・下伸筋支帯**：3本の伸筋の腱（前脛骨筋・長母趾伸筋・長趾伸筋）を保持する．
②**上・下腓骨筋支帯**：長・短腓骨筋の腱を，外果の後方と下方で保持している．
③**屈筋支帯**：3本の屈筋の腱（後脛骨筋・長母趾屈筋・長趾屈筋）を内果の後方で保持する．

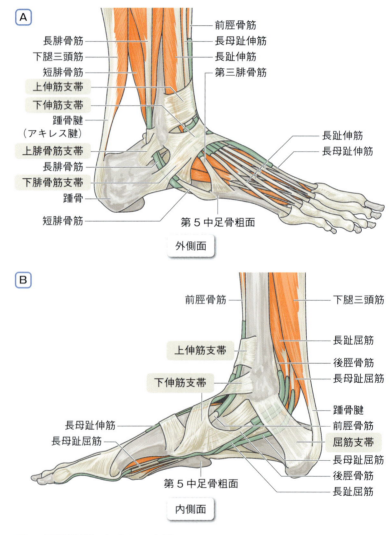

図3 足関節部にみられる支帯

2 下腿の筋区画（コンパートメント）

- 下腿の筋は**前下腿筋間中隔・後下腿筋間中隔・下腿骨間膜・横下腿筋間隙**により，4つの筋区画に分かれる（図4）．
  - ▶**前区画**：足の伸筋群（⇨p.144）の区画
  - ▶**外側区画**：足の腓骨筋群（⇨p.146）の区画
  - ▶**後区画浅層**：足の浅層の屈筋群（⇨p.147）の区画
  - ▶**後区画深層**：足の深層の屈筋群（⇨p.148）の区画

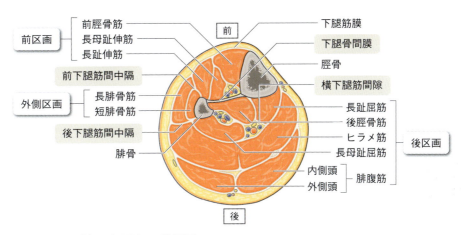

図4　下腿の断面（下面）と筋区画

3 足背筋膜

- 下腿筋膜の延長部分で，足趾の趾背腱膜に向かって放射状に伸びる．

4 足底腱膜（図5）

- 足底の深筋膜の肥厚部で，踵骨隆起の内側突起から各足趾の中節骨に向かって走行する．

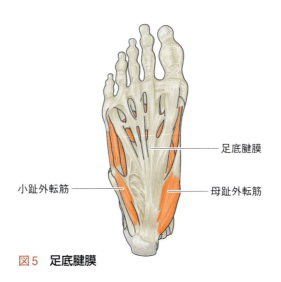

図5　足底腱膜

第3章 運動器系（下肢）

5 下肢の神経

> **学習のポイント**
> - 腰・仙骨神経叢の主要な枝について説明することができる
> - 腰・仙骨神経叢のすべての枝を図示することができる
> - 腰・仙骨神経叢の枝を筋枝・皮枝に分けて説明することができる

- ヒトの下肢の構造は上肢と比べ，非常に大きい．そのため，上肢は**腕神経叢**（⇨p.93）が前後に分かれて分布しているのに対し，下肢では前面は**腰神経叢**，後面は**仙骨神経叢**がそれぞれ分布をしている（図1）．

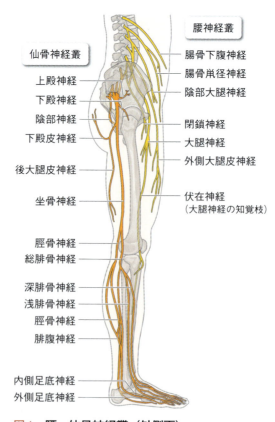

図1　腰・仙骨神経叢（外側面）

1 腰神経叢（図2）

- 第12胸神経と第1〜4腰神経の前枝から構成される．これらの神経は腰椎の肋骨突起の前面（大腰筋の起始部付近）で合流する．
- 第4〜5腰神経は合流して**腰仙骨神経幹**となり，第1〜4仙骨神経に加わって仙骨神経叢の形成に関与する．

1 腸骨下腹神経（T12・L1）
- 腰神経叢の最も上方から出る枝で，腰方形筋の前方を肋下神経（第12肋間神経）と並んで下行する．筋枝を側腹筋群に，皮枝を下腹部と殿部の皮膚に与える．

2 腸骨鼠径神経（L1）
- 腸骨下腹神経のすぐ下を並走した後に筋枝を側腹筋群に，皮枝を男性では陰嚢の皮膚，女性では恥丘と大陰唇の皮膚に与える．

3 陰部大腿神経（L1・2）
- 大腰筋を貫いた後に下行し，**大腿枝**と**陰部枝**に分かれる．
- ①**大腿枝**：大腿前面の上部の皮膚に分布する．
- ②**陰部枝**：男性では陰嚢の皮膚，女性では大陰唇の皮膚に分布する．

4 外側大腿皮神経（L2・3）
- 腸骨筋の前面を外側下方に向かって走行し，上前腸骨棘の内側下方を通って大腿の前外側の皮膚に分布する．

5 大腿神経（L2〜4）
- 腰神経叢のなかで最も太い枝で，大腰筋の外側から出た後に腸骨筋に枝を出し，鼠径靱帯の下の**筋裂孔**を通過する．その後，以下の枝を分岐する（図3）．

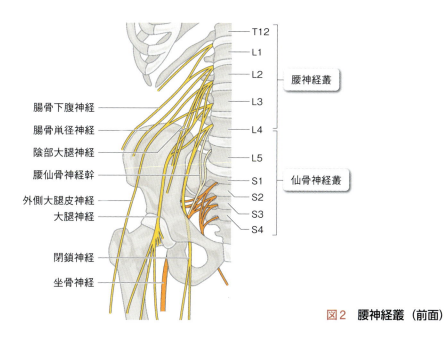

図2　腰神経叢（前面）

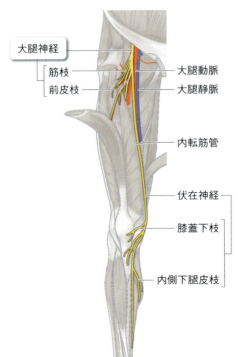

図3 大腿神経とその枝（前面）

① 筋枝：腸骨筋，大腿四頭筋，縫工筋，恥骨筋※に分布する．
※大腿神経と閉鎖神経の二重神経支配．
② 前皮枝：大腿の前面の遠位3/4の皮膚を支配する．
③ 伏在神経：大腿神経の知覚枝のなかで最も長い枝で，下行した後にさらに分岐する．
▶ 膝蓋下枝：縫工筋を貫き，膝蓋骨の下部の皮膚に分布する．
▶ 内側下腿皮枝：下腿および足部の内側の皮膚に分布する．

6 閉鎖神経（L2〜4）

- 大腰筋の内側から出た後に小骨盤に入り，**閉鎖孔**を通過して**前枝**と**後枝**に分かれる．
① 前枝：短内転筋の前方を下行し，短内転筋と長内転筋，薄筋，恥骨筋を支配する．
② 後枝：短内転筋の後方を下行し，短内転筋と外閉鎖筋，大内転筋を支配する．

2 仙骨神経叢（図4）

- 仙骨神経叢は，第1〜4仙骨神経の前枝と腰神経叢から分岐する**腰仙骨神経幹**（L4・5）によって形成される．小骨盤内では，梨状筋の前面を下行する．
- ほとんどの仙骨神経叢は**梨状筋上孔**もしくは**梨状筋下孔**（いずれも大坐骨孔を梨状筋が二分して形成される ⇨p.108 臨床で重要！）を通過し，骨盤を出る．

1 坐骨神経（L4〜S3）

- 約2cmの幅をもつ人体最大の神経である．梨状筋下孔から出た後に大腿後面を下行し，**脛骨神経**と**総腓骨神経**に分かれて大腿後面と下腿，足部の筋ならびに下腿と足部の皮膚を支配

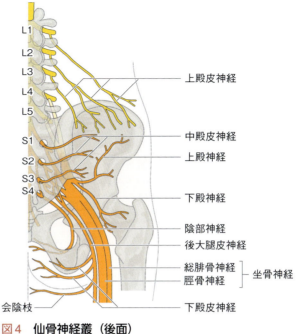

図4 仙骨神経叢（後面）

する（殿部の筋や皮膚の支配には関与しない）．

※通常，坐骨神経は大腿の中央付近で脛骨神経と総腓骨神経に分かれる．しかし約15％の人では骨盤内から出る時点で，すでに坐骨神経が分枝している．

① **脛骨神経**：坐骨神経の2本の終枝のうちの太い枝である．大腿の後面を下行した後にヒラメ筋腱弓を通って下腿の深層に達する．その後，内果の下方（いわゆる**足根管**）を通って足底に向かう．その過程で以下の神経を分岐する．

- ▶**内側腓腹皮神経**：膝窩の高さで分かれ，小伏在静脈に沿って下行する．外側腓腹皮神経の枝である腓側交通枝と合流して**腓腹神経**を形成する．腓腹神経は下腿の遠位1/3の外側部と後面，および足の外側の皮膚を支配する．
- ▶**内側足底神経**：脛骨神経の終枝の太い枝で，母趾外転筋・短趾屈筋・第1～2虫様筋・短母趾屈筋内側頭に加え，足底の前方2/3の内側（第1～3趾，第4趾の内側半分）の皮膚を支配する．
- ▶**外側足底神経**：脛骨神経の終枝の細い枝で，内側足底神経によって支配される4つの筋（母趾外転筋，短趾屈筋，第1～2虫様筋，短母趾屈筋内側頭）を除く，すべての足底の内在筋を支配する．また，足底の前方2/3の外側（第4趾の内側半分，第5趾）の皮膚を支配する．

② **総腓骨神経**：坐骨神経の2本の終枝のうちの細い枝である．大腿の後面を下行した後に大腿二頭筋の遠位部の腱に沿って外側へ走行し，腓骨頭の直下を通り抜けて下腿の前面へ向かう（⇨3章-3 図9B）．さらに以下の枝に分かれる．

- ▶**外側腓腹皮神経**：膝窩の高さで分かれた後に，腓側交通枝となる．その後，内側腓腹皮神経と合流して**腓腹神経**（足根と足背の外側の皮膚を支配）を形成する．
- ▶**浅腓骨神経**：長腓骨筋と短腓骨筋に加え，足背の大部分の皮膚に枝を出す．
- ▶**深腓骨神経**：前脛骨筋・長趾伸筋・第三腓骨筋・長母趾伸筋・短趾伸筋・短母趾伸筋に加え，第1趾と第2趾の向かい合う部分の皮膚を支配する．

足根管と足根管症候群

内果の下方で屈筋支帯，距骨，踵骨で囲まれたトンネル状の構造を，整形外科領域では**足根管**という．足根管には**脛骨神経**，**後脛骨動静脈**，**後脛骨筋**，**長趾屈筋**，**長母趾屈筋**が走行しており，この部位が絞扼されると，足底に放散痛を生じることがある．これを**足根管症候群**という．絞扼の原因としてはガングリオン（関節周囲に起こるゼリー状の嚢腫）や距踵間癒合症などがあげられるが，原因不明の特発性のものもある．

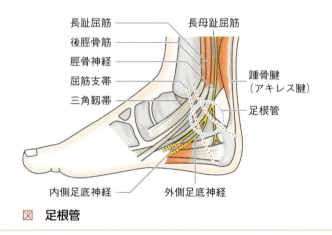

図　足根管

2 上殿神経（L4〜S1）

- 梨状筋上孔から出た後に，中殿筋と小殿筋の隙間を上殿動静脈の枝とともに走行する．上殿神経は**上枝**と**下枝**に分けられる．
  ① 上枝：中殿筋を支配する．
  ② 下枝：中殿筋，小殿筋，大腿筋膜張筋を支配する．

3 下殿神経（L5〜S2）

- 梨状筋下孔から出た後に，下殿動静脈の多数の枝とともに大殿筋に入る．

4 後大腿皮神経（S2・3）

- 梨状筋下孔から出た後に下行し，会陰と殿部の下部，大腿の後面と膝窩を覆う皮膚を支配する．また，大腿後面の皮膚を支配する**下殿皮神経**を分枝する．

5 陰部神経（S2〜4）

- 梨状筋下孔を通過して骨盤から出た後に，小坐骨孔を通って再び骨盤に入る．会陰の構造を主に支配する．

※腰・仙骨神経叢はいずれも脊髄神経の前枝が構成するが，第1〜3腰神経の後枝からは**上殿皮神経**と**中殿皮神経**が起こる．

3 尾骨神経叢

- 第4・5仙骨神経および尾骨神経の前枝によって形成される小さな神経叢で，尾骨筋と肛門挙筋の一部，仙尾関節（仙骨と尾骨の間の関節）に枝を出す．

> **Point** 梨状筋と坐骨神経の関係

通常，坐骨神経は梨状筋下孔（大坐骨孔の下部）から現れるが，その走行には以下のような個体差がみられる．

①梨状筋下孔から小骨盤を出る（約85％）．

②骨盤内で脛骨神経と総腓骨神経に分かれ，総腓骨神経が梨状筋を貫通する（約15％）．同例では貫通部位で神経が圧迫を受け，**梨状筋症候群**※を生じることがある．

※坐骨神経が梨状筋の部位で障害されるものを梨状筋症候群という．神経の貫通例以外にも梨状筋の肥大や筋痙縮によって起こる場合もある（約50％）．

③骨盤内で脛骨神経と総腓骨神経に分かれ，総腓骨神経が梨状筋上孔から出る（約0.5％）．

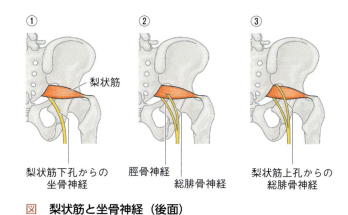

図　梨状筋と坐骨神経（後面）

第3章 運動器系（下肢）

6 下肢の脈管

> **学習のポイント**
> - 下肢の脈管の主要な枝の名称を覚える
> - 下肢の脈管が，どの部位から名称が変わるかを理解する
> - 下肢の主要な動脈の触知を行うことができる

1 下肢の動脈（図1～3）

1 外腸骨動脈

- **総腸骨動脈**が2分岐したうちの1本で，鼠径靱帯の下の**血管裂孔**を通過して**大腿動脈**となる（総腸骨動脈，内腸骨動脈とその枝は循環器系参照 ⇒p.254）．

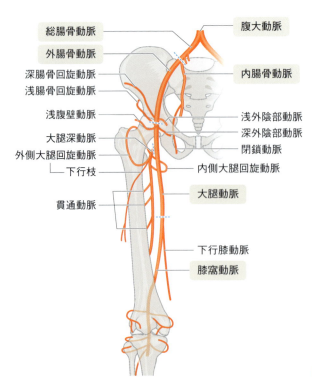

図1　大腿の動脈（前面）

2 大腿動脈

- 下肢に分布する主要な動脈で，外腸骨動脈の延長として起こる．鼠径部の腸腰筋の内側，もしくはScarpa三角の中で触知が可能である．大腿動脈からは以下の枝が起こる．
- ①**大腿深動脈**：大腿動脈の最大の枝で，大腿外側の深部に向かう．さらに以下の枝に分かれる．
  - ▸**内側大腿回旋動脈**：腸腰筋と恥骨筋の間から深部に向かい，大腿の後面に達する．大腿骨頭と大腿骨頸への血液の大部分を供給する．
  - ▸**外側大腿回旋動脈**：縫工筋と大腿直筋の深層を通り，大腿の外側に向かう．大腿骨頭と大腿の外側の筋に血液を送る．
  - ▸**貫通動脈**：大腿深動脈には通常，4本の貫通動脈がある．そのうち3本は大内転筋を貫き，ハムストリングスと外側広筋を栄養する．4番目の枝は大腿深動脈の終枝となる．
- ②**浅腸骨回旋動脈**：下腹部外側の皮膚に分布している．
- ③**浅腹壁動脈**：下腹部内側の皮膚に分布している．
- ④**下行膝動脈**：**内転筋管**※（内側広筋・長内転筋・大内転筋などからなる通路）を通った後に起こる枝で，**膝関節動脈網**に加わる．

  ※ハンター管ともよばれる．

3 膝窩動脈

- 大腿動脈の延長で，大腿動脈が**内転筋腱裂孔**（大内転筋の停止部が形成する孔）を通過したところから始まる．
- 膝窩動脈からは膝に向かう5本の動脈（**外側・内側上膝動脈**，**中膝動脈**，**外側・内側下膝動脈**）が起こり，それぞれが吻合して**膝関節動脈網**を形成し，膝の関節包と靭帯に血液を送る．
- 膝窩動脈はヒラメ筋腱弓（ヒラメ筋の起始となる腱弓）の深層を通過した後に，**前脛骨動脈**と**後脛骨動脈**に分枝する．

4 前脛骨動脈

- 膝窩動脈から分枝した後に，下腿骨間膜の上部の裂隙を通り抜けて下腿の前面に向かう枝である．その後，前脛骨筋と長趾伸筋の間を下行し，距腿関節の高さで**足背動脈**となる．

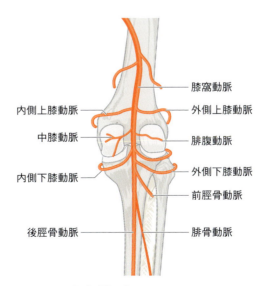

図2　膝の動脈（後面）

5 後脛骨動脈

- 膝窩動脈から分かれた直後に，**腓骨動脈**を分岐する枝である．その後，後脛骨筋と長趾屈筋の間を脛骨神経とともに下行する．内果の後方の**足根管**（⇨p.164）を通って足底に入り，**内側足底動脈**と**外側足底動脈**に分かれる．

6 腓骨動脈

- 後脛骨動脈から分かれた後に，腓骨の後面に沿って下行する枝である．下腿の最下部で以下の2本の枝を出す．
①**貫通枝**：下腿骨間膜の下端を貫通し，足根の前面に分布する．
②**交通枝**：腓骨動脈と後脛骨動脈とを交通する枝．

7 足背動脈

- 前脛骨動脈の延長で，**距腿関節**の高さを通過したところから始まる．足背動脈は**外側足根動脈**と**弓状動脈**を分岐した後に，**深足底動脈**となって第1骨間隙を貫き，**外側足底動脈**と吻合する．また，足背動脈は，足背の長母趾伸筋腱と長趾伸筋腱の間で触知が可能である．

8 内側足底動脈

- 後脛骨動脈から分岐する細い枝で，母趾の主な筋群を栄養する．

9 外側足底動脈

- 後脛骨動脈から分岐する太い枝で，足背動脈の枝である**深足底動脈**と合流して**深足底動脈弓**を形成する．また，深足底動脈弓からは4本の**底側中足動脈**が分枝する．

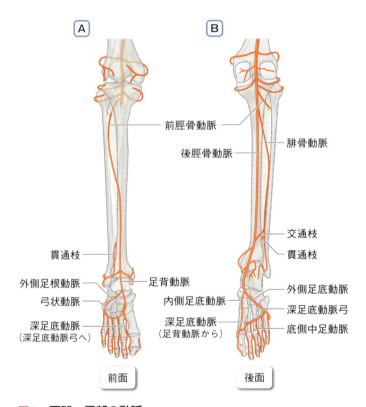

図3　下腿・足部の動脈

Let'sTry 下肢の動脈を触ってみよう

下肢の動脈のうち，触知可能なものは以下の4種である．実際に触って確認をしよう．
①**大腿動脈**：上前腸骨棘と恥骨結合の中間部で，鼡径靱帯の中央直下で触知する．
②**膝窩動脈**：腹臥位で膝関節を屈曲し，膝窩中央付近で触知する．
③**後脛骨動脈**：足部を内がえしさせて屈筋支帯をゆるめ，内果の後面と踵骨腱の内側縁との間で確認する．
④**足背動脈**：長母趾伸筋の腱のすぐ外側で確認する．

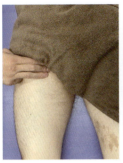 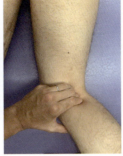 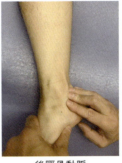 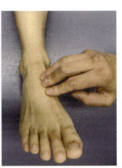

大腿動脈　　　　　　膝窩動脈　　　　　　後脛骨動脈　　　　　足背動脈

2 下肢の静脈

- 下肢の静脈は皮下組織内を走行する**皮静脈**と，深筋膜の深部を走行する**深静脈**に分かれる．

1) 下肢の皮静脈（図4）

- 下肢の皮静脈は，**大伏在静脈**と**小伏在静脈**がある．いずれも**足背静脈弓**から起こる．

❶ 大伏在静脈

- 人体で最も長い静脈で，**足背静脈弓**の内側端から起こり，鼡径部の**伏在裂孔**から大腿静脈に注ぐ．

❷ 小伏在静脈

- 足背静脈弓の外側端から起こり，膝窩筋膜を貫いた後に膝窩静脈に注ぐ．

2) 下肢の深静脈（⇒5章図12）

- いずれの枝も，同名の動脈と**伴行**している．

❶ 膝窩静脈

- 下腿の3本の静脈（**前脛骨静脈**，**後脛骨静脈**，**腓骨静脈**）に加え，**小伏在静脈**が流入する．

❷ 大腿静脈

- **大腿深静脈**や**大伏在静脈**の枝を受け，鼡径部で**外腸骨静脈**となる．

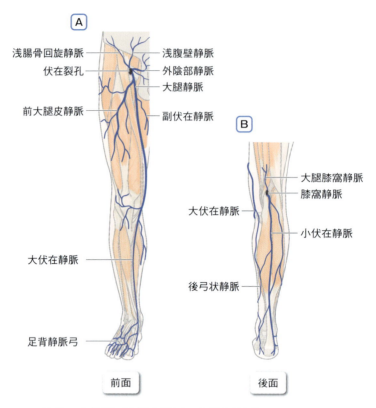

図4 下肢の皮静脈（大伏在静脈，小伏在静脈）

> **臨床で重要！**
> **深部静脈血栓症（deep venous thrombosis：DVT）**
> 下肢の深静脈は，うっ血（静脈および毛細血管内の静脈血が増加した状態）によって血栓を生じることがある．また，下肢で生じた血栓が下大静脈を経て肺動脈に達し，呼吸障害や循環障害を呈するものを**肺血栓塞栓症**という（発症すると約3割が死に至る）．人工膝関節置換術などの後に発症することが多く，その予防には足関節の底背屈自動運動が有用である．

国家試験練習問題

問1 股関節で正しいのはどれか．[第53回PM問51]

① 顆状関節である．
② 大腿骨頸部は関節包外にある．
③ 寛骨臼は前外側を向いている．
④ 寛骨臼は腸骨のみで構成される．
⑤ 腸骨大腿靱帯が関節包後面から補強している．

問2 距骨と関節を構成するのはどれか．2つ選べ．[第58回PM問60]

① 踵骨
② 舟状骨
③ 立方骨
④ 第1中足骨
⑤ 内側楔状骨

問3 Lisfranc関節を構成するのはどれか．2つ選べ．[第54回PM問51]

① 距骨
② 舟状骨
③ 踵骨
④ 内側楔状骨
⑤ 立方骨

問4 足関節外側面において，外果の前方を走行する筋はどれか．[第56回PM問55]

① 後脛骨筋
② 短腓骨筋
③ 長腓骨筋
④ 第3腓骨筋
⑤ 長母指屈筋

問5 腰神経叢に含まれるのはどれか．[第55回AM問55]

① 陰部神経
② 下殿神経
③ 坐骨神経
④ 上殿神経
⑤ 大腿神経

第4章 運動器系（頭頸部・体幹）

1 頭部の骨

学習のポイント
- 脳頭蓋，顔面頭蓋を構成する骨を覚える
- 各筋が付着する部位を理解する
- 内頭蓋底・外頭蓋底の孔と，そこを通過する神経・血管を覚える

● 頭部は体の最上部にあり，体幹とは頸部でつながっている．頭部は**頭蓋**，**脳**，**脳神経**，**髄膜**，**特殊感覚**を含む．また，食物を取り込み，空気を出し入れする場でもある．

1 頭蓋の骨（表1，図1） ⇨関節：4章-4 **1**，筋：4章-5

● 頭蓋は頭部の骨格である．15種23個の小さな骨が集まり，**脳頭蓋**と**顔面頭蓋**を形成する．

1 脳頭蓋（神経頭蓋）
● 6種8個の骨で構成され，脳と髄膜，脳神経の中枢側と血管を包み込む．

2 顔面頭蓋
● 9種15個の骨で構成され，口（上顎と下顎）と鼻腔，眼窩の大部分を取り囲む．

表1　頭蓋の骨

脳頭蓋（6種8個）	頭頂骨（2個），側頭骨（2個），前頭骨（1個），後頭骨（1個），蝶形骨（1個），篩骨（1個）
顔面頭蓋（9種15個）	鼻骨（2個），涙骨（2個），下鼻甲介（2個），上顎骨（2個），頬骨（2個），口蓋骨（2個），下顎骨（1個），鋤骨（1個），舌骨（1個）

2 脳頭蓋を構成する骨

1）前頭骨（⇨図3）
● いわゆる額の部分を構成する骨であり，その下方は**眼窩上縁**を形成している．

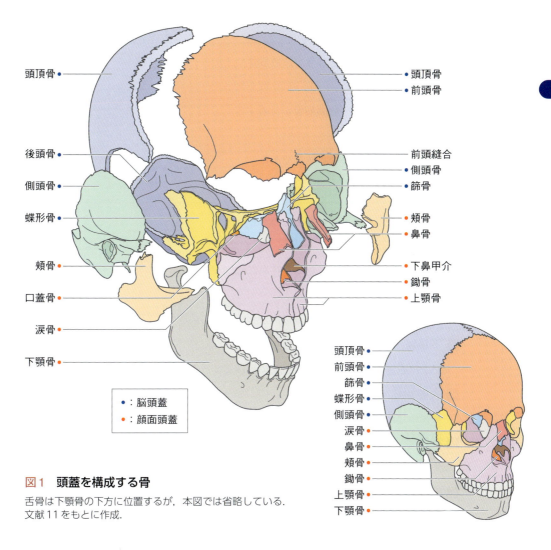

図1　頭蓋を構成する骨
舌骨は下顎骨の下方に位置するが，本図では省略している．
文献11をもとに作成．

1 前頭鱗

- 前頭腔の前壁を構成する，平らな部分．

2 眼窩上孔（眼窩上切痕）

- 眼窩上縁にある孔または溝で，**眼窩上神経の外側枝**と**眼窩上動静脈**が通過する．

3 眉弓

- 眼窩上縁にある骨の隆起部で，左右にみられる．女性よりも男性で発達している．

4 前頭稜

- 前頭骨の内側の正中部にある骨の張り出した部位で，**大脳鎌**（硬膜の一部）が付着する．

5 上矢状洞溝

- **前頭稜**に続く溝で，**上矢状静脈洞**（上大脳静脈の血液を受ける部位 ⇨ p.256）が位置する．

6 前頭洞

- 4つの**副鼻腔**のうちの1つ（⇨ p.260）．眉弓と鼻根の後方に位置する．

2）頭頂骨（⇨図4）

- 頭頂部と側頭部の大部分を占める骨で，左右一対からなる．

1 上側頭線
- 側頭面の上縁で，**側頭筋膜**が付着する．

2 下側頭線
- **側頭筋**の起始部となる曲線である．

3）後頭骨（⇨図6～8）

- 後頭部から頭蓋底の後面を占める骨である．

1 外後頭隆起
- 正中面にある骨性の突起で，容易に触知が可能である．

2 上項線
- 外後頭隆起から左右の外側に向かって伸びる曲線で，頸部の上縁の目印となる．

3 下項線
- 上項線の下方にある曲線で，上項線ほどはっきりとしてはいない．

4 大後頭孔（大孔）
- 後頭骨にある大きな孔で，延髄や血管，神経が通過する．

5 後頭鱗
- 大後頭孔の後方にある平らな部分．

6 後頭顆
- 大後頭孔の両側にある大きな隆起部で，**環椎の上関節面**（⇨p.185）との間に**環椎後頭関節**を形成する．

7 舌下神経管
- 大後頭孔の前外側縁の上方から起こり，後頭顆の基部まで続く通路．**舌下神経**が通過する．

8 斜台
- 後頭骨と蝶形骨からなり，**鞍背**から**大後頭孔**まで続く急な斜面．

4）側頭骨（⇨図4, 7）

- 頭蓋の外側の下方部分を構成する骨で，以下の3部に分かれる．

1 鱗部
- 側頭骨の前上部にある平らで大きい板状の部分である．頭頂骨との間に**鱗状縫合**を形成する．
  ①頬骨突起：鱗部から前方へ伸び出る突起で，頬骨の**側頭突起**と連結して**頬骨弓**を形成する．
  ②下顎窩：下顎骨の**下顎頭**（下顎骨の関節突起の上端部）と関節し，**顎関節**を形成する．

2 鼓室部
- 骨性耳道の大部分を構成する部分である．

①外耳孔：**外耳道**（鼓膜への入り口）とつながる開口部である．

3 岩様部

- 内耳を含む部分である（⇨内耳の構成にかかわる部位についてはp.380を参照）．
① 乳様突起：外耳孔の後下方に位置する突起で，**胸鎖乳突筋**の停止部である．
② 錐体：岩様部の内側にある内頭蓋底に突き出た部位で，**中耳・内耳**を収めている．
③ 茎乳突孔：**顔面神経**と**茎乳突動脈**が通過する孔．
④ 茎状突起：茎乳突孔の前方にある，細い骨の突起部．**茎突舌骨筋**が起始する．
⑤ 内耳孔：岩様部の後面にある内耳道の開口部で，**内耳神経**と**顔面神経**が通過する．内耳神経は内耳孔に入った後に**前庭神経**と**蝸牛神経**に分かれる．
⑥ 頚動脈管：**内頚動脈**が通過する孔．

5）蝶形骨（⇨図7, 8）

- 前頭骨・側頭骨・後頭骨の間に挟まるように位置する骨で，**体**と3組の突起（**大翼，小翼，翼状突起**）からなる．体を中心に，各突起が外側に翼を広げるような構造をしている．

1 体

① 蝶形骨洞：蝶形骨の体の中にある空洞で，4つの**副鼻腔**のなかの1つである（⇨p.260）．骨性中隔によって左右に分けられる．
② トルコ鞍：体の上面にある部位で，馬の鞍のような構造をしている．以下の3つの部位に区分される．
 ▶ 鞍結節：トルコ鞍の前方にある，小さな骨の突起部である．
 ▶ 下垂体窩：体の上面にある陥凹部で，馬の鞍でいう「シート」に相当する部位である．**下垂体**を収める．
 ▶ 鞍背：トルコ鞍の後方にある板状の部位である．

2 大翼

- 体から起こって前外側へ向かって翼状に広がる部分である．
① 正円孔：**上顎神経**（三叉神経の第2枝）が通過する．
② 卵円孔：**下顎神経**（三叉神経の第3枝）と**副硬膜動脈**が通過する．
③ 棘孔：**中硬膜動脈**と**下顎神経の硬膜枝**が通過する．

3 小翼

- 体の前端の両側から起こり，左右へ向かって突出する扁平な三角形の突起部である．
① 視神経管：**視神経**と**眼動脈**が通る管．

4 翼状突起

- 体と大翼の間から下方に伸び出た部位で，**内側板**と**外側板**によって構成される．

5 破裂孔

- 蝶形骨と側頭骨の間にある不規則な形状の孔で，線維軟骨で埋められている．この部位を**頚動脈管**（内頚動脈が通る）が通過している．

6）篩骨（⇨図8）

- 眼窩の内側壁を形成する含気骨である（眼窩はさらに前頭骨，涙骨，蝶形骨が加わってできる）．
- **❶ 篩板**：篩骨の中央にある薄い板状の骨で，小さな孔が開いている（篩骨の「篩」はふるいと読む．その名のとおり，ふるいのような構造をしている）．この小さな孔を**嗅神経**が通過する．
- **❷ 鶏冠**：篩骨の上方に突出する骨稜で，**大脳鎌**（大脳縦裂に入り込んだ鎌状の硬膜）が付着する．
- **❸ 前・中・後篩骨蜂巣**：篩骨の中にある蜂の巣状の空洞（**篩骨洞**ないし**篩骨蜂巣** ⇨p.260）であり，前・中・後の3部に分かれる．また，それらは互いに交通している．

3 顔面頭蓋を構成する骨

1）下鼻甲介（⇨図3）

- 3つの鼻甲介（⇨p.259）のなかで最も長く，唯一独立した骨である（上鼻甲介と中鼻甲介は篩骨の一部であることに注意）．

2）鋤骨（⇨図3，7）

- 薄く平たい骨で，鼻中隔の後方下部を形成する．

3）鼻骨（⇨図3）

- 左右の鼻骨が正中線上で合わさり，鼻の上方部分を形成する．

4）涙骨（⇨図3，4）

- 指の爪くらいの大きさの板状の骨で，眼窩の内側壁の一部を構成する．

5）頬骨（⇨図3，4）

- 眼窩の外側下方に位置し，頬のでっぱりをつくる．また一部は上顎の形成にもかかわる．
- **❶ 側頭突起**：後方に向かって伸び出る突起で，側頭骨の**頬骨突起**と連結して**頬骨弓**を形成する．
- **❷ 前頭突起**：前頭骨ならびに蝶形骨の大翼と連結する突起部．

6）上顎骨（⇨図3，4）

- その名のとおり，上顎を形づくる骨である．また，**梨状口**（鼻の前方の開口部）の大部分と眼窩の下縁の形成にも関与する．
- **❶ 上顎洞**
  - 4つある**副鼻腔**のなかで最大のもので，上顎骨の大部分を占める（⇨p.260）．
- **❷ 涙嚢溝**
  - **鼻涙管**（涙液を鼻腔に運ぶ管 ⇨p.377）が通過する細い溝．

3 眼窩下孔

- 眼窩の下方に位置する孔で，**眼窩下神経**と**眼窩下動静脈**が通過する．

4 歯槽突起

- 上顎歯を釘植するためのソケットと支持する骨がある部位である．

5 前頭突起

- 内側上方に突き出た部位で，上顎骨と**前頭骨**を連結している．

7）口蓋骨（⇨図7）

- 上顎骨の後縁から蝶形骨へと伸びる左右一対の骨．

8）下顎骨（⇨図3，4）

- U字状の骨で，水平部分の**下顎体**と垂直部分の**下顎枝**に分かれる．

1 下顎体

①歯槽部：下顎体の上部に位置し，下列の歯根を入れる．

②オトガイ隆起：三角形の骨の隆起部で，顎の突出をつくる．

③オトガイ結節：オトガイ隆起の両側にある骨の膨らみ．

④オトガイ孔：第2小臼歯の下方にある小さな孔で，**オトガイ神経**と**オトガイ動静脈**が通過する．

⑤上オトガイ棘：下顎骨の内側面の正中線上にある4つの骨の隆起部の上半分で，**オトガイ舌筋**が起始する．

⑥下オトガイ棘：下顎骨の内側面の正中線上にある4つの骨の隆起部の下半分で，**オトガイ舌骨筋**が起始する．

⑦二腹筋窩：上・下オトガイ棘の外下方にあるくぼみで，**顎二腹筋前腹**が起始する．

⑧顎舌骨筋線：下顎骨の内側面で，後上方から前下方へ向かって走る線．**顎舌骨筋**と**上咽頭収縮筋の顎咽頭部**が起始する．

2 下顎枝

①筋突起：下顎枝の上部の前方にある突起で，**側頭筋**が停止する．

②関節突起：下顎枝の上部の後方にある突起で側頭骨の**下顎窩**と関節し，**顎関節**を形成する．

③下顎頭：関節突起の上端部で，**顎関節**の関節面となる．

④下顎角：下顎体と下顎枝の間にある角張った部分である．

⑤咬筋粗面：下顎骨の外側面に位置し，**咬筋**が停止する．

⑥翼突筋粗面：下顎角の内側面にある粗面で，**内側翼突筋**が停止する．

9）舌骨（図2）

- U字状の形をした骨で，**甲状軟骨**の上方で第3頸椎の高さにある．**体**と**大角**，**小角**の3部に分かれる．

1 体：舌骨の中央部分で，幅は約2.5 cm，厚さは約1.0 cmである．

2 大角：体の両端部で，後上方かつ外側へ向かう．

3 小角：体と大角の結合部分から上方へ出る小さな突起．

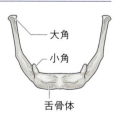

図2 舌骨（上面）

> **Point** 眼窩を構成する骨
>
> **眼窩**とは顔面頭蓋にある2カ所の腔所で，円錐のような形状をしている．その中には眼球や眼筋，視覚器などを入れる．眼窩を構成する4つの壁（**上壁・下壁・外側壁・内側壁**）は，以下の7つの頭蓋骨によって形成されている．
> - 上壁：前頭骨，蝶形骨
> - 下壁：上顎骨，頬骨，口蓋骨
> - 外側壁：頬骨，蝶形骨
> - 内側壁：篩骨，前頭骨，涙骨，蝶形骨

4 頭蓋の前面の構造物（図3）

1 鼻腔

- 顔面の中央上部に位置し，呼吸器系の気道の最上部かつ嗅覚受容器としての役割をもつ（⇨p.259）．
- ①梨状口：鼻腔の前方の大きな開口部で，その名のとおり洋梨のような形状をしている．
- ②骨鼻中隔：鋤骨と篩骨によって形成される．

2 眼窩

- ①上眼窩裂：蝶形骨の大翼と小翼の間にある裂隙で，眼窩と交通する．**動眼神経，滑車神経，眼神経（三叉神経の第1枝），外転神経，上眼静脈**が通過する．
- ②下眼窩裂：蝶形骨の大翼と上顎骨の間にある裂隙で，**眼窩下神経，頬骨神経，眼窩下動静脈，下眼静脈**が通過する．
- ③眼窩上孔（眼窩上切痕）：前頭骨参照（⇨p.173）
- ④眼窩下孔：上顎骨参照（⇨p.177）
- ⑤視神経管：蝶形骨参照（⇨p.175）

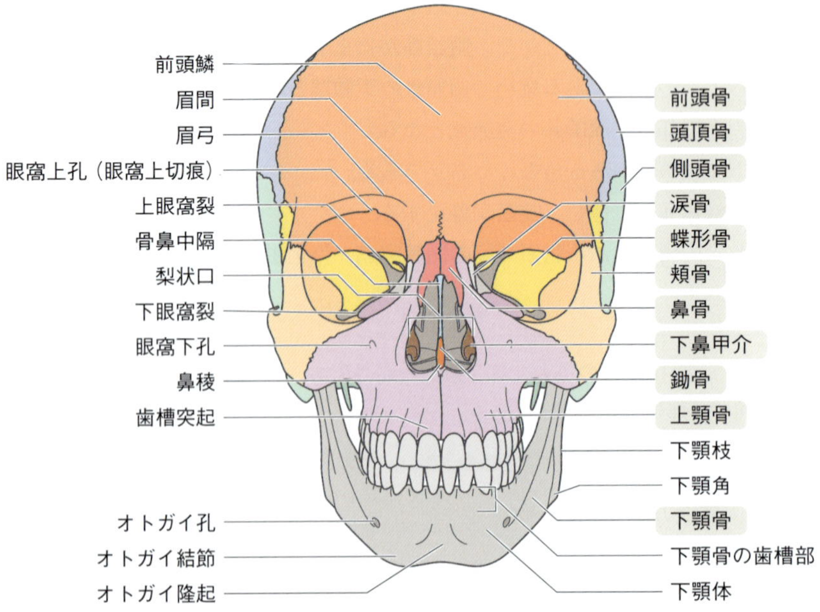

図3　頭蓋の前面の構造物
網掛け文字は頭蓋の骨を示す（図4～8も同様）．

5 頭蓋の側面の構造物（図4）

1 側頭窩：頭蓋の側面にある浅いくぼみで，**側頭筋**の起始部が含まれている．
2 頬骨弓：頬骨の側頭突起と側頭骨の頬骨突起によって形成され，その深層を**側頭筋**が通過する．
3 外耳孔：側頭骨参照（⇨p.175）
4 乳様突起：側頭骨参照（⇨p.175）
5 茎状突起：側頭骨参照（⇨p.175）
6 鱗状縫合：側頭骨と頭頂骨を分ける部分をいう．

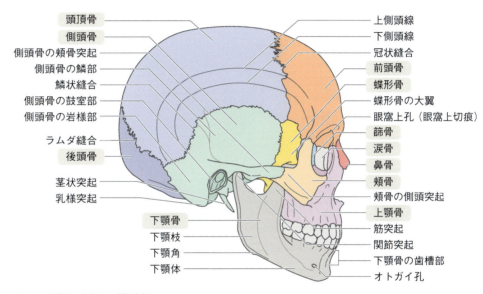

図4　頭蓋の側面の構造物

6 頭蓋の上面の構造物（図5）

1 冠状縫合
- 前頭骨と左右の頭頂骨を分ける部分をいう．

2 矢状縫合
- 左右の頭頂骨を分ける部分をいう．

3 ラムダ縫合
- 左右の頭頂骨・側頭骨と後頭骨を分ける部分をいう．

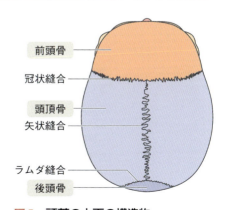

図5　頭蓋の上面の構造物

第4章-1　頭部の骨

7 頭蓋の後面の構造物（図6）

1 外後頭隆起：後頭骨参照（⇨p.174）
2 上項線：後頭骨参照（⇨p.174）

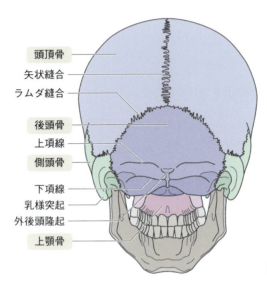

図6 頭蓋の後面の構造物

8 頭蓋の下面（外頭蓋底）の構造物（図7）

1 硬口蓋：口腔の天井の前方部分で，上顎骨と口蓋骨によって形成される．
2 切歯窩：硬口蓋の正中線上にあるくぼみで，第1切歯の後方にある．
3 大後頭孔（大孔）：後頭骨参照（⇨p.174）

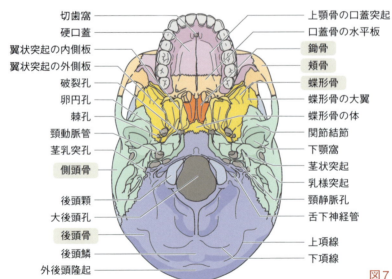

図7 頭蓋の下面の構造物

4 後頭顆：後頭骨参照（⇨p.174）

5 頸静脈孔：後頭骨と側頭骨の岩様部の間にある孔で，**内頸静脈**と**舌咽神経**，**迷走神経**，**副神経**が通過する．

6 頸動脈管：側頭骨参照（⇨p.175）

7 茎乳突孔：側頭骨参照（⇨p.175）

9 内頭蓋底の構造物（図8）

- 頭蓋底の内面は前・中・後の3つの**頭蓋窩**に分かれる．

1 前頭蓋窩

- 前方は**前頭骨**，中央は**篩骨**，後方は**蝶形骨**の**体**と**小翼**によって構成される．
- ①篩板：篩骨参照（⇨p.176）
- ②鶏冠：篩骨参照（⇨p.176）

2 中頭蓋窩

- 外側は**蝶形骨の大翼**，後方は**側頭骨の岩様部**によって構成される．
- ①トルコ鞍：蝶形骨参照（⇨p.175）
- ②視神経管：蝶形骨参照（⇨p.175）
- ③破裂孔：蝶形骨参照（⇨p.175）
- ④正円孔：蝶形骨参照（⇨p.175）
- ⑤卵円孔：蝶形骨参照（⇨p.175）
- ⑥棘孔：蝶形骨参照（⇨p.175）

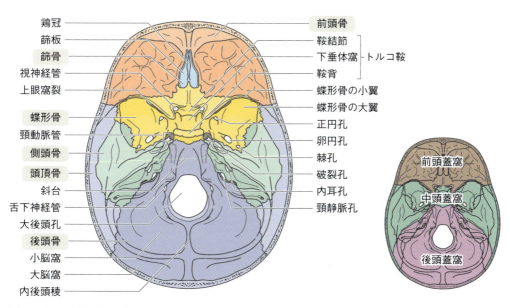

図8　内頭蓋底の構造物

3 後頭蓋窩

- 主に**後頭骨**によって形成されるが，**側頭骨**と**蝶形骨**も一部加わる．
① **大後頭孔**：後頭骨参照（⇨p.174）
② **内後頭稜**：大後頭孔から後方へまっすぐ伸びる骨の稜線．
③ **小脳窩**：小脳を収めるくぼみで，**内後頭稜**によって左右に分けられる．
④ **大脳窩**：大脳の後頭葉を収めるくぼみ．
⑤ **舌下神経管**：後頭骨参照（⇨p.174）

> **Point** 新生児の頭蓋骨
> 新生児では頭蓋骨の骨化が完成していないため，骨の間には広い隙間がある．その隙間は結合組織性の膜で覆われており，これを**頭蓋泉門**という．頭蓋泉門は4種6個があり，加齢とともに徐々に骨化して以下の時期に閉じる（膜性骨化）．
> ① **大泉門**：4つの頭蓋泉門のなかで最も大きく，菱形をしている．冠状縫合・矢状縫合・前頭縫合（左右の前頭骨の間の縫合で，生後2～3年で癒合）の合流部である．生後1年半ほどで癒合する．
> ② **小泉門**：ラムダ縫合と矢状縫合の合流部にある，三角形の頭蓋泉門．生後3カ月ほどで癒合する．
> ③ **前側頭泉門**：前頭骨・頭頂骨・側頭骨・蝶形骨の間に位置する（左右一対）．生後6カ月～1年で癒合する．
> ④ **後側頭泉門**：頭頂骨・後頭骨・側頭骨の間に位置する（左右一対）．生後1年～1年半で癒合する．
>
>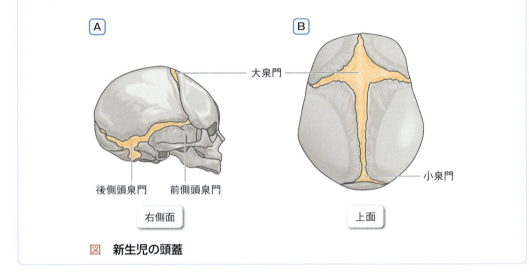
>
> 図 新生児の頭蓋

第4章 運動器系（頭頸部・体幹）

2 椎骨

> **学習のポイント**
> - 椎骨の典型的な形状を図示することができる
> - 上記をふまえたうえで各椎骨の形状と特徴を理解する
> - 脊柱全体の構造の特徴を説明することができる

- 脊柱は約33個の椎骨から構成されており，5つの領域に分けられる（図1）．脊柱は脊髄の保護や体重の支持などの役割をもつ．頸椎，胸椎，腰椎は椎間関節によって連結するため可動域を有するが，仙椎と尾椎は癒合するため可動域はない（表1）．

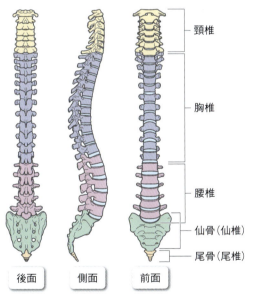

図1 脊柱の5領域
（後面，側面，前面）

表1 脊柱の5領域とその特徴

	個数	椎間関節	可動性	弯曲
頸椎	7個	○	○	前弯
胸椎	12個	○	○	後弯
腰椎	5個	○	○	前弯
仙椎	5個			
尾椎	3〜5個			

1 椎骨の基本形

- 椎骨の形状は各部位によって差異はあるが，基本的には共通した形状をもつ（**胸椎が基本形に最も近い**）．基本形を理解したうえで各椎骨を学ぶことで，その構造の理解を深めることができる．

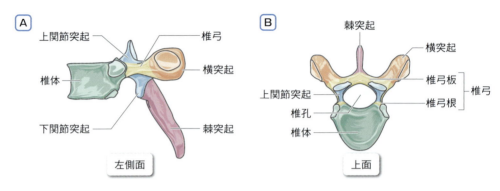

図2　椎骨の基本形

- 椎骨の基本形は**椎体**，**椎弓**および4種7つの突起から構成される（図2）．

1 椎体　⇨関節：4章-4**2** 1)

- 椎骨の前方にある円柱状の部分で，**椎間円板**を介して上下が結合している（図3）．脊柱に強靱性を与え，体重を支持する役割をもつ．その大きさは下位になるにつれて大きくなり，特に第4胸椎以下では顕著である．

2 椎弓　⇨関節：4章-4**2** 2)

- 椎骨の後方にあるアーチ状の部分で，**椎弓根**と**椎弓板**からなる．
①椎弓根：短い円柱状の突起で，椎弓を椎体につなぐ．
②椎弓板：椎弓の後方にある平坦な部分．左右の椎弓板は正中線上で結合する．
③上椎切痕：椎弓根の上縁にある切れ込みで，下椎切痕と合わさって**椎間孔**を形成する．
④下椎切痕：椎弓根の下縁にある切れ込みで，上椎切痕と合わさって**椎間孔**を形成する．
⑤椎間孔：上椎切痕と下椎切痕により形成される孔で，**脊髄神経**の通路となる（図3）．
⑥椎孔：椎体の後面と椎弓によって形成される孔．各椎骨が関節することにより，椎孔は積み重なって**脊柱管**（脊髄を収める部位）となる．

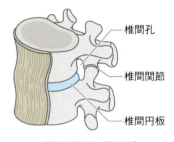

図3　椎間円板，椎間孔，椎間関節

3 突起

- 典型的な椎骨からは，4種7個の突起が出る．
①棘突起：椎弓板の結合部から後方へ伸び出る，1本の長い突起（体表から容易に触れることができる）．
②横突起：椎弓根と椎弓板の結合部から左右に出る突起（計2本）で，それぞれが後側方へ伸び出ている．
③上関節突起：椎弓根と椎弓板の結合部から上方に出る突起で，左右それぞれみられる（計2本）．下関節突起と**椎間関節**を形成する（図3）．
④下関節突起：椎弓根と椎弓板の結合部から下方に出る突起で，左右それぞれみられる（計2本）．上関節突起と**椎間関節**を形成する．

2 各椎骨の形態と特徴

1) 頸椎

⇨関節：4章-4 **2** 3），筋：4章-5 **2** 2），4章-7 **4**

- 脊柱の上部7つの椎骨によって形成され，頭部の骨格をなす．第1・2頸椎と第7頸椎は特徴的な形態をしている．

■ 第3〜6頸椎（図4）

① 横突孔：頸椎の横突起に開く孔で，**椎骨動静脈**が通過する（第7頸椎だけは例外的に通過しない）．

② 前結節：横突起の前方にある隆起部で，**前斜角筋**や**頭長筋・頸長筋**の起始部となる（本来の肋骨に相当する）．

③ 後結節：横突起の後方にある隆起部で，**中・後斜角筋**や**肩甲挙筋**の起始部となる（本来の横突起に相当する）．

④ 脊髄神経溝：第3〜7頸椎の横突起の側方にある溝で，**脊髄神経**が通る．

■ 第1頸椎（環椎）（図5）

- 第1頸椎は**環椎**とよばれ，椎体や棘突起はなく輪のような形をしている．その左右の外側には**外側塊**という肥厚部があり，この上に頭蓋が載る．この関係がギリシャ神話の巨人アトラスが両肩に地球を背負う姿に似ているため，環椎の英名は**Atlas**（アトラス）という．また，垂直圧迫による環椎破裂骨折は**Jefferson骨折**（ジェファーソン）とよばれる．

① 上関節面：外側塊の上方にある関節面で，後頭骨の**後頭顆**と関節する．

② 下関節面：外側塊の下方にある関節面で，軸椎の**上関節面**と関節する．

③ 前弓：環椎の前方のアーチ状の部分．

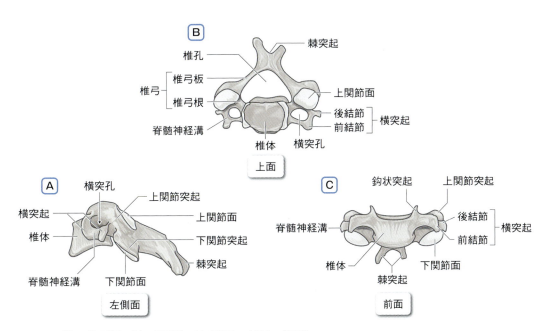

図4 頸椎の典型例（第4頸椎）（左側面，上面，前面）

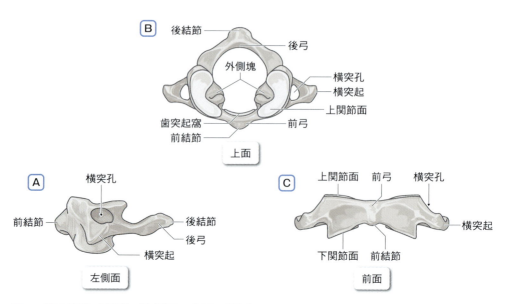

図5　第1頸椎（環椎）（左側面，上面，前面）

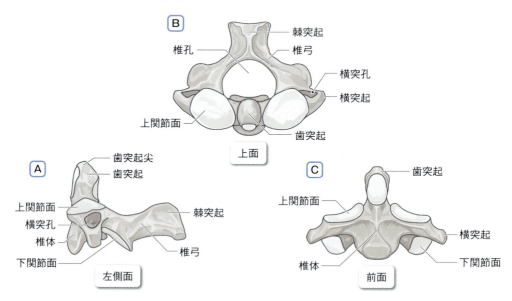

図6　第2頸椎（軸椎）（左側面，上面，前面）

④後弓：環椎の後方のアーチ状の部分．
⑤歯突起窩：前弓の内面にある関節窩で，軸椎の**歯突起**と関節する．

3 第2頸椎（軸椎）（図6）

- 第2頸椎は**軸椎**とよばれ，椎体から**歯突起**が上方に向かって伸びているのが特徴である．頭部を回旋する際には，この部分が「軸」になることが名称の由来である．
①歯突起尖：歯突起の先端部分で，ここに**歯尖靱帯**が付着する（⇨4章-4図4）．
②上関節面：環椎の**下関節面**と関節し，この部位で環椎が回旋する．

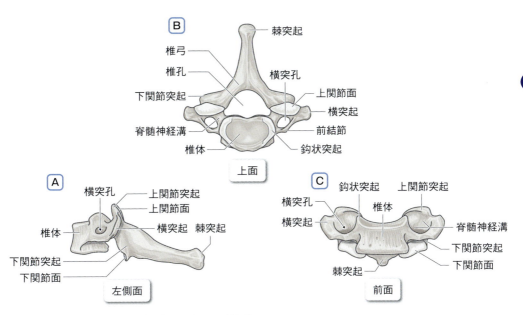

図7　第7頸椎（隆椎）（左側面，上面，前面）

4 第7頸椎（隆椎）（図7）

- 第7頸椎は他の頸椎と比べて棘突起が長いため，**隆椎**とよばれる．また，頸椎の棘突起の先端は二分しているものが多いが，第7頸椎では分かれていない．

2) 胸椎（図8）

⇨関節：4章-4 **2** 4)，筋：4章-7 **4**

- 頸椎から下の12個の椎骨を**胸椎**という．基本的な構造は椎骨の基本形（⇨図2）に近いが，**肋骨窩**と**横突肋骨窩**によって肋骨と関節している点が主な特徴である．

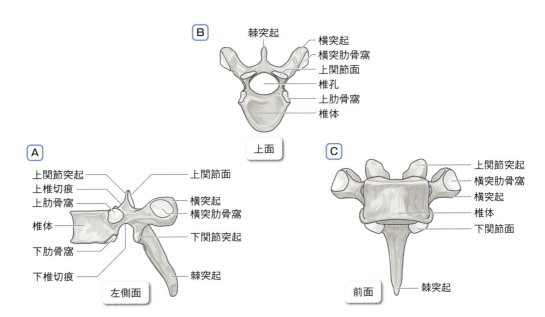

図8　胸椎の典型例（第6胸椎）（左側面，上面，前面）

1 肋骨窩

- 肋骨と関節する部分で，半月状の**上肋骨窩**と**下肋骨窩**が合わさって形成される．
  ※第1・11・12胸椎は，椎体の側面に円形の肋骨窩を有する．
  ① 上肋骨窩：椎体の上縁にあるくぼみで，椎弓根の上方に位置する．
  ② 下肋骨窩：椎体の下縁にあるくぼみで，椎弓根の下方に位置する．

2 横突肋骨窩

- 第1～10胸椎の横突起の先端にあり，肋骨の**肋骨結節**と関節する．

3) 腰椎 (図9) ⇨筋：4章-7 **2** 3)，**4**

- 胸椎から下の5個の椎骨を**腰椎**という．胸郭と仙骨の間に位置し，どっしりとした大きな椎体が特徴である．

1 肋骨突起

- 頸椎・胸椎の横突起の位置にある突起で，本来は肋骨に相当するものである．

2 副突起

- 肋骨突起の根元から後方に向かって伸びる突起で，本来の横突起が変形したものである．

3 乳頭突起

- 上関節突起の後面に位置する突起で，**固有背筋**（⇨p.228）の付着部となる．

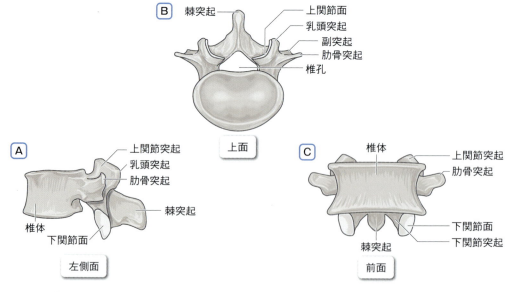

図9 腰椎の典型例（第4腰椎）（左側面，上面，前面）

4) 仙骨 (図10) ⇨関節：4章-4 **2** 5)，筋：4章-7 **3** **4**

- 腰椎から下の5つの椎骨は**仙椎**とよばれ，それが癒合して形成されたのが**仙骨**である．仙骨は骨盤に強さと安定性を与え，体重を下肢帯に伝達する役割をもつ．

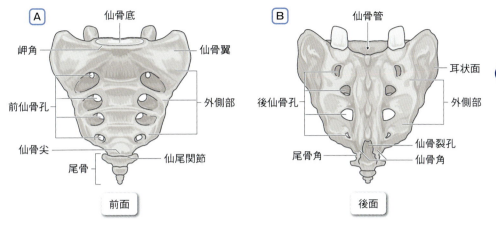

図10 仙骨と尾骨（前面，後面）

1 仙骨管
- 脊柱管が仙椎にまで連続したものであり，その中には**馬尾**（第1腰椎以下から起こる脊髄神経根の束）が通過する．

2 前仙骨孔
- 仙骨の前面にある開口部で，**仙骨神経（S1～4）の前枝**が出る．

3 後仙骨孔
- 仙骨の後面にある開口部で，**仙骨神経（S1～4）の後枝**が出る．

4 仙骨底
- 第1仙椎の上面で形成され，その上関節突起は第5腰椎の下関節突起と関節する．
- ※「仙骨底」という名称ではあるが，仙骨の上面に位置することに注意．

5 岬角
- 仙骨底の前縁が著しく前方に突出した部分をいう．岬角には性差がみられ，男性では突出が著明であるが，女性では突出が弱い（その結果，骨盤上口は男性でハート形，女性は楕円形となる ⇨p.110 Point）．

6 仙骨尖
- 仙骨の下端部で，尾骨との間に**仙尾関節**を形成する．

7 横線
- 仙骨の前面にある4つの横方向の線で，5つの仙椎の融合部分を示す．

8 正中仙骨稜
- 仙骨の後面の正中線上にある盛り上がった部分で，仙椎の棘突起が融合したものである．

9 中間仙骨稜
- 正中仙骨稜の両側にある盛り上がった部分で，仙椎の上・下関節突起の痕跡が融合したものである．

⑩ 外側仙骨稜
- 中間仙骨稜のさらに外側にあり，仙椎の横突起の痕跡が融合したものである．

⑪ 仙骨裂孔
- 仙骨の後面の下部にある逆Uの字状の部位．**仙骨管**の延長で，**脊髄終糸**（脊髄円錐の下端から下方に伸びた神経 ⇨10章図24）が通過する．

⑫ 仙骨角
- 仙骨裂孔の左右にある下方へ伸びた突起で，尾骨の**尾骨角**との間に**仙尾関節**を形成する．

⑬ 外側部
- 仙骨の外側部分で，横突起や肋骨の痕跡から形成される．

⑭ 耳状面
- 第2～3仙椎の高さにある粗い形状の関節面で，腸骨とともに**仙腸関節**を形成する．その名のとおり，耳のような形状をしており，その表面は**硝子軟骨**によって覆われる．

5）尾骨（図10） ⇨筋：4章-7 ③

- 脊柱の下端にある小さな三角形の形状をした骨で，3～5個の**尾椎**が癒合して形成される．その上面からは**尾骨角**という左右一対の突起が出ており，仙骨の**仙骨角**との間に**仙尾関節**を形成する．
- 尾椎は胎生第4週から8週の初めまで存在する，尾のような骨格の遺残だとされる．

> **Point** 骨盤の構造
>
> 　骨盤は脊柱の一部である**仙骨・尾骨**と，下肢の近位部に相当する**寛骨**からなる．仙骨は寛骨との間に**仙腸関節**，尾骨との間に**仙尾関節**を形成している．また，左右の寛骨は**恥骨結合**によってつながっている．
>
> 　骨盤は**分界線**（仙骨の岬角・腸骨の弓状線・恥骨櫛・恥骨結合を結ぶ線）を境界として，上方の**大骨盤**と下方の**小骨盤**に区分される．大骨盤は腹部内臓を下から支える構造になっており，小骨盤はその内部（**骨盤腔**）に骨盤内臓（膀胱や直腸など）を収めている．腹腔と骨盤腔の間の開口部は**骨盤上口**，骨盤腔の下端は**骨盤下口**，左右の**恥骨弓**（恥骨下枝と坐骨枝の下縁）の間の角度は**恥骨下角**とよばれており，それぞれ構造に性差がみられる（⇨p.110 Point）．
>
>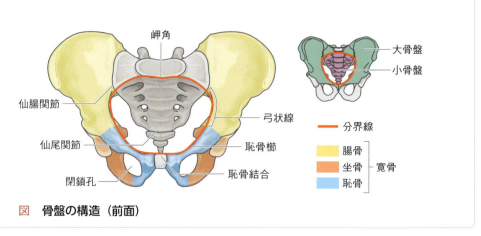
>
> 図　骨盤の構造（前面）

第4章 運動器系（頭頸部・体幹）

3 胸郭の骨

学習のポイント
- 胸郭を構成する骨を理解する
- 肋骨の典型的な形状と非典型的な形状の違いを説明することができる
- 胸骨の各部位を説明し，触知することができる

- **胸郭**とは，頸部と腹部の間にある体幹の上部である（「胸部」は同義語として用いられる）．
- 胸郭によって囲まれた部分は**胸腔**とよばれ，その中には呼吸器系・循環器系の器官が収められている．胸郭の構造の正確な理解は，呼吸器系・循環器系のリハビリテーションを行ううえで非常に重要である．

1 胸郭の骨格（図1）

- 胸郭の骨格は以下の3部によって構成されており，心臓や肺，腹部内臓の一部（肝臓など）を保護する役割をもつ．また胸郭に加え，胸部を覆う皮膚・皮下組織・筋・筋膜などを合わせて**胸壁**とよぶ．
① 12個の胸椎と椎間円板
② 左右12対の肋骨と肋軟骨
③ 胸骨（胸骨柄，胸骨体，剣状突起）

2 胸郭口（図1）

- 胸郭の周囲は骨格によって囲まれているが，上方と下方は開口している．

1 胸郭上口
- 上方の狭い開口部で，頸部・胸部・上肢の連絡経路の役割をもつ．
① 前部：胸骨柄の上部
② 外側：左右の第1肋骨ならびに第1肋軟骨
③ 後部：第1胸椎

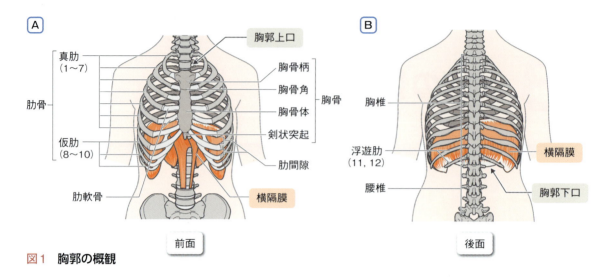

図1 胸郭の概観

2 胸郭下口

- 下方の広い開口部で，その下部は**横隔膜**によって覆われている（横隔膜によって体幹は**胸腔**と**腹腔**に分かれる）．
- ①前部：胸骨の剣状突起
- ②前外側部：左右の第7～10肋軟骨
- ③後外側部：左右の第11・12肋骨
- ④後部：第12胸椎

3 胸椎

⇨4章-2 **2** 2)（p.187）参照．

4 肋骨（図1）

⇨関節：4章-4 **2** 4)，筋：4章-5 **2** 2)，4章-7 **1 2 4**

- アーチ状の扁平な骨で，胸郭の大部分を構成する．前方部は**肋軟骨**（⇨p.195）になって胸骨と連結し，後方部は胸椎と**肋椎関節**（⇨p.203）を形成している．肋骨は以下の3部に分かれる．

1 真肋（第1～7肋骨）

- 上位7つの肋骨で，**肋軟骨**を介して**胸骨**と連結する．

2 仮肋（第8～12肋骨）※

- 下位5つの肋骨で，すぐ上位の肋軟骨と結合する（胸骨とは間接的に連結する）．
  ※文献によっては第8～10肋骨と記載されることもある．

3 浮遊肋（第11・12肋骨）

- 他の肋軟骨や胸骨と連結せず，腹筋群の後方で終わる．

5 典型的な肋骨の構造（第3～10肋骨）（図2）

1 肋骨頭
- 肋骨後端の楔形をした部分で，**肋骨頭稜**によって関節面を上下に分ける．上方の面は1つ上位の椎体の**下肋骨窩**と関節し，下方の面は同じ高さの椎体の**上肋骨窩**と関節する．

2 肋骨頸
- 肋骨頭と肋骨結節の間の部分．

3 肋骨結節
- 肋骨頸と肋骨体の間の部分で，外に張り出した形状をしている．**関節面と非関節面をもつ．**
- ①関節面：椎骨の横突肋骨窩と連結し，**肋横突関節**（⇨p.203）を形成する．
- ②非関節面：**肋横突靱帯**（⇨p.203）が付着する．

4 肋骨体
- 細長くて扁平な形状をした部分．大きくカーブした形状をしている．
- ①肋骨角：肋骨結節のすぐ外側にある部位で，ここでは肋骨体のカーブが特に強い．**腸肋筋**（⇨p.228）が付着している．
- ②肋骨溝：肋骨体の内側の下縁にある溝で，**肋間神経**や**肋間動静脈**を保護する役割をもつ．

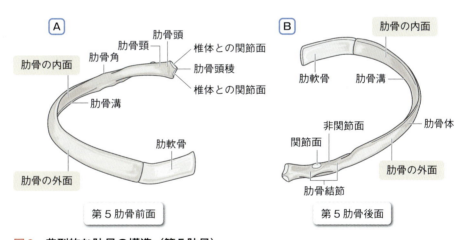

図2 典型的な肋骨の構造（第5肋骨）

6 非典型的な肋骨の構造

1 第1肋骨（図3）
- 肋骨のなかで最も短く，幅の広い形状をしている．またカーブの程度も最も強い．
①前斜角筋結節：小さな骨の隆起部で，**前斜角筋**（⇨p.214）が停止している．
②鎖骨下静脈溝：前斜角筋結節の前方にある溝で，**鎖骨下静脈**が位置する．
③鎖骨下動脈溝：前斜角筋結節の後方にある溝で，**鎖骨下動脈**が位置する．

2 第2肋骨（図4）
- 第1肋骨と比較してやや細く，カーブの程度も弱い．また，第1・2胸椎と関節するため，肋骨頭に2つの関節面をもつ．
①前鋸筋粗面：第2肋骨の上面に位置し，**前鋸筋**（⇨p.69）が起始している．

3 第11・12肋骨（図5）
- 他の肋骨と比較して短く，肋骨頸と肋骨結節がない．また，肋骨頭の関節面も1つのみである．

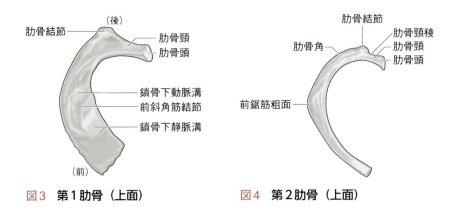

図3　第1肋骨（上面）

図4　第2肋骨（上面）

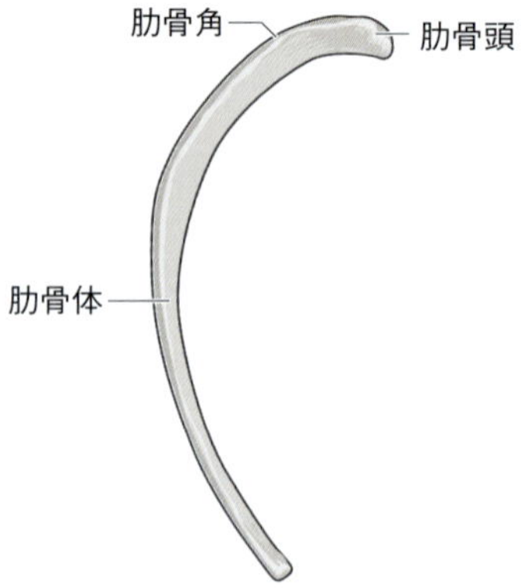

図5　第11肋骨（上面）

7 肋軟骨 (図6)   ⇨関節：4章-4 2 4)，筋：4章-7 1 2

- 肋骨の前方部に位置する**硝子軟骨**で，胸壁に弾力性を与える．第1～6肋軟骨は独立して胸骨と関節するが，第7～10肋軟骨は接合し，**肋骨弓**（胸郭の下縁となる）を形成する．

1 胸骨下角
- 左右の肋骨弓の間に形成される部位（平均約70～80°）．

2 肋間隙
- 各肋骨および肋軟骨の間の部分．**内・外肋間筋**と**最内肋間筋**，**肋間神経**，**肋間動静脈**が位置する．

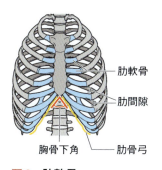

図6　肋軟骨

8 胸骨 (図7)   ⇨関節：2章-2 1，4章-4 2 4)，筋：4章-7 1

- 平坦に伸びた長い形状の骨で，胸郭の前面の中央部分をつくる．以下の3部から構成されている．

1 胸骨柄
- 胸骨の上部にある八角形の骨で，第3・4胸椎の高さにある．
① 頸切痕：胸骨柄の上縁にある浅いくぼみ．
② 鎖骨切痕：頸切痕の左右にあり，鎖骨の**胸骨端**（⇨p.50）と連結して**胸鎖関節**（⇨p.58）をつくる．
③ 肋骨切痕：第1・2肋軟骨との間に**胸肋関節**（⇨p.205）を形成する．

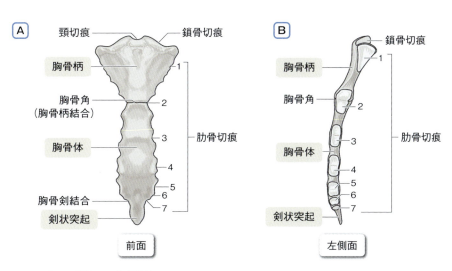

図7　胸骨（前面，左側面）

2 胸骨体

- 細長く薄い形状の骨で，第5～9胸椎の高さにある．

①**胸骨角**：胸骨柄と胸骨体の接合部で，両者が異なる角度で接しているため，前方に突き出すような形状をしている．胸骨角は，第4・5胸椎もしくは第2肋軟骨の高さにある．

②**肋骨切痕**：胸骨体の両側にあり，第2～7肋軟骨と**胸肋関節**（⇨p.205）を形成している．

3 剣状突起

- 胸骨のなかで最も小さく，形状の個体差が大きい．第10胸椎の高さにあり，胸骨体との間に**胸骨剣結合**を形成する．

Let'sTry 胸郭の各部位を触ってみよう

以下の部位は，体表から容易に触知が可能である．
しっかりと確認し，位置と構造を覚えておこう．

①胸骨柄
②頸切痕
③胸鎖関節
　（胸骨柄の鎖骨切痕と鎖骨の胸骨端との間）
④胸骨体
⑤胸骨角
⑥剣状突起
⑦肋骨弓
⑧胸骨下角

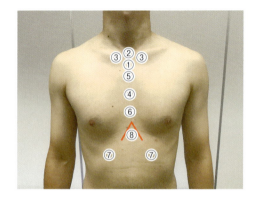

第4章 運動器系（頭頸部・体幹）

4 頭頸部と体幹の関節

学習のポイント

- 顎関節の構造とその運動を理解する
- 各椎体を結ぶ靱帯を図示することができる
- 脊柱の構造を理解したうえで，呼吸時の胸郭の運動を説明することができる

1 頭部の関節

⇨骨：4章-1 2 3

- 頭部の可動性をもつ関節は顎関節のみである．顎関節の運動は咀嚼筋（⇨p.211）に加え，舌骨上筋群・舌骨下筋群（⇨p.213）によって行われる．

1）顎関節（図1）

- 側頭骨の**下顎窩**と**関節結節**，下顎骨の**下顎頭**によって形成される滑膜性の**楕円関節（顆状関節）**で，関節腔内に**関節円板**を有する．顎関節の関節包は非常にゆるい形状をしており，以下の靱帯によって補強されている．

1 外側靱帯

- 関節包の外側の肥厚部で，関節結節から後下方に走行している．

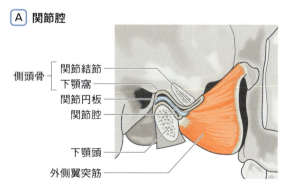
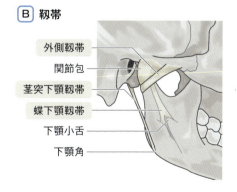

図1 顎関節（関節腔・靱帯）

2 茎突下顎靱帯

- 耳下腺筋膜の肥厚部で，側頭骨の**茎状突起**から**下顎角**に付着する．

3 蝶下顎靱帯

- 外在性の靱帯で，顎関節の内側に位置している．**蝶形骨棘**（大翼の下方にある部位）から起こり，下顎骨の**下顎小舌**（下顎孔の前方にある部位）に付着している．

> **国試のPoint**
>
> **顎関節の運動**
> 顎関節の運動には**下制**と**挙上**，**前進**と**後退**，**側方移動**（⇨関与する筋についてはp.211咀嚼筋参照）がある．口を大きく開ける運動をする際には，**下顎頭**と**関節円板**が側頭骨の**下顎窩**の関節面上を前方に進み，側頭骨の**関節結節**の下に達する．過剰に開口すると下顎頭が関節結節を越えてしまい，前方に脱臼してしまう．また，顎関節の開口運動は**第2のてこの作用**が働く（支点：顎関節，力点：下顎骨下面の舌骨上筋付着部，荷重点：咀嚼筋付着部 ⇨1章-5図5B）．
>
>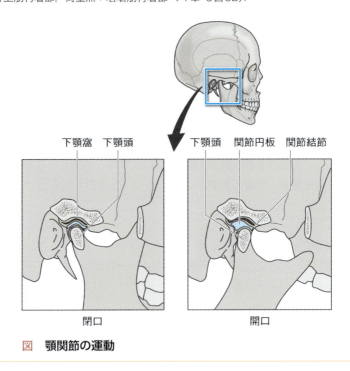
>
> 図　顎関節の運動

2　脊柱の関節

⇨骨：3章-1 **1**，4章-2，3

- 脊柱の関節は，以下の5つに分けられる．
① 椎体の連結
② 椎弓の連結
③ 頭蓋と頸椎の連結
④ 肋骨と胸椎（胸郭）の連結
⑤ 仙骨と腸骨（骨盤）の連結

1）椎体の連結（図2，3）

- 隣り合う椎体の連結は**椎間円板**※によって行われており，さらに**前縦靱帯・後縦靱帯**によって前面・後面から補強されている．
  ※臨床上，椎間板ともいう．

1 椎間円板

- 上下の椎体の間に位置する円板状の構造物で，脊柱の支持性と運動性に関与している．**線維輪**と**髄核**によって構成されており，すべての椎間円板の長さを合わせると脊柱の全長の20〜25％にも及ぶ．
① **線維輪**：線維軟骨とコラーゲン線維が樹の年輪のように層状になった構造物で，中央に**髄核**を包んでいる．
② **髄核**：**線維輪**によって包まれるゼラチン様の部位で，椎間円板の体積の40〜60％を占める．脊柱のしなやかさと弾性に関与している．

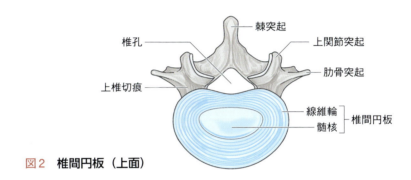

図2　椎間円板（上面）

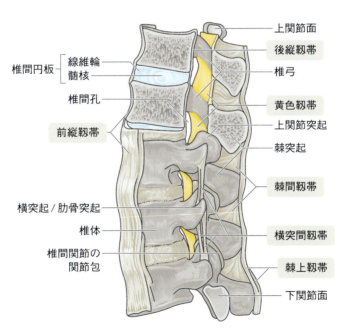

図3　椎間円板と脊柱を補強する靱帯
上2つの胸椎は矢状面で切断．

椎間板ヘルニア

椎間円板は加齢に伴って変性し，髄核も水分を失い硬くなる．その結果として線維輪に亀裂が生じて髄核が外に飛び出し，神経根や脊髄を圧迫することを**椎間板ヘルニア**という．椎間板ヘルニアは下位の頸椎（C4〜7）や腰椎（L4〜S1）に好発する．また，加齢に伴うものだけではなく，スポーツ等の外傷によって生じる場合もある．

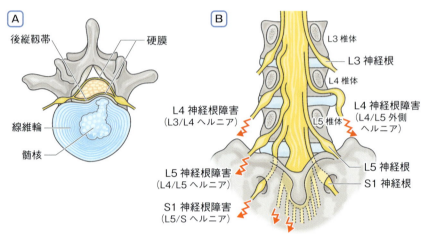

図I　椎間板ヘルニア（腰椎）

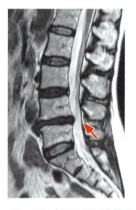

図II　椎間板ヘルニア（MRI T2強調画像，矢状面）

L4・5の椎間円板は変性が進行し低信号になり，ヘルニアが硬膜嚢に突出している（→）．依光悦朗：腰椎椎間板症，椎間板ヘルニア．「整形外科専門医になるための診療スタンダードシリーズ1 脊椎・脊髄」，p143，羊土社，2008より引用．

❷ 前縦靱帯

- 椎体と椎間円板の前面を覆う線維性の靱帯で，仙骨の骨盤面から第1頸椎（環椎）の前面，および後頭骨の大後頭孔の前面まで続く．前縦靱帯は幅が広く強靱な構造をしており，脊柱の過伸展を防ぐ唯一の靱帯である（他の椎間にある靱帯は，すべて脊柱の屈曲を制限する）．

❸ 後縦靱帯

- 椎体と椎間円板の後面を覆う線維性の靱帯で，脊柱管の中を走行する．第2頸椎（軸椎）から仙骨までの後面に付着し，前縦靱帯と比較すると弱い構造をしている．後縦靱帯は，脊柱の過屈曲ならびに髄核の後方への脱出を防ぐ役割をもつ．

> **国試のPoint**
>
> **Luschkaの椎体鉤状関節**
>
> 第3〜7頸椎の椎体には，外側の縁から上方へ伸びる**鉤状突起**がみられる（⇨4章-2図7）．鉤状突起と上位の椎体との間の関節を臨床上，**Luschkaの椎体鉤状関節**（**ルシュカ関節**や**鉤椎関節**と記載する場合もある）とよぶ．この部位は骨棘を形成することが多く，神経根の圧迫による神経根症状や，椎骨動脈の圧迫による椎骨動脈不全症候群を引き起こすことがある．
>
>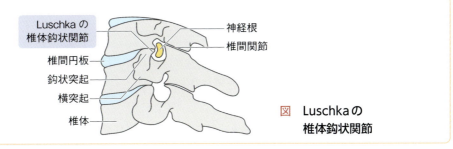
>
> 図　Luschkaの椎体鉤状関節

2) 椎弓の連結（図3, 4）

- 上下の椎弓の間の関節は**椎間関節**とよばれる．滑膜性の**平面関節**で，関節包は上・下関節突起の周囲に付着している．椎間関節はさらに以下の靱帯によって補強されている．

1 黄色靱帯

- 隣り合う椎骨の**椎弓板**（⇨p.184）を連結する黄色い弾力組織で，脊柱の正常な弯曲を保つ役割をもつ．

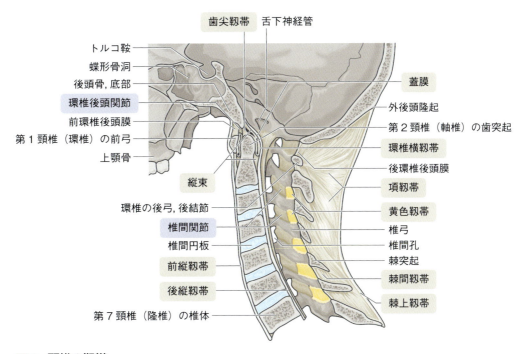

図4　頸椎の靱帯

2 棘間靱帯
- 隣接する棘突起を連結する弱い膜状の靱帯.

3 棘上靱帯
- 第7頸椎（隆椎）から仙骨までの棘突起の先端を連結する強い索状の靱帯. また，頸部の後面で肥厚した部位は**項靱帯**とよばれる.

4 項靱帯
- 非常に厚い線維弾性組織で，外後頭隆起および大後頭孔の後縁から起こり，各頸椎の棘突起に付着している（「項」は訓読みで「うなじ」とよぶことに着目）.

5 横突間靱帯
- 隣接する横突起を連結する靱帯で，椎骨の左右への動揺を防ぐ役割をもつ. 頸部では数本の線維のみであるが胸部では線維性の索からなり，腰部では薄く膜状の構造をしている.

3）頭蓋と頸椎の連結（図4, 5）

- 頭蓋と椎骨の間の関節には**環椎後頭関節**（頭蓋と第1頸椎の間）と**環軸関節**（第1頸椎と第2頸椎の間）の2つがある.

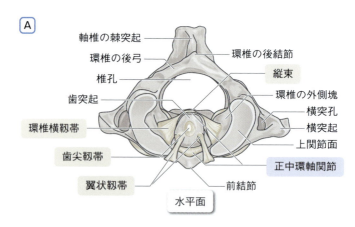

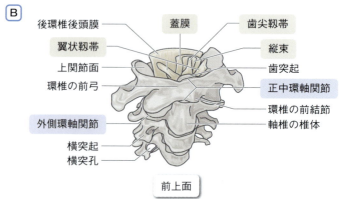

図5 頭蓋と頸椎を連結する靱帯（水平面, 前上面）

1 環椎後頭関節

- 第1頸椎（環椎）の外側塊と後頭骨の後頭顆の間の関節である．滑膜性の**顆状関節（楕円関節）**で薄くてゆるい関節包をもち，頭部の屈曲・伸展運動に関与する．
- ①**前環椎後頭膜**：頭蓋と第1頸椎（環椎）の前面をつなぐ膜で，幅広く密な構造をしている．
- ②**後環椎後頭膜**：頭蓋と第1頸椎（環椎）の後面をつなぐ膜で，幅は広いが前環椎後頭膜と比較すると弱い．

2 環軸関節

- 環椎と軸椎の間の関節で，以下の2つに分かれる．
- ①**外側環軸関節**：第1頸椎（環椎）の下関節面と第2頸椎（軸椎）の上関節面によって形成される．滑膜性の**平面関節**で左右それぞれにみられ，正中環軸関節とともに頸部の回旋運動に関与する．
- ②**正中環軸関節**：第1頸椎（環椎）の前弓と第2頸椎（軸椎）の歯突起によって形成される**車軸関節**で，以下の靱帯によって補強されている．
  - ▶ **環椎十字靱帯**：歯突起と蓋膜の間に十字状に張る靱帯で，以下の2つの靱帯からなる．
    - ・**環椎横靱帯**：歯突起のすぐ後方で，左右の外側塊の間で横方向に張る靱帯．
    - ・**縦束**：後頭骨から第2頸椎の椎体に向かって縦方向に走行する靱帯．
  - ▶ **翼状靱帯**：歯突起の左右の側面から，大後頭孔の側縁に伸びる靱帯．
  - ▶ **歯尖靱帯**：歯突起の先端から大後頭孔の前縁に向かって張る靱帯．
  - ▶ **蓋膜**（がいまく）：後縦靱帯の上方の連続部で，第2頸椎（軸椎）から後頭骨の内表面にまで伸び，環椎十字靱帯と翼状靱帯を覆う．脊髄硬膜・脳硬膜とも連続している．

4) 肋骨と胸椎（胸郭）の連結（図6, 7）

- 胸郭を構成する個々の関節の可動域は比較的小さい．しかし，これらの動きは連動して働き，体幹と上肢の運動や呼吸に大きく関与している．

1 肋椎関節

- 典型的な肋骨は，以下の2つの関節によって脊柱と連結する．
- ①**肋骨頭関節**：**肋骨頭**と胸椎の**肋骨窩**によって形成される関節で，肋骨頭と椎体および椎間関節を連結する．第1・11・12肋骨以外は2つの椎体と連結している（⇨p.193）．さらに以下の靱帯によって補強される．
  - ▶ **放射状肋骨頭靱帯**：関節包の線維層が密になって形成された部位であり，肋骨頭の前縁から，2つの椎体とその間の椎間円板に向かって広がる．
  - ▶ **関節内肋骨頭靱帯**：肋骨頭稜から椎間円板に向かって張る関節内靱帯であり，関節腔を上下の滑液腔に分ける．
- ②**肋横突関節**：**肋骨結節関節面**と胸椎の**横突肋骨窩**が形成する関節で，以下の靱帯によって補強される．
  - ▶ **肋横突靱帯**：肋骨頭と横突起の間に張る靱帯．
  - ▶ **外側肋横突靱帯**：肋骨結節から横突起の先端に向かって張る靱帯．
  - ▶ **上肋横突靱帯**：肋骨頸稜と上位の横突起を結ぶ靱帯．

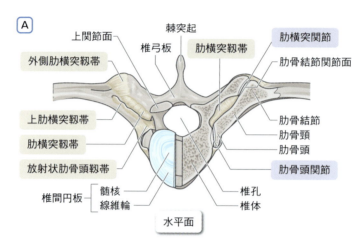
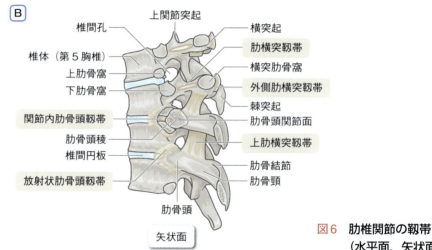

図6 肋椎関節の靱帯（水平面，矢状面）

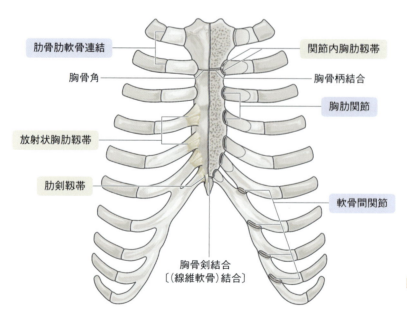

図7 胸郭の連結（前面）

2 肋骨肋軟骨連結

- 肋骨と肋軟骨は硝子軟骨によって連結している．この関節には関節腔は存在せず，可動性を有さない．

3 軟骨間関節

- 肋軟骨の間の関節で，第6～9肋軟骨では滑膜性連結であるが，第9・10肋軟骨は線維性結合をしている．

4 胸肋関節

- 肋軟骨と胸骨の間の関節で，第1～7肋軟骨と胸骨の外側縁によって形成される．以下の靱帯によって補強される．
  - **関節内胸肋靱帯**：肋軟骨と胸骨の間の関節腔にある靱帯で，第2肋骨において特に著明である．
  - **放射状胸肋靱帯**：胸肋関節の関節包の前後が密になって形成された靱帯．
  - **胸骨膜**：放射状胸肋靱帯の延長部で，胸骨の前面に膜様に広がる．

5 胸鎖関節：胸鎖関節参照（⇨p.58）

6 胸骨の結合：胸骨参照（⇨p.195）

臨床で重要！ 呼吸時の胸郭の運動

呼吸運動の形式には**腹式呼吸**（**横隔膜**による，腹部の動きが大きい呼吸）と**胸式呼吸**（**肋間筋**による，胸部の動きが大きい呼吸）がある．呼吸運動時の胸郭の運動は，以下の3つがある．

①左右方向の拡大（バケツの柄運動，バケツハンドル運動）（図A）
下部肋骨が吸気時に**外側**へ移動し，**胸郭の横径**が拡張する．

②前後方向の拡大（ポンプの柄運動，ポンプハンドル運動）（図B）
上部肋骨が吸気時に**前上方**へ移動し，**胸郭の前後径**が拡張する．

③上下方向の拡大
第1・2肋骨の挙上と横隔膜の下制によって起こる（腹式呼吸の吸気時に行われる）．

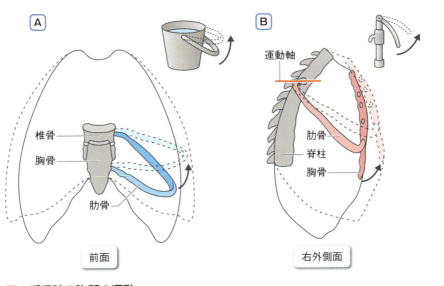

図 呼吸時の胸郭の運動
文献28をもとに作成．

5）仙骨と腸骨（骨盤）の連結（図8, 9）

1 仙腸関節

- 脊柱にかかる全身の体重を支え，下肢へと伝える複合的かつ強靱な関節である．前方部と後方部で以下の特徴がみられる．

①**前方部**：仙骨と腸骨の耳状面が形成する滑膜性関節ではあるが，その関節面には不規則な凹凸があるため可動性は制限されている（**半関節**）．可動性が乏しい反面，関節面がしっかりと噛み合うことにより，体重を寛骨へ伝達する役割をもつ．また，関節面は線維軟骨によって覆われており，加齢に伴って線維化・骨化することもある．

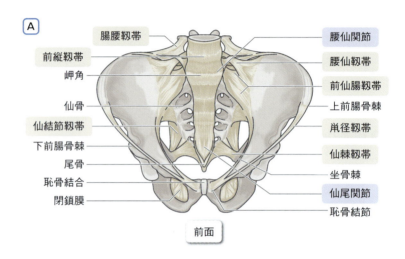

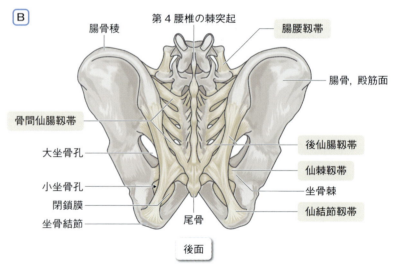

図8　骨盤の前面・後面（男性）

②後方部：左右の腸骨粗面の間は，主に靱帯によって連結されている．
- ▶骨間仙腸靱帯：耳状面の後上方を走行する強力な靱帯で，脊柱の荷重を左右の腸骨へと伝える主要な構造物である．
- ▶前仙腸靱帯：関節滑膜の線維包の前方の肥厚部で，薄い構造ではあるが仙腸関節を前方から補強する．
- ▶後仙腸靱帯：骨間仙腸靱帯とともに後上方へと走行する靱帯で，仙腸関節を後方から補強する．

2 恥骨結合
- 左右の恥骨枝を結合する部位で，多くの場合は**恥骨間円板**によって連結されている．また，恥骨結合の上縁と下縁はそれぞれ，**上恥骨靱帯**と**下恥骨靱帯**によって補強されている．

3 腰仙関節
- 仙骨と第5腰椎の間の関節で，**椎間関節**と**椎間円板**によって結合されている．腰仙関節は以下の靱帯によって補強されている．
- ▶腸腰靱帯：第4・5腰椎の横突起から腸骨稜へ走行する強靱な靱帯．
- ▶腰仙靱帯：仙骨と第4・5腰椎の間を走行する靱帯．

4 仙尾関節
- 仙骨尖と尾骨の間の関節だが，軟骨性の場合もある．

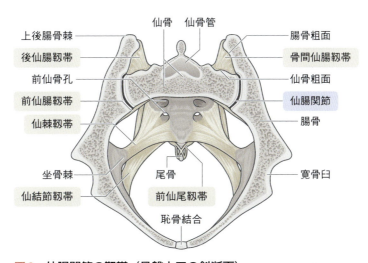

図9 仙腸関節の靱帯（骨盤上口の斜断面）

第4章 運動器系（頭頸部・体幹）

5 頭頸部の筋

学習のポイント
- 顔面筋や咀嚼筋の名称ならびに作用を説明することができる
- 頸部の筋を浅頸筋・深頸筋に分けて理解する
- 主要な頭頸部の筋を，体表から触察することができる

1 顔面の筋

⇨骨：4章-1

- 顔面とは頭部の前面のことで，額・顎・両耳の間の領域である．顔面の筋には顔の皮膚を動かす**顔面筋**と，下顎骨の運動に関与する**咀嚼筋**がある．

1）顔面筋（表情筋）（図1，表1）

- 顔面や頭部の皮下の浅層にある薄く小さな筋で，**皮筋**（骨から起こって皮膚に付着する筋）の一種である．喜怒哀楽などの表情の形成にかかわるため，**表情筋**ともよばれる．顔の部位と機能により，以下の群に分かれる．

1 眼裂の筋
① 眼輪筋：眼窩縁と眼瞼のまわりを輪のように取り囲む筋で，**眼瞼部**と**眼窩部**からなる．眼瞼部は弱い閉眼，眼窩部は強い閉眼の作用をもつ．
② 皺眉筋：眉弓（前頭骨の眼窩の上縁の隆起部）の内側端から外側に向かって張る筋で，鼻の上（眉間）に縦のしわをつくる（「皺」は訓読みで「しわ」と読むことに注目）．

2 外鼻の筋
① 鼻筋：外鼻孔（いわゆる鼻の穴）を開閉する働きをもつ筋で，**横部**と**鼻翼部**からなる．横部は外鼻孔を狭める作用，鼻翼部は広げる作用をもつ．
② 鼻根筋：鼻根から鼻の皮膚に張る筋で，前頭部の皮膚を引き下げて鼻根に横のしわをつくる．

3 上唇の筋
① 大頬骨筋：頬骨の外側面から起こって口角に付着する筋で，口角を外側上方に引き上げる作用をもつ．
② 小頬骨筋：頬骨の前面から起こって上唇の皮膚に付着する筋で，上唇を外側上方に引き上げる．

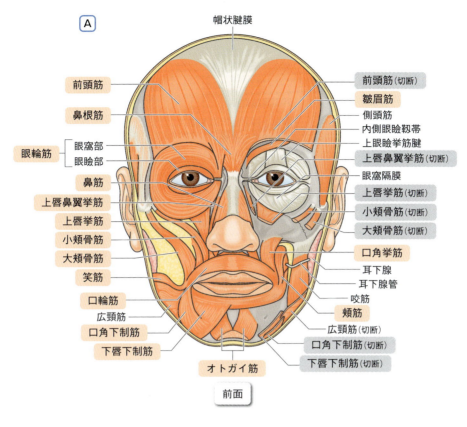

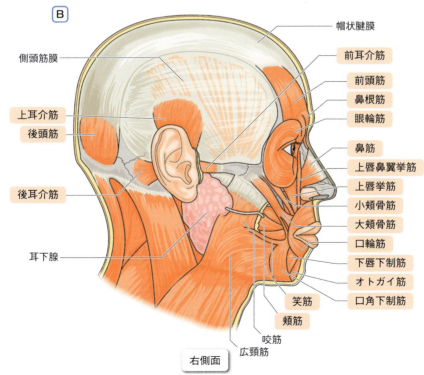

図1 顔面筋（表情筋）（前面，右側面）

表1　顔面筋（表情筋）

筋		起始	停止	神経支配	作用
眼輪筋	眼瞼部	上顎骨の前頭突起，前頭骨の鼻部	眼窩縁周囲の皮膚	顔面神経の枝	弱い閉眼
	眼窩部	内側眼瞼靭帯	外側眼瞼縫線		強い閉眼
皺眉筋		眉弓の内側端	眼窩上縁と眉弓の上部から中部の皮膚		眉を内側下方に引き，鼻の上に縦のしわをつくる
鼻筋	横部	上顎骨の前面	鼻背		外鼻孔を狭める
	鼻翼部	上顎骨の歯槽隆起	鼻翼の外縁・下縁		外鼻孔を広げる
鼻根筋		鼻根部，鼻背筋膜	前頭部の皮膚		眉毛の内側端を引き下げ，鼻根にひだをつくる
大頬骨筋		頬骨の外側面	口角		口角を外側上方へ引く
小頬骨筋		頬骨の前面	上唇の皮膚		上唇を外側上方へ引く
上唇鼻翼挙筋		上顎骨の前頭突起	上唇の皮膚，鼻翼		上唇と鼻翼を引き上げる
上唇挙筋		上顎骨の眼窩下縁	上唇の皮膚		上唇と鼻翼を引き上げる
口角挙筋		上顎骨の眼窩下部	口角		口角を上げる
笑筋		頬部の皮膚，耳下腺筋膜			口角を外側上方に引き，エクボをつくる
頬筋		下顎骨，上顎骨と下顎骨の歯槽突起，翼突下顎縫線（蝶形骨と下顎骨の間に張る腱）			頬を緊張させて歯列に押し付ける
口輪筋		口周囲の皮膚の深部	口唇の粘膜		口裂を閉じて，前方に突き出す
下唇下制筋		広頸筋，下顎体の前外側部	下唇の皮膚		下唇を外側下方に引く
口角下制筋		下顎底の前外側部	口角		口角と上唇を下方に引く
オトガイ筋		下顎体（下顎切歯の歯根の前部）	オトガイの皮膚		オトガイの皮膚を持ち上げ，下唇を尖らせる
前耳介筋		側頭筋膜	耳介軟骨の上部		耳介を前上方に引く
上耳介筋		帽状腱膜	耳介軟骨の上部		耳介を上方に引く
後耳介筋		側頭骨の乳様突起	耳介軟骨の内側面		耳介を後上方に引く
後頭前頭筋	前頭筋	帽状腱膜	眉毛部と前頭部の皮膚		眉を上げ，額の皮膚に横のしわをつくる
	後頭筋	後頭骨の上項線の外側2/3	帽状腱膜		帽状腱膜を後方に引く

③上唇鼻翼挙筋（眼角筋）：上顎骨の前頭突起から起こって上唇の皮膚と鼻翼に付着する筋である．上唇と鼻翼を引き上げる作用をもつ．

④上唇挙筋：上顎骨の眼窩下縁から起こって上唇の皮膚に付着する筋で，上唇と鼻翼を挙上させる働きをもつ．

⑤口角挙筋：犬歯窩（上顎骨の一部）から起こって口角に付着する筋で，口角を引き上げる働きをもつ．

⑥笑筋：頬部の皮膚と耳下腺筋膜から起こって口角に付着する筋で，口角を外側上方に引いてエクボをつくる．

4 口腔壁の筋

① **頬筋**：長方形の薄く平らな筋で，頬を緊張させて歯列に押し付ける作用をもつ．
② **口輪筋**：消化器系の一連の括約筋のなかで，最初にみられる筋である．口のまわりを輪のように取り囲み，**口裂**をつくる．口裂を閉じるとともに，口唇を前方に突き出す作用をもつ．

5 下唇の筋

① **下唇下制筋**：下顎骨の前面から起こって下唇の皮膚に付着する筋で，下唇を外側下方に引く．
② **口角下制筋**：下顎骨の下縁から起こって口角に付着する三角形の筋で，口角と上唇を下方に引く．
③ **オトガイ筋**：下顎体から起こって**オトガイ**（下顎の先端部のこと）の皮膚に付着する筋である．オトガイの皮膚を隆起させ，疑いの表情をつくる．

6 外耳の筋

① **前耳介筋・上耳介筋・後耳介筋**：耳介の周囲に位置する筋で，それぞれ耳介を前上方・上方・後上方へと引く．

7 頭皮の筋

① **後頭前頭筋**：平らな形状をした二腹筋で，中間腱の**帽状腱膜**によって**前頭筋**と**後頭筋**に分けられる．前頭筋は眉を引き上げて額に横のしわをつくり，後頭筋は頭皮を後方へ引く．

2) 咀嚼筋（図2，表2）

- 顔面の深部に位置する筋で，その名のとおり**咀嚼**（食物を噛み砕くこと）に関与する．以下の4つの筋があり，すべてが**三叉神経**（⇨p.360）の第3枝である**下顎神経**によって支配される．

1 咬筋

- 下顎枝の外側面にある強力な咀嚼筋で，下顎を挙上させる働きをもつ．

2 側頭筋

- 側頭部に大きく広がる扇形の筋で，その表面は**側頭筋膜**（⇨図1B）によって覆われている．下顎を挙上・後退させて顎を閉じる役割をもつ．

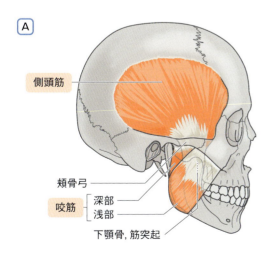

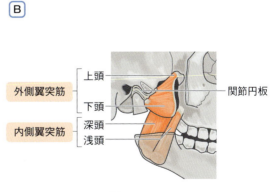

図2　咀嚼筋
A) 咬筋と側頭筋，B) 外側翼突筋と内側翼突筋

表2 咀嚼筋

筋	起始	停止	神経支配	作用
咬筋	頬骨弓の下縁・内側面	下顎骨の下顎角・下顎枝の外側面	下顎神経（三叉神経の第3枝）	下顎を挙上する
側頭筋	側頭骨の側頭窩，側頭筋膜	下顎骨の筋突起・下顎枝		下顎を挙上し，かつ後方へ引く
外側翼突筋	上頭：蝶形骨の大翼の側頭下面・側頭下稜 下頭：蝶形骨の翼状突起の外側板の外側面	下顎骨の翼突筋窩，顎関節包，関節円板		両側：下顎骨を前方に突き出し，口を開く 片側：下顎骨を作用する筋の反対側に動かす
内側翼突筋	浅頭：蝶形骨の翼状突起の外側板の内側面，口蓋骨の錐体突起 深頭：上顎結節	下顎骨の内側面の翼突筋粗面		両側：下顎骨を挙上し，口を閉じる 片側：下顎骨を作用する筋の反対側に動かす

3 外側翼突筋

- 下顎骨の裏側に位置する三角形の筋で，**上頭**と**下頭**として起こった後に合流する．左右両側が同時に働くと下顎を前進させ，片側のみが働くと反対側へ側方移動する．

4 内側翼突筋

- 外側翼突筋と同様に下顎骨の裏側に位置する四角形の筋で，**浅頭**と**深頭**からなる．前上方から後下方に向かって走行し，下顎を挙上・やや前進させる作用をもつ．

2 頸部の筋

⇨骨：4章-1，2

- 頸部の筋は表層にある**浅頸筋**と，深層にあって頸椎の前面と両側に位置する**深頸筋**に分類される．

1) 浅頸筋（図3，表3）

1 広頸筋

- 頸部の皮下組織の中にある幅広く薄い皮筋で，頸部下部と胸部上部の皮下組織から起こって下顎底に付着する．

2 胸鎖乳突筋

- 頸部の外側面を斜めに走る筋で，**胸骨頭**と**鎖骨頭**からなる．その名称のとおり，胸骨と鎖骨から起始し，側頭骨の乳様突起に停止する．また，頭頸部の運動に加えて**努力性吸気**（⇨p.273）にも関与している．

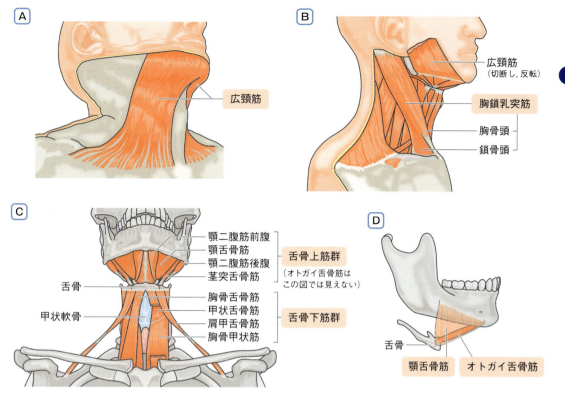

図3 浅頸筋
A) 広頸筋, B) 胸鎖乳突筋, C) 舌骨上筋群・舌骨下筋群, D) 顎舌骨筋とオトガイ舌骨筋

3 舌骨上筋群

- 舌骨の上方にある4つの筋の総称で,舌骨と下顎骨・側頭骨との間をつなぐ.
① **顎二腹筋**:中間腱によって結合される**前腹**と**後腹**からなる.中間腱は線維性の滑車によって舌骨に固定されている.
② **茎突舌骨筋**:側頭骨の茎状突起の上外側部から起始し,舌骨の体および大角に停止する.
③ **顎舌骨筋**:幅の広い筋で,**口腔底**を形成する.
④ **オトガイ舌骨筋**:下顎骨のオトガイ棘から起こって舌骨体に停止する薄い筋で,顎舌骨筋の深層に位置している.舌骨を前上方へ引くとともに,下顎を引き下げる作用をもつ.

4 舌骨下筋群

- 舌骨の下方にある4つの筋の総称で,嚥下や発語の際に舌骨を下方へ引く役割をもつ.
① **胸骨舌骨筋**:胸骨柄と胸鎖関節の後面から起始し,舌骨体に停止する薄い筋である.
② **肩甲舌骨筋**:**上腹**(舌骨の下縁に停止)と**下腹**(肩甲骨の上縁から起始)からなり,**中間腱**によって結合されている.
③ **胸骨甲状筋**:胸骨柄と甲状軟骨の間に位置する幅広い筋で,甲状腺を覆う.
④ **甲状舌骨筋**:甲状軟骨と舌骨の間に位置する筋で,胸骨舌骨筋の深層に位置している.

表3 浅頸筋

筋	起始	停止	神経支配	作用
広頸筋	大胸筋と三角筋の上部を覆う筋膜（胸筋筋膜）	下顎骨の下縁の皮膚	顔面神経の頸枝	顔面下部と頸部の皮膚を緊張させる
胸鎖乳突筋	胸骨頭：胸骨柄の上縁 鎖骨頭：鎖骨の上面の内側1/3	側頭骨の乳様突起，後頭骨の上項線の外側	副神経，頸神経（C2・3）	努力性吸気 両側：上位頸椎の伸展，下位頸椎の屈曲 片側：頭頸部の反対側への回旋，同側への側屈
舌骨上筋群				
顎二腹筋	前腹：下顎骨の二腹筋窩 後腹：側頭骨の乳突切痕	顎二腹筋の中間腱	前腹：顎舌骨筋神経（三叉神経の第3枝の枝） 後腹：顔面神経の顎二腹筋枝	舌骨を引き上げ，下顎を引き下げる
茎突舌骨筋	側頭骨の茎状突起	舌骨体，大角	茎突舌骨筋枝（顔面神経の枝）	舌骨を後上方へ引く
顎舌骨筋	下顎骨の顎舌骨筋線	舌骨体，下顎骨と舌骨の間の正中縫線	顎舌骨筋神経（三叉神経の第3枝の枝）	口腔底を支持し，舌骨・喉頭を前上方へ引き上げ，下顎を引き下げる
オトガイ舌骨筋	下顎骨のオトガイ棘	舌骨体	舌下神経を経由する頸神経（C1）	舌骨を前上方へ引き上げ，下顎を引き下げる
舌骨下筋群				
胸骨舌骨筋	胸骨柄，胸鎖関節の後面	舌骨体	頸神経ワナ（C1〜3）	舌骨を下方へ引く
肩甲舌骨筋	肩甲骨上縁（肩甲切痕の内側）			
胸骨甲状筋	胸骨柄の後面	甲状軟骨の斜線	頸神経ワナ（C1・2）	甲状軟骨を下方へ引く
甲状舌骨筋	甲状軟骨の斜線	舌骨体，大角	舌下神経を経由する頸神経ワナ（C1）	舌骨を下方へ引き，甲状軟骨を引き上げる

2）深頸筋（図4，表4）

1 斜角筋群

- 頸椎の横突起から起始し，斜め外側下方に走行して上位の肋骨に付着する3つの筋の総称である．いずれも肋骨を上方に引く作用をもち，**努力性吸気**（⇨p.273）に関与している．また，前斜角筋と中斜角筋，第1肋骨の間の隙間は臨床上，**斜角筋隙**とよばれる（**腕神経叢と鎖骨下動脈**が通過する．鎖骨下静脈は通過しないことに注意 ⇨p.94）．
- ①**前斜角筋**：斜角筋群のなかで最も前方に位置する筋で，そのすぐ前面を**横隔神経**（⇨p.358）が走行する．
- ②**中斜角筋**：前斜角筋の後面を並走する筋である．
- ③**後斜角筋**：斜角筋群のなかで最も後方に位置する筋で，中斜角筋よりも小さい．

2 椎前筋群

- 頸椎もしくは胸椎の前面に位置する4つの筋の総称で，頭部および頸部を屈曲させる働きをもつ．
- ①**頸長筋**：頸椎の前面を縦に走行する筋で，**上斜部・内側部・下斜部**からなる．

表4 深頸筋

筋		起始	停止	神経支配	作用
斜角筋群					
前斜角筋		第3〜6頸椎の横突起の前結節	第1肋骨の前斜角筋結節	頸神経の枝（C4〜6）	第1肋骨の挙上（努力性吸気） 両側：頭頸部の屈曲 片側：頭頸部の同側への側屈
中斜角筋		第2〜7頸椎の横突起の後結節	第1肋骨の鎖骨下動脈溝の後面	頸神経の枝（C3〜8）	
後斜角筋		第4〜6頸椎の横突起の後結節	第2肋骨の外側縁	頸神経の枝（C6〜8）	
椎前筋群					
頸長筋	上斜部	第3〜5頸椎の横突起の前結節	第1頸椎（環椎）の前結節	頸神経叢の枝（C2〜4）	両側：頭頸部の屈曲 片側：頭頸部の同側への側屈
	内側部	第5頸椎〜第3胸椎の椎体の前面	第2〜4頸椎の椎体の前面		
	下斜部	第1〜3胸椎の椎体の前面	第5・6頸椎の横突起の前結節		
頭長筋		第3〜6頸椎の横突起の前結節	後頭骨の底部	頸神経叢の枝（C1〜4）	
前頭直筋		第1頸椎（環椎）の外側塊の前面	後頭骨の底部	頸神経叢の前枝（C1）	両側：環椎後頭関節の屈曲 片側：環椎後頭関節の同側への側屈
外側頭直筋		第1頸椎（環椎）の横突起	後頭骨の頸静脈突起		

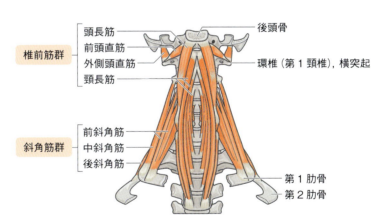

図4　深頸筋（斜角筋群，椎前筋群）（前面）

②頭長筋：頭長筋の前外側にあって，第3〜6頸椎の横突起の前結節から後頭骨まで走行する筋である．
③前頭直筋：環椎の**外側塊**と後頭骨を結ぶ短い筋である．
④外側頭直筋：環椎の**横突起**と後頭骨を結ぶ短い筋で，頸部の深部の外側に位置する．

> **臨床で重要!** 胸郭出口症候群
>
> 胸郭出口症候群とはその名のとおり，胸郭からの出口付近で起こる神経・脈管の絞扼症状の総称である．以下の部位によって絞扼があった場合，上肢の疼痛や痺れを訴えることがある．
> ①斜角筋隙症候群：斜角筋隙（⇨p.94）での絞扼．
> ②肋鎖症候群：第1肋骨と鎖骨および鎖骨下筋の間での絞扼．
> ③小胸筋症候群：小胸筋による絞扼．

> **臨床で重要!** 胸郭出口症候群の誘発テスト
>
> 胸郭出口症候群の誘発テストとして，以下の3種がある．単に姿勢のみを覚えるのではなく，解剖学的に何が絞扼されるのかを理解しよう（いずれのテストも，陽性徴候は**橈骨動脈の拍動の減弱ないし消失**である）．
> ①Adson テスト：頸椎伸展位で疼痛がある側に頭頸部を回旋させると前斜角筋が緊張する．この姿勢で深呼吸を行うと鎖骨下動脈が圧迫される．
> ②Wright テスト：座位で両肩関節を外転90°・外旋90°，肘関節を屈曲90°の肢位にすると，肋骨と鎖骨の間で鎖骨下動脈・静脈が圧迫される．
> ③Eden テスト：座位で胸を張った姿勢で両肩を後下方に牽引すると，肋骨と鎖骨の間で鎖骨下動脈・静脈が圧迫される．

Adson テスト　　Wright テスト　　Eden テスト

図　胸郭出口症候群の誘発テスト

Let's Try　筋を触察してみよう　〜頸部側面の筋〜

頸部側面では胸鎖乳突筋をはじめ，多くの筋を確認することができる．**胸鎖乳突筋**は**胸骨頭**と**鎖骨頭**から構成されており，両頭は幅の広い筋腹となって側頭骨の乳様突起へと向かう（乳様突起の後方の領域まで広く付着している点に注意）．

また，斜角筋群のうち，**前斜角筋**の遠位部は胸鎖乳突筋鎖骨頭の深層に位置している．前斜角筋の外側には**中・後斜角筋**があり，その間を腕神経叢が走行しているため，触察を行う際には注意を要する．

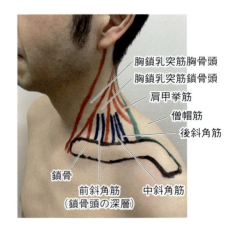

第4章 運動器系（頭頸部・体幹）

6 頸部の筋膜

学習のポイント
- 頸部の各部位を覆う筋膜の名称を覚える
- 頸部の筋膜が形成する4つの領域と，その内部の構造を理解する

- 頸部の筋膜は**頸筋膜**とよばれ，以下の4種の筋膜によって構成されている（図1）．

1 浅葉
- 皮膚の直下にある筋膜で，頸部の全周を覆っている．頸部の前方と後方では2葉に分かれ，それぞれ**胸鎖乳突筋**と**僧帽筋**を包んでいる．また，後方の浅層は**項筋膜の浅葉**（頸部背側の筋を覆う筋膜）ともよばれる．
- 浅葉は以下の部位で，骨に付着している．
  - ▷上方：後頭骨の外後頭隆起・上項線
  - ▷外側：側頭骨の乳様突起，頬骨弓
  - ▷下方：肩甲棘，肩峰，鎖骨，胸骨柄

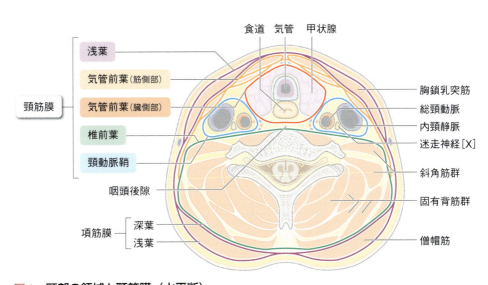

図1 頸部の領域と頸筋膜（水平断）

2 気管前葉

- 浅葉の深層にある筋膜で，頸部の前面のみに存在する．以下の2部に分かれる．
- ①**筋側部**：舌骨下筋群を包む．
- ②**臓側部**：気管・食道・甲状腺などの頸部内臓を包む．また，上方では舌骨に付着した後に，**頬咽頭筋膜**（上咽頭収縮筋と頬筋の筋膜）と連続する．

3 椎前葉

- 脊柱とその周囲の筋（椎前筋群，斜角筋群，頸部の固有背筋）を包む円柱状の筋膜である．椎前葉のうち，固有背筋を包む領域は**項筋膜の深葉**（**胸腰筋膜**と連続している）ともよばれる．
- 椎前葉は以下の部位で，骨に付着している．
  - ▶ 上方：頭蓋底
  - ▶ 後方：項靱帯
  - ▶ 前方：椎体の前面・横突起

4 頸動脈鞘

- 気管前葉の臓側部の両側にある細い筒状の筋膜で，**総頸動脈・内頸静脈・迷走神経**を包む．

第4章 運動器系（頭頸部・体幹）

7 体幹の筋

学習のポイント
- 胸部の筋を浅胸筋と深胸筋に分けて説明することができる
- 腹部の筋を前腹壁・側腹壁・後腹壁に分けて説明することができる
- 固有背筋の構造を層に分けて理解する

1 胸部の筋

⇨骨：4章-3

1）浅胸筋

- 胸郭から起こって上肢につく筋で，主に上肢の運動に関与する．

1 大胸筋：⇨p.68

2 小胸筋：⇨p.69

3 鎖骨下筋：⇨p.69

4 前鋸筋：⇨p.69

2）深胸筋（図1〜3, 表1）

- 胸壁の内・外面または肋間隙にある筋で，主に**胸式呼吸**（肋骨を上げ下げする呼吸）に関与する．

1 肋間筋（図1）

- 肋間隙（隣接する肋骨の間の部分）を占める11対の筋で，以下の3部に分かれる．

①外肋間筋：肋間筋のなかで最も表層の筋で，肋骨の下縁から下位の肋骨に向かって前下方に走行している（「ポケットに手を入れる方向」と覚えるとよい）．前方の筋線維は**外肋間膜**に置き換わり，また下方の筋線維は外腹斜筋と連続する（収縮時に肋骨を挙上することにより，**安静吸気・努力性吸気**にかかわる ⇨p.273）．

②内肋間筋：外肋間筋の深層に位置する筋で，肋骨の上縁から上位の肋骨に向かって前上方に走行している．肋間の後方ならびに肋骨角の内側で**内肋間膜**に置き換わり，下方では内腹斜筋と連続する（収縮時に肋骨を下制することにより，**努力性呼気**にかかわる ⇨p.273）．

③最内肋間筋：内肋間筋の深層には**肋間動静脈**が走行しており，それらよりさらに深部の内肋間筋を最内肋間筋とよぶ（本質的には異なる層の筋ではなく，内肋間筋の最深部である）．

2 肋下筋（図2）

- 胸郭の内面にある薄い筋で，大きさや形の個体差が非常に大きい．

3 胸横筋（図3）

- 胸骨の内面の下部にある筋で，わずかであるが呼気の補助に働く．

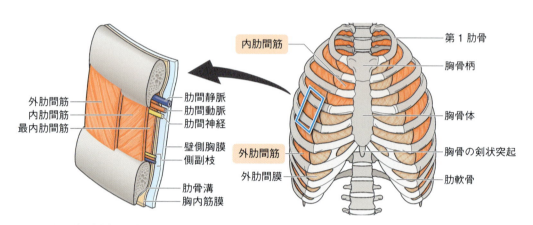

図1 肋間筋（胸郭を前面より観察）

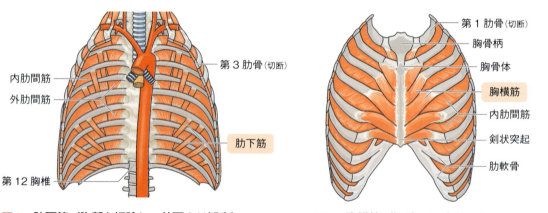

図2 肋下筋（胸郭を切除し，前面より観察）

図3 胸横筋（切除した胸郭を後面より観察）

表1 深胸筋

筋	起始	停止	神経支配	作用
外肋間筋	肋骨の下縁	1個下位の肋骨の上縁	肋間神経（T1～11）	肋骨の挙上（安静吸気，努力性吸気）
内肋間筋（最内肋間筋）	肋骨の上縁	1個上位の肋骨の下縁	肋間神経（T1～11）	肋骨の下制（努力性呼気）
肋下筋	肋骨後面の上縁	2～3個上位の肋骨の下縁	下位の肋間神経	肋骨の下制
胸横筋	胸骨体の下部後面，剣状突起，肋軟骨の後面	第2～6肋軟骨	肋間神経（T3～5）	
肋骨挙筋	第7頸椎～第11胸椎の横突起	1～2個下の肋骨角付近	肋間神経の後枝（C8～T11）	肋骨の挙上

4 肋骨挙筋（⇨図12）

- 第7頸椎～第11胸椎の横突起から起こって外側下方に走行し，1～2個下の肋骨の肋骨結節と肋骨角の間に停止する．わずかではあるが，肋骨を挙上させる働きをもつ．

3）横隔膜（図4，5，表2）

- 胸腔と腹腔の境に位置するドームのような膜状の筋で，右側が左側よりも高い（肝臓の右葉が左葉より大きいため）．
- 発生学的には頸部の筋であるため，頸神経の枝である**横隔神経**（C3～5）によって支配されている．

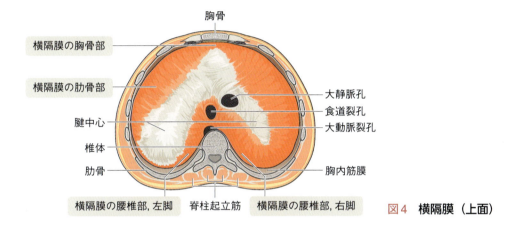

図4　横隔膜（上面）

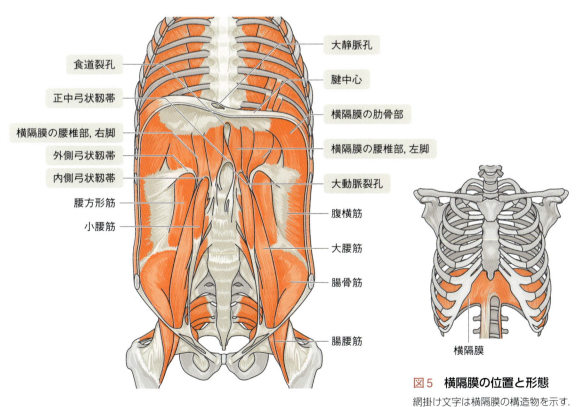

図5　横隔膜の位置と形態

網掛け文字は横隔膜の構造物を示す．

表2 横隔膜

筋		起始	停止	神経支配	作用
横隔膜	胸骨部	剣状突起の後面	腱中心	横隔神経（C3〜5）	胸腔底の下方移動（安静吸気，努力性吸気）
	肋骨部	肋骨弓（第7〜12肋軟骨）の後面			
	腰椎部	第1〜3腰椎の椎体，内側・外側弓状靱帯			

- 収縮時に下方移動することによって**安静吸気**，**努力性吸気**（⇨p.273），**腹式呼吸**（横隔膜を上げ下げする呼吸）にかかわっている．また，起始の部位によって以下の3部に区分される．
①**胸骨部**：剣状突起の後面から起始する部分．
②**肋骨部**：肋骨弓（第7〜12肋軟骨）の後面から起始する部分．
③**腰椎部**：第1〜3腰椎の椎体，内側・外側弓状靱帯から起始する部分．

- 横隔膜の各部から起こった筋線維は，横隔膜の高く持ち上がった中央部に集まり，**腱中心**という停止部を形成する．また，横隔膜には3つの大きな開口部がある．
①**大動脈裂孔**：横隔膜の左脚と右脚の間に開いた孔で，**大動脈・胸管・奇静脈**が通過する．
②**大静脈孔**：腱中心の右側に開く丸い孔で，**下大静脈・右横隔神経・リンパ管**が通過する．
③**食道裂孔**：腱中心の後方の筋線維束の間に開く丸い孔で，**食道・迷走神経幹・左胃動静脈の食道枝**が通過する．

2 腹部の筋

⇨骨：4章-2，3

1）前腹壁の筋（図6，表3）

- 左右一対の縦に走る2本の筋によって構成されている．

1 腹直筋

- 腹部の前面を縦に走る帯状の筋で，体幹の屈曲と腹圧の上昇，**努力性呼気**（⇨p.273）にかかわっている．

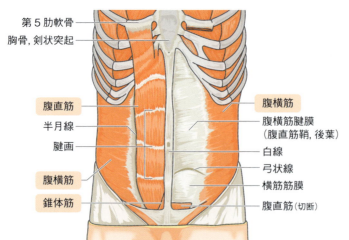

図6 腹直筋，錐体筋，腹横筋（前面）

図の左側：腹直筋鞘の前葉を切除し，腹直筋を観察．
図の右側：左の腹直筋を切除し，腹直筋鞘の後葉と横筋筋膜を観察．

表3 前腹壁の筋

筋	起始	停止	神経支配	作用
腹直筋	恥骨稜,恥骨結合	剣状突起,第5～7肋軟骨	肋間神経（T6～11）,肋下神経	体幹の屈曲,腹圧の上昇,努力性呼気
錐体筋	恥骨稜,恥骨結合	白線の下部	腸骨下腹神経（T12・L1）	白線を下制し,腹直筋の補助として働く

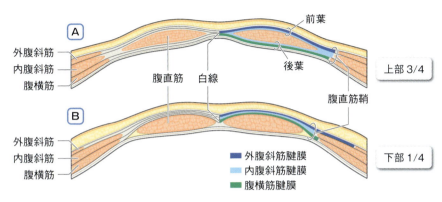

図7 腹直筋鞘（水平断）

- **腹直筋鞘**（図7）：腹直筋と錐体筋を刀の鞘のように覆う結合組織の膜で，**前葉**と**後葉**によって構成されている．
  - ▶**前葉**：腹直筋の前面を覆う結合組織の膜で，上部3/4は外腹斜筋腱膜と内腹斜筋腱膜の前層，下部1/4は外・内腹斜筋腱膜と腹横筋腱膜によって形成されている．
  - ▶**後葉**：腹直筋の後面を覆う結合組織の膜で，腹直筋の上部3/4の高さで終わっている．内腹斜筋腱膜の後層と腹横筋腱膜によって形成されており，その下縁を**弓状線**という（下部1/4は**横筋筋膜**によって覆われている）．
- **腱画**：腹直筋鞘の前葉に付着する3～4本の中間腱で，横方向に走行して腹直筋を数部に分ける（筋力トレーニングを行った結果として「腹筋が割れる」のは，腱画の間で筋腹が膨隆するためである）．
- **白線**：腹部の前面を縦に走り，腹直筋を左右に分ける．

2 錐体筋

- 腹直筋の下部にある三角形の小さな筋で，5～20％で欠損する．

2）側腹壁の筋（図6, 8, 表4）

- 3層の平たい筋が重なり合って構成している．いずれも体幹の運動に加え，**努力性呼気**（⇨p.273）にかかわっている．

1 外腹斜筋

- 側腹筋の3層のなかで最も大きい筋で，最浅層に位置する．
- 外腹斜筋の上部は腱膜となって**腹直筋鞘の前葉**に加わり，**白線**（腹直筋鞘の前葉と後葉が正中で合流した部位）に付着する（図7）．また，下部はその縁で肥厚して**鼠径靱帯**となる．鼠径靱帯と腱膜の間に形成される隙間は**浅鼠径輪**とよばれ，鼠径管の出口となる．

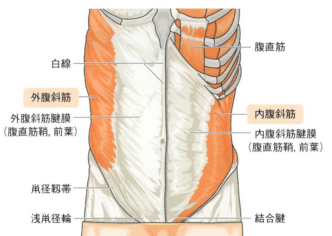

図8 外腹斜筋と内腹斜筋（前面）

表4 側腹壁の筋

筋	起始	停止	神経支配	作用
外腹斜筋	第5～12肋骨	腸骨稜，鼡径靱帯，白線	肋間神経（T5～11），肋下神経	両側：体幹の屈曲，腹圧の上昇 片側：体幹の屈曲，同側への側屈，反対側への回旋 努力性呼気
内腹斜筋	胸腰筋膜，腸骨稜，鼡径靱帯	第10～12肋骨，白線，恥骨稜	肋間神経（T10・11），肋下神経，腸骨下腹神経	両側：体幹の屈曲，腹圧の上昇 片側：体幹の屈曲，同側への側屈，同側への回旋 努力性呼気
腹横筋	第7～12肋骨，胸腰筋膜，腸骨稜，鼡径靱帯	白線，恥骨稜	肋間神経（T6～11），肋下神経，腸骨下腹神経	腹圧の上昇，努力性呼気

- 外腹斜筋は両側の収縮時には体幹の屈曲の作用をもつが，片側のみが収縮した際には，体幹の屈曲と同側への側屈に加えて反対側への回旋に働く．

2 内腹斜筋

- 側腹筋の3層構造の中央に位置する筋で，外腹斜筋と直交する向きで走行する．
- 大部分の筋線維は腱膜となって**腹直筋鞘の前葉・後葉**に加わり，**白線**に付着する．また，下部の筋線維の一部は鼡径管に入った後に**精索**を包み，**精巣挙筋**となる．
- 内腹斜筋は両側の収縮時には体幹の屈曲の作用をもつが，片側のみが収縮した際には，体幹の屈曲と同側への側屈に加えて同側への回旋に働く（外腹斜筋との走行と作用の違いに注意しよう）．

3 腹横筋

- 側腹筋の最深層に位置する幅の広い筋で，ほぼ水平に走行する．筋線維は腱膜となり，上部では**腹直筋鞘の後葉**，下部では**前葉**に加わり，**白線**に付着する．主に**腹圧の上昇**に関与する．

3）後腹壁の筋（表5）

1 腸腰筋：⇨図5，3章-3 p.134

表5 後腹壁の筋

筋		起始	停止	神経支配	作用
腸腰筋	腸骨筋	腸骨窩	大腿骨の小転子，大腰筋の腱	大腿神経（L2・3）	股関節の屈曲・外旋
	大腰筋	第12胸椎～第5腰椎の椎体の側面，椎間円板，第1～5腰椎の肋骨突起	大腿骨の小転子	腰神経叢の枝（L1～3）	股関節の屈曲
小腰筋		第12胸椎・第1腰椎の椎体の側面，椎間円板	寛骨の腸恥隆起	腰神経叢の枝（L1・2）	腰椎の軽度屈曲
腰方形筋		腸骨稜，腸腰靱帯，腰椎の肋骨突起の先端	第12肋骨，第1～4腰椎の肋骨突起	腰神経叢の前枝（T12～L3）	両側：体幹の伸展 片側：体幹の同側への側屈

2 腰方形筋（図9）

- 大腰筋の外側に位置する四角形の筋で，腰神経叢の枝が前面を下方に向かって走行する．表面を覆う筋膜は上部では肥厚して**外側弓状靱帯**となり，横隔膜の起始部となる（⇨図5）．

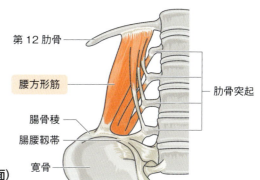

図9 腰方形筋（前面）

3 骨盤底の筋（図10, 11, 表6） ⇨骨：3章-1 **1**, 4章-2 **2** 4) 5)

- 骨盤底とは骨盤腔の床面に相当する部位で，**骨盤隔膜**によって形成される．

1 骨盤隔膜

- 肛門挙筋と尾骨筋の表面を覆う筋膜で，前方と中央にそれぞれ孔が開いている．中央の孔は**肛門管**が通過し，前方の孔（**尿生殖裂孔**）には男性であれば**尿道**，女性であれば**尿道**と**腟**が通っている（⇨p.328も参照）．

2 肛門挙筋

- 骨盤底を形成する非常に大きな筋で，腹腔骨盤の臓器を下から支持している．位置関係によって以下の3部に分けられる．
①恥骨直腸筋：3部のなかで最も内側にある厚い筋で，尿生殖裂孔を取り囲むようにU字状に走行している．
②恥骨尾骨筋：3部の中間に位置する広く薄い筋．
③腸骨尾骨筋：最も外側に位置する薄い筋で，発達の悪い場合もある．

3 尾骨筋（坐骨尾骨筋）

- 骨盤隔膜の後部を構成する筋で，坐骨棘から起こった後に仙骨と尾骨に付着する．

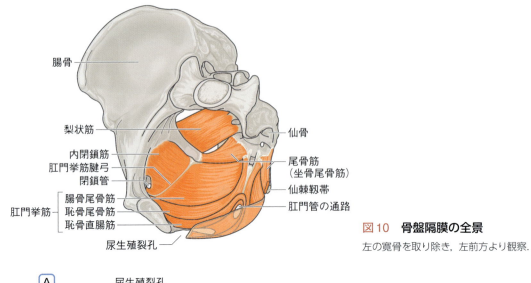

図 10　骨盤隔膜の全景
左の寛骨を取り除き，左前方より観察．

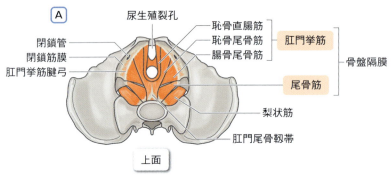

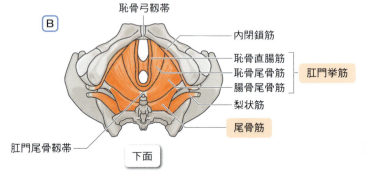

図 11　肛門挙筋と尾骨筋（上面，下面）

表6　骨盤底の筋

筋		起始	停止	神経支配	作用
肛門挙筋	恥骨直腸筋	恥骨体の後面	会陰腱中心，直腸肛門移行部の後面でU字形に曲がる	仙骨神経の前枝（S4），下肛門神経（陰部神経の枝）	骨盤隔膜の形成，骨盤内臓の支持，腹腔内圧の増加に対する抵抗
	恥骨尾骨筋	恥骨体の後面，肛門挙筋腱弓の前部	肛門尾骨靱帯，尾骨		
	腸骨尾骨筋	肛門挙筋腱弓の後部，坐骨棘	肛門尾骨靱帯		
尾骨筋（坐骨尾骨筋）		坐骨棘	仙骨の下部，尾骨	仙骨神経の前枝（S3・4）	骨盤隔膜の形成（著しい作用は認めない）

4 背部の筋

⇨骨：4章-2, 3

1) 浅層の背筋群

- 僧帽筋，広背筋，小菱形筋，大菱形筋，肩甲挙筋（⇨p.71）などがある．いずれも，上肢の運動に関与する．

2) 中間層の背筋群（図12，表7）

❶ 上後鋸筋

- 僧帽筋の深層にある薄い筋で，頸部と背部の境に位置する．わずかではあるが，肋骨を引き上げる働きをもつ．

❷ 下後鋸筋

- 僧帽筋の深層にある薄い筋で，胸部と腰部の境に位置する．わずかではあるが，肋骨を引き下げる働きをもつ．

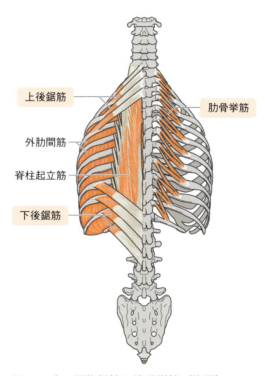

図12　上・下後鋸筋と肋骨挙筋（後面）

表7　中間層の背筋群

筋	起始	停止	神経支配	作用
上後鋸筋	項靱帯，第7頸椎～第2胸椎の棘突起	第2～5肋骨の上縁	肋間神経（T1～3）	上位肋骨の挙上
下後鋸筋	第11胸椎～第2腰椎の棘突起	第9～12肋骨の下縁	肋間神経（T9～11）	下位肋骨の下制

3）深層の背筋群

- 背部の深層の筋は骨盤から頭蓋にかけて位置し，脊柱を動かす働きをもつ．「背部に固有の筋」であることから，**固有背筋**とよばれる．固有背筋は以下の4群に分かれる．

1 固有背筋の浅層：板状筋（図13，表8）

- 脊柱起立筋の上部表層を覆う筋で，停止の部位により**頭板状筋**と**頸板状筋**に分けられる．
  ① 頭板状筋：項靱帯の下部，第7頸椎～第3胸椎の棘突起から起始した後に，頭蓋骨に停止する筋である．
  ② 頸板状筋：第3～6胸椎の棘突起から起始した後に，第1～3頸椎の横突起に停止する筋である．

2 固有背筋の中間層：脊柱起立筋（図13，表9）

- 骨盤から頭蓋まで走行する非常に大きい筋で，脊柱の主要な伸筋として働く．椎骨の棘突起と肋骨角の間に位置し，以下の3部によって構成される．
  ① 腸肋筋：3部で最も外側に位置する筋で，起始・停止の高さによって**腰腸肋筋・胸腸肋筋・頸腸肋筋**に区分される．
  ② 最長筋：脊柱起立筋の中間に位置し，起始・停止の高さによって**胸最長筋・頸最長筋・頭最長筋**に区分される．

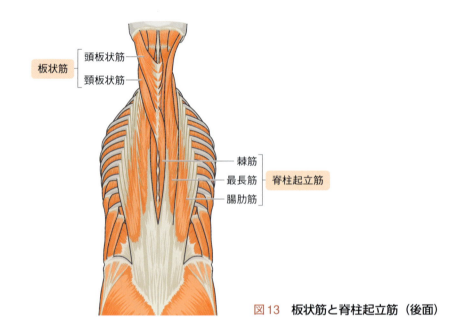

図13　板状筋と脊柱起立筋（後面）

表8　固有背筋の浅層（板状筋）

筋	起始	停止	神経支配	作用
頭板状筋	項靱帯の下部，第7頸椎～第3胸椎の棘突起	側頭骨の乳様突起，後頭骨の上項線の外側部	中位頸神経の後枝	両側：頭頸部の伸展 片側：頭部を同側へ回旋・側屈
頸板状筋	第3～6胸椎の棘突起	第1～3頸椎の横突起	下位頸神経の後枝	両側：頸部の伸展 片側：頭部を同側へ回旋・側屈

表9 固有背筋の中間層（脊柱起立筋）

筋		起始	停止	神経支配	作用
腸肋筋	腰腸肋筋	仙骨，腸骨稜，胸腰筋膜	第7～12肋骨角	脊髄神経の後枝（C8～L1）の外側枝	両側：頸部と体幹の伸展 片側：頸部と体幹を同側へ側屈
	胸腸肋筋	第7～12肋骨角	第7頸椎の横突起，第1～6肋骨角		
	頸腸肋筋	第3～6肋骨角	第4～6頸椎の横突起		
最長筋	胸最長筋	第1～5腰椎の肋骨突起，下位胸椎の横突起，胸腰筋膜	胸椎の横突起，第3～12肋骨結節の外側部	脊髄神経の後枝（C1～L5）の外側枝	両側：頭頸部と体幹の伸展 片側：頭頸部と体幹を同側へ回旋・側屈
	頸最長筋	第1～5胸椎の横突起	第2～6頸椎の横突起		
	頭最長筋	第1～5胸椎の横突起，第4～7頸椎の関節突起	側頭骨の乳様突起		
棘筋	胸棘筋	第11・12胸椎の棘突起	第1～9胸椎の棘突起	脊髄神経の後枝の内側枝	両側：頭頸部と体幹の伸展 片側：頭頸部と体幹を同側へ回旋・側屈
	頸棘筋	第5頸椎～第1胸椎の棘突起	第2～4頸椎の棘突起		
	頭棘筋	通常，頭半棘筋の線維と一緒になる	頭半棘筋とともに後頭骨		

③棘筋：3部で最も内側の筋で，棘突起のすぐ両側に位置する．起始・停止の高さによって**胸棘筋・頸棘筋・頭棘筋**に区分される．

3 固有背筋の深層：横突棘筋（図14，15，表10）

- 脊柱起立筋の深層に位置する筋で，椎骨の横突起から起始した後に斜め上方に走行し，棘突起に停止する（名称と同様の付着部であることに着目しよう）．起始と停止の距離によって，以下の3つに分けられる．

①**半棘筋**：横突棘筋のうち，起始から停止までが6分節以上離れた筋を**半棘筋**という．高さによって**胸半棘筋・頸半棘筋・頭半棘筋**に区分する（臨床上，区分せずに「頭半棘筋」とよぶことが多い）．

②**多裂筋**：横突棘筋のうち，起始から停止までが3～5分節離れた筋を**多裂筋**という．腰部で最も発達しており，高さによって**腰多裂筋・胸多裂筋・頸多裂筋**に区分する（臨床上，区分せずに「多裂筋」とよぶことが多い）．

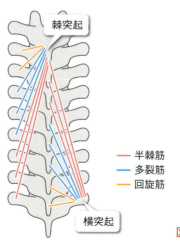

図14 横突棘筋の構成

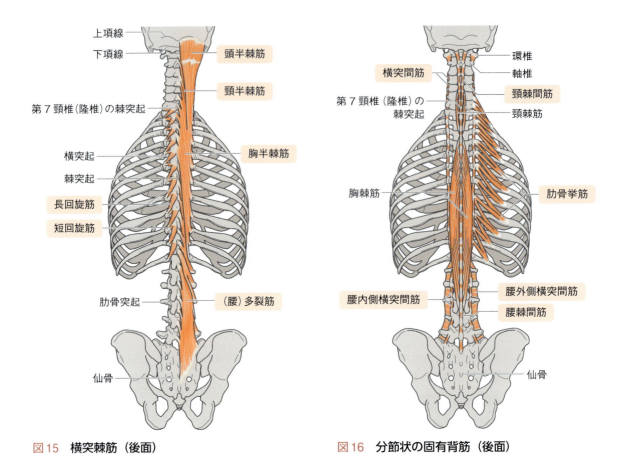

図15　横突棘筋（後面）　　　　　図16　分節状の固有背筋（後面）

③ 回旋筋：横突棘筋のうち，起始から停止までが1〜2分節離れた筋を回旋筋という．高さによって腰回旋筋・胸回旋筋・頸回旋筋に区分する．また，1分節離れた部位を短回旋筋，2分節離れた部位を長回旋筋とよぶこともある．

4 分節状の固有背筋（図16，表11）

① 棘間筋：隣接する棘突起の間を結ぶ短い筋で，頸部と腰部で特に発達している（**頸棘間筋**，**腰棘間筋**とよばれる）．
② 横突間筋：隣接する横突起の間を結ぶ短い筋で，棘間筋と同様に頸部と腰部で特に発達している（腰部では**腰内側横突間筋**と**腰外側横突間筋**に区分される）．
③ 肋骨挙筋：⇨p.221 参照（深胸筋の項に記載したが，固有背筋として扱われることもある）．

4）後頭部の筋（図17，表12）

- 後頭部で第1・2頸椎と後頭骨を結ぶ筋を**後頭下筋**という．以下の4つの筋によって構成される．

1 大後頭直筋

- 軸椎（第2頸椎）の棘突起から起始し，後頭骨（小後頭直筋の外側）に停止する．
  ※読み方は「大・後頭直筋」ではなく，「大後・頭直筋」であることに注意．

2 小後頭直筋

- 環椎（第1頸椎）の後結節（他の椎骨の棘突起に相当する）から起始し，後頭骨（大後頭直筋の内側）に停止する．

表10 固有背筋の深層（横突棘筋）

筋		起始	停止	神経支配	作用
半棘筋	胸半棘筋	第6～10胸椎の横突起	第6・7頸椎・第1～4胸椎の棘突起	脊髄神経の後枝の内側枝	両側：頭頸部と体幹の伸展 片側：頭頸部と体幹を反対側へ回旋
	頸半棘筋	第1～6胸椎の横突起	第2～5頸椎の棘突起		
	頭半棘筋	第7頸椎・第1～6胸椎の横突起，第4～6頸椎の関節突起	後頭骨の上項線と下項線の間	脊髄神経の後枝の内側枝・外側枝	
多裂筋	腰多裂筋	仙骨，第1～5腰椎の乳頭突起，第4～7頸椎・第1～12胸椎の横突起	第2頸椎～第5腰椎の棘突起の基部	脊髄神経の後枝の内側枝	両側：頸部と体幹の伸展 片側：頸部と体幹を反対側へ回旋
	胸多裂筋				
	頸多裂筋				
回旋筋	腰回旋筋	腰椎の乳頭突起	腰椎の棘突起		両側：頸部と体幹の伸展 片側：頸部と体幹を反対側へ回旋
	胸回旋筋	胸椎の横突起	胸椎の棘突起		
	頸回旋筋	頸椎の関節突起	頸椎の棘突起		

表11 分節状の固有背筋

筋	起始	停止	神経支配	作用
棘間筋	椎骨の棘突起	直上の椎骨の棘突起	脊髄神経の後枝の内側枝	体幹の伸展と回旋を補助
横突間筋	椎骨の横突起	直上の椎骨の横突起	脊髄神経の後枝の内側枝または前枝	両側：脊柱を固定 片側：体幹の側屈を補助

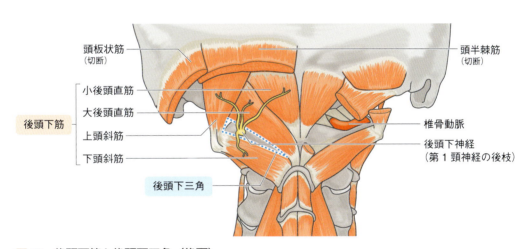

図17 後頭下筋と後頭下三角（後面）

3 上頭斜筋

- 環椎の横突起から起始し，後頭骨に停止する．

4 下頭斜筋

- 軸椎の棘突起から起始し，環椎の横突起に停止する．

表12　後頭下筋

筋	起始	停止	神経支配	作用
大後頭直筋	第2頸椎（軸椎）の棘突起	後頭骨の下項線の外側部	頸神経の後枝（C1）（後頭下神経）	両側：頭部の伸展 片側：頭部を同側へ側屈・回旋
小後頭直筋	第1頸椎（環椎）の後結節	後頭骨の下項線の内側部		両側：頭部の伸展 片側：頭部を同側へ側屈
上頭斜筋	第1頸椎（環椎）の横突起	後頭骨の上項線と下項線の間		両側：頭部の伸展 片側：頭部を同側へ側屈
下頭斜筋	第2頸椎（軸椎）の棘突起	第1頸椎（環椎）の横突起	頸神経の後枝（C1・2）	両側：頭部の伸展 片側：頭部を同側へ側屈・回旋

後頭下三角

後頭下筋のうち，大後頭直筋・上頭斜筋・下頭斜筋が取り囲む三角形の領域を**後頭下三角**という（図17）．この隙間からは**後頭下神経**（第1頸神経の後枝）と**椎骨動脈**（Willisの動脈輪の形成にかかわる⇨p.252）が通過する．

第4章 運動器系（頭頸部・体幹）

8 体幹の筋膜

学習のポイント
- 体幹の各部位を覆う筋膜の名称を覚える
- 胸腰筋膜の構成とその特徴を理解する

1 腹部の筋膜

- 腹部は他の部位と比べると，皮下組織（浅筋膜）が非常に厚い．腹部の浅筋膜は以下の2層に分かれている．

1 カンパー筋膜

- 腹部の浅層の浅筋膜で，脂肪組織を多く含む．上方では胸部・上腹部，下方では大腿・会陰の皮下組織とつながっている．

2 スカルパ筋膜（図1）

- 腹部の深層の浅筋膜で，薄い膜状の結合組織からなる．上方では薄くなって消失しているが，下方では**大腿筋膜**（大腿の深筋膜）・**コーレス筋膜**（会陰の浅筋膜の膜状の層）とつながっている．

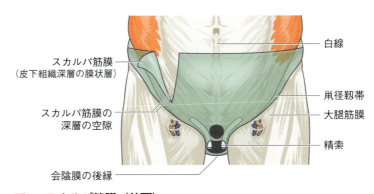

図1　スカルパ筋膜（前面）

2 背部の筋膜

- 背部の深筋膜は**胸腰筋膜**とよばれ、**固有背筋**（⇨p.228）を包んでいる（図2A）。胸腰筋膜は高さによって構造が異なる。

1 頸部

- 胸腰筋膜の頸部の領域は**項靱帯**とよばれ、浅葉は僧帽筋、深葉は脊柱起立筋をそれぞれ覆っている。

2 胸部

- 胸腰筋膜の胸部の領域は脊柱起立筋の後面を覆っており、内側では**棘上靱帯**、外側では**肋骨角**に付着している。

3 腰部

- 胸腰筋膜の腰部の領域は、浅層から順に以下の3層からなる（図2B）。
  ①**後葉**：最も浅い層で、非常に分厚い。脊柱起立筋の後面を覆うとともに、**広背筋**に起始部を与えている。
  ②**中葉**：中間部の層で、脊柱起立筋の前面を覆っている。中葉は**腰方形筋**の外側縁で前葉と、脊柱起立筋の外側縁で後葉とそれぞれ合流している（合流部は**内腹斜筋・腹横筋**の起始部となる）。
  ③**前葉**：最も深い層で、**腰方形筋**の前面を覆っている。

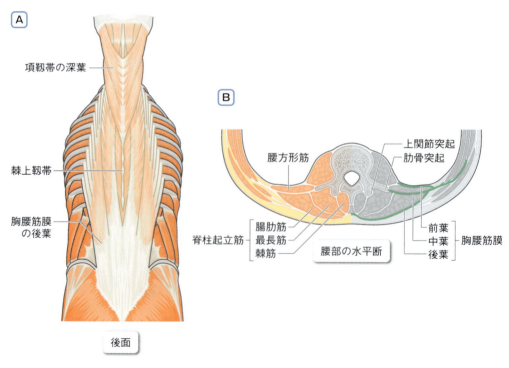

図2　胸腰筋膜

国家試験練習問題

問1 安静呼吸における吸気時で正しいのはどれか. [第58回PM問72]

1. 横隔膜は上昇する.
2. 外肋間筋は弛緩する.
3. 胸腔内は陽圧になる.
4. 腹横筋が主に収縮する.
5. 上部胸郭は前上方へ拡張する.

問2 頸椎で正しいのはどれか. 2つ選べ. [第54回AM問51]

1. 環椎に椎体はない.
2. 軸椎に上関節面はない.
3. 第4頸椎に鉤状突起はない.
4. 第5頸椎の横突孔は椎骨動脈が貫通しない.
5. 第7頸椎の棘突起先端は二分しない.

問3 左頸部側面の様子を図1に示す. 中斜角筋はどれか. [第54回PM問59]

1. ①
2. ②
3. ③
4. ④
5. ⑤

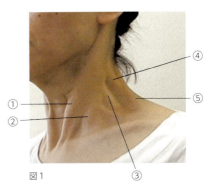

図1

問4 頸椎の伸展に作用する筋はどれか. [第53回AM問70]

1. 頸長筋
2. 頭長筋
3. 頸板状筋
4. 後斜角筋
5. 前頭直筋

問5 咀嚼筋はどれか. 2つ選べ. [第53回PM問70]

1. 咬筋
2. 側頭筋
3. 口輪筋
4. 小頬骨筋
5. オトガイ筋

第5章 循環器系

学習のポイント
- 肺循環と体循環の違いを理解し，構成する構造部（脈管や弁など）を説明することができる
- 動脈と静脈の構造の違いを理解し，その役割を説明することができる
- 刺激伝導系について理解したうえで，心電図の波形を説明することができる

- **循環器系**とは全身に血液を循環させることにより，肺で取り入れた酸素を全身へ運び，全身から出た二酸化炭素を肺へと戻すシステムである．血液を送り出すポンプにあたる**心臓**と，血液を運ぶパイプに相当する**血管**から構成されている．

1 肺循環と体循環

- 心臓から送り出された血液は**動脈**を通って末梢へ向かい，末梢からは**静脈**によって心臓へと戻る．また，動脈と静脈をつなぐ部位は**毛細血管**とよばれ，組織の細胞との間で物質を交換する場となっている．
- 循環の経路には，以下の2つがある（図1）．

1. **肺循環（小循環）**：**右心室**から始まって肺を経由し，**左心房**へ至る経路．右心室から送り出された**静脈血**は肺でCO_2（二酸化炭素）を排出しつつO_2（酸素）を取り込み，**動脈血**となる．

2. **体循環（大循環）**：**左心室**から始まって全身を経由し，**右心房**へ至る経路．左心室から送り出された**動脈血**は全身の組織にO_2（酸素）と栄養を供給し，CO_2（二酸化炭素）や代謝産物を受け取って**静脈血**となる．

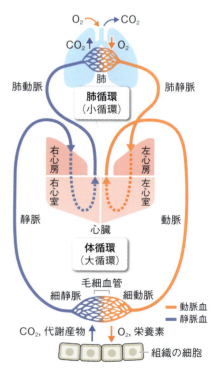

図1 肺循環と体循環

2 血管の構造

- 血管は大きく，**動脈**と**静脈**に分けられる．血管の壁は内側から順に**内膜・中膜・外膜**の3層構造になっている（図2）．

1 内膜：内腔を覆う1層の**内皮**と，その下にある若干の結合組織からなる．

2 中膜：3層のなかで最も厚く，血管壁の本体をなす．平滑筋細胞を含んでおり，動脈と静脈ではその厚さが著しく異なる．

3 外膜：血管の周囲を取り巻く疎性結合組織からなる．

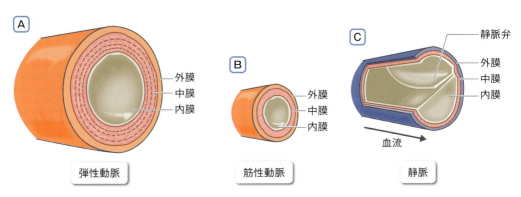

図2 血管壁の構造

1）動脈

- 動脈は**弾性動脈**と**筋性動脈**（**抵抗血管**）に分かれる．

1 弾性動脈：大動脈のような心臓に近い太い動脈を**弾性動脈**という（図2A）．中膜に**弾性線維**というゴムのように伸び縮みする線維の層が重なっており，その間に平滑筋が挟まりこんでいる．中膜に弾性線維が豊富にあることによって心室の収縮期に拍出される動脈血を血管内に蓄え，その弾性によって末梢へ動脈血を送り出すことができる．

2 筋性動脈（抵抗血管）：器官の中にある細い動脈を**筋性動脈**という（図2B）．中膜は弾性線維が乏しく，主に平滑筋で構成されている．筋性動脈は平滑筋の収縮・弛緩によって動脈の太さを変え，血流を調整する役割をもつ．毛細血管に近い末端部は**細動脈**とよばれ，血流を調整する働きが特に大きい（筋性動脈は血管抵抗によって血圧の維持にかかわるため，**抵抗血管**ともよばれる）．

2）静脈（容量血管）

- 静脈は動脈と同じく3層構造をもつが，中膜がきわめて薄い（そのため，静脈血が透けて青く見える）（図2C）．また，平滑筋はまばらで弾性線維も乏しい．
- 直径1 mm以上の静脈には**静脈弁**がみられ，静脈血の逆流を防ぐとともに筋ポンプ（骨格筋の収縮・弛緩によって静脈を圧迫する作用）による**静脈還流**を助けている（静脈は全身の血液の2/3以上を含んでいるため，**容量血管**ともよばれる）．

3）毛細血管

- 各器官の中に分布する細い動脈（**細動脈**）は，毛細血管を介して細い静脈（**細静脈**）とつながっている（⇨図1）．
- 毛細血管の壁は**内皮細胞**と**基底膜**による1層構造で，直径は5～10μmときわめて薄い．この薄い壁を介して，血液と組織との間で物質交換（酸素・二酸化炭素・栄養素・老廃物など）を行う．
- 物質交換には以下のしくみが原動力となる．
  - **静水圧**：血液の重さによる圧力のこと．液を血管外へと押し出す原動力となる．
  - **膠質浸透圧**：血漿タンパク質によって生じる浸透圧．液を血管内へと引き戻す原動力となる．
- また，物質交換時に大半の液は血液中に戻るが，ごく一部は組織間質に残ってしまう（**組織液**※もしくは**間質液**）．この組織液は正常ではリンパ管によって血液中に回収されるが，何らかの原因によって過剰に貯留した状態は**浮腫**とよばれる．

※理学療法士・作業療法士国家試験では「組織液」として出題されるため，本書では組織液と表記する．

臨床で重要！ **心拍出量と血圧**

1分間に心臓が全身に送り出す血液量を，**心拍出量**（分時拍出量）という．心拍出量は，以下の式によって求めることができる．

心拍出量　＝　1回拍出量　×　心拍数
（約5L）　（心室が1回の収縮により　　（1分間に心室が収縮する回数．
　　　　　　送り出す血液量．約70mL）　　約70回/分）

また，血圧・心拍出量・血管抵抗の間には，以下の関係が成り立つ．

血圧　＝　心拍出量※　×　総末梢血管抵抗
※心拍出量は全身の血液循環量に相当する．

臨床で重要！ **浮腫の種類**

組織間隙に正常以上に水が貯留した状態を**浮腫**（edema）という．浮腫は発生機序により，以下のように分類される．

①**心性浮腫**：心不全に伴う浮腫で，心拍出量の低下によって静脈内のうっ滞（血液・組織液などが貯留すること）が起こり，毛細血管圧が上昇して起こる（⇨p.249臨床で重要！）．

②**肝性浮腫**：肝硬変に伴い，以下の浮腫が起こる．
  1) 肝機能障害によって血漿タンパク質の合成が行えず，膠質浸透圧の低下によって腹水の貯留が起こる．
  2) 門脈圧亢進症によるもの（⇨p.297国試のPoint）．

③**腎性浮腫**：腎機能障害に伴い，以下の浮腫が起こる．
  1) 尿量が低下し，体内に水とNa$^+$（ナトリウムイオン）が貯留した結果として起こる．
  2) ネフローゼ症候群によって大量のタンパク尿の排泄が起こり，低アルブミン血症をきたす．その結果，膠質浸透圧が低下して浮腫が起こる．

④**内分泌性浮腫**：粘液水腫（成人の甲状腺機能の低下）では，組織間液内にムコ多糖類・ヒアルロン酸・コンドロイチン硫酸などが多量に含まれてしまうため，流動性が乏しい浮腫が起こる（皮膚を押した際に，圧痕が残りやすい）．

⑤**栄養障害性浮腫**：栄養状態が極度に悪化すると血漿タンパク質濃度が低下し，浮腫がみられる（特に腹水）．

⑥**特発性浮腫**：基礎疾患を認めない原因不明の浮腫で，20～40代の女性に多い．

4）側副循環と終動脈

- 動脈の細い枝は互いに吻合していることが多く，一方の枝が塞がっても他方の枝によって血行を保つ役割をもつ．この吻合による「わき道」の循環を**側副循環**という．これに対して十分な吻合がなく，「わき道」をもたない動脈を**終動脈**という〔冠状動脈（⇨p.247）のように吻合は存在するが太さが十分ではなく，一方の動脈の閉塞によって分布領域の壊死が起こる動脈は**機能的終動脈**とよばれる〕．
- また，毛細血管を通過せずに動脈と静脈が直接，吻合することを**動静脈吻合**という．動静脈吻合は腸間膜や陰茎，皮膚などにみられ，特に皮膚の動静脈吻合は，血液量を調整することによって体温調節にかかわると考えられている．

> **臨床で重要！**
>
> **血栓症と塞栓症**
> 脳や心臓の血管の病変は生命を脅かすとともに，理学療法や作業療法の対象になることがきわめて多い．リハビリテーションを展開するうえで，そのしくみを正しく理解しなければならない．
>
> ①**血栓症**
> 通常であれば血管内や心臓内では血液の凝固は起こらないが，特定の条件下では発生する場合がある．凝固してしまった血液を**血栓**とよび，病的に血栓ができる現象を**血栓症**という．血管壁の損傷や血流の異常，血液成分の変化などが原因となる．
>
> ②**塞栓症**
> 血液によって運ばれてきた非水溶性の異物（塞栓ないし栓子）によって，血管が閉塞された状態を**塞栓症**という．また，血栓の一部が剥離して塞栓となり，細い血管を閉塞してしまうことを**血栓性塞栓症**という．

5）リンパ系

- **リンパ**（リンパ液）とは，毛細血管から組織間質に漏れ出た**組織液**と**リンパ球**（白血球の一種）からなる液である．
- リンパを集め，再び血液に戻す脈管は**リンパ管**とよばれる．全身のリンパ管（リンパ系）の概略を図3に示す．リンパ管には静脈と同様に弁があり，筋ポンプの働きによってリンパを静脈へと運ぶ．末梢から合流を繰り返し，以下の順で静脈へと注ぐ．

①**毛細リンパ管**：全身の組織間質にあるリンパ管．
②**集合リンパ管**：毛細リンパ管が集合して形成される．
③**リンパ本幹**：リンパ節（⇨p.240）を通過した後に形成される太いリンパ管で，部位によって以下のものがある．

- ▶**腰リンパ本幹**：左右一対のリンパ本幹で，下肢・骨盤からのリンパを集める．
- ▶**腸リンパ本幹**：腹部消化管からのリンパを集める．
- ▶**頸リンパ本幹**：左右一対のリンパ本幹で，頭部からのリンパを集める．
- ▶**鎖骨下リンパ本幹**：左右一対のリンパ本幹で，上肢からのリンパを集める．
- ▶**気管支縦隔リンパ本幹**：左右一対のリンパ本幹で，心臓・肺・縦隔のリンパを集める．

④**乳糜槽**：左右の腰リンパ本幹と腸リンパ本幹の合流部．細長い袋状の形状で，**乳糜**（小腸壁で吸収された脂肪滴が混ざって白く濁った腸管由来のリンパ）を含んでいる．
⑤**胸管**：乳糜槽から大動脈に沿って上行するリンパ管で，横隔膜を貫いた後に**左頸リンパ本幹，左鎖骨下リンパ本幹，左気管支縦隔リンパ本幹**と合流し，**左静脈角**（左内頸静脈と左鎖骨下静脈の合流部）に達する．

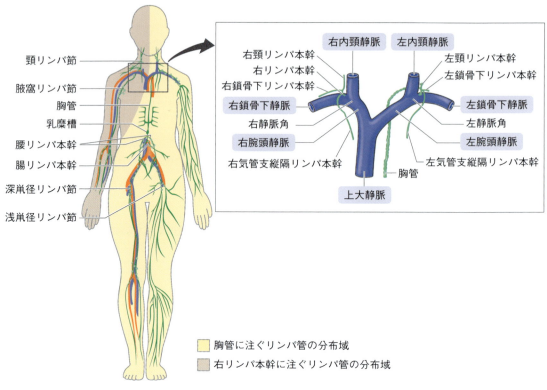

図3 リンパ系

⑥**静脈角**：内頸静脈と鎖骨下静脈の合流部で，**左静脈角**には**胸管**，**右静脈角**には**右リンパ本幹**が流入する．

⑦**右リンパ本幹**：**右頸リンパ本幹・右鎖骨下リンパ本幹・右気管支縦隔リンパ本幹**が合流して形成される．右上半身のリンパを集める（右気管支縦隔リンパ本幹は直接，右鎖骨下静脈に注ぐことも多い）．

6) リンパ節

- リンパ管の途中にある1〜30 mmのソラマメのような形状をした構造物で，リンパ球を多数含むリンパ組織からなる．リンパを濾過し，異物や病原体が体内に入らないように**免疫系**として働く．
- リンパ節は頸部や四肢の付け根に存在し，**頸リンパ節**，**腋窩リンパ節**，**浅・深鼠径リンパ節**などがある（図3）．また，リンパ節に感染に伴う炎症が起こると**リンパ節腫脹**（腫大）が生じ，体表からの触知が容易に可能となる（圧痛を伴うことが多いので注意を要する）．

3 心臓

1）心臓の位置と外形（図4）

- 心臓は厚い壁をもつ中空性の器官で縦隔（⇨p.271）の中央に位置し，全身に血液を循環させるポンプとしての役割をもつ．心臓の大きさは握りこぶしと同じ程度であり，成人では200～300 gである．
- 心臓は丸みを帯びた円錐を逆さまにしたような形状をしており，円錐の底に相当する部位は心底※，頂点に相当する部位は心尖とよばれる．

※「心底」という名称であるが，心臓の「上面」に位置していることに注意．

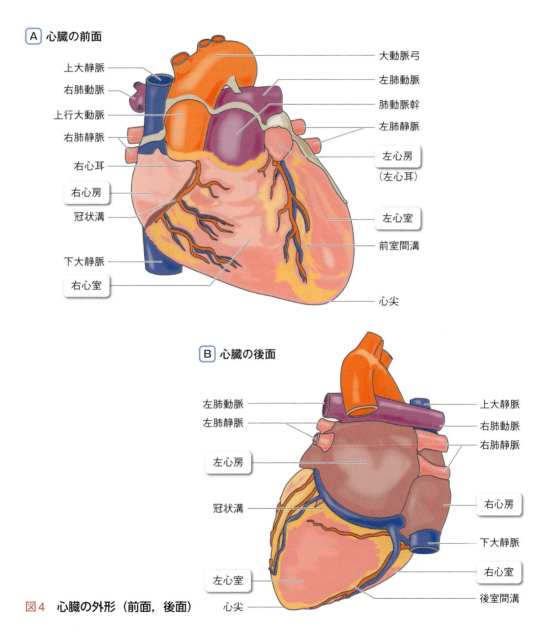

図4 心臓の外形（前面，後面）

- 心尖と心底の中央を結ぶ線は**心軸**といい，左前下方に傾いている．そのため，心尖は**左の第5肋間隙**（正中線から7～9 cm外側）に胸郭の内面から触れており，その部位で心臓の拍動を触れることができる（これを**心尖拍動**という）．また，第7胸椎の高さの水平断では，**右心室**が最も腹側に位置している．

国試のPoint

胎児の循環

通常，われわれは生命維持のための物質交換を呼吸器・消化器・泌尿器の各器官系によって行っている．胎児はガス交換・栄養補給・不要物の排泄などをすべて**胎盤**で行っている．胎児の循環は，以下の順に行われる．

①左右の内腸骨動脈から起こる**臍動脈**が，胎盤へ静脈血を送る．
②胎盤から起こる1本の**臍静脈**によって，酸素と栄養に富んだ動脈血を送り出す．
③肝臓の下面にある**静脈管（アランチウス管）**を通り，下大静脈へと入る．
④下大静脈を通った後に，右心房へと入る．
⑤心房中隔にある**卵円孔**を通過して，左心房へ入る（呼吸を行わないため，肺は経由しない．<u>1つ目の肺の迂回路</u>）．
⑥左心房から左心室，上行大動脈を通過して，上半身へ血液が送られる．
⑦上大静脈によって上半身から戻った血液は，右心房を通過して右心室から肺動脈幹へ送られる．
⑧肺には血液を送らずに**動脈管（ボタロ管）**によって直接，下行大動脈へ入る（<u>2つ目の肺の迂回路</u>）．
　※生後，動脈管（ボタロ管）は**動脈管索**，臍動脈は**臍動脈索**，臍静脈は**肝円索**，静脈管は**静脈管索**となる．また，卵円孔は閉鎖して**卵円窩**となる．

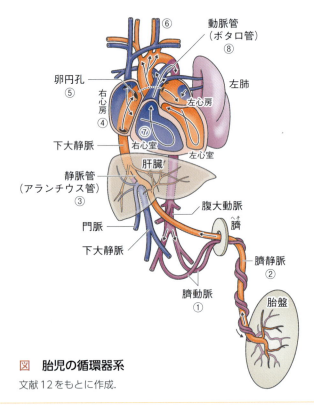

図　胎児の循環器系
文献12をもとに作成．

2）心臓の内景（図5）

- 心臓は右心房と左心房，右心室と左心室の4つの部屋からなる．特に右心室と左心室は血液を送り出すポンプとしての役割をもつ．
- 左右の心房は**心房中隔**，左右の心室は**心室中隔**によって隔てられている．心室中隔はその大部分が厚い心筋層からなる**筋性部**であるが，上部の一部のみが薄い膜状の**膜性部**によって構成されている（⇨p.245図Ⅱ）．また，心室中隔は右心室側に凸になっている．
- 心房と心室の間には**右房室弁（三尖弁）**と**左房室弁（二尖弁，僧帽弁）**が，心室からの出口には**肺動脈弁**と**大動脈弁**が備わっており，血液の逆流を防止している．
- 4つの部屋と4つの弁，そして心室のポンプの構成は以下のとおりである．

> 上・下大静脈，冠状静脈洞 → **右心房** → 右房室弁（三尖弁）→ **右心室** → 肺動脈弁
> → 肺動脈 → 肺 → 肺静脈 → **左心房** → 左房室弁（二尖弁，僧帽弁）→ **左心室**
> → 大動脈弁 → 上行大動脈

❶ 右心房：心臓の右上部を占める部位で，全身から静脈血を集める**上大静脈・下大静脈**と，心臓壁の静脈血を集める**冠状静脈洞**が流入する．

- **右房室弁（三尖弁）**：**右房室口**（右心房と右心室の間の部位）にある弁．
- **冠状静脈口**：冠状静脈洞の流入口で，**下大静脈口**（下大静脈の開口部）と右房室口の間にある．
- **上大静脈口**：上大静脈の流入口．
- **卵円窩**：心房中隔の右心房側にあるたまご形のくぼみで，胎生期の**卵円孔**という孔の痕跡である．なお，卵円孔は胎生期において右心房と左心房とをつなぐ役割をもつ．この孔によって胎児は肺を経由せずに循環を行っている（⇨p.242国試のPoint）．

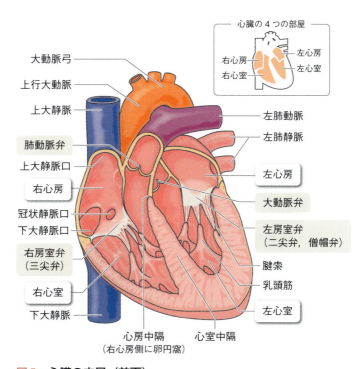

図5　心臓の内景（前面）

- **右心耳**：右心房の上部が前方に突き出た部位で，耳のような形をしている．上行大動脈の基部を覆っている（⇨図4A）．
- **櫛状筋**：右心耳の内面にみられる筋線維束の隆起．

❷ **右心室**：心臓の下部前面に位置し，右心房から流入する静脈血を**肺動脈**へと拍出する（<u>肺静脈ではない点に注意</u>）．

- **肺動脈弁**：**肺動脈口**（右心室と肺動脈の間の部位）にある弁（腱索は付着していない）．
- **動脈円錐**：肺動脈口のすぐ近くの領域で，内面が平滑な構造をしている．
- **肺動脈幹**：肺動脈が肺動脈口を出た直後の部位で，大動脈弓の下で**左肺動脈**と**右肺動脈**に分かれる（⇨図4A）．
- **肉柱**：右心室の内面にある，筋が柱状に盛り上がった部位．
- **乳頭筋**：肉柱の一部がタケノコ状に伸び，右心室内に突き出ている部位．
- **腱索**：乳頭筋の先端から伸びる線維性の索で，右房室弁（三尖弁）の先端との間をつないでいる．

❸ **左心房**：心臓の後上部を占める部位で，左右2本ずつある**肺静脈**から動脈血を受け入れる（<u>肺動脈ではない点に注意</u>）．

- **左房室弁（二尖弁，僧帽弁）**：**左房室口**（左心房と左心室の間の部位）にある弁．左房室弁は心臓の主要な弁のなかで，唯一の**二尖構造**である（右房室弁・大動脈弁・肺動脈弁は**三尖構造** ⇨p.244国試のPoint）．また，右房室弁と同様に弁の先端には，腱索が付着している．
- **肺静脈口**：肺静脈の流入口（この部位には弁構造は存在しない）．
- **左心耳**：左心房の左前部の突き出た部位で，耳のような形をしている．右心耳と同様に，内面には**櫛状筋**がみられる．

❹ **左心室**：心臓の左下部に位置し，左心房から流入する動脈血を**上行大動脈**へと拍出する．左心室の壁は非常に発達しており，右心室と比べて約3倍の厚さがある．また，右心室と同様にその内面には**肉柱・乳頭筋・腱索**がみられる．

- **大動脈弁**：**大動脈口**（左心室と上行大動脈の間の部位）にある弁（腱索は付着していない）．

> **国試のPoint**
> **心臓の弁の構造**
> 心臓には左右の房室口，肺動脈口，大動脈口にそれぞれ，血液の逆流を防ぐ弁が付いている（「肺静脈弁」は存在しないことに注意）．弁の突き出した部分は**弁尖**とよばれ，3つの弁尖をもつ弁を**三尖弁**，2つの弁尖をもつ弁を**二尖弁**という．弁の構造は左房室弁のみが二尖弁で，他のすべてが三尖弁であることを押さえておこう．

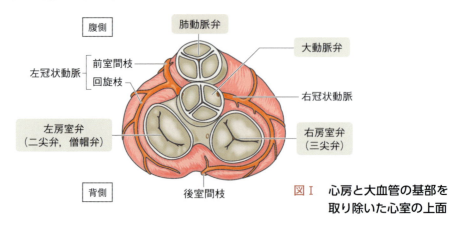

図Ⅰ　心房と大血管の基部を取り除いた心室の上面

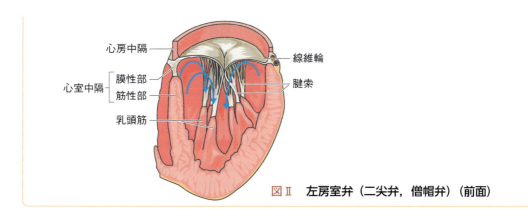

図Ⅱ　左房室弁（二尖弁，僧帽弁）（前面）

3）心臓壁の構造（図6）

- 心臓壁は，**心内膜**・**心筋層**・**心外膜**の3層によって構成されている．

❶ 心内膜：心臓の内面を覆う薄い膜で，単層の内皮細胞と若干の結合組織からなる．心臓の主要な弁は，心内膜がヒダ状に突き出したものである．

❷ 心筋層：心臓壁の主体となる層で，心筋線維からできている．心房では比較的薄い構造をしているが，心室はポンプの役割をもつため厚い．特に左心室は体循環（大循環）にかかわるため，心筋層が非常に発達している．また，心臓の主要な弁の周縁には**線維輪**という非常に発達した結合組織がある（⇨p.245図Ⅱ）．

❸ 心外膜：心臓の表面を覆う層で，表層の漿膜と深層の脂肪を多く含む結合組織からできている．心臓に分布する神経や血管は，心外膜の脂肪の深層に埋まっている．この層は，**漿膜性心膜の臓側板**に相当する．

4）心膜（図6）

- 心臓は大血管の起始部とともに，**心膜**という線維漿膜性の袋によって包まれている．心膜は非常に分厚い構造をしており，外層と内層で構造が異なる．

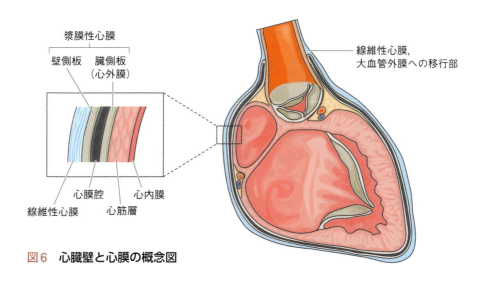

図6　**心臓壁と心膜の概念図**

■1 **外層（線維性心膜）**：非常に丈夫な結合組織の層で，以下の部位と結合している．また，線維性心膜と**漿膜性心膜**の壁側板を合わせて，**心嚢**という．
- 前面では**胸骨心膜靱帯**を介して，胸骨の後面と結合している．
- 下面では横隔膜の**腱中心**（⇨p.222）と，強固に結合している．
- 心臓に出入りする主要な血管の外膜（⇨p.237）に移行している．

■2 **内層（漿膜性心膜）**：**壁側板**と**臓側板**に分かれる．また，その両者に挟まれた空間を**心膜腔**といい，**漿液**という少量の液を含むことによって動きを滑らかにしている．
- ①壁側板：線維性心膜の裏側に密着している部位．線維性心膜と合わせて，**心嚢**という．
- ②臓側板：心臓壁の最外側を覆う部位で，**心外膜**に相当する．

5）刺激伝導系（図7）

- 臓器が正常に働くためには，神経からの刺激を受けて興奮しなければならない．しかし，心臓は自ら周期的に興奮を発生させ，絶えずポンプとして全身に血液を送り続けることができる．この自動性には**洞房結節**，**房室結節**，**His束**，**Purkinje線維**などの**特殊心筋**※がかかわっている．これらの特殊心筋をまとめて**刺激伝導系**という．

※心筋のうち，刺激伝導系にかかわるものを**特殊心筋**，血液の拍出にかかわるものを**固有心筋**という．

■1 **洞房結節（キース-フラック結節，洞結節）**：上大静脈と右心房の境界に位置する特殊心筋．心臓の自動性の源になっていることから，**ペースメーカー（歩調とり）**とよばれる．洞房結節が起こした興奮は，心房の筋の興奮と収縮を引き起こす．

■2 **房室結節（田原結節）**：右心房の心房中隔付近にある特殊心筋で，心房の興奮をHis束へと伝える．

■3 **His束（房室束）**：心室中隔の膜性部（⇨p.245図Ⅱ）にある特殊心筋で，心房の興奮を心室へと伝える．

■4 **右脚・左脚**：心室中隔の筋性部（⇨p.245図Ⅱ）にある特殊心筋で，右心室および左心室のPurkinje線維へ興奮を伝える．

■5 **Purkinje線維**：刺激伝導系の最終的な枝で，右心室および左心室の心臓壁全体に興奮を伝える．

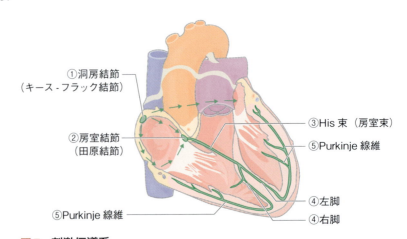

図7 刺激伝導系

> **臨床で重要!**
>
> **心電図**
>
> 刺激伝導系から起こる電気的興奮を，電極をつけて記録したものを**心電図**という．心電図を用いることにより，心房から心室へと興奮が伝わっていく様子を確認することができる．また，心筋梗塞の部位の判定や不整脈の確認などに使用されるため，その理解は臨床場面において非常に重要である．心電図の代表的な波形を以下に示す．
>
> ① **P波**：最初に起こる小さな波形で，<u>心房の興奮（脱分極）を示す</u>．
> ② **PQ間隔**：<u>興奮が房室結節から心室へと伝わる時期</u>（この間隔があることによって，心房と心室は交互に収縮することができる）．
> ③ **QRS群**：P波の後で上下に大きく振れる波形で，<u>心室の興奮（脱分極）を示す</u>．
> ④ **ST部分**：<u>心室全体が興奮（脱分極）している時期</u>．狭心症や心筋梗塞の場合，ST部分の上昇や下降がみられる．
> ⑤ **T波**：<u>心室が興奮から回復する時期（再分極）を示す</u>．
>
>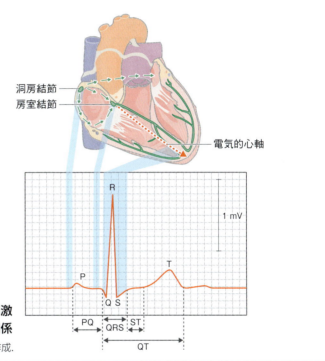
>
> **図　心電図と刺激伝導系の関係**
> 文献12をもとに作成．

6）冠状動脈（冠動脈）（図8A）

- 心臓は常にポンプとして働き続けているため，酸素の需要が非常に高い．そのため，心臓から拍出された血液量（心拍出量）の約5％が心臓自体に供給されている．
- 心臓自体に血液を送る栄養血管※を**冠状動脈**（かんじょうどうみゃく）といい，上行大動脈の起始部にある**Valsalva洞**（バルサルバ）**（大動脈洞）**から以下の2本の枝が起こる（心臓を取り囲む様子が「冠」のように見えたことが語源とされる）．

※臓器自体を栄養する血管を**栄養血管**，臓器が果たす機能のために用いられる血管を**機能血管**という．

❶ 右冠状動脈：右のValsalva洞から起こった後に**冠状溝**（かんじょうこう）（右心房と右心室の間にある溝 ⇨ 図4A）を通過し，心臓の後面へと回り込む枝．その遠位部は**後室間枝**（こうしつかんし）**（後下行枝）**（こうかこうし）となって心尖へと向かう．右心房と右心室に加え，左心室の下部と心室中隔の後1/3を栄養する．

❷ 左冠状動脈：左のValsalva洞から起こった後に，以下の2本の枝に分かれる．左心房と左心室に加え，右心室の一部と心室中隔の前2/3を栄養する．

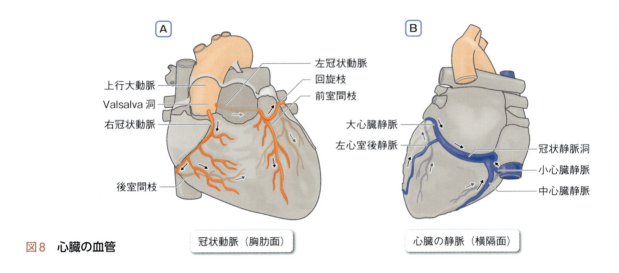

図8 心臓の血管

①**前室間枝（前下行枝）**：左心室の前面を下行する枝．心尖を越えて後面へと枝を伸ばし，**後室間枝**と吻合する．しかし，吻合する枝の太さが十分ではないため，一方の動脈に閉塞が起こると分布域の壊死が起こってしまう（**機能的終動脈**）．
②**回旋枝**：冠状溝（⇨図4B）を通過し，心臓の後面へ回り込む枝．

> **臨床で重要！**
> **虚血性心疾患**
> 冠状動脈の病変によって血流量の減少や制限が起こり，心機能障害を起こす疾患の総称である．主な疾患としては以下の2つがあげられる．
> ①**狭心症**
> 冠状動脈の狭窄や攣縮によって一過性の心筋虚血が起こる疾患である．胸痛とよばれる疼痛・不快感がみられるが，心筋の壊死はみられない．ニトログリセリンの舌下投与により，30秒〜数分で寛解（症状が一時的に軽減した状態）する．
> ②**心筋梗塞**
> 冠状動脈の閉塞によって心筋への血流が途絶え，壊死をきたした状態である．激しい疼痛が突然起こり，30分以上持続する．ニトログリセリンの投与は無効である．

7）心臓の静脈（図8B）

- 心臓壁からの静脈血の約2/3は**冠状静脈洞**から右心房へと注ぎ，残りの約1/3は直接，細い枝から右心房・右心室へと注ぐ．

1 冠状静脈洞（冠静脈洞）：心臓壁の静脈血を右心房へと注ぐ部位で，心臓の後面（冠状溝）に位置している．冠状静脈洞には**大心臓静脈**，**中心臓静脈**，**小心臓静脈**，**左心室後静脈**が流入する．

2 前心臓静脈・細小心臓静脈：いずれの枝も冠状静脈洞を通過せずに直接，右心房・右心室へと注ぐ．

8）心臓の神経支配

- 心臓には交感神経と迷走神経（副交感神経）の枝が分布し，心拍数や心拍出量を調整している．
- 神経の枝は上行大動脈の後面に集まり，**心臓神経叢**を形成している．心臓神経叢にはさらに**上・中・下頸心臓神経**や**胸心臓神経**の枝が加わる．

臨床で重要！ 左心不全と右心不全

心臓のポンプ機能が低下し，全身の組織が必要とする循環血液量を維持できなくなった状態を**心不全**という．心不全は障害される部位により，**左心不全**と**右心不全**に区分される．

①**左心不全**：左心室の収縮力低下によって左心室拍出量が減少し，左心房と肺静脈の圧が上昇する．その結果，以下の症状が起こる．
・肺うっ血，呼吸困難（起坐呼吸※），尿量減少など．

②**右心不全**：右心室の収縮力低下によって右心室拍出量が減少し，右心房と上・下大静脈の圧が上昇する．その結果，以下の症状が起こる．
・浮腫，体重増加，頸静脈の怒張，肝腫大，胸水・腹水など．

※座位よりも臥位で呼吸困難が増加すること（臥位では静水圧によって静脈還流量が増加するため，左心不全の患者では**肺うっ血**が増強する）．

臨床で重要！ 心不全患者の胸部X線画像所見

心不全患者の胸部X線画像所見では，以下のような特徴がみられる．

①**心胸郭比**（cardiothoracic ratio：CTR）の増加
　心臓と胸郭の横径の比率を％で示したものを**心胸郭比**という．心胸郭比が50％以上の場合，**心拡大**と判断される．

②**肋骨横隔膜角**（costo-phrenic angle：C-Pアングル）の鈍化
　肋骨と横隔膜がなす角を**肋骨横隔膜角**という．正常では鋭角であるが，胸水の貯留があった場合には鈍化を認める．

正常な胸部X線画像

心不全患者の胸部X線画像

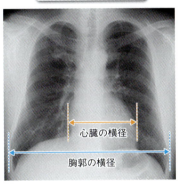
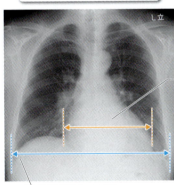

心臓の横径
胸郭の横径
心拡大（心胸郭比50％以上）
肋骨横隔膜角の鈍化

図 正常と心不全患者の胸部X線画像
右写真は，中嶋正貴，北井 豪：レジデントノート Vol.18 No.10, p1841, 羊土社, 2016 より引用．

4 全身の動脈（図9）

- 心臓から出た**大動脈**は，上行大動脈，大動脈弓，胸大動脈，腹大動脈の4つの部位に区分される．

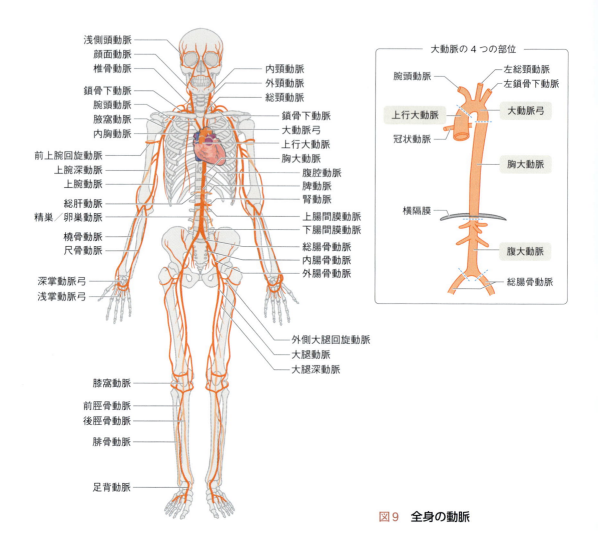

図9 全身の動脈

1）上行大動脈

- 左心室から出て心膜腔を上行する部位．その起始部の膨らみ〔Valsalva洞（大動脈洞）〕から，左右の**冠状動脈**が起こる（⇨図8A）．上行大動脈は左心室の収縮期に血液が送られるが，冠状動脈には拡張期に血液が流入する（図10）．

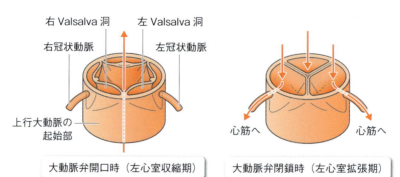

図10 Valsalva洞と冠状動脈

2）大動脈弓

- 大動脈が心嚢から出た後に，左後方に大きくカーブした部位（⇨図4A）．ここから**腕頭動脈**，**左総頸動脈**，**左鎖骨下動脈**が分岐する．

1 腕頭動脈：大動脈弓から最初に起こる枝で，**右総頸動脈**と**右鎖骨下動脈**に分かれる（<u>腕頭動脈は右側にしかみられない</u>）．

2 左・右総頸動脈：総頸動脈は上行した後に，舌骨の高さで**内頸動脈**と**外頸動脈**に分かれる．また，総頸動脈は内頸静脈・迷走神経とともに**頸動脈鞘**によって包まれており，胸鎖乳突筋の内縁で触知が可能である．

①**内頸動脈**：外頸動脈の後方を上行する動脈で，途中では枝を出さずに頭蓋腔へ入る．頭蓋腔に入った後に**眼動脈**を分岐し，その遠位部で**前大脳動脈**と**中大脳動脈**に分かれる．

②**外頸動脈**：内頸動脈の前方を上行する動脈で，頸部と顔面に以下の枝を出す（図11）．

- **上甲状腺動脈**：外頸動脈の最初に分岐する枝．
- **舌動脈**：舌骨の高さで起こり，舌に分布する枝．
- **顔面動脈**：下顎角の高さで分岐する枝．
- **上行咽頭動脈**：咽頭の外側を上行する枝で，咽頭・口蓋扁桃・軟口蓋・耳管に分布している．
- **後頭動脈**：後頭部と頭頂部に分布する枝．
- **後耳介動脈**：耳介の後方に分布する枝．
- **浅側頭動脈**：側頭部に分布する枝で，外耳孔の前方で触知が可能である．
- **顎動脈**：下顎頸の後方から起こり，下歯槽動脈などの枝を分岐する．

3 左・右鎖骨下動脈：⇨p.99

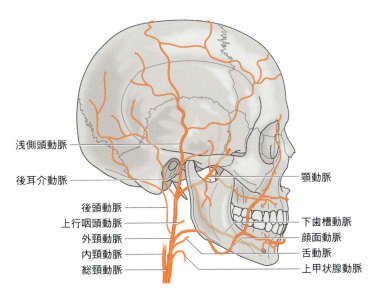

図11　**外頸動脈の枝**

国試のPoint 頸動脈小体と頸動脈洞

総頸動脈の分岐部付近には**化学受容器**と**圧受容器**が存在する.

① **頸動脈小体**：内頸動脈と外頸動脈の分岐部にある**化学受容器**で，血中の動脈血酸素分圧（PaO_2）を感知する. **舌咽神経**を介して延髄の**孤束核**に情報を伝え，呼吸を促進させる. また，大動脈壁や肺動脈壁に存在する**大動脈小体**も**迷走神経**を介して化学受容器として働くが，その作用は頸動脈小体よりも弱い.

② **頸動脈洞**：内頸動脈の起始部付近の膨らんだ部位で，**圧受容器**としての作用をもつ. 血圧上昇に伴う動脈壁の伸展によって興奮し，**舌咽神経**の働きを促進させる（圧受容器は**大動脈弓**にも存在し，**迷走神経**を介して作用する）. この働きによって血管の拡張と心拍出量の低下が起こり，血圧が低下する（**減圧反射**）. また，血圧が低下した場合には逆の反応が起こり，血圧を上昇させる（**昇圧反射**）.

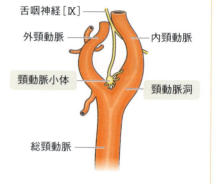

図　頸動脈小体と頸動脈洞

臨床で重要！ 大脳動脈輪（Willis（ウィリス）の動脈輪）

脳の血液は，左右の内頸動脈と椎骨動脈（⇒p.99）の計4本によって供給されている. 4本の枝は脳の底部で吻合し，大脳動脈輪（Willisの動脈輪）を形成している.

① **前大脳動脈**：内頸動脈から分岐する枝で，前頭葉・頭頂葉の内側面に分布する.
② **中大脳動脈**：内頸動脈から分岐する枝で，大脳半球の外表面に分布する.
③ **脳底動脈**：左右の椎骨動脈が3本の枝（**前脊髄動脈**・**後脊髄動脈**・**後下小脳動脈**）を出した後に合流し，形成される動脈. **前下小脳動脈**・**橋動脈**・**上小脳動脈**を分枝しながら上行し，左右の**後大脳動脈**（大脳半球の下面と後頭葉に分布）に分かれる.
④ **前交通動脈**：左右の前大脳動脈の間をつなぐ動脈.
⑤ **後交通動脈**：後大脳動脈と内頸動脈の間をつなぐ動脈.

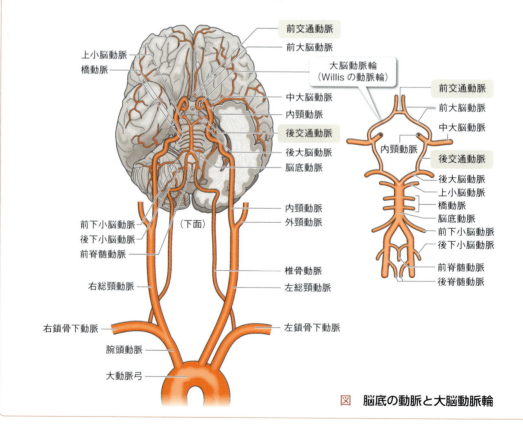

図　脳底の動脈と大脳動脈輪

MRアンギオグラフィー（MRA）
核磁気共鳴画像法（magnetic resonance imaging：MRI）の手法を用いて，脳の動脈を非侵襲的に撮影する方法を**MRアンギオグラフィー**（magnetic resonance angiography：MRA）という．正常画像では図Aのように描出されるのに対し，脳梗塞患者の例では図Bのように描出される．

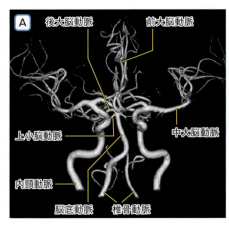
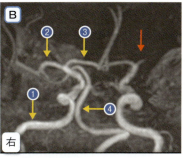

図　MRアンギオグラフィー（MRA）
A）正常画像（Willisの動脈輪），B）左脳梗塞例．左中大脳動脈は起始部から閉塞している（→）．写真Aは『脳神経ペディア』（渡辺雅彦／著），p235，羊土社，2017より，写真Bは『リハビリテーション医学』（安保雅博／監，渡邉 修，松田雅弘／編），p120，羊土社，2018より引用．

3）胸大動脈

- 大動脈弓の延長の部分で，横隔膜の大動脈裂孔（⇨p.222）の手前まで続く（大動脈裂孔を通過すると，**腹大動脈**となる）．その過程で以下の枝を分岐する．

❶ 肋間動脈：左右11対の動脈で，第3〜11肋間隙は**肋間動脈**，第1・2肋間隙は**最上肋間動脈**，第12肋骨の下縁は**肋下動脈**が分布する（最上肋間動脈は，鎖骨下動脈から起こる）．

❷ 気管支動脈：気管支と肺の栄養血管として分布する．

❸ 食道動脈：4〜5本の枝として起こり，食道の前で動脈網を形成する．

❹ 上横隔動脈：横隔膜の上面に分布する．

4）腹大動脈

- 胸大動脈の延長の部分で，第4腰椎の下縁の高さで左右の**総腸骨動脈**に分かれる．消化器系や泌尿器系・生殖器系，腹部体壁に対して以下の枝を出す．

❶ 腹腔動脈※：横隔膜の大動脈裂孔のすぐ下の高さから起こる枝で，**左胃動脈・脾動脈・総肝動脈**に分かれる．

❷ 上腸間膜動脈※：腹腔動脈の1〜2 cm下方から起こり，**下膵十二指腸動脈・中結腸動脈・右結腸動脈・回結腸動脈**に分かれる．

❸ 下腸間膜動脈※：第3腰椎の高さから起こり，**左結腸動脈・S状結腸動脈・上直腸動脈**に分かれる．

4 **腎動脈**：⇨p.319

5 **精巣・卵巣動脈**：左右一対の動脈で，精巣動脈は男性の精巣・精巣上体，卵巣動脈は女性の卵巣・卵管に分布する．

※腹大動脈の前方から起こる，不対の動脈．

5）総腸骨動脈

- 腹大動脈は第4腰椎の高さで左右の**総腸骨動脈**に分かれる．また，その分岐部からは**正中仙骨動脈**が起こる．総腸骨動脈は以下に分かれる．

1 **内腸骨動脈**：骨盤壁と骨盤内臓に血液を送る動脈で，以下の枝を分岐する．
  ① 壁側枝（骨盤壁・殿部に分布する枝）：腸腰動脈，外側仙骨動脈，上殿動脈，下殿動脈，閉鎖動脈
  ② 臓側枝（骨盤内臓に分布する枝）：臍動脈，上膀胱動脈，精管動脈（男），下膀胱動脈，腟動脈（女），子宮動脈（女），中直腸動脈，内陰部動脈，下直腸動脈，会陰動脈

2 **外腸骨動脈**：外腸骨動脈の下端からは**深腸骨回旋動脈**と**下腹壁動脈**，大腿動脈の起始部周辺からは**浅・深外陰部動脈**がそれぞれ分岐する．また，外腸骨動脈は鼠径靱帯の下の血管裂孔を通過した後に**大腿動脈**（⇨p.167）となる．

5 全身の静脈 (図12)

1）主な静脈

- 大半の静脈は同名の動脈と伴行しており，動脈と同じ名称が与えられている．また，太い部位では動脈に対して1本の静脈が伴行するが，中程度以下の太さの部位では複数本の静脈が伴行している．
- 上半身の静脈血は**上大静脈**に，下半身の静脈血は**下大静脈**によって心臓へと戻る．また，**冠状静脈洞**は直接，右心房へと注ぐ．

1 **上大静脈**：上半身の静脈血を集める静脈で，**腕頭静脈**[※1]・**肋間静脈**・**奇静脈**[※2]などが流入する．

※1 **内頸静脈**と**鎖骨下静脈**が合流した枝．腕頭動脈は右側しかないが，腕頭静脈は左右一対に存在する．
※2 奇静脈は例外的に心臓より下方の胸腹部の静脈血を，上大静脈へと運ぶ．

2 **下大静脈**：下半身の静脈血を集める静脈で，**総腸骨静脈・腰静脈・腎静脈・3本の肝静脈**が流入する．

3 **冠状静脈洞**：⇨p.248

2）その他の静脈

1 **脳の静脈**：脳の静脈血は表面に分布する静脈を経て，**硬膜静脈洞**へ流入する．硬膜静脈洞は硬膜の外板と内板の間を走行し，最終的には**内頸静脈**へと注ぐ．硬膜静脈洞は以下の5つの部位からなる（図13）．

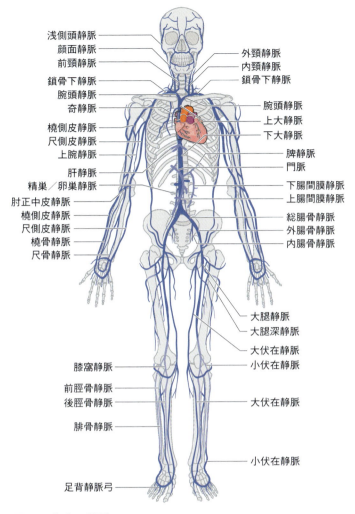

図12　全身の静脈

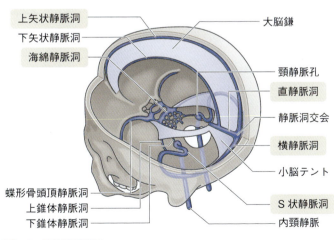

図13　硬膜静脈洞

①上矢状静脈洞：**大脳鎌**（⇨p.344）の上縁に沿って後方へと走行し，**静脈洞交会**※に達する．
②直静脈洞：**下矢状静脈洞**と**大大脳静脈**が合流して形成される．下後方へと走行し，**静脈洞交会**に達する．
③横静脈洞：**静脈洞交会**から起こって左右へと走行し，S状静脈洞となる．
④S状静脈洞：後頭蓋窩をS字状に走行し，頸静脈孔を通過した後に**内頸静脈**へと流入する．
⑤海綿静脈洞：トルコ鞍（⇨p.175）の両側と蝶形骨の外側に位置する静脈叢で，その左右は**海綿間静脈洞**によって連絡をもつ．前方では上眼静脈を介して**顔面静脈**や**翼突筋静脈叢**と交通し，後方では**下垂体静脈洞**を介して内頸静脈へと流入する（その他に**上錐体静脈洞**，**脳底静脈洞**とも連絡をもつ）．

※上矢状静脈洞・直静脈洞・横静脈洞の合流・分岐部を**静脈洞交会**という．

2 奇静脈系：脊柱の両側を上行して**上大静脈**へと注ぐ静脈系で，体壁からの静脈血を集める（心臓より下方の胸腹部の静脈血を下大静脈ではなく，上大静脈へと戻す経路であることに注意）．奇静脈系は非常に変異に富むが，**奇静脈・半奇静脈・副半奇静脈**によって形成されている（図14）．

①奇静脈：主に第1・2腰椎の高さから起こって脊柱の右側を上行し，横隔膜の**大動脈裂孔**（⇨p.222）を通過して胸部へと入る．その後に**半奇静脈**と**副半奇静脈**が合流し，上大静脈へと流入する．
②半奇静脈：通常，左の上行腰静脈と肋下静脈が合流して起こることが多いが，個体差が著しい．脊柱の左側を上行し，横隔膜の左脚（もしくは大動脈裂孔）を通過して胸部へと入る．その後，第9胸椎の高さで奇静脈へと流入する．
③副半奇静脈：後縦隔の上部から起こって脊柱の左側を下行し，第8胸椎の高さで奇静脈へと流入する．

3 門脈系：⇨p.294

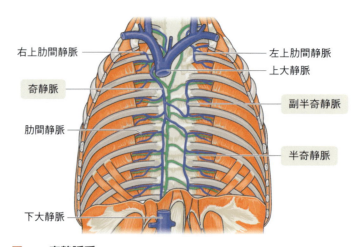

図14 **奇静脈系**

国家試験練習問題

問1 心臓について正しいのはどれか．2つ選べ．[第57回AM問56]

① 右房室弁は三尖弁である．
② 冠静脈洞は左心房に開口する．
③ 大動脈弁には腱索が付着する．
④ Valsalva洞は肺動脈の起始部に位置する．
⑤ 左冠動脈は心室中隔前方2/3に血液を送る．

問2 動脈と脈拍の触知部位との組合せで正しいのはどれか．[第53回PM問60]

① 浅側頭動脈 —— 外耳孔の後方
② 総頸動脈 —— 胸鎖乳突筋の外縁
③ 上腕動脈 —— 上腕遠位部の上腕二頭筋腱の外側
④ 大腿動脈 —— 鼠径部の腸腰筋の外側
⑤ 足背動脈 —— 足背の長母指伸筋腱と長指伸筋腱の間

問3 大動脈弓から直接分枝するのはどれか．2つ選べ．[第58回AM問54]

① 腕頭動脈
② 右鎖骨下動脈
③ 左鎖骨下動脈
④ 右椎骨動脈
⑤ 左椎骨動脈

問4 リンパ系について正しいのはどれか．2つ選べ．[第53回AM問57]

① 脾臓はリンパ液を濾過する．
② 胸管は右鎖骨下静脈に流入する．
③ 腸管由来のリンパ液を乳糜という．
④ リンパ管には弁機構が存在しない．
⑤ 右下肢のリンパ液は胸管に流入する．

問5 心臓の刺激伝導系でないのはどれか．[第54回PM問63]

① 固有心筋
② 洞房結節
③ Purkinje線維
④ 房室結節
⑤ 房室束

第6章 呼吸器系

学習のポイント

- 鼻腔・咽頭・喉頭の位置関係と構造を理解する
- 気管の分岐部の特徴ならびに，その枝の名称を説明することができる
- 肺の構造の特徴と，その左右差を理解する
- 呼吸筋（吸気筋，呼気筋，補助呼吸筋）と各呼吸運動の関係を理解する
- 肺気量分画について図示し，説明することができる

- **呼吸器系**は空気と血液の間で**ガス交換**（酸素と二酸化炭素の交換）を行う器官系で，吸気でO_2（酸素）を血液中に取り込み，呼気でCO_2（二酸化炭素）を大気中に放出する役割をもつ．
- 呼吸器系は**気道**（空気を取り入れて運ぶ通路）と**肺**から構成されている．また，気道は鼻腔から喉頭までの**上気道**と，気管から下の**下気道**に分かれる（図1）．

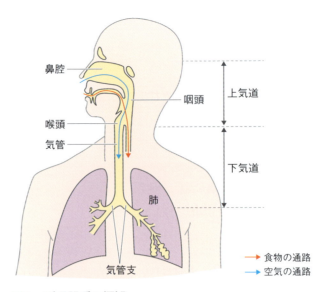

図1 呼吸器系の概観

1 鼻

- 顔の中央部にある器官で，呼吸器系の入り口であるとともに嗅覚の感覚器としても働く．**外鼻**と**鼻腔**に分けられる．

1）外鼻

- 顔の中央にある突き出た部分で，鼻腔の前壁をなす．さらに以下の4部に分かれる．
1. **鼻根**：左右の目の間にある，最も高い部位．
2. **鼻背**：鼻根の下方に伸びる部位．
3. **鼻尖**：鼻背の下端で，鼻の先端部．
4. **鼻翼**：鼻の下方の外側にある部位で，左右の**外鼻孔**を覆っている．

2）鼻腔（図2）

- 顔面の骨の中にある左右一対の空洞で，吸い込んだ空気の加温・加湿などを行う役割をもつ．
1. **外鼻孔**：いわゆる「鼻の穴」に相当する部位で鼻腔の前面に位置し，外界とつながる入り口となっている．また，外鼻孔の周辺の粘膜は**キーセルバッハ部位**とよばれ，鼻出血を起こしやすい．
2. **後鼻孔**：鼻腔の後方にあり，咽頭へとつながっている．
3. **鼻中隔**：鼻腔を左右に分ける部位（⇨7章図11）．
4. **上・中・下鼻甲介**：鼻腔の側壁から突き出た3段の棚のような形状の部位で，**上・中鼻甲介**は篩骨の一部であるのに対し，**下鼻甲介**は独立した骨である．各段の鼻甲介の下方は**上・中・下鼻道**となり，鼻腔を区分している．また，鼻中隔と上・中・下鼻甲介の間にある共通の通路を，**総鼻道**という．
5. **鼻前庭**：外鼻孔のすぐ近くの部位で重層扁平上皮に覆われ，鼻毛が生えている．
6. **嗅上皮**：鼻中隔の上部にあり，嗅覚を受容して脳に伝える．また，嗅上皮が位置する領域を**嗅部**ともいう．

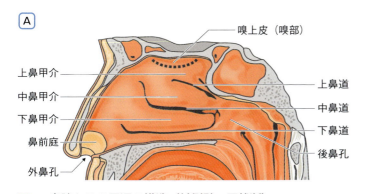
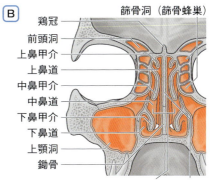

図2 鼻腔とその周辺の構造（外側壁，冠状断）

2 副鼻腔（図3）

- 15種23個の頭蓋骨のうち，前頭骨・篩骨・蝶形骨・上顎骨の4種は内部に空洞をもち，鼻腔と交通している．この空洞は**副鼻腔**とよばれ，頭蓋骨の軽量化や発声の共鳴腔などの役割をもつ．また，副鼻腔の粘膜に起こる急性・慢性炎症は**副鼻腔炎**とよばれ，内部に膿汁が溜まった状態を**蓄膿**という．

1 前頭洞：前頭骨の中にある副鼻腔で，大きさの左右差・個体差が非常に大きい．鼻腔の**中鼻道**に開口している．

2 篩骨洞（篩骨蜂巣）：篩骨の中にある副鼻腔で，多数の小さな含気腔が集合した形状をしている．鼻腔の**上鼻道**と**中鼻道**に開口している．

3 蝶形骨洞：蝶形骨の中にある副鼻腔で，左右の大翼・小翼へと広がっている．**蝶篩陥凹**（上鼻甲介の上方にあるくぼみ）に開口している．

4 上顎洞：上顎骨の中にある副鼻腔で，4種のうち最も大きい．鼻腔の**中鼻道**に開口している．

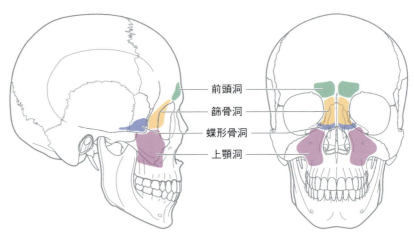

図3　副鼻腔（外側面，前面）

3 咽頭

⇨7章 **6**（p.282）参照．

4 喉頭

- 軟骨によって囲まれた管状の器官で，咽頭の前方に位置している．上方では咽頭，下方では気管とつながっている（咽頭の「咽」も喉頭の「喉」も訓読みで「のど」と読むが，一般的にいう「のど」の領域に位置しているのは喉頭である）．

1) 喉頭の軟骨（図4）

- 喉頭は以下の軟骨によって構成されている．

1 甲状軟骨：喉頭の軟骨のなかで最も大きく，喉頭の前外側を構成する．甲状軟骨には，以下の部位がある．

①**喉頭隆起**：甲状軟骨の正中部にある突出した部分で，いわゆる「のどぼとけ」に相当する．通称，「アダムの林檎」ともよばれる．

②**上角**：甲状軟骨の後縁が上方に伸び出た部位で，**外側甲状舌骨靱帯**によって舌骨の**大角**とつながっている．

③**下角**：甲状軟骨の後縁が下方に伸び出た部位で，輪状軟骨との間に**輪状甲状関節**を形成する．

④**斜線**：甲状軟骨の外側面にある斜めに盛り上がった部位で，**胸骨甲状筋・甲状舌骨筋・下咽頭収縮筋**が付着する．

2 輪状軟骨：甲状軟骨や披裂軟骨と関節する輪状の軟骨で，下方にはU字状の**気管軟骨**が続く．

3 披裂軟骨：輪状軟骨の上に載る小さい三角形の軟骨で，左右一対みられる．披裂軟骨には，以下の部位がある．

①**披裂軟骨尖**：披裂軟骨の上端にあり，**小角軟骨**（円錐状の軟骨）を支え，**披裂喉頭蓋ヒダ**（喉頭口の外側縁のヒダ ⇨図5C）に付着する．

②**披裂軟骨底**：披裂軟骨の下面部で，**輪状軟骨板**との関節面をもつ．

③**筋突起**：披裂軟骨の下外側面にある突起部で，**後・外側輪状披裂筋**が停止している（⇨図5B）．

④**声帯突起**：披裂軟骨の下前端にある突起部で，**声帯靱帯**が付着している．

4 喉頭蓋軟骨：木の葉のような形状をした軟骨で，**甲状喉頭蓋靱帯**によって甲状軟骨の後面に付着している．

5 小角軟骨：披裂軟骨尖の上部にある，円錐状の小さな軟骨．

6 楔状軟骨：小角軟骨の前方にある，披裂喉頭蓋ヒダの内部にある小さい軟骨（⇨図5C）．

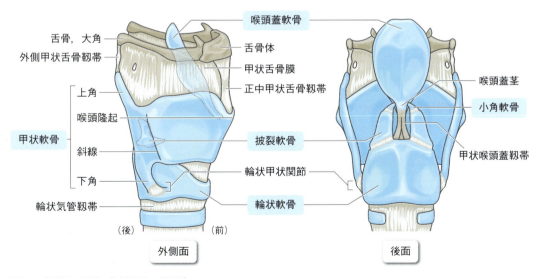

図4　喉頭の骨格（外側面，後面）

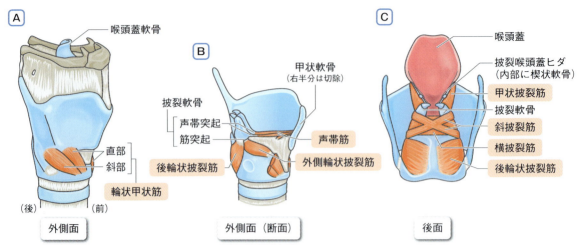

図5 喉頭の筋（外側面，後面）
Bは甲状軟骨の右半分と喉頭蓋軟骨を除いている．

2）喉頭の筋（図5）

- 喉頭の中には7つの固有の筋がある．いずれも迷走神経の枝※によって支配される．
  ※迷走神経の枝のうち，輪状甲状筋のみが上喉頭神経の外枝に支配される．その他の筋には反回神経の終枝（下喉頭神経）が分布している．

❶ 輪状甲状筋：喉頭の前外側にある筋で，**直部**と**斜部**に分かれる．臨床上，**前筋**ともよばれる．

❷ 後輪状披裂筋：輪状軟骨の後面から起始し，披裂軟骨の筋突起に停止する．臨床上，**後筋**ともよばれる．

❸ 外側輪状披裂筋：輪状軟骨の内上面から起始し，披裂軟骨の筋突起に停止する．臨床上，**側筋**ともよばれる．

❹ 横披裂筋：喉頭の内面に位置し，左右の披裂軟骨をつなぐ．臨床上，**横筋**ともよばれる．

❺ 斜披裂筋：披裂軟骨の筋突起から起始して斜め上方に走行し，反対側の披裂軟骨尖との間を斜めに結ぶ．横披裂筋と同様に**横筋**ともよばれる．

❻ 甲状披裂筋：甲状軟骨の後面の正中から起始し，披裂軟骨の前外側面と披裂喉頭蓋ヒダに停止する．臨床上，**内筋**ともよばれる．

❼ 声帯筋：披裂軟骨の声帯突起から起始し，声帯靱帯と甲状軟骨に停止する．声帯靱帯の緊張を変え，声の高さを調節する役割をもつ．

3）喉頭腔（図6）

- 喉頭口（舌根下部の高さで咽頭の前壁に開く部位）から輪状軟骨の下縁までの領域を**喉頭腔**という．喉頭腔は**前庭ヒダ**と**声帯ヒダ**によって，以下の3部に分かれる．

❶ 喉頭前庭：喉頭口から前庭ヒダまでの領域で，左右の前庭ヒダの間にある隙間を**前庭裂**という．

❷ 喉頭室：前庭ヒダから声帯ヒダまでの領域．

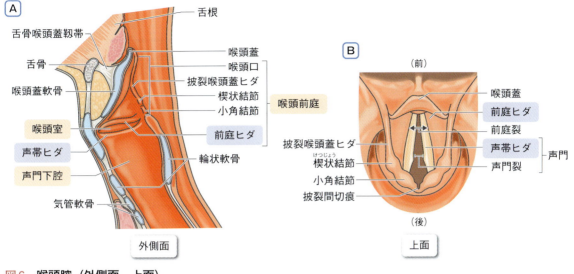

図6 喉頭腔（外側面，上面）

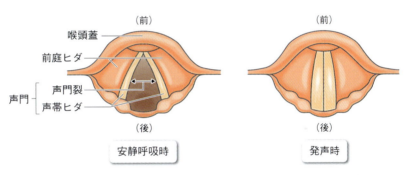

図7 声帯（安静呼吸時，発声時）

3 声門下腔：声帯ヒダから輪状軟骨の下縁までの領域で，気管につながっている．また，左右の声帯ヒダの間の隙間を**声門裂**という．声帯ヒダと声門裂を合わせて**声門**とよび，この部位で音声が発生する（図7）．

> **臨床で重要！ 発声と構音のしくみ**
>
> 「声を出す」という行為は，**発声**と**構音**の2つの過程によって行われる．
>
> ① 発声
> 　音声をつくる活動の第一段階であり，**喉頭**によって行われる．呼気のエネルギーを使って声帯を振動させ，さまざまな高さや強さの声を生成する．
>
> ② 構音
> 　喉頭の声帯によってつくられた声を，会話に用いる音声に仕上げる過程を**構音**という．舌・上顎と下顎の歯列・口唇・軟口蓋を動かして口腔と咽頭の形状を変え，そこに呼気を通すことによってさまざまな母音・子音をつくり出す（口唇を閉じて鼻腔から呼気を出すと，構音が行われないため「うなり声」となってしまう）．

5 気管と気管支

- 気道の構造のうち、左右に枝分かれするまでの部位を**気管**、肺の中でいくつにも枝分かれする部位を**気管支**という（図8）。
- 気管と気管支の内表面は**多列線毛上皮**（⇒p.369）によって覆われ、その壁は**平滑筋**と**気管軟骨**によって構成されている（気管の後面と細気管支・終末細気管支・呼吸細気管支は軟骨に覆われていない）。

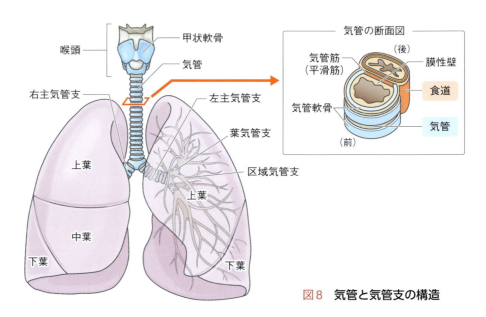

図8　気管と気管支の構造

1）気管

- 長さ約10 cm、直径約2 cmの管状の器官で、第6頸椎の高さから始まって、第4・5胸椎の高さで左右の**主気管支**に分かれる。気管の前面と側面は15〜20個の**気管軟骨**というU字状の軟骨によって覆われている。気管の後面は平滑筋を含む膜でできており、**膜性壁**とよばれる（図8）。
- 気管の前方には**甲状腺**（⇒p.307）が、後方には**食道**（⇒p.285）が位置している。体表からは頸切痕（胸骨柄の上縁）の高さで容易に触知することができるので、確認してみるとよい。

2）気管支

- 気管は第4・5胸椎の高さで左・右主気管支となり、さらに以下の枝に分かれる（図9）。

❶ 左・右主気管支：気管が左右に分かれた直後の枝で、肺門を通って肺に入る。左と比べて右は太くて短く、傾斜が急である。そのため、誤って気管に入った異物は右主気管支を通って右肺に侵入してしまうことがある（**誤嚥性肺炎**の原因となる）。

❷ 左・右葉気管支：左・右主気管支が、肺門を通って肺に入った後に枝分かれしたもの。左は2本、右は3本の葉気管支に分かれる（肺の葉の数に対応している）。

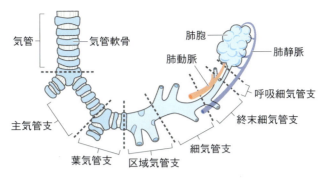

図9　気管の分岐と名称の模式図
細気管支から先には，軟骨はみられない．文献 21 をもとに作成．

❸ **区域気管支**：各肺区域に対応して分布する気管支．

❹ **細気管支**：直径 1～2 mm の気管支で，軟骨はみられない．

❺ **終末細気管支**：細気管支と呼吸細気管支の間の領域．
　※「終末」とあるが，延長に呼吸細気管支があることに注意．

❻ **呼吸細気管支**：細気管支の末端部で，**肺胞**（ガス交換を行う袋状の構造物）を備える．

臨床で重要！

慢性閉塞性肺疾患（COPD）

慢性閉塞性肺疾患（COPD：chronic obstructive pulmonary disease）は喫煙などによって有害物質を長期間にわたって吸入することによって起こる肺の炎症性疾患で，**慢性気管支炎**，**肺気腫**，または両者の合併によって引き起こされる**閉塞性換気障害**を特徴とする．

①慢性気管支炎
　気道の慢性炎症によって気道分泌が亢進し，慢性的に気道閉塞を認める疾患．

②肺気腫
　肺胞壁の破壊によって末梢の肺胞壁が異常に拡大し，肺が過膨張となる疾患．

【COPD患者の呼吸を模擬体験してみよう】
　大きく吸気を行った後に息を止め，その胸の状態（肺気量を変えずに）で呼吸をしてみよう．非常に息苦しく，労作時にも影響が出ることが体験できる．この呼吸は，肺の過膨張などが起こるCOPD患者の呼吸の状態に近いことを覚えておこう．

吸気前

吸気後

気管支の分岐部

気管が左右の主気管支に分かれる部位については例年，国家試験に出題される．分岐の高さや角度について整理して覚えよう．

気管の高さ	第6頸椎から始まり，第4・5胸椎の高さで分岐する
分岐の角度	右側が約25°，左側が約45°（合計約70°）
気管支の太さと長さ	右側が左側より太くて短い（左側は右側より細くて長い）
誤嚥性肺炎	右側の気管支が太くて角度が急なため，右肺で起こりやすい
葉気管支の数	右が3本，左が2本（右が3葉，左が2葉のため）

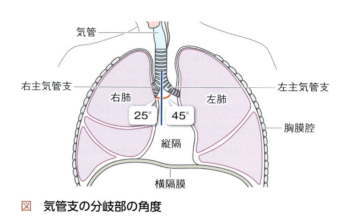

図 気管支の分岐部の角度

6 肺

- 呼吸器系の中心的な器官であり，胸腔の左右の大部分を占める．**右肺は上葉・中葉・下葉の3部**に，**左肺は上葉・下葉の2部**に分かれている（⇨図8）．
- ヒトには直径約200〜250μmの**肺胞**が，左右の肺を合わせて約3億個も存在している．また，その表面積は約150 m²にも及ぶ．
- 左右の肺葉は区域気管支に対応して，いくつかの**肺区域**（肺の肉眼的な構成単位）に分かれる（図10，表1，2）．肺区域は右肺では10区域に，左肺では8〜9区域に分かれる（左肺ではS1とS2がしばしば重複し，S7が欠番として扱われるため区域数が少ない）．

1）肺の外形

1. **肺尖**：肺の上端にある細い部位で，鎖骨の上に2 cmほど突き出ている．
2. **肺底**：肺の下端にある広がった部位で，横隔膜に接している．
3. **肺門**：肺の内側中央にある部位で，主気管支や肺動静脈，気管支動静脈，神経，リンパ管などが出入りする．

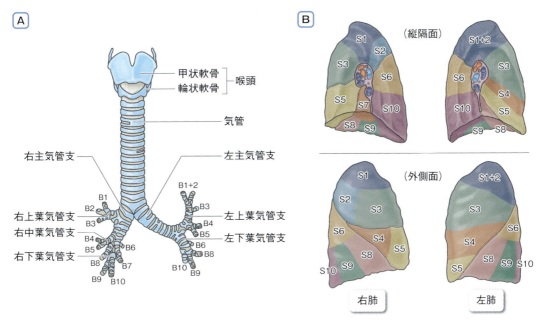

図10　気管支枝（A）と肺区域（B）

表1　右肺の区域気管支と肺区域

区域気管支		肺区域	
右上葉気管支	肺尖枝　B1	右上葉	肺尖区　S1
	後上葉枝　B2		後上葉区　S2
	前上葉枝　B3		前上葉区　S3
右中葉気管支	外側中葉枝　B4	右中葉	外側中葉区　S4
	内側中葉枝　B5		内側中葉区　S5
右下葉気管支	上-下葉枝　B6	右下葉	上-下葉区　S6
	内側肺底枝　B7		内側肺底区　S7
	前肺底枝　B8		前肺底区　S8
	外側肺底枝　B9		外側肺底区　S9
	後肺底枝　B10		後肺底区　S10

表2　左肺の区域気管支と肺区域

区域気管支		肺区域	
左上葉気管支	肺尖後枝　B1+2	左上葉	肺尖後区　S1+2
	前上葉枝　B3		前上葉区　S3
	上舌枝　B4		上舌区　S4
	下舌枝　B5		下舌区　S5
左下葉気管支	上-下葉枝　B6	左下葉	上-下葉区　S6
	前肺底枝　B8		前肺底区　S8
	外側肺底枝　B9		外側肺底区　S9
	後肺底枝　B10		後肺底区　S10

2）右肺（図11）

● 右肺は**上・中・下葉**の3葉に分かれており，さらに区域気管支の枝に対応して10の肺区域に区分される．また，各葉の間には臓側胸膜が入り込んでおり，2つの**裂**をつくっている．

1 斜裂：上・中葉と下葉との間にある裂．

2 水平裂：上葉と中葉との間にある裂で，右肺にしか存在しない．

3 心圧痕：右肺の内側・前下部にある，心臓と接する部分．

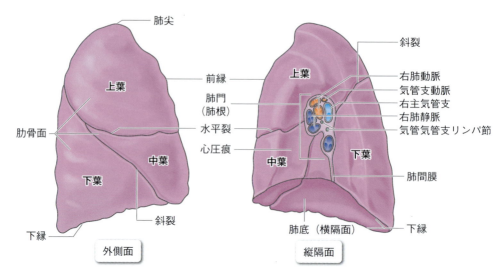

図11 右肺（外側面，縦隔面）

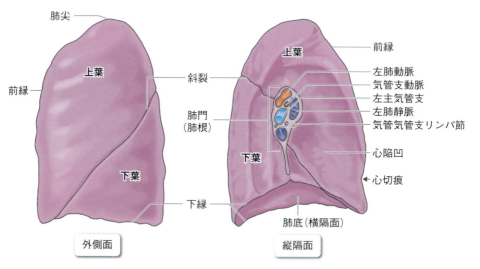

図12 左肺（外側面，縦隔面）

3）左肺（図12）

- 左肺は**上・下葉**の2葉に分かれており，8～9の肺区域に区分される（左では7がなく，しばしば1・2の重複がみられる）．

1 斜裂：上葉と下葉との間にある裂（左肺には，裂は1つしかない）．

2 心陥凹：左肺の内側・前下部にある，心臓と接する大きなくぼみ．

3 心切痕：左肺の前縁・下部にあるくぼみで，心臓の心尖部に対応した形状になっている．

4）胸膜

1 胸膜：胸腔内を覆う薄い漿膜を**胸膜**という．胸膜は**臓側胸膜（肺胸膜）**と**壁側胸膜**に分かれ

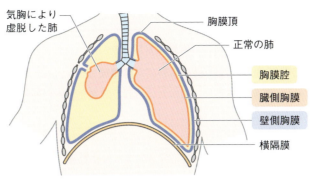

図13 臓側・壁側胸膜と気胸

る（図13）．2つの胸膜は肺門のところで折れ曲がり，連続している．また，2つの胸膜の間の領域を**胸膜腔**といい，正常では約5 mLの漿液が入っている．

① 臓側胸膜（肺胸膜）：気管支や肺動静脈が出入りする肺門部を除き，肺の表面を覆っている．
② 壁側胸膜：胸壁の内面を覆っている．

> **臨床で重要！**
> **胸膜の疾患**
> ① 胸水
>   胸膜炎やうっ血性心不全などにより，胸膜腔内に過剰に漿液が貯留した状態を**胸水**という．呼吸器系疾患の約4％に合併し，胸部圧迫感や呼吸困難などの臨床症状が起こる．
> ② 気胸
>   肺胞の壁には弾性組織があるため，肺の組織は常に縮もうとしている（肺は自ら膨らんでいるわけではない）．胸膜腔は外界よりも陰圧になっているため，壁側胸膜と臓側胸膜は密着し，呼吸時に離れることはない．しかし胸壁と壁側胸膜が傷ついて胸膜腔内に空気が入ると，肺が縮んでしまう．この病態を**気胸**という（図13左）．

2 胸膜洞：胸膜腔は常に肺が全体を占めているのではなく，吸気時に肺が拡張できるように前方と下方に空間をもっている．この空間は**胸膜洞**とよばれ，さらに2つの領域に分かれる（図14）．
① 肋骨横隔洞：下方に位置する最大の胸膜洞で，胸膜の肋骨部と横隔膜の下降面の間にある．
② 肋骨縦隔洞：前方に位置する胸膜洞で，胸膜の肋骨部と縦隔部の間にある．

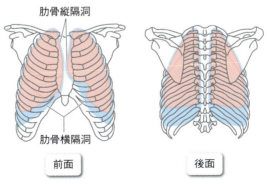

図14 胸膜洞（前面，後面）

5）肺の血管（図15）

- 肺の血管は**機能血管**と**栄養血管**に分かれる．

1 肺の機能血管：肺の機能血管は，**肺循環**（⇨p.236）にかかわる．肺循環では，静脈血が右心室から**肺動脈**によって肺へと送られ，酸素を含んだ動脈血として**肺静脈**によって左心房へと戻る．

①肺動脈
　▶肺動脈幹：肺動脈は右心室から1本の**肺動脈幹**として出た後に，左右の**肺動脈**に分岐する．
　▶左・右肺動脈：左右それぞれの**肺門**に入った後に，気管支とともに分岐する．

②肺静脈
　▶左・右肺静脈：左右とも，上下2本の肺静脈として肺門から出る．合計4本の肺静脈がそれぞれ，左心房へ流入する．

2 肺の栄養血管：肺の組織を栄養する血管は，**気管支動脈**と**気管支静脈**がある．

①左・右気管支動脈：肺門から入った後に気管支とともに分岐する．**気管支とその周囲の組織，臓側胸膜**を栄養する．

②左・右気管支静脈：肺門から出た後に，**奇静脈系**（⇨p.256）へと注ぐ．

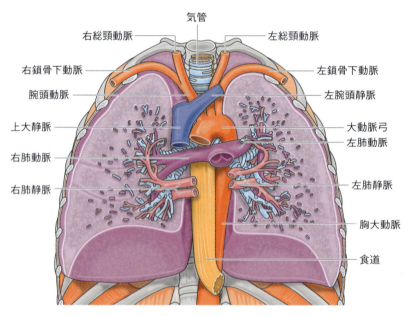

図15　肺の血管（肺は前額断）

6）肺の神経（図16）

- 肺には，迷走神経（⇨p.361）から出る**副交感神経線維**と交感神経幹（⇨p.364）から出る**交感神経線維**が分布する．2つの神経は肺門の前面と後面で，**前肺神経叢**と**後肺神経叢**を形成する（後肺神経叢が発達している）．

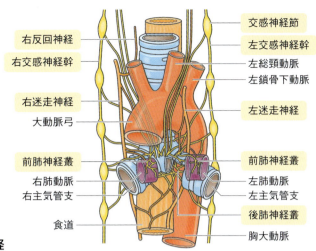

図16 肺の神経

- 肺に分布する自律神経は以下の働きを行う．
    - ▶副交感神経は気管支を収縮させ，気管支腺の分泌促進に働く．
    - ▶交感神経は気管支を拡張させ，気管支腺の分泌抑制に働く．
    - ▶肺の伸展受容器からの求心性インパルスは，**ヘーリング-ブロイエル反射**※（呼吸による肺の膨らみの程度を調整する反射）を引き起こす．　※ヘーリング-ブロイヤー反射とも記載される．

7 縦隔

- 胸腔の中央部に位置し，左右の肺に挟まれた領域を**縦隔**という．前方は胸骨，後方は胸椎と接しており，上方は頸部，下方は横隔膜がある．部位によって**上縦隔**，**前縦隔**，**中縦隔**，**後縦隔**に分かれる（図17）．

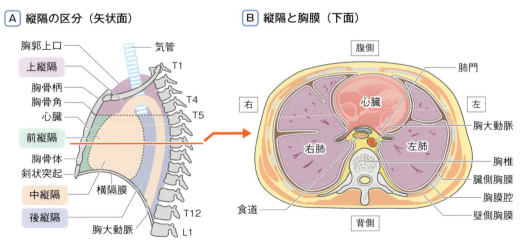

図17 縦隔

- 縦隔には以下の臓器や脈管などが含まれる．
    - ・胸腺（⇨p.299）
    - ・気管，左右の主気管支（⇨p.264）
    - ・食道（⇨p.285）
    - ・心臓（⇨p.241）
    - ・上大静脈（⇨p.254）
    - ・上行大動脈，大動脈弓，胸大動脈（⇨p.250〜253）

> **臨床で重要！** **胸部X線写真**
> 胸部X線写真は正常画像を正確に理解していなければ，疾患の画像を読み解くことはできない．左に正常画像，右にCOPD（⇨p.265）の画像所見を示す．しっかりと比較をして理解しよう．
>
> 正常な胸部X線写真
>
> COPDの胸部X線写真
>
>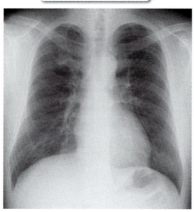
>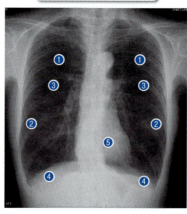
>
> ❶肺野透過性の亢進
> ❷肺血管影の粗密化
> ❸肋間腔の開大
> ❹横隔膜の平低化
> ❺滴状心
>
> **図　正常とCOPDの胸部X線写真**
> 右写真は，福家 聡：COPD・ACOSでの見えない肺炎，肺癌と肺過膨張．『もう悩まない！喘息・COPD・ACOSの外来診療』（田中裕士／編），p29，羊土社，2016より引用．

8 呼吸筋

- 呼吸にかかわる筋は**呼吸筋**とよばれており，さらに**吸気筋**（外肋間筋と横隔膜）・**呼気筋**（内肋間筋）・**補助呼吸筋**（胸鎖乳突筋，前・中・後斜角筋，大胸筋，腹筋群など※）に区分される（図18）.

※補助呼吸筋には僧帽筋，肩甲挙筋，前鋸筋，小胸筋，鎖骨下筋，肋骨挙筋，腰方形筋，脊柱起立筋なども含まれる場合もある．

① 安静吸気：安静時に行われる吸気※運動で，**外肋間筋と横隔膜**によって行われる．両筋が収縮することによって胸郭の容積が増大し，胸腔内圧はさらに陰圧となる．その結果，肺は受動的（他からの動作・作用を受けること）に広げられ，外界から空気を流入させることができる（肺が自ら広がっているわけではない）．　※息を吸うこと．吸息とも記載される．

② 安静呼気：安静時に行われる呼気※運動で，関与する呼吸筋はない．吸気後の外肋間筋と横隔膜の弛緩，肺自身の弾性によって行われる．　※息を吐くこと．呼息とも記載される．

③ 努力性吸気（努力吸気，強制吸気）：大きく速い吸気を意識的（一部は無意識的）に行う呼吸運動で，**外肋間筋と横隔膜**に加えて**胸鎖乳突筋**や**前・中・後斜角筋**，**大胸筋**などの補助呼吸筋が関与する．補助呼吸筋の作用によって胸郭の上部はさらに引き上げられ，胸郭の容積が増大する．

④ 努力性呼気（努力呼気，強制呼気）：大きく速い呼気を意識的（一部は無意識的）に行う呼吸運動で，**内肋間筋**と**腹筋群**（**腹直筋**，**内腹斜筋**，**外腹斜筋**，**腹横筋**）の作用によって行われる．

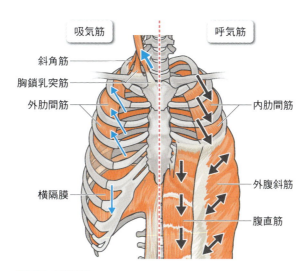

図18　呼吸筋

肺活量

最大限の吸気（息を吸うこと）から最大限の呼気（息を吐くこと）を行った際の空気量を**肺活量**という．肺活量は**スパイロメーター**（**肺活量計**，**スパイロメータ**）※によって測定する（※また，スパイロメーターを使用した肺機能検査を**スパイロメトリー**という）．肺活量は性別・年齢・身長によって基準値が異なっており，基準値に対する測定値を**％肺活量**という．％肺活量は80％以上が正常であり，それを下回ると**拘束性換気障害**とよばれる（肺線維症，間質性肺炎，重症筋無力症，肺水腫，Duchenne（デュシェンヌ）型筋ジストロフィーなどに伴う胸郭拡張不全など）．

> 肺活量＝予備吸気量＋1回換気量＋予備呼気量

①**1回換気量**：安静時呼吸で気道を出入りする空気の量．通常は成人で**約500 mL**である．また1回換気量のうち，気道を行き来するだけでガス交換に加わらない空気量を**解剖学的死腔（約150 mL）**といい，実際にガス交換にかかわる空気量を**肺胞換気量（約350 mL）**という．

> 1回換気量＝解剖学的死腔＋肺胞換気量

②**予備吸気量**：安静時の吸気から，最大限に吸い込める吸気量．
③**予備呼気量**：安静時の呼気から，最大限に吐き出せる呼気量．
④**残気量**：最大呼気の後に，肺に残る空気量．スパイロメーターによる測定はできない．

> 残気量＝全肺気量－肺活量

⑤**努力性肺活量**：最大限の吸気から最速の呼気を行った際の空気の量．
⑥**1秒量**：努力性肺活量のうち，1秒間に呼出することができる空気の量を**1秒量**といい，努力性肺活量に対する1秒量の割合を**1秒率**という．1秒率は70％以上が正常であり，これを下回ると**閉塞性換気障害**となる（気管支喘息，肺気腫，慢性気管支炎など）．

> 1秒率＝1秒量÷努力性肺活量×100

⑦**機能的残気量**：予備呼気量に残気量を加えたもの．スパイロメーターによる測定はできない．

> 機能的残気量＝予備呼気量＋残気量

⑧**最大吸気量**：予備吸気量に1回換気量を加えたもの．

> 最大吸気量＝予備吸気量＋1回換気量

⑨**全肺気量**：肺活量に残気量を加えたもの．スパイロメーターによる測定はできない．

> 全肺気量＝肺活量（予備吸気量＋1回換気量＋予備呼気量）＋残気量

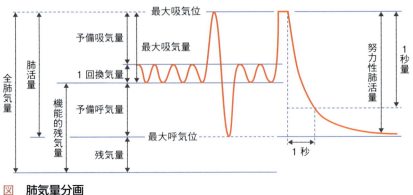

図 肺気量分画

国家試験練習問題

問1 肺の構造で正しいのはどれか．［第58回AM問56］

1. 左肺には3本の葉気管支がある．
2. 1本の葉気管支は6本の区域気管支に分かれる．
3. 左肺には12本の区域気管支がある．
4. 細気管支は軟骨を欠く．
5. 左右の肺には約5,000万個の肺胞が存在する．

問2 胸部の解剖について正しいのはどれか．［第57回PM問58］

1. 縦隔後面は心臓である．
2. 肺栄養血管は肺動脈である．
3. 区域気管支は左右5本ずつある．
4. 胸骨柄と第3肋骨は関節を形成する．
5. 臓側胸膜と壁側胸膜は連続している．

問3 気管支について正しいのはどれか．［第55回AM問57］

1. 気管支には平滑筋がある．
2. 左主気管支は右主気管支より短い．
3. 気管支の内表面は扁平上皮で覆われる．
4. 気管分岐部は食道の第1狭窄部にある．
5. 気管の延長線に対する気管支の分岐角度は左より右の方が大きい．

問4 肺気量で正しいのはどれか．2つ選べ．［第54回AM問77］

1. 1秒率＝1秒量÷％肺活量
2. 機能的残気量＝予備吸気量＋残気量
3. 最大吸気量＝1回換気量＋予備吸気量
4. 残気量＝全肺気量－肺活量
5. 肺活量＝予備吸気量＋予備呼気量

問5 スパイロメトリーで計測できないのはどれか．［第53回AM問86］

1. 1秒量
2. 予備吸気量
3. 1回換気量
4. 最大吸気量
5. 機能的残気量

第7章

消化器系

学習のポイント

- 消化器系を図示し，消化の一連の流れを説明することができる
- 消化管に付属する外分泌腺の構造と役割を説明することができる
- 嚥下の過程や相を説明することができる

- **消化器系**は食物を消化し，体内に栄養を吸収する役割をもつ器官系であり，**消化管**とそこに付随する**外分泌腺**（液状の物質を分泌する腺）から構成されている．
- 消化管は口から肛門までの間にある一連の構造であり，「身体を貫通する1本の管」のような形状をしている（図1）．学習においても「胃」，「十二指腸」と個別で学ぶのではなく，1本の管として構造と役割を理解するとよいだろう．

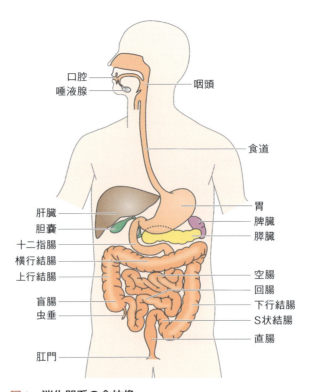

図1　消化器系の全体像

1 口腔（図2）

- 口腔とは上顎と下顎の間の空間であり，食物を**咀嚼**（消化のために食物を食塊にすること）すると同時に味わう役割をもつ．また，口腔の粘膜は**重層扁平上皮**によって覆われている（⇨p.369）．
- 上顎と下顎からは**歯**が生え出ており，U字状の**歯列弓**を形成している．歯列弓によって口腔は前後2つの空間に分けられる．

❶ **口腔前庭**：歯列の前面と，口唇・頬との間の領域．
❷ **固有口腔**：歯列の後面と，**口峡**（口腔の最後部で，ここから奥は**咽頭**となる）との間の領域．

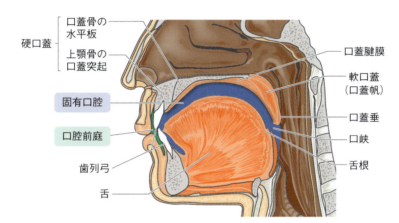

図2　口腔（正中断）

2 口唇，頬，口蓋

1）口唇

- 筋による可動性をもつ皮膚のヒダで，**上唇**と**下唇**がある．両者の間を**口裂**といい，その左右両端の部分を**口角**とよぶ．

2）頬

- 口角の外側に続く部分で，口腔の外側の壁をつくる．

3）口蓋

- 口腔の天井に相当する部分で，鼻腔と口腔の間を隔てている．前後でそれぞれ**硬口蓋**と**軟口蓋**に分かれている（図2．硬口蓋と軟口蓋は硬さが異なるので，自らの舌で触れて確認するとよい）．

❶ **硬口蓋**：口蓋の前2/3の硬い領域で，上顎骨と口蓋骨によって形成されている．咀嚼・嚥下（⇨p.302）の際に，食塊は舌によって硬口蓋に押し付けられる．
❷ **軟口蓋（口蓋帆）**：口蓋の後1/3の軟らかい領域で，中央部には**口蓋垂**がぶら下がっている．

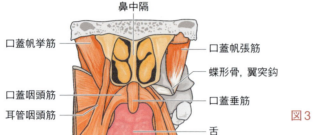

図3 軟口蓋の筋
（咽頭を後面より観察）

咀嚼・嚥下の際に軟口蓋は挙上し，**咽頭鼻部**（⇨p.282）が閉じる．外側には2つのヒダが伸びており，前方のヒダを**口蓋舌弓**，後方のヒダを**口蓋咽頭弓**という．また，軟口蓋は以下の5つの筋によって動かされる（図3）．

① **口蓋帆張筋**：軟口蓋を緊張させ，**耳管咽頭口**（⇨p.282）を開く役割をもつ．
② **口蓋帆挙筋**：軟口蓋を挙上させる役割をもつ．嚥下運動の際には，食塊の咽頭への送り込み時に緊張する．
③ **口蓋舌筋**：軟口蓋を下制させ，口蓋舌弓を正中に近づけると同時に舌を挙上させる（⇨図5）．
④ **口蓋咽頭筋**：軟口蓋を緊張させ，口蓋咽頭弓を正中に近づけると同時に咽頭を挙上させる．
⑤ **口蓋垂筋**：口蓋垂を挙上させ，短縮させる役割をもつ．

3　舌（図4）

- 口腔底にある骨格筋のかたまりで，その表面は**舌粘膜**と**舌腱膜**（非常に硬い結合組織で，舌筋の停止部となる ⇨図6）で覆われている．
- 舌の下面の中央と口腔底の間には，**舌小帯**というヒダが存在している（先天的に短縮した場合，特定の発話が不明瞭になることがある）．舌小帯の両側には**舌下小丘**という小さい高まりがあり，一部の大唾液腺（顎下腺と舌下腺）の開口部となっている（⇨p.282）．

1）舌粘膜

- 舌粘膜の表面には**舌乳頭**とよばれる4種の小さなでっぱりが存在している．また，舌乳頭の

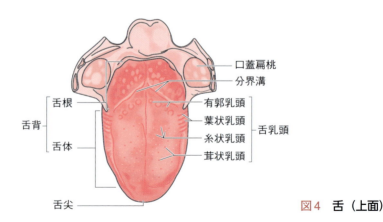

図4　舌（上面）

一部には**味蕾**(味覚を感じる部分)が備わっている.

❶ **糸状乳頭**：舌の前2/3に密生し，上皮が角化するため白っぽく見える．口腔内の不潔や乾燥によって白い付着物が生じることがある(**舌苔**)．表面に味蕾をもたない．

❷ **茸状乳頭**：舌の前2/3に無数に分布する舌乳頭で，赤い点のように見える．表面に味蕾をもつ．

❸ **葉状乳頭**：舌の後外側にあるヒダ状の舌乳頭で，多数の味蕾をもつ．

❹ **有郭乳頭**：分界溝(舌体と舌根の間のⅤ字状の溝)の前に並ぶ大型の舌乳頭で，多数の味蕾を有する．

2) 舌筋

- **外舌筋**と**内舌筋**によって構成される．基本的には**舌下神経(脳神経Ⅻ)**によって支配されている〔口蓋舌筋のみが迷走神経(脳神経Ⅹ)によって支配されている〕．

❶ **外舌筋**(図5)：骨から起始して舌腱膜に停止する筋で，舌の位置を変化させる働きをもつ．
 ①オトガイ舌筋：舌尖を前方に突き出し，舌の中心部を下方に動かす．
 ②舌骨舌筋：舌を下方に動かす役割をもつ．
 ③茎突舌筋：舌背を挙上させ，舌を後方に動かす．
 ④口蓋舌筋：軟口蓋を下制させ，口蓋舌弓を正中に動かすとともに舌を挙上させる．

❷ **内舌筋**(図6)：起始・停止ともに舌の中にある筋で，舌の形を変化させる働きをもつ．
 ①上縦舌筋：舌の前後長を縮め，上方に曲げる．
 ②下縦舌筋：舌の前後長を縮め，下方に曲げる．
 ③横舌筋：舌の左右を走行する筋で，舌の幅を短縮させる．
 ④垂直舌筋：舌の上下を短縮させる役割をもつ．

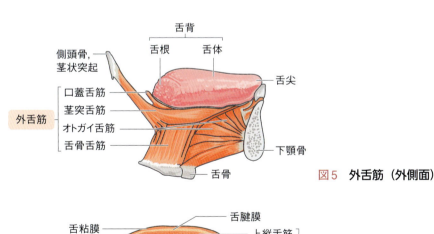

図5 外舌筋(外側面)

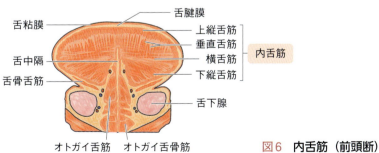

図6 内舌筋(前頭断)

舌の神経支配

舌の神経支配は，以下のように区分される．
①一般感覚（触覚や温度覚など）
　前方2/3は**舌神経**（三叉神経の第3枝），後方1/3は**舌咽神経**によって支配を受ける．
②臓性感覚（味覚）
　前方2/3は**鼓索神経**（顔面神経の枝），後方1/3は**舌咽神経**によって支配を受ける．
③運動
　舌下神経によって支配を受ける（厳密には，口蓋舌筋のみが迷走神経によって支配されている）．

	一般感覚	臓性感覚（味覚）	運動
前方2/3	舌神経（三叉神経）	鼓索神経（顔面神経）	舌下神経
後方1/3	舌咽神経		

図　舌の神経分布

4 歯

- 上顎と下顎にU字状に並ぶ器官で，人体のなかで最も硬い．
- 乳児期から小児期にかけては**乳歯**が，成人では**永久歯**がみられる．永久歯は32本あり，4種の形状がある（乳歯は上下それぞれ切歯4本，犬歯2本，臼歯4本の計20本である）．

1）歯の種類（図7）

切歯：最前部の2本（左右合計4本）で，ノミのような形をしている．

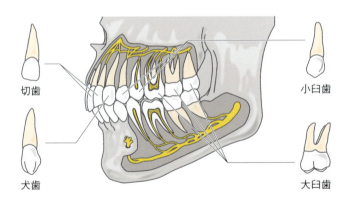

図7　歯列と歯の形

❷ **犬歯**：切歯の外側にある1本（左右合計2本）で，先端が尖っている．

❸ **小臼歯**：犬歯に続く2本（左右合計4本）で，先端がこぶしのような形状をしている．

❹ **大臼歯**：小臼歯に続く3本（左右合計6本）で，小臼歯とともに食物をすりつぶして粉砕する役割をもつ．　※第3大臼歯は**智歯**（いわゆる「親知らず」）ともよばれ，生えてこないこともある．

2）歯の形状（図8）

❶ **歯冠**：歯肉から突き出した部分．

❷ **歯根**：歯槽骨に固定されている部分．

❸ **歯頸**：歯冠と歯根の間の部分で，歯肉の中に埋まっている．

❹ **歯髄腔**：歯の中心部にある**歯髄**を入れた部分．歯髄腔のうち，歯根部の細くなった部分を**歯根管**という．

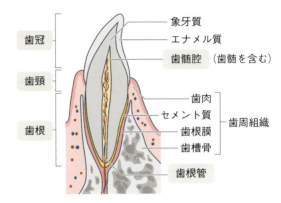

図8　歯の構造

3）歯の組織構造（図8）

❶ **エナメル質**：歯冠の表面を覆う組織で，96％がリン酸カルシウムからできている．水晶と同等の強度をもっている．

❷ **象牙質**：歯の本体をつくる部分で，歯髄の細胞が中に細い突起を送り出している（そのため，う歯※の際に疼痛を感じる）．　※一般的には「むし歯」とよばれる．

❸ **セメント質**：歯根の表面を覆う，薄い骨質．セメント質と歯槽骨との間は**歯根膜**という靱帯がつないでいる．

5　唾液腺

- 口腔に分布する外分泌腺には，**小唾液腺**と**大唾液腺**がある．唾液は1日に1〜1.5 Lが分泌され，**糖質**（デンプン）の分解にかかわる．唾液分泌中枢は**延髄**と上位の**胸髄**に存在し，主に副交感神経の働きによって分泌が促進される．

1）小唾液腺

- 口腔内の粘膜下に存在する唾液腺で**口唇腺**，**頬腺**，**口蓋腺**，**舌腺**などがある．

2）大唾液腺（図9）

❶ **耳下腺**：耳垂（いわゆる「耳たぶ」）の前方から下方にかけて位置する大唾液腺．**耳下腺管**

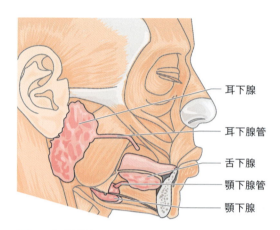

図9　大唾液腺

（耳下腺の導管）は前方に向かい，頬筋を貫いて上顎の第2大臼歯の近くに開口する．<u>漿液性</u>のさらさらした唾液を分泌する．また，ムンプスウイルスの感染によって耳下腺が腫脹する疾患を**流行性耳下腺炎**（一般的に「おたふく風邪」とよばれる）という．

❷ **顎下腺**：下顎骨の後部の内側にある母指くらいの大きさの大唾液腺で，**顎下腺管**（顎下腺の導管）が舌の付け根の両側にある**舌下小丘**に開口する．漿液と粘液の混ざり合った，やや粘りのある唾液を分泌する．

❸ **舌下腺**：大唾液腺のなかで最も小さく，舌下小丘の粘膜の下に位置する．いくつかの導管をもつが，最も大きいものは顎下腺と同様に**舌下小丘**に開口する．**ムチン**を多量に含む，<u>粘液性</u>の粘りの多い唾液を分泌する．

6　咽頭

1）咽頭の構造（図10）

- 鼻腔・口腔・喉頭の後方の部位で，"食物の通路と空気の通路の交差点"としての役割をもつ．上方から順に，以下の3部に分けられる※．
  ※上咽頭，中咽頭，下咽頭と記載されることもある．

❶ **咽頭鼻部**：軟口蓋よりも上方の部分で，**後鼻孔**によって鼻腔とつながる．両側の壁には**耳管咽頭口**（耳管の開口部）が開いており，その周囲には**耳管扁桃**がある．後上方の粘膜には大量のリンパ組織が集まり，**咽頭扁桃**をつくっている．

❷ **咽頭口部**：軟口蓋から喉頭蓋の間の部分で，**口峡**によって口腔とつながる．口蓋舌弓と口蓋咽頭弓の間のくぼみには**口蓋扁桃**が，舌根の粘膜には**舌扁桃**がみられる．

❸ **咽頭喉頭部**：喉頭蓋から食道の間の部分で，前方には**喉頭口**が開いて喉頭に続いている．喉頭口の上縁は**喉頭蓋**となって上方に突き出し，その左右には**梨状陥凹**という溝がある．また，喉頭蓋と舌根の間のくぼみを**喉頭蓋谷**という．

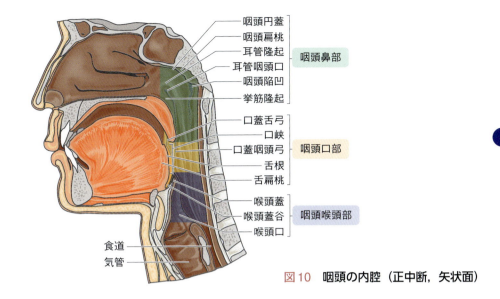

図10 咽頭の内腔（正中断，矢状面）

> **国試のPoint**
>
> **ワルダイエルの咽頭輪**
> 咽頭鼻部と咽頭口部にはリンパ組織の集合部が4カ所あり，咽頭を輪のように取り囲んでいる．これらを**ワルダイエルの咽頭輪**といい，外界の病原体から消化管を保護する役割をもっている．小児期では**咽頭扁桃**が肥大することがあり，咽頭鼻部を閉塞して聴覚障害などを引き起こすことがある（**アデノイド**とよばれる）．
>
> 表 ワルダイエルの咽頭輪
>
> | | | |
> |---|---|---|
> | 耳管扁桃 | 咽頭鼻部 | 耳管咽頭口の周辺 |
> | 咽頭扁桃 | | 咽頭の後上壁 |
> | 口蓋扁桃 | 咽頭口部 | 口蓋舌弓と口蓋咽頭弓の間のくぼみ（口峡の左右） |
> | 舌扁桃 | | 舌根の粘膜 |

2) 咽頭壁の筋（図11, 12）

- 咽頭壁はそれぞれ3種の**収縮筋**と**縦走筋**によって構成される．

❶ 収縮筋：咽頭を輪状に取り巻く筋で，いずれも咽頭後壁の正中にある**咽頭縫線**に停止し，咽頭を収縮させる働きをもつ．

①上咽頭収縮筋：咽頭縫線の上部に付着する．

②中咽頭収縮筋：咽頭縫線の中部に付着する．

③下咽頭収縮筋：咽頭縫線の下部に付着する．下咽頭収縮筋は甲状軟骨から起始する**甲状咽頭部**と，輪状軟骨から起始する**輪状咽頭部**から構成される．輪状咽頭部は臨床上，**輪状咽頭筋**とよばれ，食塊の食道への送り込み時に弛緩する．

❷ 縦走筋：咽頭の周囲を上下に走行する筋で，以下の3つがある．

①口蓋咽頭筋：咽頭を挙上させると同時に，口蓋咽頭弓を正中に引き寄せて口峡を狭める．

②茎突咽頭筋：側頭骨の茎状突起から起こって咽頭壁に停止する筋で，咽頭を挙上させる働きをもつ．

③耳管咽頭筋：耳管の軟骨から起こって咽頭壁に停止する筋で，咽頭を挙上させる働きをもつ．

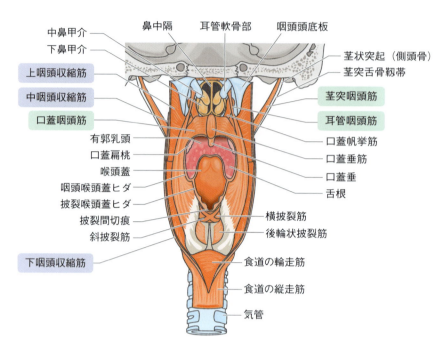

図11　咽頭の筋（内腔．前頭断し，後面より観察）

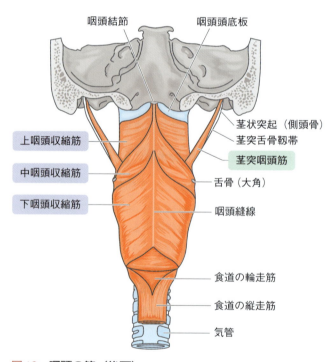

図12　咽頭の筋（後面）

7 食道

- 咽頭と胃の間に位置する管状の器官で，柔軟性をもつ筋の壁を有している．食道の前方には**気管**（⇨p.264）が位置する．
- **輪状軟骨**の下縁（第6頸椎の高さ）から始まって縦隔を下行し，横隔膜の**食道裂孔**（第10胸椎の高さ）を**迷走神経**とともに貫いて腹腔に入る（⇨10章図34）．その後，胃の**噴門**（第11胸椎の高さ）で終わる．

1）蠕動運動

- 食道は上部15％が骨格筋，下部60％は平滑筋，中間部25％では両者が混ざって形成されている．食道の筋層は**蠕動運動**（収縮が頭側から尾側に伝わる運動）によって，食物を胃へと運ぶ．

2）生理的狭窄部（図13）

- 食道には3つの狭窄部（狭くなった部分）がある．特に狭窄部の上端と下端は，食物の逆流を防ぐ働きをもつ．また，狭窄部は**食道癌**の好発部位として知られている．
  - ▶ **上食道狭窄**：咽頭と食道の境界部．
  - ▶ **中食道狭窄**：大動脈弓と左主気管支によって圧迫される部位．
  - ▶ **下食道狭窄**：横隔膜の食道裂孔を貫く部位．

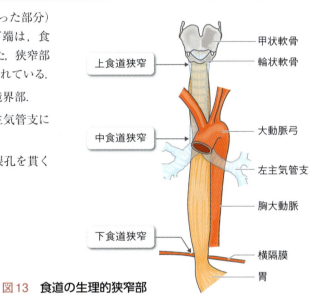

図13　食道の生理的狭窄部

8 胃

1）胃の形状（図14）

- 消化管の中で最も膨らんだ部分で，食道と十二指腸の間に位置する．摂取した食物を一時的に貯蔵し，少しずつ小腸に送り出す役割をもつ．胃は以下の4つの領域に分けられる．

❶ **噴門**：食道から胃へつながる部分で，第11胸椎（もしくは左第7肋軟骨）の高さにある．

❷ **胃底**：胃の上端にある左上方に広がった領域で，横隔膜と肝臓，脾臓と接している（図15）．
　※「上端」ではあるが，名称が「胃底」であることに注意．

❸ **胃体**：大きく膨らんだ，胃の本体の部分．

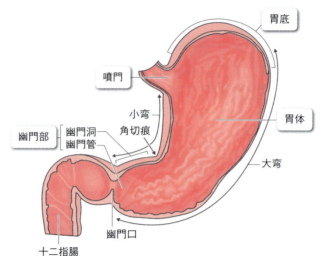

図14　胃の形状

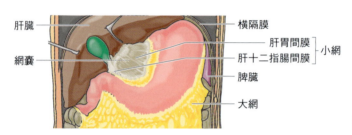

図15　胃とその周辺

4 幽門部（幽門）：胃の右下にある細くなった領域で，第1腰椎の高さにある．幽門部の手前の部分を**幽門洞（幽門前庭）**，奥の細くなった部分を**幽門管**という．また，**幽門口**（幽門部の遠位端）では輪状筋が発達して括約筋となり，胃の出口を狭めている（**幽門括約筋**）．

● 上記の4つの領域に加え，胃には以下の部位がある．

5 大弯：胃の左側にある大きくカーブした部分で，**大網**の付着部となっている（図15）．また，大弯は大網を介して**横行結腸**と結合している．

6 小弯：胃の右側にある小さくカーブした部分で，**小網**（**肝胃間膜**，**肝十二指腸間膜**）の付着部となっている（図15）．

7 角切痕※：小弯の鋭くへこんだ部分で胃体と幽門部の境にあり，その遠位部には**幽門洞（幽門前庭）**が位置している．角切痕は，胃癌や胃潰瘍の好発部位として知られる．

※胃切痕と記載されることもある．

2）胃壁の構造（図16）

● 胃壁は表層から順に漿膜（腹膜），筋層，粘膜の3層によって構成されている．

1 漿膜（腹膜）：胃の表面を包む**腹膜**（⇒p.300）で，大弯では**大網**，小弯では**小網**に移行する．

2 筋層：浅層から順に**縦筋層**，**輪筋層**，**斜線維**の3層の平滑筋からなる．輪筋層は幽門口で肥厚し，**幽門括約筋**を形成している．

※筋層の構造は浅層から順に「タテ・ヨコ・ナナメ」と覚えるとよい．

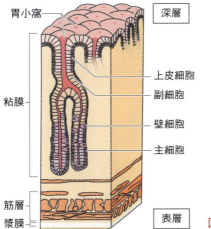

図16　胃壁の構造

3 粘膜：縦に走行する**胃粘膜ヒダ**がみられる．胃粘膜ヒダは胃壁の収縮時にみられ，食物を貯留して拡大した際には消失する．また，胃の粘膜から分泌される**ヒスタミン**は壁細胞に作用し，胃酸の分泌を促進させる働きをもつ．

> **国試のPoint**
>
> **胃底腺とその分泌物**
> 胃の粘膜の表面には，1 cm² あたり100個もの小さなくぼみがある．このくぼみを**胃小窩**といい，胃底腺※の開口部となっている．胃底腺は**胃体部**に多く分布し，以下の腺細胞がみられる（図16）．
> ①**副細胞**：胃底腺の開口部付近に多く，**粘液**（胃の粘膜を覆って保護する）を分泌する．
> ②**壁細胞**：**胃酸**（**塩酸**ともよばれ，酵素の消化作用を助ける）と**内因子**（ビタミンB_{12}の吸収に関与する）を分泌する．また，胃酸は迷走神経（副交感神経）の刺激により，分泌が促進される．
> ③**主細胞**：**ペプシノゲン**（ペプシノーゲンとも記載される．塩酸によって分解され，**ペプシン**というタンパク質分解酵素になる）を分泌する．
> また，幽門部には**幽門腺**という外分泌腺があり，**ガストリン**（塩酸の分泌を刺激する）を分泌するG細胞が豊富に存在する．
> ※胃底腺，噴門腺，幽門腺は**胃腺**とよばれる．

9　小腸

- 胃から続く細長い管状の器官で，食物の本格的な消化と栄養の吸収を行う部位である．小腸は**十二指腸，空腸，回腸**の3部に分けられる．

1）十二指腸（図17，⇨図30）

- 胃の**幽門部**から**十二指腸空腸曲**まで続く約25 cmの器官で，その大半は臓側腹膜の後壁に固定されている（**腹膜後器官**の1つ ⇨p.300）．膵臓の**膵頭**を囲むようにC字状に走行し，以下の4部に分かれる．　　※十二指腸の英名の「duodenum」は，ラテン語で「指12本の広さ」を意味する．

1 上部：胃の**幽門部**から続く約5 cmの部分で，上縁には**肝十二指腸間膜**（小網の一部）が，下縁には**大網**が付着する．また，臨床的には**十二指腸球部**とよばれ，十二指腸潰瘍が好発する．

2 下行部：上部から続く約8 cmの部分で，膵頭の右側に接している．その内側壁には以下の2つの開口部がある．

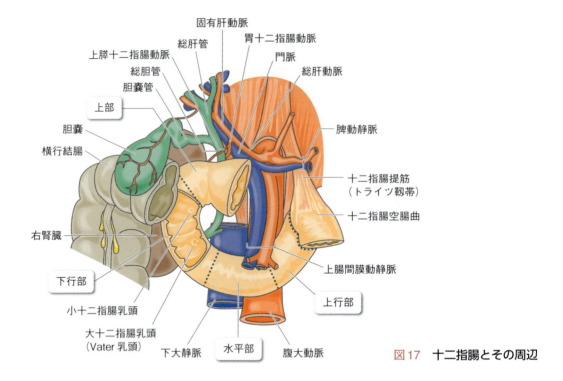

図17 十二指腸とその周辺

① **大十二指腸乳頭**：Vater乳頭ともよばれる部位で，**膵管**※と**総胆管**が開口する．また，開口部の括約筋は発達しており，**Oddi括約筋**とよばれる．
※文献によっては**主膵管**と記載されることもあるので注意．

② **小十二指腸乳頭**：大十二指腸乳頭の約2 cm上方にあり，**副膵管**が開口する．

❸ **水平部**：水平に走行する約8 cmの部位で，第3腰椎を横切る．

❹ **上行部**：左上方に向かう約5 cmの部位で，**十二指腸空腸曲**に続く．十二指腸空腸曲は，骨格筋と平滑筋を含む**十二指腸提筋**（トライツ靱帯）によって腹膜後壁に固定されている．

2）空腸・回腸（図18）

- 十二指腸空腸曲から回盲部までの間の部位で，腸間膜によって腹膜後壁からぶら下がっている（臓側腹膜の後壁に付着する部位を**腸間膜根**という）．
- 約6 mの全長のうち約2/5が**空腸**，約3/5が**回腸**ではあるが，その境界は明瞭ではない（よって，空腸は回腸より短い）．回腸と大腸の境には**回盲弁**（バウヒン弁）があり（⇨図22），内容物の逆流を防いでいる．

3）小腸壁の構造（図19）

- 小腸壁は表層から順に漿膜（外膜），筋層，粘膜によって構成される．

❶ **漿膜（外膜）**：小腸壁の表層は，十二指腸の上部と空腸・回腸は**漿膜**に，十二指腸の臓側腹膜の後壁に埋まった部分は**外膜**によって包まれている．

❷ **筋層**：外側の**縦筋層**と内側の**輪筋層**の2層の平滑筋からなる（胃の最内側にある斜線維は小腸にはない）．2つの平滑筋の間には**アウエルバッハ神経叢**があり，平滑筋を収縮させて蠕動運動を引き起こしている（図20）．

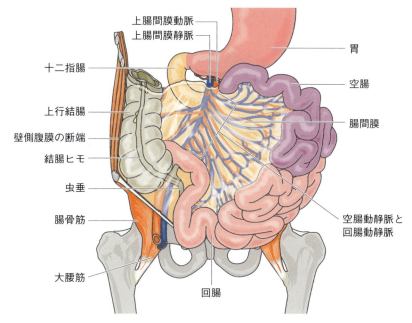

図18 空腸と回腸

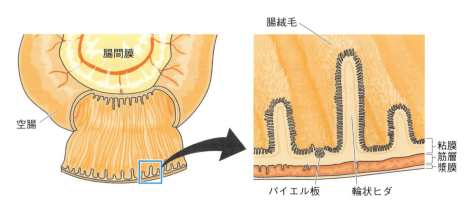

図19 小腸壁の構造

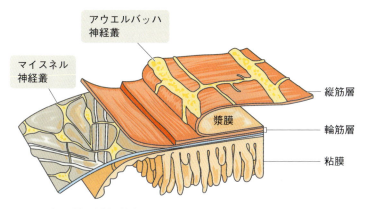

図20 小腸壁の神経分布

3 粘膜：小腸の内面には高さ約8 mmの**輪状ヒダ**があり，粘膜の表面には高さ約0.5〜1.5 mmの**腸絨毛**が多数生えている．粘膜には**リンパ小節**が多数存在し，消化管の内容物に対する免疫の働きを担う．特にリンパ小節が集まった部位は**パイエル板**として，肉眼的にも観察することができる．小腸の粘膜下組織には**マイスネル神経叢**※があり，自律神経（交感神経・副交感神経）が分布している（図20）．また，十二指腸の粘膜下組織には**十二指腸腺（ブルンネル腺）**があり，アルカリ性の粘液を分泌して胃酸を中和する．

※マイスナー神経叢と記載されることもある．

10 大腸（図21）

- 消化管の最後の部分で，盲腸から直腸まで続く．全長は約1.5 mで，小腸よりも太く短い．
- 食物残渣（小腸で消化吸収された残り）から水分などを吸収し，糞便を形成する働きをもつ．

1）盲腸と虫垂（図22）

1 盲腸：大腸の最初の部分で，小腸の回腸から続く．長さ6〜8 cmの袋のような形状をしており，腸間膜が付着していないため可動性が大きい．また，盲腸と回腸の境には**回盲弁（バウヒン弁）**がある．

2 虫垂：盲腸の後内側にみられる鉛筆くらいの太さの突起で，その位置や形状は個人差が大きい．粘膜にリンパ組織が豊富にあるため，免疫系の一部として働く．青年期では細菌感染によって**虫垂炎**が起こることがあり，その際には**マックバーニー点**（右上前腸骨棘と臍を結ぶ線の外側1/3の点）に圧痛を生じる．

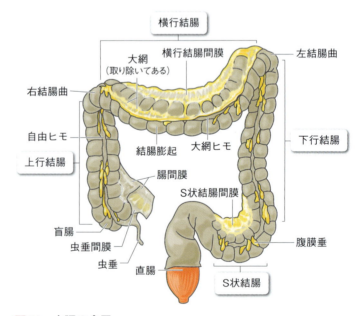

図21 大腸の全景

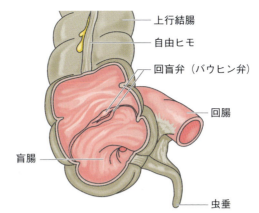

図22 盲腸と虫垂

2) 結腸

- 大腸の大部分を占め，以下の4部に分かれる（図21）．

① 上行結腸：盲腸から続いて腹腔後壁の右側を上行し，肝臓のすぐ下で**右結腸曲**を経て**横行結腸**に移行する．臓側腹膜の後壁に付着している（腹膜後器官の1つ ⇨p.300）．

② 横行結腸：**右結腸曲**から始まり，胃の深層を横切って脾臓のすぐ下まで達し，**左結腸曲**を経て**下行結腸**に移行する．腹膜後器官ではなく，**横行結腸間膜**によって腹膜後壁から吊り下げられている．

③ 下行結腸：左結腸曲から始まって下行し，左腸骨窩でＳ状結腸に移行する．臓側腹膜の後壁に付着している（腹膜後器官の1つ）．

④ Ｓ状結腸：左腸骨窩から始まり，大きくＳ字状にうねった後に小骨盤に入る．その後，第3仙椎の高さで**直腸**に移行する．腹膜後器官ではなく，**Ｓ状結腸間膜**によって腹膜後壁から吊り下げられている．

3) 大腸壁の構造 （図23）

- 大腸壁は表層から順に漿膜（外膜），筋層，粘膜によって構成される．また，以下のような特徴的な構造がみられる．

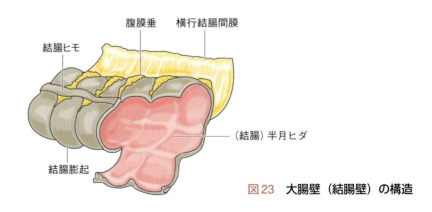

図23 大腸壁（結腸壁）の構造

❶ 結腸ヒモ：縦筋層の平滑筋が集約したもので，盲腸と結腸の壁にみられる．

①**大網ヒモ**：大腸の前壁にあり，大網の付着部にみられる．

②**間膜ヒモ**：大腸の後壁にあり，**横行結腸間膜とS状結腸間膜**の付着部にみられる．

③**自由ヒモ**：大腸の下壁にあり，大網ヒモと間膜ヒモの中間にみられる．

❷ 結腸膨起：結腸ヒモの間で結腸壁が盛り上がった部分で，その内面には**結腸半月ヒダ（半月ヒダともいう）**がみられる．

❸ 腹膜垂：腹膜によって包まれた脂肪のかたまりで，結腸の表面にみられる．

4）直腸（図24）

- 大腸の最後の部分であり，近位部ではS状結腸から始まり，遠位では**肛門管**につながる．肛門管は最終的に**骨盤隔膜**（肛門挙筋と尾骨筋，ならびにそれらを覆う筋膜が構成する筋性の板 ⇨p.225）を貫き，**肛門**となって外部に開いている．直腸には以下の特徴的な構造がみられる．

❶ 上・中・下直腸横ヒダ：直腸の遠位部の内面にみられるヒダで，上・下直腸横ヒダは左後壁，中直腸横ヒダは右前壁にみられる．中直腸横ヒダは3つのヒダのなかで最も発達しており，**コールラウシュヒダ**ともよばれる．

❷ 直腸膨大部：下直腸横ヒダの遠位にある拡張した部分で糞便塊を貯蔵し，排便するまで保持する．

❸ 直腸静脈叢：肛門管の粘膜下にある静脈が発達した部位で，この枝が拡張すると**内痔核**を形成する．

❹ 皮下静脈叢：外肛門括約筋周囲の皮下にある静脈が発達した部位で，この枝が拡張すると**外痔核**を形成する．

❺ 内肛門括約筋：肛門管の近位2/3にある平滑筋で，不随意的に働く．交感神経の刺激によって収縮し，副交感神経の刺激で弛緩する．

❻ 外肛門括約筋：肛門管の遠位1/3にある骨格筋で，随意的に働く．**下直腸神経（陰部神経の枝）**によって支配されている．

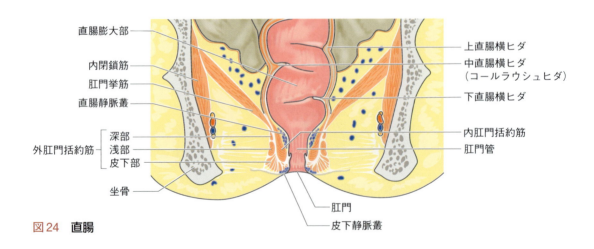

図24　直腸

11 肝臓

- 肝臓は人体のなかで最も大きな臓器で，その重量は約1〜1.5 kgである．栄養素の代謝や不要物の排泄などにかかわっており，**右葉・左葉・方形葉・尾状葉**の4部から構成されている（肝臓の大部分は右の肋骨弓に隠れている）．上面では横隔膜，下面では胃・十二指腸・横行結腸・右腎臓などに接している．肝臓の外形は以下のように区分される．

1）肝臓の前面（図25A）

- 肝臓の表面は**臓側腹膜**（⇨p.300）によってほぼ覆われている．

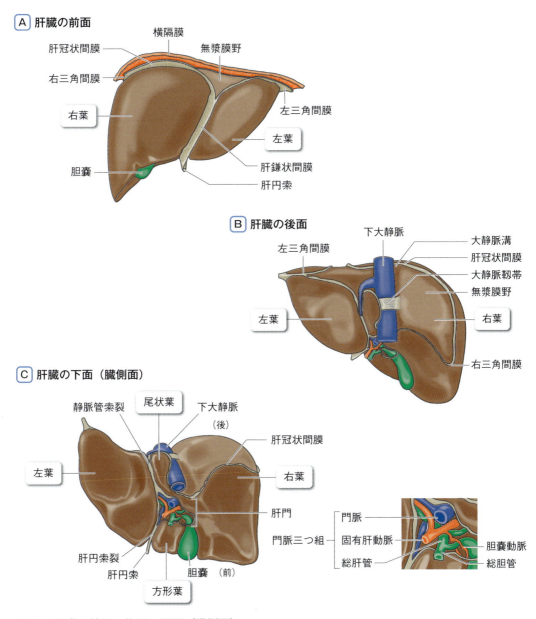

図25　肝臓の前面，後面，下面（臓側面）

- 肝臓の前面は**肝鎌状間膜**（腹壁の正中と肝臓の間にある腹膜ヒダ）によって，**右葉**と**左葉**に分かれる（右葉は左葉よりも大きい）．

2）肝臓の後面（図25B）

- 肝臓の後面には，以下の構造がみられる．
1. **大静脈溝**：肝臓後面の中央を縦に走る溝で，**下大静脈**が挟まりこんでいる．
2. **無漿膜野**：臓側腹膜によって覆われていない領域で，大静脈溝の左右に広がる．また，無漿膜野は肝臓の上面で横隔膜の**腱中心**（⇨p.222）と癒着している．

3）肝臓の上面

- 肝臓の上面は横隔膜の**腱中心**と癒着しており，以下の構造がみられる（図25A）．
1. **肝冠状間膜**：無漿膜野が横隔膜と接した後に反転する領域で，壁側腹膜と腹側腹膜の反転部となっている．
2. **左三角間膜**：肝冠状間膜の左端の部分．
3. **右三角間膜**：肝冠状間膜の右端の部分．

4）肝臓の下面（図25C）

1. **肝門**：下面（底面）のほぼ中央にあるくぼんだ部位で，**門脈・固有肝動脈・総肝管**の出入り口となっている．また，肝門の両側には**右葉**と**左葉**がそれぞれ位置し，前方には**方形葉**，後方には**尾状葉**がある．
2. **肝円索**：胎児期の臍静脈（胎盤から送られる酸素の富んだ血液が通る静脈）が閉塞した後の遺残である（⇨p.242 国試のPoint）．**肝円索裂**という溝の間に収まる．
3. **静脈管索**：胎児期の**静脈管**（アランチウス管）が閉塞した後の遺残である．**静脈管索裂**という溝の間に収まる．
4. **胆囊窩**：肝臓の底面の前方にあるくぼみで，**胆囊**が収まる．

5）肝臓の脈管（図26）

- 肝臓には以下の3種類の血管が出入りしている．
1. **固有肝動脈**：肝臓の**栄養血管**であり，門脈とともに肝門から入る．
2. **門脈**：脾静脈・上腸間膜静脈・下腸間膜静脈が合流して形成される静脈で，肝臓の**機能血管**である（図27）．固有肝動脈とともに肝門から入る．
3. **肝静脈**：静脈血を肝臓の後面から**下大静脈**（⇨p.254）に送り出す．

※肝門には門脈と固有肝動脈に加えて**総肝管**が通過している．この3種を合わせて**門脈三つ組**という（図25C）．

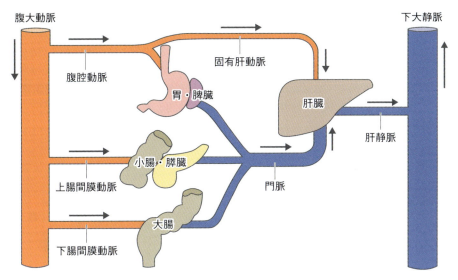

図26 肝臓へ入る血管系
肝臓には，固有肝動脈（栄養血管）のほかに，胃・脾臓・小腸・膵臓・大腸からの静脈血が門脈（機能血管）を通って流入する．文献12をもとに作成．

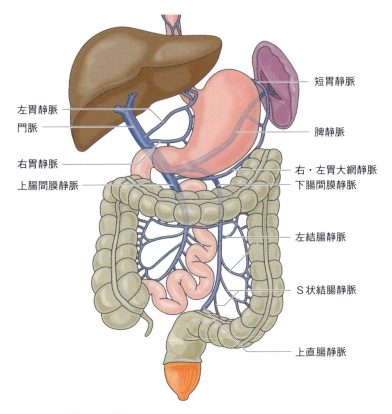

図27 門脈とその枝

6) 肝臓の組織構造（図28）

- 肝臓の組織は，直径約1〜2mmの六角形をした**肝小葉**という単位からできている．肝小葉の縁の部分には，**グリソン鞘**という結合組織の区域がある．グリソン鞘は門脈三つ組（門脈・固有肝動脈・総肝管）の枝である**小葉間動脈・小葉間静脈・小葉間胆管**を含んでいる．また，肝小葉の中央には**中心静脈**という枝があり，肝静脈へとつながっている．
- 肝小葉の中には板状に並んだ**肝細胞**と，**類洞（洞様毛細血管）**という幅の広い毛細血管が放射状に配列されている．

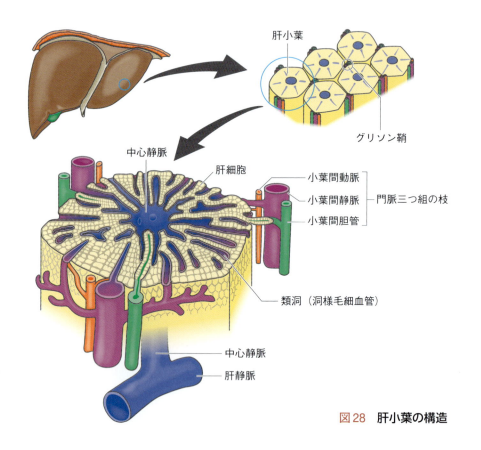

図28　肝小葉の構造

7) 肝臓の機能

- 肝臓には栄養血管の**固有肝動脈**のみではなく，機能血管の**門脈**も流入する．小腸で吸収された各栄養素は門脈を介して肝臓へ入り，合成・分解・貯蔵・解毒などが行われる．肝臓の主な機能には，以下のものがある．

①代謝機能：グリコーゲンの合成・分解や血漿タンパクの生成，脂質やホルモンの代謝を行う．
②解毒・排泄機能：脂溶性の有毒物質を，排泄しやすいように水溶性に変える．
③胆汁の生成：身体に不必要な物質を胆汁の中に排泄し，十二指腸に分泌する．胆汁は脂肪の消化を助ける働きをもつ（**乳化**）．
④貯蔵機能：肝臓は鉄やビタミンA，B_{12}，Dなどを貯蔵する役割をもつ．
⑤胎児期の造血作用：肝臓は胎児期には造血作用をもつが，出生後にはその機能を失う．

国試の Point

門脈圧亢進症
肝硬変では肝臓の線維化・結節形成によって門脈の血管抵抗が増加し，**門脈圧亢進症**を合併する．その結果，普段は血液があまり通らない血管（門脈と上・下大静脈を結ぶ血管など）が拡張し，さまざまな症状を引き起こす．門脈圧亢進症の病態は国家試験において頻出される．機序も含め，しっかりと理解を深めよう．
①**食道静脈瘤**：左胃静脈と奇静脈の間の領域の拡張による．
②**メズサ（メデューサ）の頭**：臍傍静脈（臍を取り巻く皮静脈）の拡張による．
③**痔**：上直腸静脈と中・下直腸静脈の間の領域の拡張による．
④**脾腫**：脾臓に静脈血がうっ滞した結果起こる．

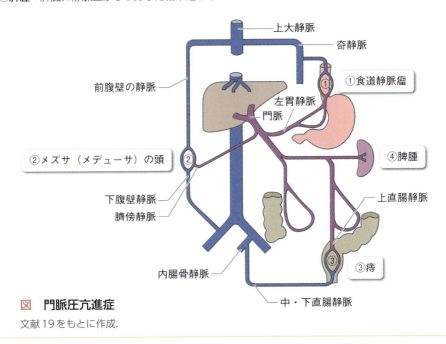

図 門脈圧亢進症
文献19をもとに作成．

12 胆嚢

- 肝臓の下面にある胆嚢窩に収まる臓器で，長さ約8 cmのナスのような形状をしている．肝臓で生成された**胆汁**を濃縮し，約50 mLまで溜める役割をもつ．
- 肝臓で生成された胆汁が十二指腸にまで運ばれる経路は**胆道**とよばれ，以下の流れで胆嚢に貯蔵される（図29）．
  ▶ **肝細胞**が胆汁を分泌→**小葉間胆管→右肝管・左肝管→総肝管→胆嚢管→胆嚢に貯蔵**
- 食物が十二指腸に入ると，貯蔵された胆汁は以下の流れで十二指腸へと送り出される．
  ▶ **胆嚢→胆嚢管→総胆管**（胆嚢管と総肝管が合流して形成）**→総胆管**が膵管とともに十二指腸に開口
- 膵管の十二指腸への開口部は**大十二指腸乳頭（Vater乳頭）**とよばれ，その周囲は**Oddi括約筋**が取り巻いている．
- また，コレステロールやビリルビンが蓄積した結果，胆嚢内に**胆石**が生じることがある．基本的には無症状であるが，蠕動によって胆嚢管や総胆管に移動すると激しい痛みが起こる（**胆石疝痛**）．

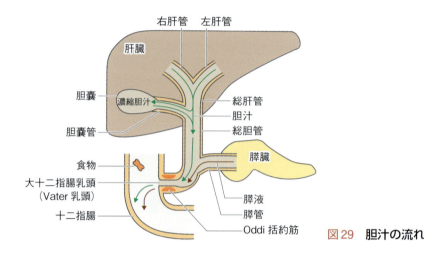

図29　胆汁の流れ

13 膵臓（図30）

1）膵臓の構造

- 膵臓は重さ90〜100 g，長さ約15 cmの横に細長い器官で，その大部分は臓側腹膜の後壁に付着している（**腹膜後器官**の1つ ⇨p.300）．膵臓は以下の3部に分けられる（⇨膵臓の内分泌部・外分泌部についてはp.309参照）．

1 膵頭：右端の膨らんだ部分で，十二指腸のC字形の弯曲にはまり込んでいる．

2 膵体：膵頭と膵尾の間の部分で，左側に向かって伸びている（第1・2腰椎の前面を横走する）．

3 膵尾：左端の細長い形状の部分で，脾臓と接している（Langerhans島が他の部位よりも多く存在している）．

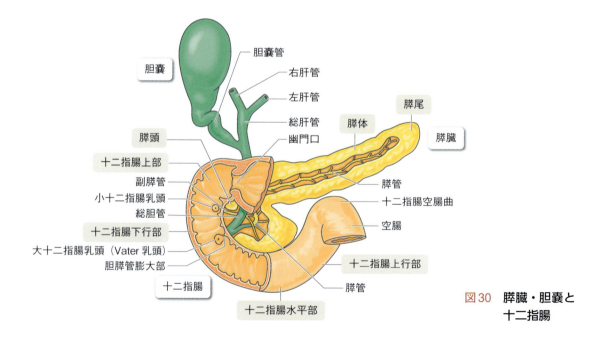

図30　膵臓・胆嚢と十二指腸

2）膵臓の導管

- 膵臓の導管には，以下の2本がある．

1 膵管※：膵臓の主な導管で，**総胆管**とともに十二指腸の下行部に開口する．開口部は**大十二指腸乳頭**（Vater乳頭）とよばれ，**Oddi括約筋**が発達している（⇨p.288，図29）．

※文献によっては**主膵管**と記載されることもあるので注意．

2 副膵管：小十二指腸乳頭（大十二指腸乳頭の上方にある開口部）から十二指腸の下行部に開口する導管．

14 脾臓（図31）

- 左上腹部にある握りこぶし大の臓器で，上部は横隔膜に接している．内側面の中央には**脾門**があり，そこから脾動脈や脾静脈，神経が出入りしている．表面は線維性の被膜によって覆われており，そこから内部に向かって**脾柱**が伸び出ている．
- 脾臓の組織は**白脾髄**と**赤脾髄**に分かれている．

1 白脾髄：リンパ小節によって構成されており，免疫反応を活性化させる働きをもつ．

2 赤脾髄：**脾洞**という血管腔と網目状の**脾索**によって構成されている．老化した赤血球は，脾索のマクロファージによって貪食される．

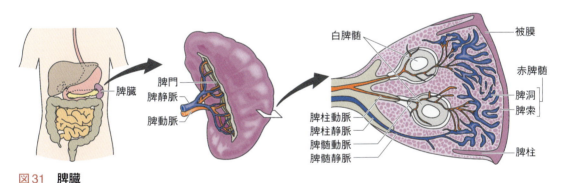

図31　脾臓

15 胸腺（図32）

- 胸骨の後面かつ心臓の前面に位置する器官で，Tリンパ球（T細胞）の産生と成熟にかかわる．胸腺は出生後に急速に発育するが，成人では退縮して脂肪化する．

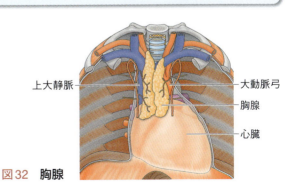

図32　胸腺

16 腹膜

1）腹膜と腹膜腔（図33）

腹部の内臓の大部分は，**腹膜**とよばれる薄く透明な漿膜によって覆われている（漿膜には腹膜のほかに，左右の肺を包む**胸膜**，心臓を包む**心膜**がある）．腹膜は以下のように区分される．

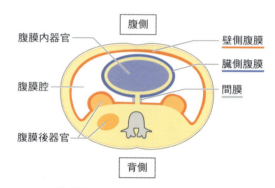

図33　腹膜内器官と腹膜後器官

❶ **臓側腹膜**：臓器の表面を覆う腹膜．
❷ **壁側腹膜**：腹壁の内面を覆う腹膜．
❸ **間膜**：臓側腹膜と壁側腹膜の間にあるヒダ状の部分．2つの腹膜の間を臓器に出入りする脈管や神経が走行する．また，間膜は部位によって**腸間膜**や**横行結腸間膜**などがある．
❹ **腹膜腔**：臓側腹膜と壁側腹膜によって挟まれた空間で，漿液という少量の液を含むことによって臓器の動きを滑らかにしている．また，立位での腹膜腔の最下端部は女性では**直腸子宮窩**（直腸と子宮の間の部位で別名，**ダグラス窩**），男性では**直腸膀胱窩**（直腸と膀胱の間の部位）である．

2）腹膜と内臓の位置関係（図33〜35）

腹腔と骨盤腔の臓器は，腹膜との位置関係によって以下の2つに分類される．

❶ **腹膜内器官**：大部分が腹膜によって覆われている臓器で，**胃・空腸・回腸・盲腸・横行結腸・S状結腸・肝臓**などがある．
❷ **腹膜後器官**：腹膜腔の後壁の壁側腹膜と筋の間を**腹膜後隙**といい，そこに位置する臓器は**腹膜後器官**とよばれる．発生の過程により，以下の2種に区分される．
　① 一次性腹膜後器官：もともと腹膜後隙に発生した臓器で，**腎臓・副腎・尿管**などがある．
　② 二次性腹膜後器官：発生の過程で間膜を失って腹膜後壁に付着した臓器で，**十二指腸**や**上行結腸，下行結腸，膵臓**がある．

3）胃の周辺の間膜（⇨図15）

❶ **大網**：胃の大弯と十二指腸の上部に付着する間膜で，腹腔の臓器の前にエプロンのようにぶら下がっている．大網は以下のような働きをもつ．
- 脂肪を蓄え，臓側腹膜と壁側腹膜を癒着しないようにする．
- クッションとして働き，臓器を外傷から守る．
- 断熱材として働き，体温喪失を防ぐ．

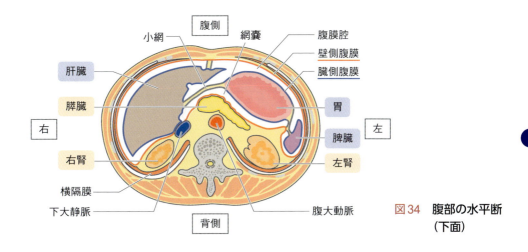

図34 腹部の水平断（下面）

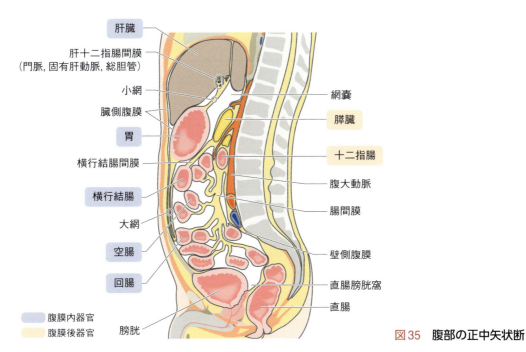

図35 腹部の正中矢状断

❷ **小網**：胃の小弯と肝臓の肝門の間をつなぐ間膜．**肝胃間膜**と**肝十二指腸間膜**から構成される．

❸ **網嚢**：胃と小網の後ろのスペースで，その入り口は**網嚢孔**（**ウィンスロー孔**）とよばれる．網嚢は腹膜腔から出た液体が貯留しやすい部位であるため，外科手術後に網嚢孔からドレーン（排液チューブ）を挿入して留置することがある．

4）小腸・大腸の間膜（⇨図18, 21）

❶ **空腸・回腸**：いずれも**腸間膜**によって，壁側腹膜の後壁に付着している．

❷ **横行結腸**：**横行結腸間膜**によって，壁側腹膜の後壁に付着している．

❸ **S状結腸**：**S状結腸間膜**によって，壁側腹膜の後壁に付着している．

17 嚥下

- 食物を口から胃まで運ぶ一連の動作は**嚥下**とよばれ，その中枢は**延髄**（⇨p.350）に存在している．嚥下は5つの過程，もしくは3つの相に区分される．

1）嚥下の過程

1 先行期：食物を認識し，口まで運ぶまでの時期．
2 準備期：食物を唾液と混ぜながら咀嚼し，食塊を形成する時期．
3 口腔期：食塊を口腔から咽頭へ送る時期．
4 咽頭期：食塊を咽頭から食道へ送る時期．
5 食道期：食塊を食道から胃へ送る時期．

2）嚥下の相（図36）

1 口腔相（第1期）：嚥下の開始の相であり，舌の随意運動によって食塊は咽頭へ送り出される．

2 咽頭相（第2期）：食塊が咽頭に接触することによって延髄の嚥下中枢が刺激され，反射的に以下の運動が起こる．
　①軟口蓋が挙上して咽頭鼻部を狭め，食塊が鼻腔に入らないようにする．
　②喉頭の挙上とともに喉頭蓋軟骨が後方に倒れ，食塊が気管に入らないようにする．

3 食道相（第3期）：食道の蠕動運動によって，食塊を不随意的に胃へと送る．

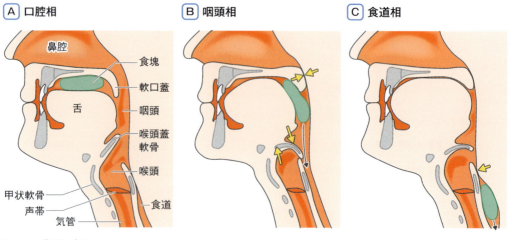

図36　嚥下の相

国家試験練習問題

問1 胃の分泌で正しいのはどれか．2つ選べ．[第58回PM問67]

1. ヒスタミンは胃酸分泌を抑制する．
2. 迷走神経刺激は胃酸分泌を促進する．
3. ガストリンは蛋白質の消化酵素である．
4. 内因子はビタミンB_{12}の吸収に関与する．
5. ペプシノーゲンは壁細胞から分泌される．

問2 消化器の解剖で正しいのはどれか．[第54回AM問55]

1. 胃の筋層は2層の平滑筋からなる．
2. 空腸は回腸より長い．
3. 食道は3か所の狭窄部をもつ．
4. 十二指腸は腸間膜を有する．
5. 内肛門括約筋は横紋筋からなる．

問3 口腔で正しいのはどれか．[第54回PM問57]

1. 口蓋の後方を硬口蓋という．
2. 口峡は口腔と喉頭の境である．
3. 口腔粘膜は重層扁平上皮からなる．
4. 舌根に舌乳頭がある．
5. 舌背に舌小帯がある．

問4 胃について正しいのはどれか．[第55回PM問57]

1. 幽門は食道に連なる．
2. 胃切痕は大弯側にある．
3. 胃体の下端部を胃底という．
4. 噴門は第1腰椎の右側にある．
5. 胃の大弯は大網を介して横行結腸と結合する．

問5 膵臓で正しいのはどれか．[第54回PM問58]

1. 膵頭は脾臓に接する．
2. 膵尾は十二指腸に接する．
3. 膵管は十二指腸に開口する．
4. 膵体は横行結腸前面を横走する．
5. Langerhans〈ランゲルハンス〉島は膵頭に多く存在する．

第8章 内分泌系

> **学習のポイント**
> - ホルモンの働きについて説明することができる
> - 内分泌腺とその標的器官の位置を図示することができる
> - 各内分泌腺のホルモンの作用を説明することができる

1 内分泌と外分泌

- 物質を合成して放出することを**分泌**といい，分泌を行う器官を**腺**という．
- 腺はその役割によって，以下の2つに分けられる．
① **内分泌腺**：分泌物を血液中に分泌する腺．
② **外分泌腺**：分泌物を体表や外界につながる臓器の内腔に分泌する腺（汗腺，唾液腺など）．

2 内分泌腺とホルモン

- **内分泌**とは，化学物質が内分泌腺から血液中に放出される現象を意味する．内分泌を行う細胞は**内分泌細胞**とよばれ，放出される化学物質を**ホルモン**という（図1）．
- ホルモンは内分泌腺から直接，血管の中に分泌され，そのホルモンにのみ結合する受容体をもつ細胞（**標的細胞**）に作用する．標的細胞が数多く集まる器官は，**標的器官**とよばれる．
- 主な内分泌腺（内分泌器官）には**視床下部**，**下垂体**，**松果体**，**甲状腺**，**副甲状腺**（**上皮小体**），**膵臓**，**副腎**，**腎臓**，**性腺**（**生殖腺**），**消化管**，**心臓**，**脂肪細胞**などがある．
- 全身の主な内分泌器官とホルモンを図2に示す．

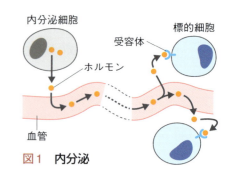

図1 内分泌

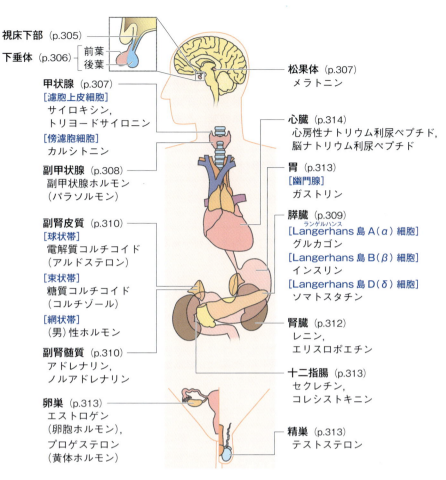

図2　全身の主な内分泌器官とホルモン

3 視床下部

- 第三脳室（⇨p.343）の側壁の一部と底をなす小さな核群で，全身の自律機能を調整する重要な中枢である．以下の6種のホルモンを分泌する（6種すべてが下垂体前葉に作用し，名称どおりの働きをする）．

①副腎皮質刺激ホルモン放出ホルモン：**副腎皮質刺激ホルモン**の合成・分泌を促進する．
②甲状腺刺激ホルモン放出ホルモン：**甲状腺刺激ホルモン**の合成・分泌を促進する．
③成長ホルモン放出ホルモン：**成長ホルモン**の合成・分泌を促進する．
④成長ホルモン抑制ホルモン：**成長ホルモン**の合成・分泌を抑制する．
⑤プロラクチン抑制ホルモン：プロラクチンの合成・分泌を抑制する．
⑥性腺刺激ホルモン放出ホルモン（ゴナドトロピン放出ホルモン）：**黄体形成ホルモン**と**卵胞刺激ホルモン**の合成・分泌を促進する．

4 下垂体

- 脳の下面についた前後8 mm，幅10 mmほどの小さな器官で，内頭蓋底の**トルコ鞍**（⇨p.175）に位置する．また，下垂体は発生学的に異なる2つの原基に由来しており，腺としての構造をもつ**腺下垂体**※（**下垂体前葉**）と神経組織としての構造をもつ**神経下垂体**（**下垂体後葉**）に分けられる． ※腺性下垂体と記載されることもある．

1）下垂体前葉（腺下垂体）

- 下垂体前葉は，視床下部のホルモンの作用によって分泌が調整される．以下の6種のホルモンを分泌する（図3左）．

1 副腎皮質刺激ホルモン：副腎皮質を刺激し，**糖質コルチコイド**と**副腎アンドロゲン**（⇨p.311）の合成と分泌を促進する．

2 甲状腺刺激ホルモン：甲状腺を刺激し，甲状腺ホルモンの合成と分泌を促進する．

3 成長ホルモン：骨をはじめとする全身の組織の成長促進やタンパク質の同化，血糖上昇などの作用をもつ．

4 プロラクチン：妊娠中に次第に分泌量が増加し，乳腺上皮細胞を増殖させて乳汁の産生を促進する．

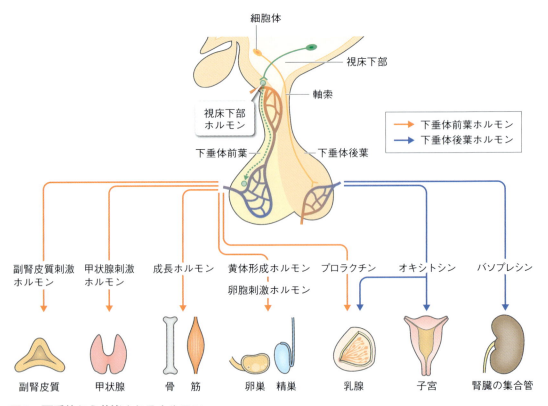

図3 **下垂体から分泌されるホルモン**

5 黄体形成ホルモン（黄体化ホルモン）

- 女性：排卵を促し，排卵後の卵胞に作用して**黄体**を形成させる．また，**プロゲステロン**（黄体ホルモン）の分泌を促進させる作用をもつ．
- 男性：精巣に作用して，**テストステロン**（⇨p.313）の分泌を促進する．

6 卵胞刺激ホルモン

- 女性：卵胞の発育を促す．
- 男性：精子の形成を促す．

※黄体形成ホルモンと卵胞刺激ホルモンを合わせて，**性腺刺激ホルモン**（ゴナドトロピン）とよぶ．

2）下垂体後葉（神経下垂体）

- 第三脳室の底面が突き出して生じた神経細胞からなり，**漏斗**（⇨p.347）によって視床下部と結ばれている．下垂体後葉のホルモンは視床下部の神経細胞の細胞体で生成され，軸索によって輸送される．その後，下垂体後葉の末端部から分泌される（**図3右**．血液中に神経伝達物質が放出され，ホルモンとして働くことを**神経内分泌**という）．

1 バソプレシン※（**抗利尿ホルモン**）：血漿の浸透圧の上昇や，血圧の低下によって分泌が促進される．腎臓の**集合管**（⇨p.319）に作用して水の再吸収を促進し，尿量を減少させる（血管平滑筋を収縮させる作用もあるが，バソプレシンの生理的濃度ではこの作用は働かない）．

※バソプレッシン，バゾプレシンと記載されることもある．

2 オキシトシン：以下の2つの作用をもつ．
① **分娩時の子宮筋収縮作用**：分娩時に分泌が増加して分娩を促進し，胎児娩出後の子宮収縮を促進する．
② **授乳時の乳汁射出作用**：乳児が乳首を吸引する際に分泌が増加し，射乳を促す．

5 松果体

- 第三脳室の後壁に位置する器官で，メラトニンを分泌する．
- **メラトニン**：網膜に光刺激が入る昼間に分泌が抑制され，光が入らない夜間に分泌が促進するホルモンである．体内のさまざまな機能を，1日の明暗のサイクルに合わせる役割をもつ（**概日リズム**，または**サーカディアンリズム**という）．

6 甲状腺

- 甲状腺は気管の上方の前面に位置する器官で，蝶のような形状をしている．また，その裏面の両側上下には**副甲状腺**がある（**図4**）．

1 甲状腺ホルモン：甲状腺ホルモンには**サイロキシン**※（細胞外から取り込んだヨウ素が4つ結合したもの）と**トリヨードサイロニン**（ヨウ素が3つ結合したもの）があり，いずれも甲状

腺の濾胞上皮細胞が合成・分泌を行う．標的器官が非常に広範なため，ほぼすべての臓器と組織に作用する．

※チロキシンと記載されることもある．

①熱産生に対する作用：全身ほぼすべての代謝を亢進させ，熱産生量を増加させる．
②成長・発育に対する作用：心身の正常な発育と成長に関与する．
③糖・コレステロールに対する作用：腸管における糖の吸収を促進する．
④神経系に対する作用：思考の回転を上げ，被刺激性（周囲からの刺激に反応して興奮する性質）を上昇させる．
⑤筋に対する作用：筋タンパク質の分解を促進する．
⑥心臓に対する作用：心臓のβ受容体の数と親和性を上昇させ，**カテコールアミン**（⇨p.311）に対する感受性を高める．

2 **カルシトニン**：甲状腺の**傍濾胞細胞**（濾胞という小さな袋状の組織の周囲にある細胞群）から分泌される．以下の2つの作用をもつ．

①破骨細胞の活性を低下させ，骨吸収※を抑制する． ※骨吸収：骨から血液中にCa^{2+}が溶け出すこと．
②腎臓に作用し，Ca^{2+}（カルシウムイオン）を尿中へ排泄することによって血漿Ca^{2+}濃度を低下させる．

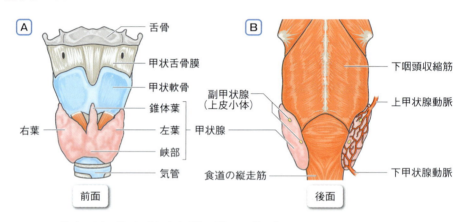

図4　甲状腺と副甲状腺（上皮小体）（前面，後面）

7 副甲状腺（上皮小体）

- 甲状腺の裏側の両側上下にある米粒くらいの大きさの部位で（図4），主細胞と酸好性細胞などから構成されている．副甲状腺の主細胞は，**副甲状腺ホルモン**※（**パラソルモン**，**上皮小体ホルモン**）の合成・分泌を行う（酸好性細胞の機能は明らかにされていない）．

※パラトルモンと記載されることもある．

- **副甲状腺ホルモン（パラソルモン，上皮小体ホルモン）**：以下の作用をもつ．

①破骨細胞の活性を上昇させ，骨吸収を促進させる．
②腎臓に作用してCa^{2+}（カルシウムイオン）再吸収を増加させ，血漿Ca^{2+}濃度を上昇させる．

国試のPoint　ホルモンによるカルシウム代謝

体内のカルシウムの約99％は骨に貯蔵されている．カルシウムは骨形成以外に神経伝導や筋収縮などにも働く．カルシウムは血液中の血漿（血液の液体成分）によって全身に輸送される．血漿カルシウム濃度の調整には以下の3つのホルモンが関与する（カルシトニンとパラソルモンの拮抗作用については国家試験に頻出されるので，しっかりと整理して理解しよう）．

①カルシトニン
　　血漿カルシウム濃度が上昇すると分泌され，骨吸収の抑制や尿中への排泄によって血漿カルシウム濃度を低下させる．

②パラソルモン（副甲状腺ホルモン，上皮小体ホルモン）
　　血漿カルシウム濃度が低下すると分泌され，骨吸収の促進や腎臓の近位尿細管での再吸収によって血漿カルシウム濃度を上昇させる．

③活性型ビタミンD
　　ビタミンDは小腸から再吸収された後に，腎臓における代謝を受けて**活性型ビタミンD**となる．活性型ビタミンDは腸におけるカルシウムの吸収と，腎臓でのカルシウム再吸収を促進する．

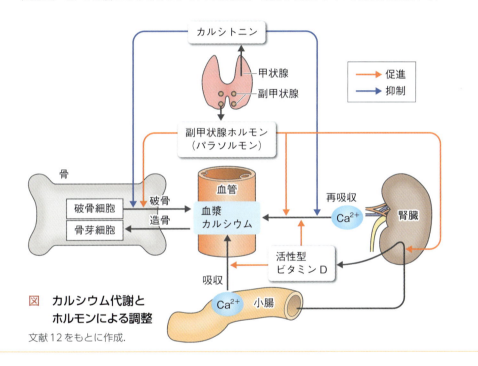

図　カルシウム代謝とホルモンによる調整
文献12をもとに作成．

8 膵臓

- 膵臓は**外分泌部**（膵液を十二指腸に分泌する部位 ⇨ p.298）と**内分泌部**（ホルモンを血液中に分泌する部位）に分かれる．内分泌部は島のように点々と存在するため，Langerhans島（膵島）とよばれている（Langerhans島は膵臓全体にあるが，**膵尾**により多く存在している）．

- Langerhans島は**A細胞**（α細胞），**B細胞**（β細胞），**D細胞**（δ細胞）によって構成される．各細胞からは以下のホルモンが分泌される．

1 インスリン：**血糖値**（血漿中のグルコースの濃度）が上昇するとLangerhans島のB細胞（β細胞）から分泌される．肝細胞や筋細胞，脂肪細胞に**グルコース**（ブドウ糖）を取り込ませ，血糖値を低下させる作用をもつ（取り込まれて結合したグルコースは**グリコーゲン**となる）．

2 グルカゴン：血糖値が低下するとLangerhans島のA細胞（α細胞）から分泌される．肝臓に作用してグリコーゲンを分解し，グルコースを血液中に放出して血糖値を上昇させる．

3 ソマトスタチン：Langerhans島のD細胞（δ細胞）から分泌され，インスリンやグルカゴン，ガストリン（⇨p.313）の分泌を抑制する作用をもつ（ソマトスタチンは当初，成長ホルモン抑制ホルモンとして視床下部で発見された．しかしその後，Langerhans島のD細胞や胃などでも分泌されることが明らかとなった）．

> **臨床で重要！ 糖尿病とインスリン**
>
> インスリンは血糖値が上昇した際に分泌が促進し，血糖値を低下させる働きをもつ．インスリンの分泌が低下すると血糖値が慢性的に上昇し，腎臓のグルコース再吸収能を上回ってしまう．その結果として尿の中に糖が検出されるようになることが，糖尿病と名付けられた理由だとされている．尿の中に糖が出ること自体は人体に大きく影響はないが，血糖値の上昇と糖代謝の障害によって全身にさまざまな病変があらわれる．特に**網膜症**，**腎症**，**末梢神経障害**は糖尿病の3大合併症とよばれる．糖尿病は以下の2型に分類される（2023年現在，疾患名の変更が検討されている）．
> - **1型糖尿病**：自己抗体やウイルス，薬剤によってLangerhans島のB細胞が障害された結果として起こる糖尿病．小児や若年者に多く，治療にインスリンは必須である．
> - **2型糖尿病**：遺伝的素因に加えて過食や肥満，運動不足，ストレスなどの環境的因子によってB細胞が疲弊し，インスリンの分泌が障害されることによって起こる糖尿病．日本では2型糖尿病患者が圧倒的に多い．

9 副腎

- 左右の腎臓の上に帽子のようにかぶさっている臓器で，腎臓とともに**脂肪被膜**に包まれている（腎臓と密接な位置関係にはあるが，機能として直接的な関係はない）．
- 副腎は**副腎皮質**と**副腎髄質**に分かれる（図5）．

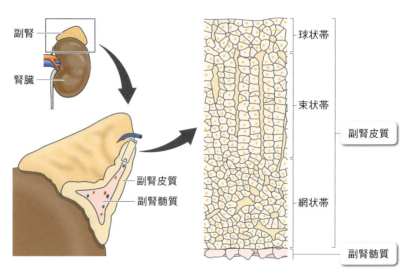

図5　副腎の断面と組織
文献12, 16をもとに作成．

1）副腎皮質

- **中胚葉**由来の臓器で，生命維持のためには不可欠な内分泌腺である．表層から順に**球状帯・束状帯・網状帯**の3層に分かれ，各層からは以下のホルモンが分泌される．

1 電解質コルチコイド（鉱質コルチコイド）：副腎皮質の**球状帯**から分泌されるホルモンで，電解質の代謝に関係する．電解質コルチコイドにはさまざまな種類があるが，**アルドステロン**が最も重要な働きをする．アルドステロンは腎臓の集合管に作用し，Na^+（ナトリウムイオン）の再吸収とK^+（カリウムイオン）の排泄を促進する．

2 糖質コルチコイド：副腎皮質の**束状帯**と**網状帯**から分泌され，糖代謝に影響を与える．糖質コルチコイドにも電解質コルチコイドと同様にさまざまな種類があり，そのなかで最も働くのは**コルチゾール**※である．糖質コルチコイドに対する受容体は，ほぼすべての細胞がもっているため，非常に多彩な作用をもつ． ※コルチゾルと記載されることもある．

　①糖代謝に対する作用：**糖新生**（アミノ酸や乳酸などからグルコースを合成する経路）を促進し，血糖値を上昇させる．

　②抗炎症作用：細胞小器官のリソソームの膜を安定化し，その中にあるタンパク質分解酵素の遊出を防止することによって炎症の拡大を防ぐ．この作用はアレルギー疾患や慢性炎症，自己免疫疾患に対する**ステロイド療法**としても用いられる．

　③許容作用：糖質コルチコイドはカテコールアミンやインスリン，グルカゴンなどの作用を増強させる働きをもつ．これを**許容作用**という．

　④中枢神経系に対する作用：情動や認知機能にも影響を与え，不足すると抑うつ・不安・食欲減退などが生じ，過剰になると多幸感や活動性の亢進が起こる．

　⑤抗ストレス作用：さまざまなストレスに対する耐性を上昇させる働きをもつ．

3 副腎アンドロゲン（男性ホルモン）：副腎皮質の**網状帯**から分泌され，末梢で**テストステロンやエストロゲン**（⇨p.313）に変換され，性ホルモンとして働く．

2）副腎髄質

- **外胚葉**由来の臓器で，交感神経の節後ニューロンが変化したものである．刺激に応じて血中に**カテコールアミン**※（ノルアドレナリン，アドレナリン，ドーパミン※などの神経伝達物質の総称）を分泌する．
  ※カテコラミン，ドパミンと記載されることもある．

- 副腎髄質から分泌されるカテコールアミンの約85％は**アドレナリン**で，残りの約15％は**ノルアドレナリン**である．心臓の機能促進や消化管の平滑筋の弛緩，肝臓のグリコーゲン分解による血糖値上昇などの作用をもつ（いずれも本質的には交感神経の作用と同様である）．

10 腎臓

- 腹膜後壁に位置するソラマメのような形状をした器官で，以下のホルモンを分泌する．

1 レニン※：糸球体付近の輸入細動脈の血圧が低下すると，**傍糸球体装置**（⇨p.318）の顆粒細胞から分泌される．

※レニンは厳密には糖タンパク質ではあるが，本書ではホルモンとして扱う．

2 エリスロポエチン：動脈血酸素分圧が低下すると産生と分泌が促進され，赤血球の生成を増加させる．

臨床で重要！

レニン-アンギオテンシン-アルドステロン系（RAA系）

腎小体（マルピギー小体）の傍糸球体装置から分泌されるレニンは，血圧を上昇させるホルモンを生成する働きをもつ．この一連の働きは**レニン-アンギオテンシン※-アルドステロン系**とよばれる（※アンジオテンシンと記載されることもある）．この働きが過剰になった場合，高血圧の原因となる場合がある．そのため，降圧剤として**ACE阻害薬**（アンギオテンシン変換酵素の働きを阻害する）や**アンギオテンシンⅡ受容体拮抗薬**（アンギオテンシンⅡの受容体を阻害する）が臨床上，用いられる．

①輸入細動脈の血圧が低下すると，傍糸球体装置から**レニン**が分泌される．
②レニンは**アンギオテンシノゲン**を分解し，**アンギオテンシンⅠ**をつくる．
③アンギオテンシンⅠは血管内皮細胞の表面にある**アンギオテンシン変換酵素**（ACE：angiotensin converting enzyme）によって**アンギオテンシンⅡ**となる．
④アンギオテンシンⅡは全身の血管を収縮させ，血圧を上昇させる．また同時に，副腎皮質に働いて**アルドステロンを分泌させる**．
⑤アルドステロンはNa$^+$（ナトリウムイオン）の再吸収を促進する働きをもつ．その結果，間質の浸透圧が上昇して水の再吸収が促進される．この働きによって全身の血液循環量が増加し，血圧が上昇する．

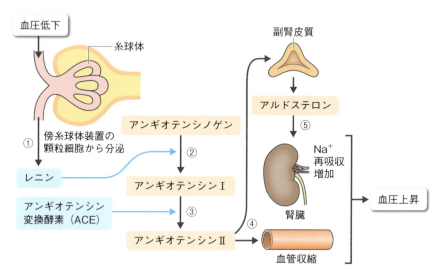

図　レニン-アンギオテンシン-アルドステロン系による血圧の調整

文献12をもとに作成．

11 性腺（生殖腺）

- 生殖細胞（精子もしくは卵子）をつくる器官で，男女でそれぞれ異なるホルモンが分泌される．

1 テストステロン（男性ホルモン）：精巣のライディッヒ細胞から**アンドロゲン（男性ホルモン）**が分泌される．分泌されるアンドロゲンのなかで最も主要なものが**テストステロン**である．男性らしい骨格形成や二次性徴，精子の形成などに働く．

2 エストロゲン（卵胞ホルモン）：卵巣において，成熟中の卵胞から分泌されるホルモンである．卵胞期の子宮内膜を増殖させるとともに，卵胞の成長を促進させる作用をもつ．

3 プロゲステロン（黄体ホルモン）：卵巣において，排卵後の黄体から分泌されるホルモンである．子宮内膜を分泌期にさせて，受精卵が着床しやすい状態にする作用をもつ．また妊娠中では子宮筋の興奮性を抑え，妊娠を継続させるようにする働きをもつ．

12 消化管

- 各消化管から，以下のホルモンが分泌される．

1）胃

1 ガストリン：胃の**幽門部**（⇨p.286）にある幽門腺の**G細胞**から放出される消化管ホルモンである．胃の中にタンパク質性の食物が入ると分泌が促進する．血流に乗って循環し，胃底腺の壁細胞から**胃酸（塩酸）**を分泌させる作用をもつ．

2 グレリン：主に胃で合成されるホルモンで，腸，膵臓，視床下部などからも分泌される．成長ホルモンの分泌や摂食行動，副交感神経の作用などを活性化させる働きをもつ．

2）十二指腸

1 セクレチン：胃で消化された酸性の内容物が十二指腸に入ることにより，分泌が促される消化管ホルモンである．胃液の分泌抑制と膵液の分泌促進の作用をもつ．セクレチンによって分泌される膵液は弱アルカリ性の重炭酸イオン（HCO_3^-）を多く含んでおり，胃液の酸性を中和する働きをもつ．この作用により，十二指腸の粘膜が胃液によって傷害されることを防いでいる．また，胃液の酸性が中和された後に，セクレチン自体の分泌も低下する．

2 コレシストキニン※：十二指腸にタンパク質や脂肪の刺激が加わることにより，分泌が促される消化管ホルモンである．胆嚢の収縮と膵液の分泌を促進する作用をもつ．

※かつて，膵液を分泌するホルモンがパンクレオザイミン，胆嚢を収縮するホルモンがコレシストキニンだと考えられていた．しかし後年，両者は同一の物質であることが判明し，一般的にはコレシストキニンとよばれている（まれにパンクレオザイミンと記載されていることがあるので，注意すること）．

13 心臓

1. **心房性ナトリウム利尿ペプチド**：循環血液量が増加すると心房の充満度が上昇し，心房壁が伸展される．その刺激によって心房および心室から分泌されるホルモンである．腎臓に作用し，ナトリウムの排泄増加を伴う利尿を引き起こす．
2. **脳ナトリウム利尿ペプチド**※：心室で合成・分泌されるホルモンで，心房性ナトリウム利尿ペプチドと同様に利尿作用をもつ．

※最初にブタの脳で発見されたため名称に「脳」が付くが，主に心臓から分泌されることに注意．

14 脂肪細胞

- **レプチン**：脂肪細胞から分泌されるホルモンで摂食を抑制し，エネルギー消費を促進する．

国試のPoint

ホルモンと内分泌異常

各内分泌腺のホルモンの分泌が亢進もしくは低下すると，以下のような病態を引き起こす．診断名を暗記するのみではなく，ホルモンの作用をふまえて理解しよう（国家試験では診断名が英名で出題されることもあるので注意）．

表 ホルモンと内分泌異常

内分泌腺	ホルモン	亢進	低下	疾患名
下垂体前葉	成長ホルモン	○		骨端線閉鎖前：下垂体性巨人症 骨端線閉鎖後：先端巨大症 　　　　　　　（末端肥大症）
			○	成長ホルモン分泌不全性低身長症
下垂体後葉	バソプレシン（抗利尿ホルモン）		○	尿崩症
甲状腺	甲状腺ホルモン（サイロキシン，トリヨードサイロニン）	○		Basedow病※
			○	小児：クレチン症 成人：橋本病，粘液水腫
副甲状腺	副甲状腺ホルモン（パラソルモン）		○	テタニー
膵臓	インスリン		○	糖尿病
副腎皮質	糖質コルチコイド	○		Cushing症候群
	電解質コルチコイド，糖質コルチコイド		○	Addison病

※グレーブス病と記載されることもある．

国家試験練習問題

問1 腎臓から分泌されるホルモンはどれか．2つ選べ．[第58回AM問57]

① レニン
② メラトニン
③ カルシトニン
④ バソプレシン
⑤ エリスロポエチン

問2 ホルモンの産生で正しいのはどれか．[第54回AM問59]

① エリスロポエチンは骨髄で産生される．
② グルカゴンはLangerhans〈ランゲルハンス〉島B細胞で産生される．
③ ソマトスタチンは黄体で産生される．
④ トリヨードサイロニンは上皮小体で産生される．
⑤ バソプレシンは視床下部で産生される．

問3 エリスロポエチンの産生を促進するのはどれか．[第53回PM問66]

① 血圧の低下
② 血糖値の低下
③ 腎機能の低下
④ 動脈血酸素分圧の低下
⑤ 血中カルシウム濃度の低下

問4 副腎髄質から分泌されるホルモンはどれか．[第57回AM問58]

① レニン
② アンドロゲン
③ コルチゾール
④ アルドステロン
⑤ ノルアドレナリン

問5 ホルモン分泌について正しいのはどれか．[第53回PM問67]

① プロラクチンは乳腺から分泌される．
② 卵胞刺激ホルモンは視床下部から分泌される．
③ エストロゲンは下垂体ホルモン分泌を促進する．
④ 黄体化ホルモンはプロゲステロンの分泌を促進する．
⑤ 性腺刺激ホルモン放出ホルモンは下垂体から分泌される．

第9章 泌尿器系・生殖器系

学習のポイント

- 腎臓の形状を図示することができる
- 腎単位（ネフロン）の構成と役割を説明することができる
- 尿生成のしくみを説明することができる
- 男女の生殖器の共通の要素と違いを理解する

- 人体に含まれる水分は**体液**とよばれ，成人では体重の55〜60％を占める．**泌尿器系**は尿を生成して体外へ排出することにより，体液の量と電解質の濃度を調整する役割をもつ．泌尿器系は以下の4つの器官によって構成されている（図1）．
  ① 腎臓：尿を生成する．
  ② 尿管：尿を腎臓から膀胱へ運ぶ．
  ③ 膀胱：尿を一時的に貯留する．
  ④ 尿道：必要に応じて，尿を体外へ出す．
  ※副腎は泌尿器系には含まれない（⇨p.310）．

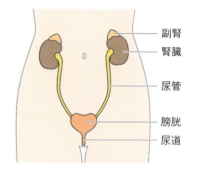

図1　泌尿器系の概観

1 腎臓

- **腎臓**は脊柱の左右にある重さ約130 g，直径約10 cmの器官でソラマメのような形状をしている．その表面は**線維被膜**によって覆われており，腹膜後壁に埋め込まれている（**腹膜後器官**の1つ ⇨p.300）．
- 右腎は第1〜3腰椎の高さにあり，左腎よりも椎体1つ分（約1.5 cm）下に位置する（肝臓の右葉・左葉の大きさの差が関与している）．
- 安静時の腎血流は，心臓から拍出される血液の約**5％**に相当する．
- 尿を生成して体液の量と成分を一定に保つ役割をもっており，**腎皮質・腎髄質**によって生成された尿は**小腎杯・大腎杯・腎盤（腎盂）**に集められた後，**尿管**を通して**膀胱**へと送り出される．

1）腎臓の構造（図2）

❶ 腎門：腎臓の内側中央にある凹んだ部分で，脊柱側を向いている．腎動静脈，神経，リンパ管，尿管の出入り口になっている．

❷ 腎洞：腎門のすぐ奥にある空間で，脂肪によって満たされている．以下の構造物が収められている．
- 腎動脈と腎静脈の枝
- 腎杯
- 腎盤（腎盂）

❸ 腎皮質・腎髄質：腎臓の実質は，**腎皮質**と**腎髄質**に区分される（図3）．
①**腎皮質**：線維被膜に面している部分．腎皮質には**腎小体**（後述）が多くみられ，血管が多いため色は赤褐色である．
②**腎髄質**：腎洞に向かって突き出る部分で，尿を濃縮させる働きをもつ．腎髄質には，以下の部位がある．
- **腎錐体**：腎洞に向かって突き出た円錐状の部分．また，腎錐体とその周囲の腎皮質を合わせて**腎葉**という（腎臓の肉眼的単位）．腎葉と腎葉の間にある腎皮質の領域は**腎柱（ベルタン柱）**という．
- **腎乳頭**：腎錐体の先端部．左右の腎臓にはそれぞれ十数個の腎乳頭がある．

❹ 小腎杯：腎乳頭を覆っている部位で，腎乳頭の先端から出た尿が流れ込む．

❺ 大腎杯：数個の小腎杯が集まって形成された部位．

❻ 腎盤（腎盂）：数個の大腎杯が集まって形成された部位で，**尿管**へと続いている．

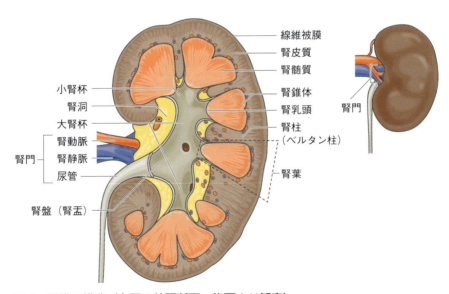

図2　腎臓の構造（右腎の前頭断面，後面より観察）

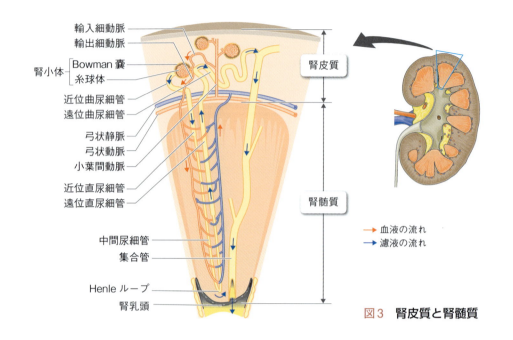

図3　腎皮質と腎髄質

2) 腎臓の組織構造（図3, 4）

- 腎臓の組織には**腎小体**（マルピギー小体※）と**尿細管**が収まっている．また，腎小体と尿細管を合わせた腎臓の機能的単位を**腎単位（ネフロン）**という．　※マルピーギ小体とも記載される．

❶ 腎小体（マルピギー小体）：糸球体とBowman嚢によって構成され，腎皮質に多くみられる．血液から尿を濾過し，尿細管へと運ぶ役割をもつ．その際に糸球体は大量の血液（血漿などの水分）は濾過するが，アルブミンなどの血漿タンパク質は濾過しない．**輸入・輸出細動脈**が出入りする部位は**血管極**，尿細管が通る部位は**尿細管極**とよばれる．

①**糸球体**：毛細血管が糸玉のように集まって形成された部位で，その壁は非常に薄く壊れやすい．また，糸球体の壁は一度壊れると再生しない（糸球体の数が極端に減少すると，**腎不全**となる）．

②**Bowman嚢**：直径約0.2 mmの袋状の構造物で，糸球体を包み込んで**腎小体（マルピギー小体）**を形成している．

❷ 傍糸球体装置：腎小体の血管極の付近にある細胞の集団で，血圧が低下した際に**レニン**を血中に分泌する．レニンは血圧を上昇させるホルモンを生成する働きをもつ（⇨p.312 臨床で重要！）．

❸ 尿細管：腎皮質と腎髄質の間を複雑に走行する長い管で，糸球体で濾過された尿を流すと同時に，成分を再吸収して血液中に回収する働きをもつ．上皮細胞の種類によって，以下の4つに分かれる．

①**近位尿細管**：糸球体から続く尿細管の最初の部位で，**近位曲尿細管**（カーブしながら走行

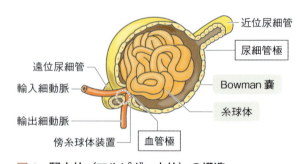

図4　腎小体（マルピギー小体）の構造

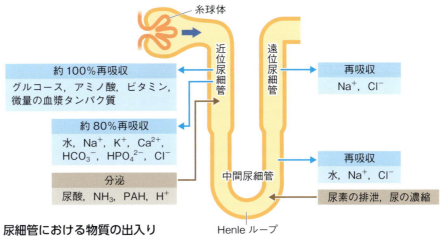

図5　尿細管における物質の出入り

する部位）と**近位直尿細管**（直線状に走行する部位）からなる．腎皮質を下行し，部分的に腎髄質へ入る．近位尿細管では**グルコース・アミノ酸・ビタミン・微量の血漿タンパク質**の約100％，水・Na^+（ナトリウムイオン）・K^+（カリウムイオン）・Ca^{2+}（カルシウムイオン）・HCO_3^-（重炭酸イオン）・HPO_4^{2-}（リン酸水素イオン）・Cl^-（塩化物イオン）の約80％の再吸収が行われている．また，再吸収のみではなく，**尿酸・NH_3（アンモニア）・PAH（パラアミノ馬尿酸）・H^+（水素イオン）が分泌**されている（図5）．

②**中間尿細管**：近位尿細管と遠位尿細管の間の部位で，腎髄質にある．腎髄質を下行した近位尿細管は中間尿細管でUターンし，遠位尿細管となって再び腎髄質を上行する．この構造は**Henleループ**（Henle係蹄，Henleのワナ）とよばれる．また，中間尿細管では**水・Na^+（ナトリウムイオン）・Cl^-（塩化物イオン）の再吸収と尿素の排泄，尿の濃縮**を行っている（図5）．

③**遠位尿細管**：HenleループでUターンした後に上行する部位で**遠位直尿細管**（直線状に走行する部位）と**遠位曲尿細管**（カーブしながら走行する部位）からなり，傍糸球体装置の形成にも部分的に関与している．また，遠位尿細管ではエネルギー消費による能動的なNa^+（ナトリウムイオン）・Cl^-（塩化物イオン）の再吸収が行われている（図5）．

④**集合管**：複数の遠位尿細管が合流して太くなり，腎乳頭の先端に開口する．また，集合管の内部にある**水チャネル**は**バソプレシン**（⇒p.307）の作用によって開き，水分の再吸収量が増加する．その結果，濃縮した尿が体外へと排泄される（バソプレシンの分泌が低下した場合は水チャネルは開口せず，薄い尿が排泄される）．

3）脈管と神経

1　腎動脈：上腸間膜動脈のすぐ下の高さ（第1・2腰椎の間）で起こる左右一対の太い動脈で，右腎動脈は左腎動脈よりも長く，下大静脈の後面を通過している（腹大動脈が左側に位置しているため）．大動脈の約1/5もの血流を腎臓へ送っている．腎動脈は腎門を通った後に**葉間動脈**となり，腎皮質と腎髄質の境目を走行して**弓状動脈**となる．弓状動脈からは皮質に向かって**小葉間動脈**が伸び出している（図3）．

2　腎静脈：小葉間静脈，弓状静脈，葉間静脈を経て腎静脈となる．腎静脈は腎門から出た後に下大静脈へと注ぐ．腎動脈とは異なり，左腎静脈が右腎静脈よりも長い．

3　リンパ管：腎臓からのリンパは左右の**腰リンパ節**へと集まった後に，**腰リンパ本幹**へと入る（⇒5章図3）．

4 神経：腎神経叢の枝（交感神経）と副交感神経が分布する．交感神経の刺激によって，傍糸球体装置から**レニン**（⇨p.312）の分泌が促される．

> **国試のPoint　尿生成のしくみ**
> 腎臓では糸球体と尿細管によって尿が生成される．特に糸球体では，1日に約160 L もの血漿成分が濾過されている（**原尿**とよばれ，**糸球体濾過量**と一致する）．その後，原尿の99％以上は近位尿細管と中間尿細管，集合管で再吸収され，最終的に尿となるのは 1～1.5 L（わずか1％未満）である．また，集合管での再吸収には下垂体後葉から分泌される**バソプレシン**（⇨p.307）が関与している．

2 尿管

- 長さ25～30 cmの左右一対の平滑筋性の管で，尿管壁は粘膜・筋層・外膜の3層からなる．
- 尿管は腎臓から膀胱へ尿を運ぶ役割を担っており，腎盤（腎盂）が細くなったところから始まり，大腰筋や総腸骨動脈の前方を下行して骨盤腔に入る．その後，左右から膀胱壁の後面を斜めに貫き，膀胱底の**尿管口**に開口する（膀胱壁を尿管が斜めに貫くことにより，膀胱内に尿が充満した際の逆流を防いでいる．図6）．
- 尿管には3つの**生理的狭窄部**があり，いずれも尿路結石によって閉塞しやすい部位として重要である．
  ①腎盤（腎盂）と尿管の移行部
  ②尿管が総腸骨動静脈を乗り越える部位
  ③尿管が膀胱壁を貫く部位

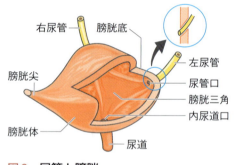

図6　尿管と膀胱

3 膀胱

- 恥骨結合のすぐ後方に位置する平滑筋性の袋で，三角錐のような形状をしている（図6）．空のときには骨盤腔に収まるが，尿が充満すると腹腔内に膨隆する（そのため，空の膀胱の内部には多数のヒダがみられる）．膀胱の後方には男性では直腸，女性では子宮がある．
①**膀胱尖**：膀胱の前方の部分で，三角錐の先端にあたる．恥骨結合のすぐ後方に位置する．
②**正中臍ヒダ**：壁側腹膜のヒダで，膀胱尖と臍の間にみられる．その中には**正中臍索**（胎児期に膀胱と臍をつないでいた**尿膜管**の遺残）が走行する．
③**膀胱底**：膀胱の後方の部分で，三角錐の底辺にあたる．**膀胱三角**が位置している．
④**尿管口**：左右の尿管の開口部で，膀胱底の左右上端にある．
⑤**内尿道口**：膀胱から尿道への出口にあたる部位で，膀胱底の下部にある．
⑥**膀胱三角**：左右の尿管口と内尿道口に囲まれた三角形の領域．この部位だけ粘膜のヒダがなく，平坦な形状をしている．
⑦**膀胱体**：膀胱尖と膀胱底の間の部位．

4 尿道

- 膀胱底の下端から始まる体外への尿路で，女性と男性で著しく構造が異なる．

1 女性の尿道：女性の尿道は長さが約3～4 cmで，男性よりも短い（そのため，膀胱炎などの尿路感染症を引き起こしやすい）．膀胱の**内尿道口**から始まって**尿生殖隔膜**を貫き，小陰唇の間にある腟前庭に**外尿道口**として開く（⇨図13, 14）．

2 男性の尿道：男性の尿道は長さが約15～20 cmで，女性よりも長い．以下の4部に分かれる．
①**壁内部（前立腺前部）**：膀胱の内尿道口から前立腺までの約1 cmの部分で，平滑筋性の**内尿道括約筋**※が取り巻いている（⇨p.321 図）．　※膀胱括約筋と記載されることもある．
②**前立腺部**：尿道が**前立腺**を貫いている部分で，その長さは約3～4 cmである．内腔中央の後壁にある**精丘**という隆起部からは，**射精管**が開口している（⇨図10）．
③**隔膜部**：**尿生殖隔膜**を貫く部分で，長さ約1 cm程度である．骨格筋性の**外尿道括約筋**が取り巻いている（⇨p.321 図）．
④**海綿体部**：陰茎の**尿道海綿体**の中を通る部分で，長さは約10～15 cmである．陰茎の先端にある**外尿道口**に開口する（⇨図10）．

> **国試のPoint**
>
> **排尿反射と排尿**
> 膀胱の尿の容量は500～600 mLであるが，200 mL前後まで溜まると尿意を感じるようになる．尿が溜まることによって膀胱壁が引き伸ばされ，その刺激が**骨盤内臓神経**（第2～4仙骨神経から分岐する副交感神経）によって腰・仙髄の**排尿中枢**へと伝えられる．
> ①**蓄尿反射**：排尿の準備が整っていない場合に起こる反射である．大脳皮質による排尿神経の抑制に伴って**下腹神経**（交感神経）が作用し，膀胱壁の排尿筋の弛緩・内尿道括約筋の収縮が起こる．その結果，さらに尿を膀胱内に溜めることが可能となる．
> ②**排尿反射**：排尿の準備が整っている場合に起こる反射である．大脳皮質による排尿神経の抑制がなくなることによって**骨盤内臓神経**（副交感神経）が作用し，膀胱壁の排尿筋の収縮・内尿道括約筋の弛緩が起こる．また同時に**陰部神経**（体性神経）の作用によって外尿道括約筋が弛緩し，排尿が行われる．

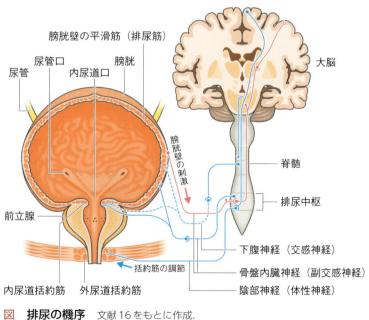

図　**排尿の機序**　文献16をもとに作成．

5 生殖器

- 生殖器は個体の生命維持には関与しないが，次世代の個体を生み出すという重要な役割をもっている．男性と女性ではその構造が著しく異なっているが，4つの共通の要素から構成されている（表1）．

表1 生殖器を構成する要素

	男性生殖器	女性生殖器
生殖腺（生殖細胞をつくる部位）	精巣	卵巣
生殖管（生殖細胞を運ぶ管）	精巣上体，精管，射精管，尿道の一部	卵管，子宮，腟
付属腺（生殖管に液を分泌する腺）	精嚢，前立腺，尿道球腺	大前庭腺
外生殖器（体表の会陰にある部位）	陰嚢，陰茎	外陰部（大陰唇，小陰唇，腟前庭，陰核）

※ 生殖腺，生殖管，付属腺を合わせて，**内生殖器**という．

1）男性生殖器

1 精巣（睾丸）：精子をつくり出す役割をもつ器官で，硬く丸い形状をしているため**睾丸**ともよばれる（図7）．精巣の後上面には，**精巣上体**が位置している．発生初期には腹膜後壁の高い位置にあるが，出生前には下降して鼠径管を通過し，**陰嚢**の中に収まる．精巣の内部は放射状に伸びる仕切りによって200〜300個ほどの**精巣小葉**に分かれており，その中には2種類の**精細管**が収まっている．

①曲精細管：長さ70〜80 cmの細い管で，複雑に屈曲・蛇行しながら精巣小葉の中に収まっている．

②直精細管：曲精細管の両端が合流して形成される管で，**精巣網**へとつながる．精巣網からは十数本の**精巣輸出管**が出ており，1本の**精巣上体管**へと精子を送る．

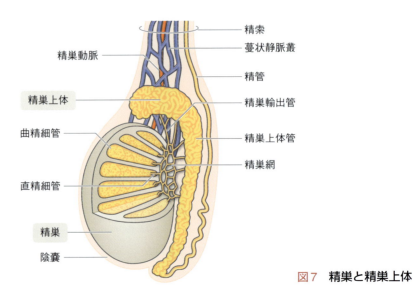

図7 精巣と精巣上体

- また，精巣には以下の3つの特殊な細胞が含まれている．
  ① 精細胞：精子のもとになる細胞．
  ② セルトリ細胞：精細管の内部環境を一定に保ち，精細胞の発達にかかわる．
  ③ ライディッヒ細胞（間質細胞）：男性ホルモン（⇨p.313）の分泌を行う．

❷ 精巣上体（副睾丸）：精巣の後上面に位置する器官で，**副睾丸**ともよばれる．**精巣上体管**によって精巣から送られてきた精子を成熟させ，射精まで貯蔵する役割をもつ．

❸ 精管：精巣上体から射精管までをつなぐ，全長40～50 cmの平滑筋性の管である．
  ① **精管膨大部**：精管の遠位部の紡錘状に膨らんだ部分．この先で精管は**精嚢**と合流し，**射精管**となって**前立腺**を貫く（図8）．
  ② **精索**：鼠径管から陰嚢に向かって伸びる小指くらいの太さの部位で，精管・精巣動脈・蔓状静脈叢・陰部大腿神経の枝・リンパ管・交感神経などが通過する．精索は精巣とともに**外精筋膜**（外腹斜筋の延長），**精巣挙筋膜**（内腹斜筋の延長），**内精筋膜**（腹横筋の延長）によって包み込まれている（図9）．
  ③ **精巣挙筋**：主に内腹斜筋から起こる筋で，精巣を挙上させる働きをもつ．

❹ 精嚢：前立腺の後面に位置する左右一対の袋状の器官で，精液の約70％を分泌する．精子のエネルギー源となる果糖（フルクトース）をつくり，精子の働きを保つ役割をもつ．精管と合流して**射精管**を形成する（図8）．

❺ 前立腺：尿道と射精管を取り囲む栗のような形状をした腺で，恥骨結合の後方かつ直腸の前方に位置している．30～50個の嚢状腺の集合体で，精液の約20％を分泌する．直腸の前方に接しているため，肛門から指を入れての触診も可能である．40代以上では重量の増加（**前立腺肥大症**）がみられ，排尿時間の延長や夜間頻尿などが起こる．また，高齢者では**前立腺癌**の好発部位でもある．

❻ 尿道球腺（カウパー腺）：前立腺の真下にある直径約5 mmの粘液腺（図8）．左右一対あり，精巣上体とともに精液の約10％を分泌する．尿道球腺から起こる導管は，**尿道球**に進入した後に**尿道**に開口する．

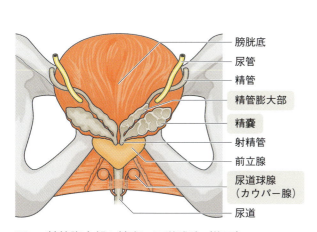

図8 精管膨大部と精嚢，尿道球腺（後面）

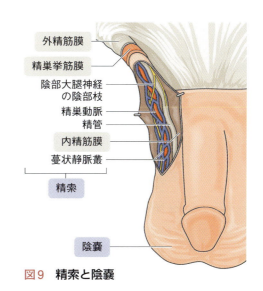

図9 精索と陰嚢

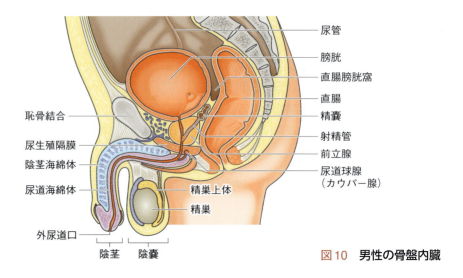

図10 男性の骨盤内臓

7 陰嚢：陰茎の後下方にぶら下がる皮膚の袋で，**精巣・精巣上体・精索**を収めている（図7，9）．内部は**陰嚢中隔**によって左右に分けられている．その皮膚は薄くて色黒く，**肉様膜**とよばれる平滑筋の層構造がみられる．

8 陰茎：陰茎は男性の交接器であり，2種類の海綿体から構成されている（図10）．海綿体は**白膜**という丈夫な結合組織層によって覆われており，内部の静脈洞に血液が充満することによって**勃起**を引き起こす（**勃起中枢**は第2～4仙髄で，性的刺激による勃起には大脳辺縁系が関与）．また，骨盤内臓神経（副交感神経）の枝である**陰茎海綿体神経**は陰茎深動脈に分布し，**動脈弛緩作用**をもつ．その結果，陰茎海綿体への動脈血流入量が増加し，海綿体の膨張が起こる．

① 陰茎海綿体：陰茎の背面に位置し，根元では左右に分かれている．根元付近は**坐骨海綿体筋**によって覆われ，**恥骨弓**に付着している．

② 尿道海綿体：陰茎の下面に位置し，その全長を**尿道**が貫いている．その前端部と後端部には以下の構造がみられる．

- **亀頭**：尿道海綿体の前端にある部位で，帽子状に丸く膨らんだ形状をしている．**包皮**とよばれる皮膚のヒダによって包まれている．
- **尿道球**：尿道海綿体の後端にある部位で，丸い形状をしている．**球海綿体筋**によって包まれており，会陰膜の中央に付着している．

2）女性生殖器

1 卵巣：骨盤側壁の近くに位置する左右一対の器官で，アーモンドのような形状をしている．卵子をつくり出す役割をもち，エストロゲンとプロゲステロン（⇒p.313）の内分泌も行う．その表面は腹膜によって覆われており，**子宮広間膜**の後面に**卵巣間膜**を介して付着している．また，卵巣の下端と子宮底の外側壁は**固有卵巣索**という短い索によってつながっている（図11）．

2 卵管：子宮底から起こる10～12 cmの管で，**子宮広間膜**の上部を左右に向かって走行する（図12）．卵管の外側端は**卵管腹腔口**として腹腔に開き，内側端は**卵管子宮口**として子宮腔内に開口する．外側端から順に，以下の4部に分かれている．

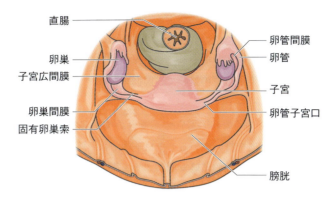

図11　女性の骨盤内臓の上面（卵巣，卵管）

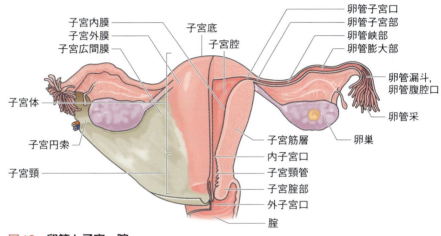

図12　卵管と子宮，腟

① **卵管漏斗**：卵管の外側端にある広がった形状の部位で，その末端は**卵管腹腔口**となって腹腔に開く．また，その縁にある花びら状の突き出た部位を**卵管采**という．
② **卵管膨大部**：卵管が非常に太い部位で，その内部は粘膜による複雑なヒダが発達している．通常，この部位で卵子は受精し，子宮に着床するまでの間に発生が進む．
③ **卵管峡部**：卵管が非常に細い部位で，子宮のすぐ側壁に達する．
④ **卵管子宮部**：卵管のうち，子宮壁を貫いて子宮腔に開口する部位．

3 子宮：膀胱と直腸の間にある洋梨状の中空器官で，厚い平滑筋性の壁をもつ（図12）．

① 子宮の位置と構造
　▶ **子宮体**：子宮の上2/3の部位で，その最上部を**子宮底**という．子宮底には左右の卵管が開口している．
　▶ **子宮峡部**：子宮体と子宮頸の間のくびれた部分．
　▶ **子宮頸**：子宮の下1/3の部位で，その下方の腟内に突き出た部分を**子宮腟部**という．
　▶ **子宮腔**：子宮体の内腔で，逆三角形の形状で狭い．上部には卵管の開口部（卵管子宮口）があり，下部では**内子宮口**を経た後に**外子宮口**となって腟に開口する．
② **子宮壁**：子宮の壁は粘膜，筋層，漿膜から構成されている．

- ▶ **子宮内膜**：子宮壁の粘膜で，月経期にはその表層が剥離し，月経血とともに排出される．
- ▶ **子宮筋層**：子宮壁の筋層で，平滑筋の線維が輪状に取り囲むように走行している．妊娠すると平滑筋細胞が増殖し，子宮壁が肥厚する．
- ▶ **子宮外膜**：子宮壁の漿膜で，前面・後面・上面を包む．また，外側では**子宮広間膜**へとつながっている．

4 **腟**：子宮へと続く管状の器官で，女性の交接器官である．上端では，骨盤内で子宮の下方と連なって骨盤底を貫いている．また下端では，**腟口**となって外尿道口の後方に開いている．処女では，腟口は部分的に**処女膜**によって閉ざされている（図13）．また，女性の腟内は酸性に保たれているため，射精後の精子は約24～48時間（約1～2日）しか生きられない．

5 **女性の外生殖器**：女性の外生殖器は**外陰部**とよばれ，以下の部位がある（図13，14）．
   ① **恥丘**：恥骨結合の前方にある皮膚が膨らんだ部分で，皮下には脂肪がよく発達している．思春期以降では，**陰毛**によって表面が覆われる．

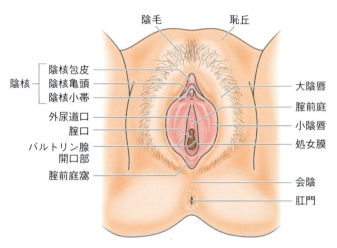

図13　女性の外陰部

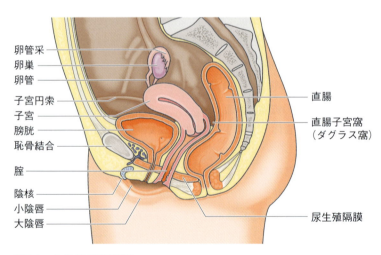

図14　女性の骨盤内臓

②**大陰唇**：恥丘と肛門までの間を縦に走行するヒダ．左右の大陰唇の間には，**陰裂**というくぼみがある．
③**小陰唇**：大陰唇のすぐ内側にある左右一対のヒダで，左右の小陰唇の間は**腟前庭**とよばれる．
④**腟前庭**：左右の小陰唇に挟まった部分で，陰核のすぐ後方には**外尿道口**が，さらにその約1 cm後方には**腟口**がある．
⑤**陰核**：左右の小陰唇が前方で合わさる位置にある．男性の陰茎に相当する勃起器官である．
⑥**大前庭腺（バルトリン腺）**：腟口の後外側にある直径約5 mmの付属腺で，アルカリ性の粘液を分泌する．男性の**尿道球腺**（**カウパー腺**）に相当する．

3) 会陰

- 骨盤の出口に相当する菱形の領域で，前方は恥骨結合，後方は尾骨，側方は坐骨結節によって囲まれている．会陰は左右の坐骨結節を結ぶ線によって，前方の**尿生殖三角**と後方の**肛門三角**に分かれる（図15）．また，会陰の天井部分には**骨盤隔膜**（肛門挙筋と尾骨筋によって形成 ⇨p.225）が位置している．

1 尿生殖三角：会陰の前方部分で尿道，外生殖器の根部が位置している（女性の場合は腟も開口する）．

2 肛門三角：会陰の後方部分で，その中央には**肛門**が開いている．また，肛門の周囲には**外肛門括約筋**（⇨p.292）が取り巻いている．

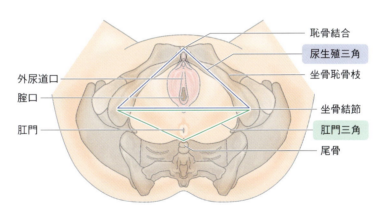

図15 会陰（尿生殖三角と肛門三角）

骨盤底

骨盤腔の床面に相当する部位で，**骨盤隔膜**によって形成されている．骨盤隔膜は**肛門挙筋**と**尾骨筋**によって構成されており（⇨p.225も参照），前方部と中央部にはそれぞれ孔が開いている．中央部の孔は**肛門管**（⇨p.292）が，前方部の孔（**尿生殖裂孔**）は**尿道**（および女性の場合は**腟**）が通過している．

①**肛門挙筋**：骨盤隔膜の前部を構成する筋．主に恥骨体の後面や坐骨棘から起始し，その一部は**肛門挙筋腱弓**（内閉鎖筋の筋膜の肥厚部）からも起こる．**恥骨直腸筋**・**恥骨尾骨筋**・**腸骨尾骨筋**の3部からなる．

②**尾骨筋（坐骨尾骨筋）**：骨盤隔膜の後部を構成する筋．坐骨棘から起こった後に仙骨と尾骨に付着する．

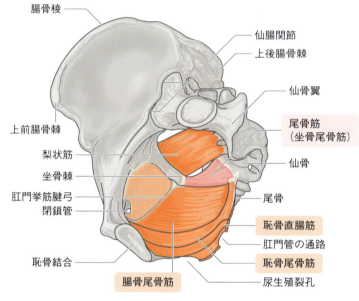

図　骨盤底（肛門挙筋と尾骨筋）
左の寛骨を取り除き，左前方より観察．

国家試験練習問題

問1 腎臓で正しいのはどれか． [第58回PM問57]
1. 糸球体は腎髄質に集まる．
2. 輸出細動脈は集合管につながる．
3. ネフロンは糸球体と尿細管からなる．
4. 輸入細動脈はHenle係蹄につながる．
5. 腎乳頭はBowman嚢に覆われている．

問2 排尿に関与する神経はどれか．2つ選べ． [第58回AM問66]
1. 陰部神経
2. 下腹神経
3. 上殿神経
4. 閉鎖神経
5. 迷走神経

問3 泌尿器の解剖について正しいのはどれか． [第53回PM問58]
1. 膀胱括約筋は平滑筋である．
2. 膀胱尖には膀胱三角が位置する．
3. 膀胱底は膀胱の前方に位置する．
4. 尿管は総腸骨動脈の後方を通る．
5. 尿管壁は粘膜と外膜の2層からなる．

問4 男性生殖器系で正しいのはどれか． [第55回PM問68]
1. 勃起中枢は腰髄にある．
2. 陰茎海綿体神経は動脈収縮作用をもつ．
3. 射精は副交感神経の作用を介して起きる．
4. 性的刺激による勃起には辺縁系が関与する．
5. 射精後の精子は女性の腟内で1週間程度生存する．

問5 腎臓の排尿機構で正しいのはどれか． [第55回AM問67]
1. Bowman嚢は集合管に接続する．
2. 近位尿細管ではNa$^+$が再吸収される．
3. ネフロンは糸球体と近位尿細管から構成される．
4. 糸球体ではアルブミンは水よりも濾過されやすい．
5. 糸球体濾過量は健常成人では1日に1〜1.5 Lである．

第10章 神経系

学習のポイント

- 神経系の基本的な構成を説明することができる
- 中枢神経系と末梢神経系の構成をそれぞれ理解し，役割と関連づけて説明することができる
- 大脳皮質の各領域ならびに機能局在について理解する
- 脊髄の上行路と下行路を説明することができる
- 脊髄神経，脳神経，自律神経の構成と役割の違いを理解する

1 神経系の区分

- 神経系は**中枢神経系**と**末梢神経系**に分けられる（図1）．

1 中枢神経系：頭蓋骨の頭蓋腔に収められている**脳**と，脊柱管に収められている**脊髄**からなる．中枢神経は体内や外界からの情報の処理を行い，その情報に対応した出力を行う役割をもつ．

2 末梢神経系：頭蓋骨から出て末梢へ向かう12対の**脳神経**と，脊柱から出る31対の**脊髄神経**からなる．中枢神経からの入出力を末梢との間で伝える役割をもつ．

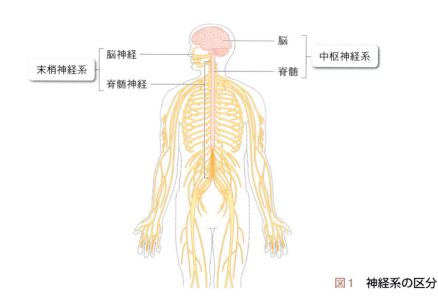

図1 神経系の区分

2 神経系を構成する細胞

- 中枢神経と末梢神経は，**神経細胞（ニューロン）**とそれを支える**支持細胞**によって構成されている．

1）神経細胞（ニューロン）（図2）

- 情報の処理・伝達を行う細胞で，以下の部位からなる．

1 細胞体：細胞の生存・情報処理の統合にかかわる部位で，**核**を有している．

2 樹状突起：細胞体から周囲に向かって木の枝のように突き出た部位で，他の神経細胞からの情報を細胞体に伝える．

3 軸索：細胞体から遠位に向かって伸びる長い突起で，刺激を電気的な興奮として神経細胞の末端へと伝える（これを**伝導**という）．また，軸索の末端部（**神経終末**）は次の神経細胞や骨格筋細胞との間に**シナプス**という接合部を形成している（⇒図5）．シナプスはアセチルコリンなどの**神経伝達物質**により，刺激を他の細胞に伝えている（これを**伝達**という）．

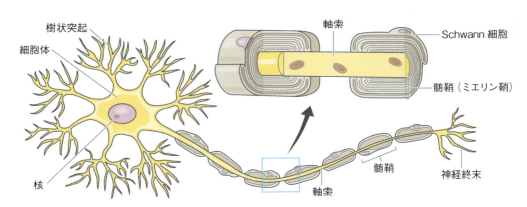

図2　神経細胞（ニューロン）の構造

> **Point　EPSPとIPSP**
>
> 細胞体で起こった電気的な興奮は，シナプスを介して他の細胞へと伝達する．伝達された興奮は神経伝達物質の種類により，以下に区分される．
> - **興奮性シナプス後電位**（excitatory postsynaptic potential：**EPSP**）：脱分極性のシナプス後電位で，興奮の伝達が行われる．
> - **抑制性シナプス後電位**（inhibitory postsynaptic potential：**IPSP**）：過分極性のシナプス後電位で，興奮の抑制が行われる．

2）支持細胞

- 神経細胞のまわりを取り囲む細胞で，中枢神経と末梢神経で形態と役割が異なっている．

1 グリア細胞（神経膠細胞）：中枢神経の支持細胞で，以下の3種がある（図3）．

① **稀突起膠細胞**※（oligodendrocyte）：中枢神経の神経細胞の**髄鞘（ミエリン鞘）**を形成するグリア細胞．　※希突起膠細胞と記載されることもある．

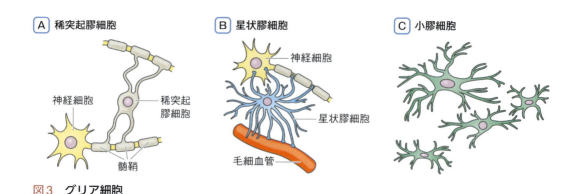

図3 グリア細胞

②**星状膠細胞**（astrocyte）：非常に大型のグリア細胞で，多数の枝を出して毛細血管壁を囲む．血液と神経細胞の間の物質交換を行うとともに，**血液脳関門**（⇨p.344）の形成にもかかわる．

③**小膠細胞**（microglia）：異物を処理する能力をもったグリア細胞で，脳が損傷した際には増殖と移動を行い，死んだ細胞などの処理を行う．

2 Schwann細胞：末梢神経の支持細胞で，主に神経細胞の軸索に**髄鞘**を形成する（⇨図2）．

3）神経線維と興奮の伝導

● 神経細胞（ニューロン）の軸索は，支持細胞に包まれることによって**神経線維**となる．神経線維は稀突起膠細胞やSchwann細胞が形成する**髄鞘**の有無により，以下の2つに分かれる．

1 有髄神経線維：髄鞘を有する神経線維で，髄鞘と髄鞘の間の神経線維が露出した部分を**Ranvier絞輪**という．髄鞘は絶縁性（電気などの伝導を断つこと）が高く，髄鞘の部分には活動電位が起こらない．その結果，活動電位はRanvier絞輪からRanvier絞輪へと飛び飛びに伝わっていくため，有髄神経線維では無髄神経線維よりも伝導速度が速い（**跳躍伝導**という，図4）．

2 無髄神経線維：髄鞘がない神経線維で，有髄神経線維と比較すると伝導速度は遅い．

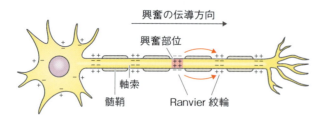

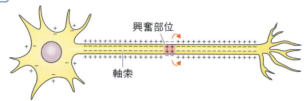

図4 跳躍伝導のしくみ

神経線維の分類

活動電位が神経線維を伝わる速さ（興奮伝導速度）は神経線維の太さと比例しており，神経線維が太いほど興奮伝導速度は速くなる．神経線維はその直径によって以下のように分類されている．

表　神経線維の分類（文字式分類，数字式分類）

A) 文字式分類

種類		役割	直径（μm）	伝導速度（m/sec）
A	α	筋紡錘からの求心性情報 骨格筋支配	15	100
	β	触覚，圧覚	8	50
	γ	筋紡錘への遠心性情報	5	20
	δ	痛覚，温覚，冷覚	3	15
B		交感神経節前線維	<3	7
C		痛覚，交感神経節後線維	1	1

B) 数字式分類（感覚ニューロンの分類に用いられる）

種類		役割	直径（μm）	伝導速度（m/sec）
Ⅰ	a	筋紡錘からの求心性情報	13	75
	b	腱受容器からの求心性情報		
Ⅱ		触覚，圧覚	9	55
Ⅲ		痛覚，温覚，冷覚	3	11
Ⅳ		痛覚	1	1

文献14より引用．

4）灰白質と白質

- 中枢神経は主に**灰白質**と**白質**に分かれる（図5）．

❶ **灰白質**：神経細胞の細胞体が多く集まった部位で，肉眼でも灰色に見える．灰白質は大脳と小脳では表層と深部で発達しており，表層の部位を**皮質**，深層でかたまりのように集まっている部位を**神経核**（大脳基底核や視床など）という．

❷ **白質**：軸索（神経線維）が集まった部位で，肉眼では白く見える．また，大脳・小脳の白質からなる領域は**髄質**とよばれる．

❸ **網様体**：細胞体と神経線維が混在した部位で，**脳幹**（⇨p.348）で発達している．

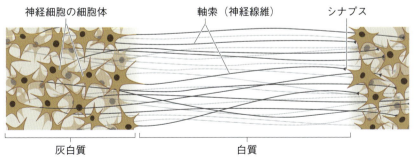

図5　灰白質と白質の組織像

> **Point** 中枢神経の発生

中枢神経は，外胚葉由来の**神経管**から発生する．神経管の前端部は膨らんで脳となり，残りの部分が脊髄へとなっていく．その過程は以下のとおりである．

1) 神経管の発生（図Ⅰ）
①発生の初期に，中胚葉の中央部に**脊索**ができる．
②その後，外胚葉の中央部分が肥厚して**神経板**ができる※．
③神経板の外側が持ち上がって**神経ヒダ**となり，その中央部に**神経溝**という溝ができる．
④神経ヒダの両端が癒合して**神経管**をつくる．また，神経ヒダの外側部は**神経堤**となる（神経堤の細胞はその後，脳神経節・脊髄神経節・自律神経節のニューロンやSchwann細胞などになる）．

※ 外胚葉からは神経以外にも感覚器の主要部（網膜や水晶体など），皮膚の表皮，乳腺，副腎髄質，松果体などが形成される．また，中胚葉からは骨，筋，結合組織，心臓，脈管，副腎皮質，泌尿器系・生殖器系の主要部分（精巣や卵巣），内胚葉からは消化器系・呼吸器系およびその上皮，肝臓，膵臓，膀胱，尿道，甲状腺，副甲状腺（上皮小体）などが起こる．

2) 脳の発生（図Ⅱ）
神経管の前端部に3つの膨らみ（**前脳胞**・**中脳胞**・**菱脳胞**）ができる．
・前脳胞：**終脳（大脳）**と**間脳**になる．
・中脳胞：そのまま**中脳**になる．
・菱脳胞：**後脳（橋と小脳）**，**髄脳（延髄）**になる．
また，神経管の中央の空洞は脳の中にも広がり，**脳室系**（⇨p.342）となる（図Ⅲ）．

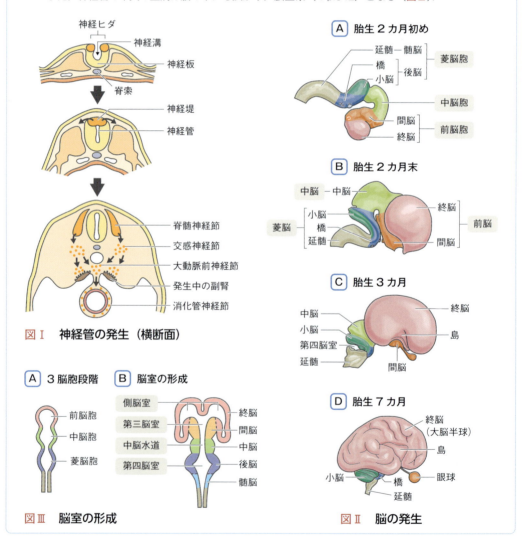

図Ⅰ 神経管の発生（横断面）

図Ⅲ 脳室の形成

図Ⅱ 脳の発生

3 中枢神経系の構成

1) 大脳（終脳）（図6）

- 大脳（終脳）はヒトの脳の大部分を占め，正中部を走行する**大脳縦裂**によって左右の**大脳半球**に区分されている．

1 大脳皮質

- 大脳の表面の部位で，**灰白質**から構成される．その表面には曲がりくねった溝（**溝**）と，溝に挟まれた膨隆部（**回**）がある．溝と回によって，大脳皮質は表面積を広くしている．さらに大脳皮質は主要な3つの溝によって，4つの領域に分かれる．

[3つの溝]

①**中心溝**：前頭葉と頭頂葉を分ける溝．臨床上，Rolando溝ともよばれる．
②**外側溝**：前頭葉・頭頂葉と側頭葉を分ける溝．臨床上，Sylvius溝ともよばれる．外側溝の奥には**島**とよばれる領域がある（島は内臓感覚の投射部位としての働きをもつ⇨図8）．
③**頭頂後頭溝**：頭頂葉と後頭葉を分ける溝．

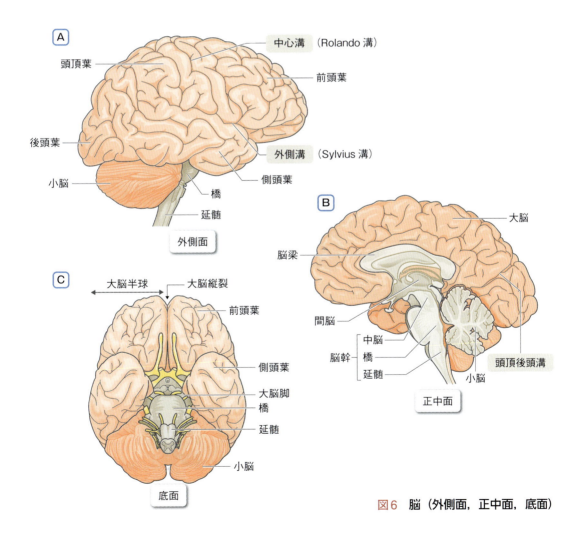

図6 **脳（外側面，正中面，底面）**

[4つの領域]（図7）

①**前頭葉**：中心溝（Rolando溝）よりも前方の領域で，前頭蓋窩に収まる．
- **中心前溝**：中心前回のすぐ前方にある溝．
- **上前頭溝**：上前頭回の下方にある溝．
- **下前頭溝**：中前頭回と下前頭回の間にある溝．
- **中心前回**：中心溝と中心前溝の間の領域で，**一次運動野**に相当する．
- **上前頭回**：上前頭溝より上方の領域．
- **中前頭回**：上前頭溝と下前頭溝の間の領域．
- **下前頭回**：下前頭溝より下方の領域で，**眼窩部・三角部・弁蓋部**に分かれる．また，優位半球（⇨p.339）の三角部と弁蓋部には**運動性言語野**（**Broca野**）が存在する．

②**頭頂葉**：中心溝（Rolando溝）よりも後方かつ，頭頂後頭溝よりも前方の領域．
- **中心後溝**：中心溝のすぐ後方にある溝．
- **頭頂間溝**：上頭頂小葉と下頭頂小葉の間にある溝．
- **中心後回**：中心溝と中心後溝の間の領域で，**一次体性感覚野**に相当する．
- **上頭頂小葉**：頭頂間溝の上方の領域．
- **下頭頂小葉**：頭頂間溝の下方の領域．
- **縁上回**：角回の前方にある部位で，言語機能に関連する．
- **角回**：**視覚性言語中枢**として働き，文章の読み書きに重要な役割をもつ．この部位の損傷は失読（読むことの障害），失書（書くことの障害）を引き起こす．

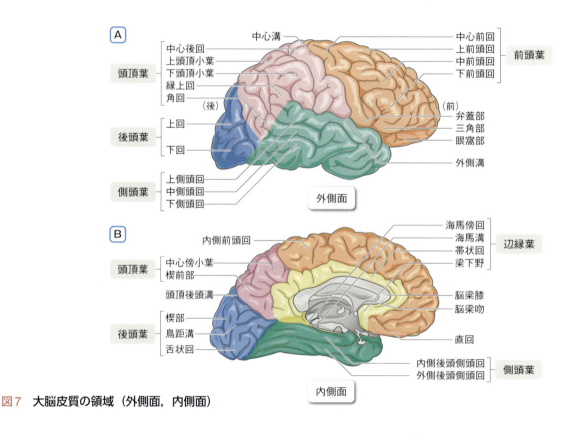

図7　大脳皮質の領域（外側面，内側面）

③後頭葉：頭頂後頭溝よりも後方の領域．
  ▶鳥距溝：楔部のすぐ下方にある深い溝．
  ▶楔部：鳥距溝の上方の領域．
  ▶舌状回：鳥距溝の下方の領域で，単語の認知にかかわる．
④側頭葉：外側溝（Sylvius溝）よりも下方の領域で，中頭蓋窩に収まる．また，その深層には海馬があり，**大脳辺縁系**や**Papezの回路**の形成にかかわっている（⇨p.340）．
  ▶上側頭溝：上側頭回と中側頭回の間の溝．
  ▶下側頭溝：中側頭回と下側頭回の間の溝．
  ▶後頭側頭溝：内側後頭側頭回と外側後頭側頭回の間の溝．
  ▶上側頭回：上側頭溝の上方の領域で，優位半球（⇨p.339）の上側頭回には**感覚性言語野（Wernicke野）**が存在する．
  ▶中側頭回：上側頭溝と下側頭溝の間の領域．
  ▶下側頭回：下側頭溝の下方の領域．日本人では左の下側頭回周辺の損傷により，漢字の失読・失書が起こる．
  ▶横側頭回：2～4個の回からなる領域で，一次聴覚野に相当する．
  ▶内側後頭側頭回：側頭葉から後頭葉にかけての内側面で，後頭側頭溝の上方の領域．
  ▶外側後頭側頭回：側頭葉から後頭葉にかけての内側面で，後頭側頭溝の下方の領域．

[その他の領域]

①島：外側溝（Sylvius溝）の奥にある領域で，前頭葉の**弁蓋部**・頭頂葉の**頭頂弁蓋**・側頭葉の**側頭弁蓋**に覆われている（図8）．島は内臓感覚の投射部位としての働きをもつ．また，島の深層部には**前障**（幅の薄い灰白質の層）が存在する．

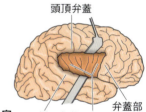

図8 島

②辺縁葉
  ▶海馬溝：海馬傍回と歯状回の間にある溝．
  ▶梁下野：前頭葉の内側面で，**脳梁吻**（脳梁の前端部）のすぐ下方の領域．
  ▶帯状回：海馬傍回とともに辺縁葉の大部分を占める領域で，自律神経機能や認知・注意のプロセスにかかわっている．
  ▶海馬傍回：海馬溝の下方にある領域．
  ▶鈎：海馬傍回の前端で，鈎状（かぎのように曲がった形状）の部位．
  ▶歯状回：海馬溝の上方にある領域で，海馬の内側の隆起部をつくる．

[発生過程による分類]

● また，大脳皮質は発生過程によって以下の3部に分かれる．

①新皮質：発生学的に新しい領域で，大脳皮質の大部分を占める．高次脳機能にかかわっており，神経細胞が6層の層構造を形成している．新皮質の層構造は部位によって異なっており，ドイツの解剖学者Brodmannによって52の領域に区分された．この区分は**Brodmannの領野**とよばれ（図9），大脳皮質の機能局在（各領野が有する固有の機能）と密接な関係がある．
②古皮質：大脳皮質の腹側部にある発生学的に古い領域で，**嗅脳**を生み出す．
③原皮質：大脳皮質の背側部にある発生学的に古い領域で，**辺縁葉**の一部を生み出す．

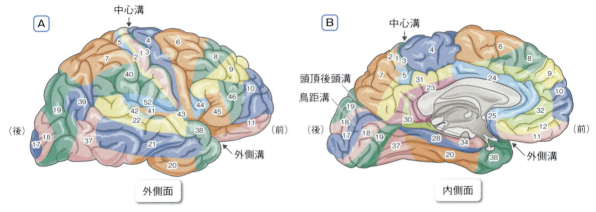

図9 Brodmannの領野（外側面，内側面）

> **Point** 大脳新皮質の細胞構築
>
> 大脳皮質の新皮質は，ほぼすべての部位で以下の6層構造になっている．
> - 第Ⅰ層（分子層）：最も外側の層で，小型のニューロンがまばらに存在している．
> - 第Ⅱ層（外顆粒層）：小型の顆粒細胞と錐体細胞からなる．
> - 第Ⅲ層（外錐体層）：中型の錐体細胞が存在している．
> - 第Ⅳ層（内顆粒層）：小型の錐体細胞と有棘星状細胞からなる．視床（⇨p.346）からの投射は主にこの層に対して行われる．
> - 第Ⅴ層（内錐体層）：大型の錐体細胞から構成される層で，運動野で発達している．また，この層にみられる特に大きな錐体細胞を**Betzの巨大錐体細胞**という．
> - 第Ⅵ層（多形層）：多様なニューロンによって構成されている．
>
>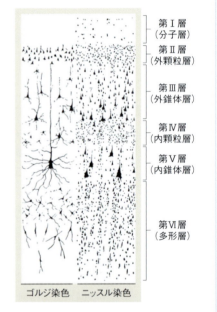
>
> 図 大脳新皮質の細胞構築
>
> 画像は『Vergleichende Lokalisationslehre der Grosshirnrinde』(Brodmann, K.), J. A. Barth, Leipzig, 1909より引用．

> **Point** 大脳皮質における「葉・回・野」
>
> 大脳皮質の各領域の大部分には一定の条件の下，「葉・回・野」という名称が付けられている※．名称の定義を知ることは，大脳皮質の構造と機能を理解するうえで非常に重要である．
> - 葉：3つの主要な溝（⇨p.335）によって区分された4つの大きい領域（例：前頭葉，側頭葉，頭頂葉，後頭葉）．
> - 回：その他の溝によって区分された小さい領域（例：中心前回，中心後回など）．
> - 野：各部位の機能局在（⇨p.339）に対応した領域（例：一次運動野，一次体性感覚野など）．
>
> ※一部ではあるが上頭頂小葉や下頭頂小葉など，例外的な名称もある．

新皮質の機能局在

大脳の新皮質は，その領野によって異なる機能を有している（**機能局在**という）．機能局在の理解は，中枢神経性の疾患に対するリハビリテーションを展開するうえで非常に重要である．

❶**体性運動野**：随意運動の中枢で，以下の4部※に分かれる．
　①**一次運動野**（4野）：中心溝（Rolando溝）のすぐ前方（**中心前回**）にあり，身体の反対側の随意運動にかかわる．
　②**運動前野**（6野の外側面）：運動の計画や構成，複雑な運動の遂行にかかわる．
　③**補足運動野**（6野の内側面）：運動野と同様の働きを行う．
　④**前頭眼野**（8野）：随意的な眼球の運動にかかわる．
　　※近年の研究では運動野はさらに細分化され，前補足運動野，帯状皮質運動野，高次運動野などが発見されている．

❷**体性感覚野**：体性感覚の中枢で，以下の2部に分かれる．
　①**一次体性感覚野**（3・1・2野※※）：中心溝（Rolando溝）のすぐ後方（**中心後回**）にあり，全身の皮膚や深部感覚が入力される．※※矢状面の前方からの順番．
　②**二次体性感覚野**（43野の一部）：一次体性感覚野の下方かつ，外側溝（Sylvius溝）の上方の領域で，体性感覚の上位中枢として働く．

❸**視覚野**：視覚にかかわる中枢で，以下の2部に分かれる．
　①**一次視覚野**（17野）：大脳の最も後方（**鳥距溝**の周囲）に位置し，**外側膝状体**（⇨p.346）から視覚の情報を受け取る．
　②**二次視覚野**（18・19野）：一次視覚野の前方に位置し，映像の意味を理解するなどの働きをもつ．

❹**聴覚野**：聴覚にかかわる中枢で，以下の2部に分かれる．
　①**一次聴覚野**（41・42野）：側頭葉の横側頭回に位置する．**内側膝状体**（⇨p.346）から聴覚の情報を受け，周波数局在性の役割をもつ．
　②**二次聴覚野**：一次聴覚野の周囲に位置し，聞こえた音の意味を理解する働きをもつ．

❺**味覚野**（43野）：味覚にかかわる領域で，体性感覚野の最下部周辺に位置する．

❻**嗅覚野**：嗅覚にかかわる領域で，側頭葉の内側面に位置する．

❼**連合野**：大脳皮質の運動野と感覚野の間に位置し，より高次の精神機能を行う領域である．連合野には主に以下の領域がある．
　①**前頭連合野**：前頭葉のうち運動野よりも前方の領域．側頭連合野・頭頂連合野・大脳辺縁系から情報を受け取り，複雑な行動計画を組み立て，その実行を判断する役割をもつ（論理的思考の制御にもかかわる）．
　②**頭頂連合野**：体性感覚野と視覚野の間の領域で，空間内の位置の理解や目標へのアクションに関与する．
　③**側頭連合野**：側頭葉の聴覚野を除く領域で，聴覚情報の処理や視覚的な形態認知にかかわる．
　④**後頭連合野**：高次視覚野に占められた領域で，純粋に視覚系の情報処理に特化している（そのため，厳密には連合野には含まれない）．

❽**優位半球と劣位半球**：言語中枢のある側の大脳半球を**優位半球**といい，約90％で左半球に存在する（反対側を**劣位半球**という）．優位半球には以下の2つの言語中枢がある．
　①**運動性言語野**（44・45野）：**Broca野**（ブローカ）ともよばれ，発話の際の音声の組み立てに関与する．この部位の障害によって起こる症状は**運動性失語**（Broca失語）とよばれ，発話が困難になる．
　②**感覚性言語野**（22野の後方の領域）：**Wernicke野**（ウェルニッケ）ともよばれ，聞いた言語を理解する役割をもつ．この部位の障害によって起こる症状は**感覚性失語**（Wernicke失語）とよばれ，言葉や言語の理解ができなくなる．

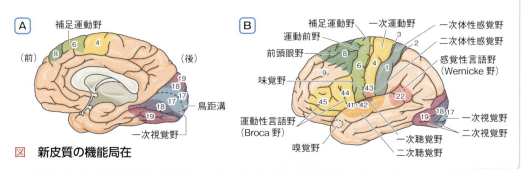

図　**新皮質の機能局在**

> **Point** 大脳辺縁系
> 海馬傍回，帯状回，歯状回などの辺縁葉と，扁桃体・海馬・中隔核などによって構成された領域を**大脳辺縁系**※という（※辺縁系ともよばれ，その構成は文献により，若干の差異がある）．本能行動の統合中枢である視床下部（⇨p.347）と新皮質の間に位置し，両者を中継する役割（情動や本能行動の調節）にかかわる．また，海馬・脳弓・乳頭体・視床前核・帯状回・海馬傍回と続く一連の連絡路は**Papezの回路**とよばれ，記憶や情動に関与すると考えられている．

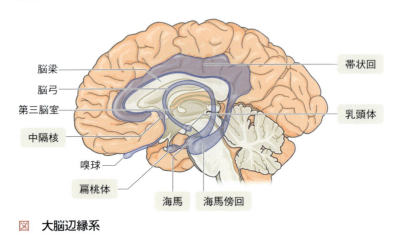

図　大脳辺縁系

2 大脳基底核（図10）

- 大脳の中心部にある**灰白質**のかたまりで，大脳皮質や小脳と連絡して運動の調整を行う役割をもつ（運動学習にも関与している）．

①**尾状核**：C字状の大脳基底核で，側脳室の外側に位置している．

②**被殻**：円盤状の大脳基底核で，**淡蒼球**ないし**尾状核**と以下の部位を形成する．
　▶**レンズ核**：**被殻**と**淡蒼球**から構成されており，両者は**外側髄板**によって分けられている．レンズ核の内側には**内包**，外側には**外包**，**前障**，**最外包**が位置している．
　▶**線条体**：**被殻**と**尾状核**から構成されており，大脳皮質からの入力を受ける（部位は離れているように見えるが，本来はひと続きの構造物である）．

③**淡蒼球**：レンズ核の内側に位置する大脳基底核で，有髄神経線維が通過するため青白く見える．淡蒼球は**内側髄板**によって**内節**（出力にかかわる）と**外節**（入力と出力を中継する）に分かれる．

④**腹側視床**：視床下部（⇨p.347）の外側にある部位で，**視床下核**が位置している．視床下核は大脳皮質からの入力を受け，淡蒼球の内節に伝える役割をもつ．

⑤**黒質**：中脳の大脳脚（⇨p.349）にある基底核で，メラニン色素を多く含んでいるため黒く見える．細胞の密度によって以下の2部に分かれる．
　▶**緻密部**：黒質の背内側の部位で，ドーパミン作動性ニューロンを多く含む．視床・脳幹への出力にかかわっている．
　▶**網様部**：黒質の腹外側の部位で，大脳基底核全体の活動を調整する役割をもつ．

3 大脳髄質

- 大脳の髄質は**白質**によって構成されており，**有髄神経線維**が集まっている．その線維は以下の3種に区分される（図11）．

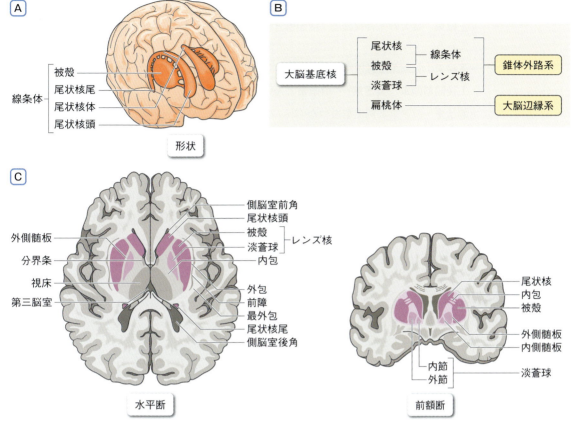

図10 大脳基底核

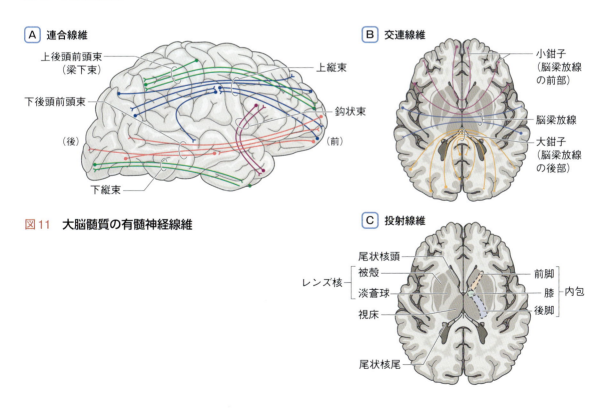

図11 大脳髄質の有髄神経線維

①連合線維：同側の大脳半球内で，皮質の各部位を連絡する線維．
　▶上縦束：最大の連合線維で，前頭葉と後頭葉の間をつなぐ．頭頂葉と側頭葉にも枝を出している．
　▶下縦束：後頭葉と側頭葉の間をつなぐ．
　▶上後頭前頭束（梁下束）：前頭葉と後頭葉の間をつなぐ．
　▶鉤状束：前頭葉と側頭葉をつなぐ．
　▶帯状束：帯状回や海馬傍回を通り，鉤に達する．
②交連線維：左右の大脳半球を連絡する線維で，最大の交連線維は**脳梁**である．
③投射線維：大脳皮質とその下の領域（大脳基底核，間脳，脳幹，小脳，脊髄など）を連絡する線維で，大脳皮質へ向かう**上行線維**と下の領域へ向かう**下行線維**を含む．投射線維は大脳半球の深部で**放線冠**をつくり，視床・尾状核の外側，レンズ核（被殻＋淡蒼球）の内側を通過する際に**内包**を形成する．内包は**前脚・膝・後脚**の3部からなり，運動・感覚の伝導路（神経路）の大部分が通過する．そのため，視床や被殻に脳出血が起こると反対側の片麻痺を引き起こす．

4 脳室（図12, 13）

- 脳の内部には**脳室**という空間があり，**脳脊髄液**によって満たされている．脳室には以下の部位がある．

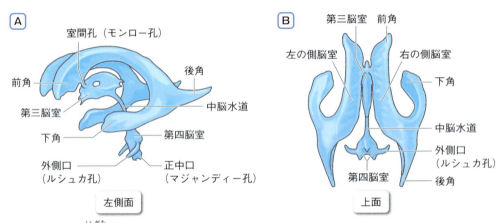

図12　脳室の鋳型標本（左側面，上面）

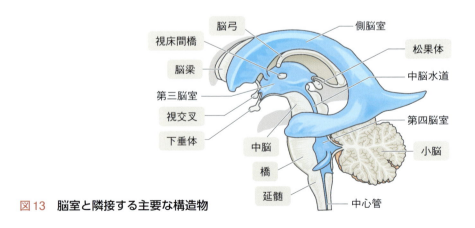

図13　脳室と隣接する主要な構造物

①側脳室：最も大きな脳室で，左右の大脳半球にそれぞれ存在する．側脳室の前端を**前角**，後端を**後角**，下端を**下角**という．また，側脳室と第三脳室をつなぐ部位を**室間孔（モンロー孔）**という．　※側脳室の下角の底の領域には，**海馬**が位置している．

②第三脳室：左右の**間脳**（⇨p.346）の正中部にある脳室で，**室間孔（モンロー孔）**によって左右の**側脳室**と，**中脳水道**によって**第四脳室**とつながっている．

③第四脳室：橋と延髄上部の後方かつ小脳の前方にある脳室で，その下端は脊髄の**中心管**までつながる．第四脳室は**中脳水道**によって**第三脳室**と，**正中口（マジャンディー孔）**と**外側口（ルシュカ孔）**によって**クモ膜下腔**（⇨p.344）と連続している．

> **Point** **脳脊髄液の循環**
>
> 脳室とクモ膜下腔は，その内部が脳脊髄液によって満たされている．脳脊髄液は成人で約140 mLであり，1日あたり約500 mLが産生・吸収されている．脳脊髄液は従来，以下の流れで吸収・産生されると考えられてきた．
> ①側脳室と第三脳室の**脈絡叢**によって産生される．
> ②中脳水道を通過し，第四脳室へと入る．
> ③第四脳室の**正中口（マジャンディー孔）**と**外側口（ルシュカ孔）**を通じて，クモ膜下腔へと循環する．
> ④硬膜静脈洞の**クモ膜顆粒**，**クモ膜絨毛**によって静脈血中に吸収される．
>
> しかし，近年の研究によって脈絡叢以外でも産生される点，クモ膜顆粒での再吸収が乏しい点などが示され，脳脊髄液の循環・再吸収の経路は再検討されている．
>
>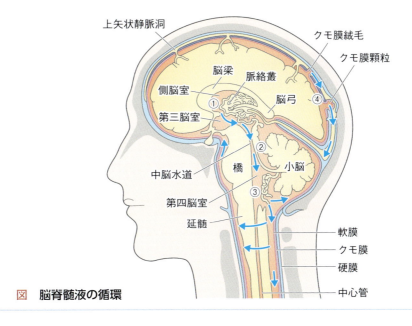
>
> 図　脳脊髄液の循環

5 髄膜（図14）

- 脳と脊髄を包む3層構造の被膜で，以下の特徴をもつ．

①硬膜：最も外側にある層で，厚くて丈夫な結合組織の膜である．部位によって**脳硬膜**と**脊髄硬膜**に分かれる．

[脳硬膜]
▶脳を包む脳硬膜は以下の2層に分かれており，両層の間には**硬膜静脈洞**が収まっている．
・**硬膜外板**：硬膜の外側面の層で頭蓋腔の内面を覆い，骨膜と一体化している．
・**硬膜内板**：硬膜の内側面の層で，クモ膜が付着している．

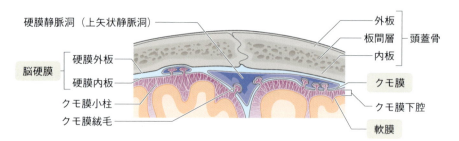

図14　髄膜

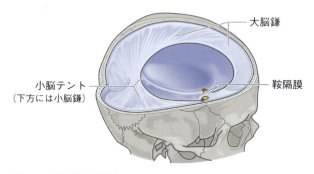

図15　脳硬膜の隔壁

▶また，脳硬膜の一部は頭蓋腔に向かって突き出し，4つの壁を形成している（図15）．
- **大脳鎌**：脳硬膜が三日月状に垂れ下がった部位で，大脳縦裂に入り込んで大脳半球を左右に分けている．
- **小脳テント**：脳硬膜が後方から水平に広がった部位で，後頭葉と小脳の間に入り込んでいる．
- **小脳鎌**：小脳テントの下方に位置し，小脳半球を左右に分けている．
- **鞍隔膜**：下垂体窩の上面を覆う硬膜で，その中央には漏斗（視床下部と下垂体をつなぐ部位）が位置している．

[脊髄硬膜]
▶脊髄を包む**脊髄硬膜**は内層のみから構成されており，脊柱管の骨膜との間は脂肪と静脈によって埋められている．

②**クモ膜**：硬膜の硬膜内板に付着する透明で繊細な膜で，表面から伸びる**クモ膜小柱**という細い突起によって軟膜とつながっている．クモ膜と軟膜の間の領域は**クモ膜下腔**とよばれ，脳脊髄液によって満たされている．この領域で起こる頭蓋内出血を**クモ膜下出血**という．また，クモ膜下腔は**正中口**（マジャンディー孔）と**外側口**（ルシュカ孔）を通じて脳室とつながっている（⇨p.343 Point）．

③**軟膜**：最も内側にある非常に薄い層で，脊髄と脳の表面を覆っている．

> **Point**　血液脳関門
> 脳が正常に働くためには，他の組織と同様に毛細血管から物質交換を行う必要性がある．脳以外の毛細血管は速やかに物質交換を行っているのに対し，脳の毛細血管は水や酸素，二酸化炭素以外の物質交換を制限する働きをもつ．この作用を**血液脳関門**という．この働きにより，脳は血液中のさまざまな物質から影響を受けることを防いでいる．

2）小脳（図16）

- 橋と延髄上部の背側にあり，その間には第四脳室が位置する．内耳の平衡覚，脊髄の体性感覚，大脳皮質からの情報を受け取り，運動系の統合的な調整や記憶に基づく運動の修飾を行う．
- 小脳は左右の**小脳半球**（発生学的に新しいため，**新小脳**とよばれる）とその間をつなぐ**小脳虫部**（発生学的に古いため，**古小脳**とよばれる）から構成されており，3対の**小脳脚**によって脳幹と連結している（図17）．

①**上小脳脚**：小脳と中脳を結合する．
②**中小脳脚**：小脳と橋を結合する．
③**下小脳脚**：小脳と延髄を結合する．

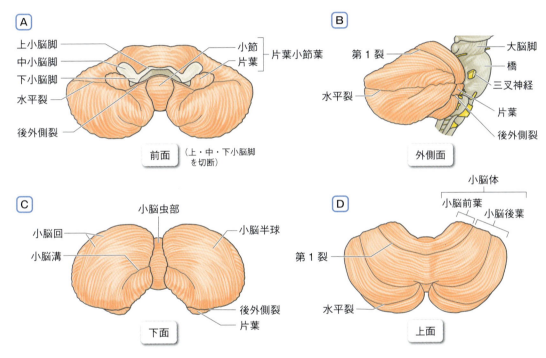

図16 小脳（前面，外側面，下面，上面）

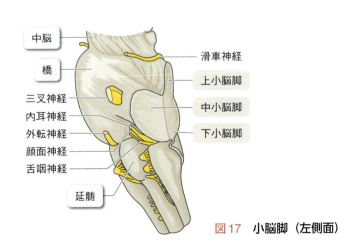

図17 小脳脚（左側面）

- 小脳の内部は，大脳と同様に**皮質**（灰白質により構成）と**髄質**（白質により構成）からなる．

1 小脳皮質：灰白質からなる領域で表面には**小脳溝**が横に走行し，**小脳回**に区切っている（図16C）．小脳皮質は以下の規則的な3層構造からなる．
 ① 分子層：最も表層の部位で，星状細胞や籠（バスケット）細胞が散在する．
 ② Purkinje細胞層：大型のPurkinje細胞が存在する．Purkinje細胞は小脳皮質からの出力を担っている．
 ③ 顆粒層：顆粒細胞とゴルジ細胞が存在する．

また，小脳皮質には以下の2つの線維が投射している．
 ① 登上線維：延髄の下オリーブ核に由来し，Purkinje細胞と興奮性のシナプス結合をする．
 ② 苔状線維：前庭・脊髄・橋などに由来し，顆粒細胞と興奮性のシナプス結合をする．

2 小脳髄質：小脳皮質の深層の白質の領域で，その内部には4つの**小脳核**（灰白質のかたまり）が存在している．小脳核は外側から順に**歯状核**，**栓状核**，**球状核**，**室頂核**がある（図18）．また，歯状核は随意運動の制御に関与している．

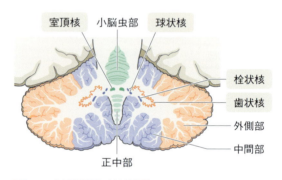

図18 小脳髄質（前額面）

3）間脳（図19）

- 中脳の上方かつ，左右の大脳半球の間にある灰白質のかたまりを**間脳**という．間脳は中央にある**第三脳室**（⇨p.343）によって左右に分けられ，さらに**視床・視床上部・視床下部**に区分される．

1 視床：人体で最も大きな神経核で，間脳の約4/5を占める．卵のような形状をしており，内側では**第三脳室**，外側は**内包**と接している（つまり，第三脳室の側壁は視床である）．視床は全身の皮膚感覚や深部感覚の中継点であるとともに，運動制御や意識レベルの調節，記憶・思考・判断などにも関与する．
 ① 視床枕：視床の後端部にある丸い隆起部．
 ② 内側膝状体：視床枕の下部内側にある部位で，聴覚の中継核として働く（中脳の**下丘**からの線維を受け，**聴放線**となって側頭葉の**聴覚野**へ向かう）．
 ③ 外側膝状体：視床枕の下部外側にある部位で，視覚の中継核として働く（中脳の**上丘**からの線維を受け，**視放線**となって後頭葉の**視覚野**へ向かう）．
 ④ 視床間橋：左右の視床を結ぶ部位で，約70％の人でみられる．

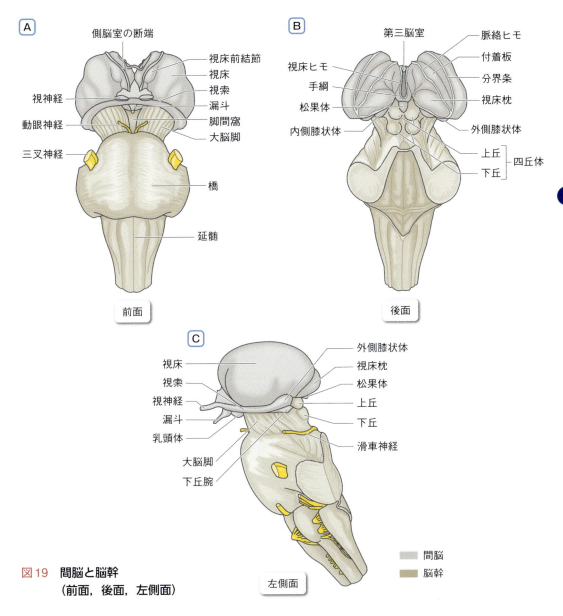

図19 間脳と脳幹
（前面，後面，左側面）

2 視床上部：第三脳室の後壁に相当する部位で，**手綱・手綱三角・松果体**からなる．
　①**手綱**：視床上部の後方部で，松果体・脳幹・嗅覚中枢のシナプス部位である．
　②**手綱三角**：手綱の後上部の三角形に広がった部位で，大脳辺縁系と嗅覚の中継にかかわるとされている．
　③**松果体**：⇨p.307

3 視床下部：間脳の前下部に位置する領域で，全体の約1/5を占める．
　①**乳頭体**：視床下部の下面が脳底に向かって突き出た部分で，左右一対の構造である．
　②**灰白隆起**：乳頭体の前方にある隆起部で，さらにその前方からは漏斗が突き出している．
　③**漏斗**：下垂体の茎に相当する部分で，先端には**下垂体**が付着している．
　④**下垂体**：⇨p.306

臨床で重要！ 視床核の区分

視床核は**内側髄板**というY字状の白質によって，**前核群・内側核群・外側核群**に区分される．また，**外側髄板**や機能・位置などにより，さらに以下のように分かれる．

① **前核群**：視床の前方に位置し，大脳辺縁系の中継核として働く．
② **内側核群**（背内側核）：視床の内側に位置し，前頭前野・前頭眼野と連絡する．
③ **外側核群**：視床の外側に位置し，さらに機能と位置によって区分される．
　・腹側核群：前方部（運動の制御に関与）と後方部（体性感覚の入力に関与）に分かれる．
　　・前方部：**前腹側核**，**外側腹側核群**（前核・後核）
　　・後方部：**後腹側核**（後外側腹側核・後内側腹側核）
　・背側核群：**背外側核**，**後外側核**，**視床枕核群**に分かれる．いずれも感覚入力に加え，視覚の認識を補助する働きをもつ．
④ **髄板内核群**：内側髄板の中にある核群で，**正中中心核**と**束傍核**に分かれる．
⑤ **正中核群**：第三脳室の壁沿いに分布する核群で，意識水準や覚醒レベルなどに関与する．
⑥ **視床後部**：**内側膝状体核**と**外側膝状体背側核群**に分かれ，それぞれ**内側膝状体**と**外側膝状体**（⇨p.346）の核が存在している．
⑦ **網様核**：**外側髄板**の外側に位置する核で，視床皮質路と皮質視床路の枝を受ける．
※①～③はY字状の内側髄板，⑦は外側髄板によって分けられる．

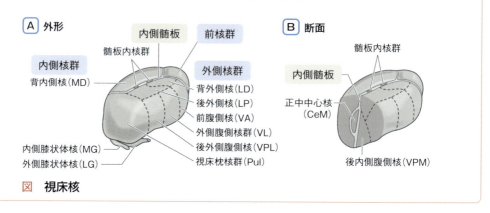

図　視床核

4）脳幹

- 大脳と小脳の間の隠れた領域で，間脳から下方に続く脳の中心部である．頭方から順に**中脳**，**橋**，**延髄**からなる（図20）．脳幹は呼吸・循環など生命維持にかかわる自律神経機能の調整に加え，運動リズム・パターンの生成や姿勢の反射性調整，動作の発現，脳活動レベルの調節などにかかわっている．

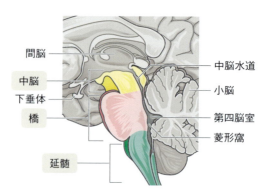

図20　脳幹の区分

1 中脳（図21）：脳幹の最上部で，そのすぐ上方には**間脳**が位置している．**動眼神経**（Ⅲ）・**滑車神経**（Ⅳ）の神経核が存在する．

①腹側面
- **大脳脚**：非常に太い線維束で，**錐体路**と**皮質核路**の線維によって構成されている．
- **脚間窩**：左右の大脳脚の間のくぼんだ領域で，**動眼神経**（Ⅲ）の枝が出ている（⇨図19A）．
- **後有孔質**：脚間窩の底の部分にある多数の小さな孔で，血管が通過している．

②背側面
- **上丘・下丘**：中脳の背側面にある上下・左右一対の隆起部で，その中には神経核がある（臨床上，上丘と下丘を合わせて**四丘体**という ⇨図19B）．
  - 上丘：**外側膝状体**（⇨p.346）とつながっており，視覚の反射にかかわる機能をもつ．
  - 下丘：**内側膝状体**（⇨p.346）とつながっており，聴覚の中継核として働く．また，下丘のすぐ下方から**滑車神経**（Ⅳ）の枝が出る（⇨図19C）．

③内部
- **中脳水道**：脳室の一部で，**第三脳室**と**第四脳室**（⇨p.343）をつないでいる．
- **中脳蓋**：中脳水道より背側の領域で，上丘と下丘の神経核がある．
- **中脳被蓋**：中脳水道と中脳外側溝の間にある**網様体**の領域で，上行路や以下の神経核が存在する．
  - 黒質：大脳脚の境界の領域にある神経核で，メラニン色素を含んでいるため黒く見える．メラニン色素を含む**緻密部**と含まない**網様体部**に分かれ，緻密部はドーパミン性のニューロンから構成されている．また，緻密部のドーパミン作動性ニューロンの脱落による疾患は**パーキンソン病**とよばれ，**静止時振戦**・**筋強剛（固縮）**・**寡動（無動）**・**姿勢保持反射障害**などの症状が起こる．
  - 赤核：やや赤みを帯びた丸い神経核で，小脳と共同して姿勢と歩容の調節を行う．
  - 動眼神経核：滑車神経核の上方に位置する細長い神経核で，この部位から**動眼神経**が起こる．
  - 滑車神経核：中脳の上丘と下丘の間の高さに位置する神経核で，この部位から**滑車神経**が起こる．

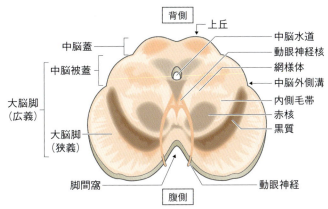

図21　中脳（横断面）

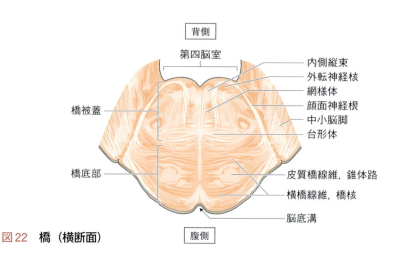

図22 橋（横断面）

2 橋（図22）：中脳と延髄の間にある膨隆した部位で，小脳の腹側に位置している．**三叉神経（Ⅴ）・外転神経（Ⅵ）・顔面神経（Ⅶ）・内耳神経（Ⅷ）**※の神経核が存在する．

※内耳神経の神経核は，蝸牛神経核（聴覚）と前庭神経核（平衡覚）からなる．

①腹側面：前方に膨隆しており，その両側は**中小脳脚**によって小脳とつながっている．
- ▶延髄橋溝：橋と延髄の境界となる溝．
- ▶脳底溝：橋の腹側面の正中にある浅い溝で，この部位を**脳底動脈**が走行する．

②下縁：以下の部位から脳神経の枝が出る（⇨図17）．
- ▶下縁の外側端：**内耳神経（Ⅷ）・顔面神経（Ⅶ）**
- ▶脳底溝のすぐ外側：**外転神経（Ⅵ）**
- ▶橋の外側中央：**三叉神経（Ⅴ）**

③背側面：**菱形窩**の上部を形成している．

④内部：横断面上で以下の2部に分かれる．
- ▶橋底部：橋の腹側部は以下の線維を含む．
  - ・皮質脊髄路：錐体路の線維．
  - ・皮質橋路：大脳皮質から下行し，**橋核**（大脳皮質と小脳の中継核）に終わる線維．
  - ・橋小脳路：中小脳脚（⇨p.345）によって小脳とつながる線維．
- ▶橋被蓋：橋の背側部は中脳・延髄の背側面に続く**網様体**（⇨p.333）の領域で，**三叉神経（Ⅴ）・外転神経（Ⅵ）・顔面神経（Ⅶ）・内耳神経（Ⅷ）**の神経核や**内側毛帯・外側毛帯・内側縦束**などの伝導路（神経路）が存在する．

3 延髄（図23）：脳幹の最下端で，直径約3cmの円柱状の部分である．下方では脊髄へとつながっており，**舌咽神経（Ⅸ）・迷走神経（Ⅹ）・副神経（Ⅺ）・舌下神経（Ⅻ）**の神経核が存在する．

①腹側面：腹側面には，脊髄から続く**前正中裂**と**前外側溝**がある．また，以下の構造がみられる．
- ▶錐体：前正中裂の両側にある隆起部で，**皮質脊髄路**（錐体路の1つ）の線維が通過する．
- ▶錐体交叉：錐体の下方（延髄と脊髄の境界）に位置し，この部位で皮質脊髄路の線維の約80〜90％が対側に交叉する（交叉した線維は**外側皮質脊髄路**，交叉しない線維は**前皮質脊髄路**を形成する ⇨図29）．

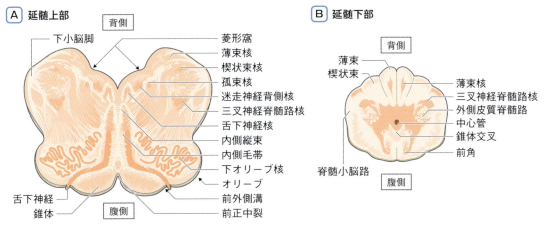

図23　延髄の上部と下部（横断面）

②背側面：背側面には，脊髄から続く**後正中溝**と**後外側溝**がある（⇨図25）．
　▶ 菱形窩：延髄と橋の背側面からなる部位で，**第四脳室**の床の一部を形成している．
　▶ 薄束結節：菱形窩の下方にある薄束の隆起部で，その中に**薄束核**がある．
　▶ 楔状束結節：菱形窩の下方にある楔状束の隆起部で，その中に**楔状束核**がある．

③外側面：前外側溝から**舌咽神経**（Ⅸ），後外側溝からは**迷走神経**（Ⅹ）・**副神経**（Ⅺ）・**舌下神経**（Ⅻ）の根が出る．
　▶ オリーブ：延髄の上部（錐体の外側）にある小さな隆起部で，その中には**下オリーブ核**（小脳と延髄の中継核）がある．
　▶ 下小脳脚：⇨p.345

5）脊髄（図24, 25）

■ **脊髄の外形**：直径約1cm，長さ42～45cmの棒状の器官で，**脊柱管**（⇨p.184）の中に収められている．脊髄の外形には，以下の特徴がある．

①頸膨大：第4頸椎～第1胸椎の高さで脊髄が太くなっている部位を**頸膨大**という．この領域から上肢に分布する神経が起こる．
②腰膨大：第12胸椎～第2仙椎の高さで脊髄が太くなっている部位を**腰膨大**という．この領域から下肢に分布する神経が起こる．
③脊髄円錐：脊髄の下端部の円錐形になった部位で，第1・2腰椎の高さにある．この部位より遠位で脊髄は1本の**脊髄終糸**となって尾骨に達する．また，脊髄円錐よりも下方では腰神経・仙骨神経・尾骨神経の枝は束となって下行する．この束を**馬尾**という．
④前正中裂：腹側（前面）の正中を縦に走行する深い裂（唯一の「裂」であることに注意）．
⑤後正中溝：背側（後面）の正中を縦に走行する浅い溝．
⑥前外側溝：前面の外側にある浅い溝で，この部位から脊髄神経の**前根**（運動神経線維）が出る．
⑦後外側溝：後面の外側にある浅い溝で，この部位に脊髄神経の**後根**（感覚神経線維）が入る．
⑧後中間溝：後正中溝と後外側溝の中間にある溝で，後索を**薄束**と**楔状束**に区分する．

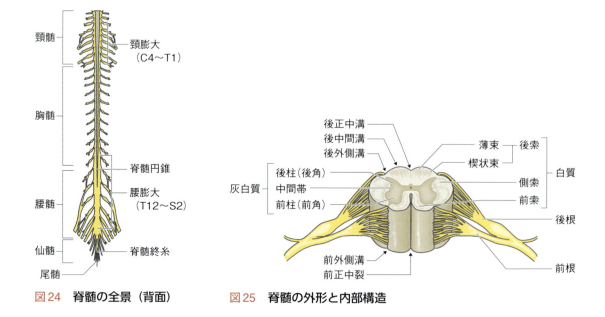

図24　脊髄の全景（背面）　　図25　脊髄の外形と内部構造

2 脊髄の区分：脊髄は各脊髄神経が出る高さによって，以下のように区分されている．

頸髄	第1〜8頸神経
胸髄	第1〜12胸神経
腰髄	第1〜5腰神経
仙髄	第1〜5仙骨神経
尾髄	尾骨神経（1対のみ）

3 脊髄の内部構造：脊髄は中心部の**灰白質**，表層の**白質**（⇨p.333）からなる．

①**灰白質**：脊髄の灰白質は**前柱・後柱・中間帯**に区分される．

▶**前柱（前角）**：上下のつながりで見たときには**前柱**，平面的に見たときには**前角**とよばれる．以下の2種の運動ニューロンが分布している．

・**α運動ニューロン**：**骨格筋線維（錘外筋線維）**を遠心性支配する運動ニューロンで，以下の部位と局在性をもつ．

　・内側部：体幹と四肢の近位部の筋を支配する．
　・外側部：四肢の遠位部の筋を支配する．
　・浅層部：伸筋を支配する．
　・深層部：屈筋を支配する．

・**γ運動ニューロン**：**筋紡錘（錘内筋線維）**を遠心性支配し，筋緊張の調整を行う．

▶**後柱（後角）**：上下のつながりで見たときには**後柱**，平面的に見たときには**後角**とよばれる．後根に由来する感覚ニューロンを受け取る．

▶**中間帯**：前柱と後柱の間の領域で，中心管を取り囲んでいる．特に胸髄と腰髄の上方では外側に突き出ており，この部位は**側角**とよばれる．側角には交感神経節前ニューロンが存在している．

②**白質**：脊髄の白質は**前索・側索・後索**の3部に分かれる※．また，後索は内側部の**薄束**（ゴル束）と外側部の**楔状束**（ブルダッハ束）に分かれる．脊髄の白質の神経線維は，**上行路**（感覚情報や運動感覚を脳に伝える経路）と**下行路**（脳からの運動指示を脊髄へ伝える経路）に分かれる．　※前索と側索の境界が不明瞭な領域は**前側索**という．

4 脊髄の上行路〔上行神経路，上行 (性) 伝導路〕（図26左）

①**後索-内側毛帯路**（図27）：繊細な触覚と圧覚，深部感覚を伝える神経路で**薄束**（ゴル束）は下半身（第5胸神経～尾髄），**楔状束**（ブルダッハ束）は上半身（第1頸神経～第4胸神経）からの情報を伝える．一次ニューロンの軸索は**後索**を上行した後に延髄の**薄束核・楔状束核**にそれぞれ達する．二次ニューロンの軸索は延髄の**内側毛帯交叉**で対側に交叉し，**内側毛帯**となって**視床後外側腹側核**へ向かう．その後，三次ニューロンの軸索は大脳皮質の**一次体性感覚野**に投射する．

②**前脊髄視床路**（図28）：触覚小体や毛包からの**粗大な触圧覚**を伝える神経路で，脊髄内で交叉した後に脊髄の前索を上行し，**視床後外側腹側核**へ達する．

③**外側脊髄視床路**（図28）：皮膚の自由神経終末からの**温痛覚**を伝える神経路で，前脊髄視床路と同様に脊髄内で交叉した後に，**視床後外側腹側核**へ達する．
※近年の知見では前・外側脊髄視床路は機能・構造ともに共通すると考えられている．

④**前・後脊髄小脳路**：非意識性の深部感覚を小脳に伝える神経路で，下半身の位置と動き・感覚に関する情報を小脳皮質へ伝える．

⑤**吻側脊髄小脳路**：非意識性の深部感覚を小脳に伝える神経路で，上半身の位置と動き・感覚に関する情報を小脳皮質へ伝える．

5 脊髄の下行路〔下行神経路，下行 (性) 伝導路〕（図26右）：脊髄の下行路は以下の3群に分かれる．

①**皮質脊髄路（錐体路）**（図29）：一次運動野の上2/3から起こった後に大脳髄質の**放線冠**と内包の**後脚**を通過し，中脳の**大脳脚**を下行する．その後，延髄の**錐体交叉**で以下の2つの神経路に分かれる．

▶**外側皮質脊髄路（錐体側索路）**：錐体交叉で対側に交叉した神経路で，全体の75～90％を占める．対側の四肢の遠位部の筋を支配し，精巧で熟練した随意運動にかかわる．

▶**前皮質脊髄路（錐体前索路）**：錐体交叉で交叉しない神経路で，全体の10～25％を占める．脊髄の高さで交叉し，両側の体幹や四肢の近位部の筋を支配する．

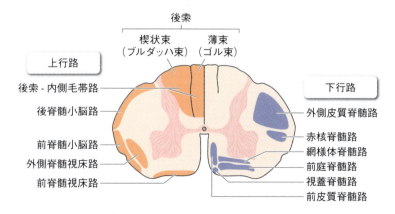

図26　脊髄の伝導路（神経路）（左：上行路，右：下行路）

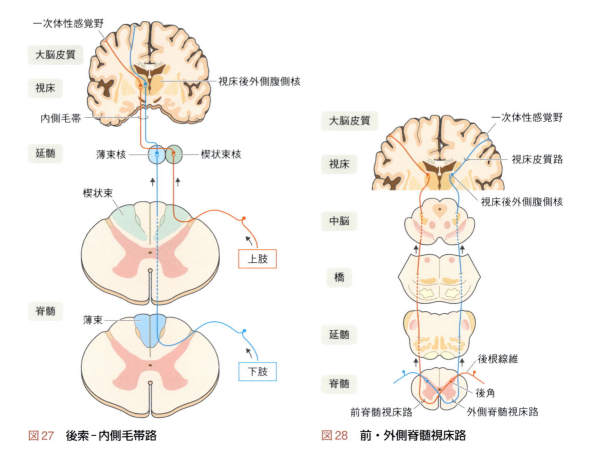

図27 後索-内側毛帯路

図28 前・外側脊髄視床路

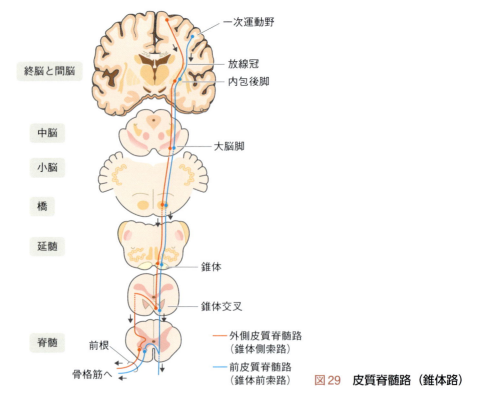

図29 皮質脊髄路（錐体路）

②**皮質核路**：一次運動野の下1/3から起こった後に内包の**膝**・中脳の**大脳脚**を通過し，脳幹の運動性の脳神経核に達する．三叉神経（Ⅴ）・顔面神経（Ⅶ）・舌咽神経（Ⅸ）・迷走神経（Ⅹ）は両側，副神経（Ⅺ）・舌下神経（Ⅻ）は対側に終わる．

③**補助的な下行路**※：脳幹から起こった後に脊髄前柱のγ運動ニューロンに達する神経路で，いずれも骨格筋の運動を補助的に調整する役割をもつ．

※延髄の錐体を通らない経路のため臨床上，**錐体外路**とよばれる．

▶ **視蓋脊髄路**：中脳の**上丘**から起こった後に交叉し，対側の内側縦束と頸髄の前索を下行する神経路．頸髄の前柱の介在ニューロンと接続し，視覚刺激に対する頸部の反射的な運動（**頸反射**）にかかわる．

▶ **赤核脊髄路**：中脳の**赤核**から起こった後に交叉し，対側の脊髄側索を下行する神経路．脊髄前柱の介在ニューロンと接続し，四肢の遠位部の屈筋を緊張，伸筋を弛緩させる働きをもつ．

▶ **網様体脊髄路**：**橋網様体**と**延髄網様体**から起こる神経路．橋網様体から起こる線維は同側の内側縦束と脊髄前索，延髄網様体から起こる線維は両側の脊髄側索をそれぞれ下行する．脊髄前柱の介在ニューロンと接続し，体幹と四肢の近位部の筋を支配する．歩行・呼吸・姿勢制御にもかかわっている．

▶ **前庭脊髄路**：**内側前庭脊髄路**と**外側前庭脊髄路**に分かれる．

・**内側前庭脊髄路**：**前庭神経内側核**から起こった後に前索の内側縦束を下行し，頸髄の介在ニューロンに接続する．**前庭頸反射**（身体が傾斜した際に頭を立て直す反射）にかかわる．

・**外側前庭脊髄路**：**前庭神経外側核**から起こった後に側索と前索を下行し，脊髄前柱の介在ニューロンに接続する．体幹と下肢の伸筋を支配し，**前庭脊髄反射**（バランスを崩した際に四肢を動かして身体を制御する反射）にかかわる．

4 末梢神経系の構成

● 末梢神経系は31対の**脊髄神経**，12対の**脳神経**によって構成されている．また，末梢神経は**神経内膜**・**神経周膜**・**神経上膜**の3層の膜によって包まれている．

1）神経線維の機能的区分

● 末梢神経は支配する標的により，以下のように区分される．

1 体性神経：体壁の皮膚や骨格・筋などを支配する神経で，**感覚神経**と**運動神経**に分かれる．

①感覚神経（求心性神経）：感覚の情報を身体の各部から中枢に向かって伝える．

②運動神経（遠心性神経）：運動の指令を中枢から身体の各部に向かって伝える．

2 臓性神経（自律神経）：内臓や血管を支配する神経で，**交感神経**と**副交感神経**に分かれる（⇨p.363）．

2) 脊髄神経の構成

- 31対からなる末梢神経で，その枝は脊髄から出入りしている（⇨図24）．体性神経（感覚神経・運動神経）や自律神経を含んでおり，出入りする高さによって以下に区分される．

頸神経 cervical nerve	8対（C1～8）※
胸神経 thoracic nerve	12対（T1～12）
腰神経 lumbar nerve	5対（L1～5）
仙骨神経 sacral nerve	5対（S1～5）
尾骨神経 coccygeal nerve	1対（Co）

※脊髄神経は**椎間孔**を出た後に末梢へと向かうが，第1頸神経のみ後頭骨と第1頸椎（環椎）の間を通過する．そのため，頸椎の数（7つ）に対して頸神経は1本多くなる．

1 前根・後根：脊髄の前面からは**前根**，後面からは**後根**が起こっている．

① **前根**：前根糸が合流して形成された部位で，運動神経線維のみを含んでいる．運動ニューロンの細胞体は脊髄の前角に位置している．

② **後根**：後根糸が合流して形成された部位で，感覚神経線維のみを含んでいる．感覚ニューロンの細胞体は後根に付属する**脊髄神経節**に位置している．

> **Point** ベル-マジャンディの法則
>
> 脊髄と末梢の間の入力と出力は，2本の神経根（前根・後根）によって行われている．前根は運動神経線維，後根は感覚神経線維によって構成されており，役割が全く異なる．この所見を**ベル-マジャンディの法則**とよぶ（前根・後根と前枝・後枝を混同せず，整理して覚えよう）．
>
>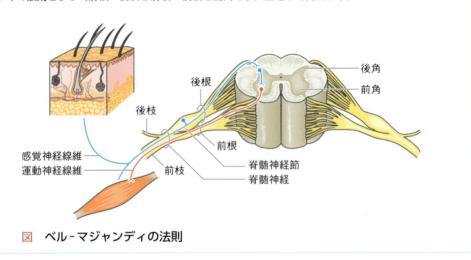
>
> 図　ベル-マジャンディの法則

2 前枝・後枝：前根と後根は椎間孔の中もしくはその手前で合流し，**脊髄神経**を形成する．脊髄神経は椎間孔を出た後，**前枝**と**後枝**に分かれる．

① **後枝**：脊柱と周囲の**固有背筋**（⇨p.228）および皮膚のみに分布している．

② **前枝**：体幹の残りの部分と上肢・下肢に分布する．また前枝は交感神経の節前線維を含んでいるため，後枝と比較して非常に太い〔例外的に第2頸神経の後枝（**大後頭神経**）は非常に太い〕．

3 神経叢：脊髄神経の前枝は多くの場合，隣り合う2つ以上の枝が合流・分岐をして神経叢を形成する．主要な神経叢には以下のものがある．

①**頸神経叢（第1～4頸神経）**：第1～4頸神経の前枝によって形成される神経叢で，4本の皮枝（浅枝）と2本の筋枝（深枝）に分かれる．

[皮枝（浅枝）]（図30）

▶ **小後頭神経**（第2頸神経）：胸鎖乳突筋の後縁に沿って上行し，耳の後方の領域の皮膚に分布する．

▶ **大耳介神経**（第2・3頸神経）：胸鎖乳突筋の浅層を上行した後に，耳介の後部と乳様突起の周辺の皮膚に分布する．

▶ **頸横神経**（第2・3頸神経）：胸鎖乳突筋の浅層を前方に走行した後に，顔面神経頸枝と吻合する．頸部の前面と側面の皮膚に分布する．

▶ **鎖骨上神経**（第3・4頸神経）：胸鎖乳突筋の後縁から出た後に，**内側・中間・外側鎖骨上神経**の3本に分かれて下行する．頸部の下部から胸部の上部の皮膚を支配する．

[筋枝（深枝）]

▶ **頸神経ワナ**（第1～3頸神経）：**上根**（第1・2頸神経の前枝）と**下根**（第3頸神経の前枝）によって形成されるループ状の部位（ワナ）で，**舌骨下筋群**を支配する（図31）．

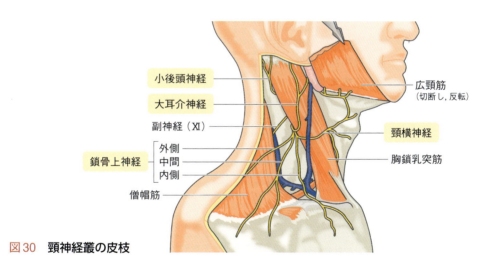

図30 頸神経叢の皮枝

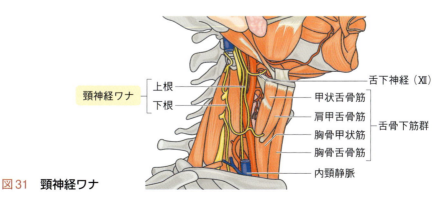

図31 頸神経ワナ

▶横隔神経（第3〜5頸神経）：第3〜5頸神経の前枝から起こった後に**前斜角筋**の前面を通過し，胸郭の内を下行して**横隔膜**に達する（⇨2章-5図2）．

②腕神経叢（第5頸神経〜第1胸神経）：⇨p.93
③腰神経叢（第12胸神経〜第4腰神経）：⇨p.161
④仙骨神経叢（第4腰神経〜第5仙骨神経）：⇨p.162
⑤尾骨神経叢：⇨p.164

4 頸神経の後枝：上位の頸神経の**後枝**は前枝よりも発達している．代表的な後枝は以下の3つがある．

①後頭下神経：第1頸神経の後枝で，**後頭下筋**（⇨p.230）を支配する．
②大後頭神経：第2頸神経の後枝で，**後頭下三角**（⇨p.232）を通過した後に僧帽筋と頭半棘筋を貫く．後頭部から頭頂部にかけての皮膚を支配する．
③第3後頭神経：第3頸神経の後枝で，僧帽筋と頭半棘筋を貫いた後に後頭下部の狭い領域の皮膚を支配する．

5 胸神経の前枝：第1〜12胸神経の前枝は神経叢を形成せず，12対の**肋間神経**（第12胸神経は**肋下神経**）として胸壁に分布する．肋間神経は肋間動静脈とともに肋骨の下縁を走行し（⇨4章-7図1），以下の枝を分岐する（図32）．

①交通枝：各肋間神経の起始部と**交感神経節**との間を結ぶ枝で，**白交通枝**と**灰白交通枝**からなる（⇨p.364 交感神経系の経路参照）．
・白交通枝：交感神経節へと向かう**節前線維**を含んだ線維．
・灰白交通枝：交感神経節から出る**節後線維**を含んだ線維．
②外側皮枝：肋間神経の最大の枝で，胸壁を貫いた後に**前枝**と**後枝**に分かれ，胸部の外側と腹部の前部の皮膚を支配する．
③前皮枝：肋間隙の膜と筋を貫いた後に**内側枝**と**外側枝**に分かれ，胸部・腹部の前部の皮膚を支配する．

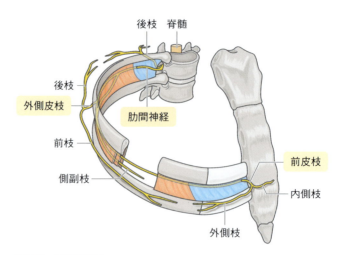

図32　**肋間神経**

> **臨床で重要！** デルマトーム（分節性皮膚神経支配）
> 触圧覚や温痛覚などの皮膚感覚は，脊髄神経の高さ（髄節）による分布域と対応している．この一定の帯状の分布を**デルマトーム**（分節性皮膚神経支配）という．デルマトームの分布域は，感覚検査の実施に先立って覚えておかなければならない．

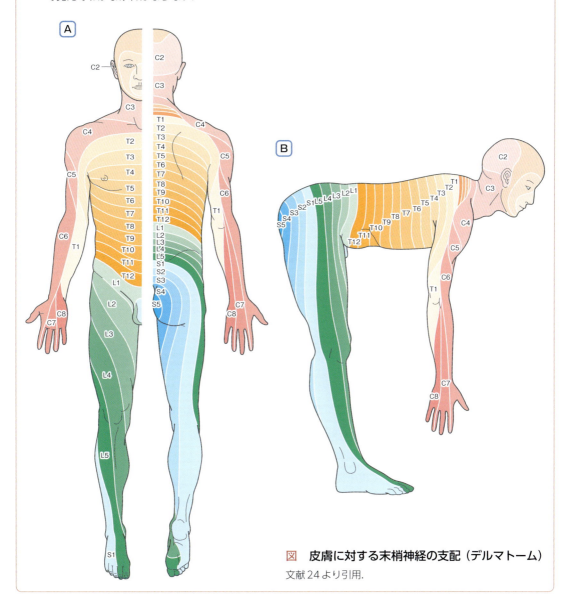

図　皮膚に対する末梢神経の支配（デルマトーム）
文献24より引用．

3）脳神経

- 頭蓋骨の小さな孔を通過し，頭部に分布する末梢神経を**脳神経**という（脳神経は中枢神経ではなく末梢神経であることに注意）．脳神経は12対あり，それぞれローマ数字で表記するのが通例とされている（表1）．脳神経の神経線維は**体性神経**（**感覚神経，運動神経**）と**副交感神経**によって構成されており，その機能により**体性運動性，体性感覚性，特殊感覚性**（**臓性感覚性**），**副交感性**に区分される．

表1 脳神経の概要

		起始	頭蓋底の貫通部位	作用	体性運動性	感覚性		副交感性
						体性感覚性	特殊感覚性	
I	嗅神経	嗅上皮	篩骨の篩板	嗅覚を伝える			○	
II	視神経	眼球後面	視神経管	視覚を伝える			○	
III	動眼神経	中脳	上眼窩裂	上直筋・下直筋・内側直筋・下斜筋・上眼瞼挙筋,眼球内の毛様体筋,瞳孔括約筋を支配	○			○
IV	滑車神経		上眼窩裂	上斜筋を支配	○			
V	三叉神経	橋	上眼窩裂,正円孔,卵円孔	顔面の体性感覚,咀嚼筋,舌の前2/3の感覚を支配	○	○		
VI	外転神経		上眼窩裂	外側直筋を支配	○			
VII	顔面神経		内耳道	顔面の表情筋,舌の前2/3の味覚,顎下腺・舌下腺・涙腺を支配	○		○	○
VIII	内耳神経		内耳道	聴覚,平衡覚を伝える			○	
IX	舌咽神経	延髄	頸静脈孔	舌の後1/3の感覚と味覚,咽頭の運動と感覚,耳下腺を支配	○	○	○	○
X	迷走神経		頸静脈孔	咽頭・喉頭の運動と感覚,胸腹部内臓,味覚の一部を支配	○	○	○	○
XI	副神経		頸静脈孔	僧帽筋と胸鎖乳突筋を支配	○			
XII	舌下神経		舌下神経管	舌筋を支配	○			

1 嗅神経(I):**特殊感覚性**の神経線維からなり,嗅覚を伝える役割をもつ.鼻腔上部の**嗅上皮**から出る神経線維が**篩骨**(⇨p.176)を通過し,**嗅球**に終わる.

2 視神経(II):**特殊感覚性**の神経線維からなり,視覚を伝える役割をもつ.眼球の後面から出た**視神経**は蝶形骨の**視神経管**を通過し,頭蓋腔へ入る.その後,下垂体の前方で**視交叉**を形成し,視索となって視床後部の**外側膝状体**(⇨p.346)へ入る.

3 動眼神経(III):**体性運動性・副交感性**の神経線維からなり,中脳の神経核から起こった後に**上眼窩裂**(⇨p.178)を通過し,**上直筋・下直筋・内側直筋・下斜筋・上眼瞼挙筋**などの眼球の動きにかかわる筋に分布する.また,副交感性の神経線維は**毛様体神経節**を経由し,**毛様体**と**虹彩**の平滑筋(**毛様体筋**,**瞳孔括約筋**)を支配する.

4 滑車神経(IV):**体性運動性**の神経線維からなり,中脳の神経核から起こった後に**上眼窩裂**を通過し,**上斜筋**を支配する.

5 三叉神経(V):**体性運動性・体性感覚性**の神経線維からなり,**顔面の体性感覚と咀嚼筋**を支配する.橋の神経核から起こった後に**三叉神経節**を形成し,さらに以下の3本の枝に分かれる(図33).

①眼神経:**体性感覚性**の枝で,**上眼窩裂**を通過して眼窩の上部に入る.**眼裂より上方の感覚**を司る.

②上顎神経:**体性感覚性**の枝で,**正円孔**(⇨p.175)を通過して翼口蓋窩に入る.**眼裂と口裂の感覚**を司る.

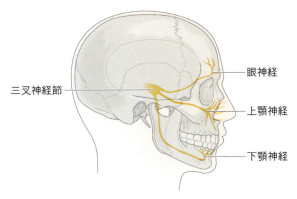

図33 三叉神経

　③下顎神経：**体性感覚性**の枝で，**卵円孔**（⇨p.175）を通過して側頭下窩に入る．**口裂より下方の感覚**を司る．また，下顎神経の枝の**舌神経は舌の前方2/3の感覚**を支配する．

6 外転神経（Ⅵ）：**体性運動性**の神経線維からなり，橋の神経核から起こった後に**上眼窩裂**を通過し，**外側直筋**を支配する．

7 顔面神経（Ⅶ）：**体性運動性・特殊感覚性・副交感性**の神経線維からなり，橋の神経核から起こっている．**内耳道**を通過して頭蓋の外に出た後に耳下腺を貫きながら分岐し，**顔面の表情筋と舌の前2/3の味覚，顎下腺・舌下腺・涙腺**を支配する（味覚を支配し，顎下腺・舌下腺へ副交感神経を運ぶ枝を**鼓索神経**という）．

8 内耳神経（Ⅷ）：**特殊感覚性**の神経線維からなり，橋の神経核から起こっている．内耳道を通過した後に2本の枝に分かれて内耳の**膜迷路**（⇨p.380）に分布し，**聴覚と平衡覚**をそれぞれ支配している．
　①蝸牛神経：内耳の**蝸牛**からの**聴覚**を伝える．
　②前庭神経：内耳の**前庭と半規管**からの**平衡覚**を伝える．

9 舌咽神経（Ⅸ）：**体性運動性・体性感覚性・特殊感覚性・副交感性**の神経線維からなり，延髄の神経核から起こっている．迷走神経・副神経とともに**頸静脈孔**を通過して頭蓋腔を出た後に，舌と咽頭に分布する．**舌の後1/3の感覚と味覚**※，**咽頭粘膜の感覚，咽頭筋の嚥下運動**を支配する．また，**耳下腺を支配する副交感神経**を含んでいる．

　※⇨舌の感覚・味覚の支配についてはp.280 国試のPointを参照．

10 迷走神経（Ⅹ）：**体性運動性・体性感覚性・特殊感覚性・副交感性**の神経線維からなり，延髄の神経核から起こる．**咽頭・喉頭の運動と感覚，味覚の一部**を支配し，**胸部内臓と腹部内臓**に副交感神経の枝を出す．神経核から起こった後に，以下の経路で下行する（図34）．
　①舌咽神経・副神経とともに**頸静脈孔**を通過し，頭蓋腔を出る．
　②頸静脈孔の中と下方に，感覚性の**上神経節**と**下神経節**を形成する．
　　・上神経節：副神経，舌咽神経，上頸神経節と交通する．
　　・下神経節：舌下神経，第1・2頸神経，上頸神経節と交通する．また下神経節から起こる**上喉頭神経**は，輪状甲状筋や声帯ヒダの上部の粘膜を支配する．
　③内頸静脈・総頸動脈とともに**頸動脈鞘**に包まれ，咽頭の左右両側を下行する．

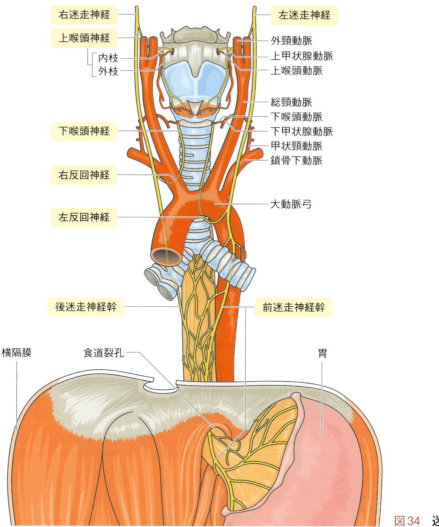

図34 迷走神経

④右迷走神経は右鎖骨下動脈の前面を，左迷走神経は大動脈弓の前面をそれぞれ通過し，胸郭へと入る．また，その直前に**右・左反回神経**をそれぞれ分岐する．反回神経はいずれも**下喉頭神経**となり，喉頭の筋（輪状甲状筋以外）と喉頭の下半部の粘膜を支配する．
  ・右反回神経：右鎖骨下動脈の下方を前方から後方へと回り，反転して上方へと向かう．
  ・左反回神経：大動脈弓の下方を前方から後方へと回り，反転して上方へと向かう．
⑤左右の迷走神経は食道に沿って下行し，**食道神経叢**を形成する．
⑥食道神経叢から起こった線維は，食道の前後に集まって**前・後迷走神経幹**を形成する．
⑦前・後迷走神経幹は食道とともに，横隔膜の**食道裂孔**を通過する．
⑧前・後迷走神経幹は胃に達した後に胃の前後，肝臓，十二指腸，腹腔神経叢などに枝を出す．

11 副神経（Ⅺ）：**体性運動性**の神経線維からなり，延髄の神経核から起こる．舌咽神経・迷走神経とともに**頸静脈孔**を通過し，**僧帽筋**と**胸鎖乳突筋**を支配する．

12 舌下神経（Ⅻ）：**体性運動性**の神経線維からなり，延髄の神経核から起こる．**舌下神経管**を通過して頭蓋を出た後に，**舌筋（外舌筋・内舌筋）**を支配する．

国試の Point

視覚の伝導路と視野障害

視神経は間脳の視交叉で**半交叉**（鼻側の視神経は交叉し，耳側の視神経は交叉しない）を行う．そのため，各眼球とも左半分からの線維は左の視覚野に，右半分からの線維は右の視覚野に投射される．その伝導路の障害された部位により，以下の視野障害が起こる．

① **視力消失**：障害された**視神経**と同側の眼球が失明する．
② **両耳側半盲**：**視交叉**の障害により，両眼の耳側（外側）の視野が欠損する．
③ **鼻側半盲**：**視交叉**の外側部の障害により，同側の鼻側（内側）の視野が欠損する．
④ **同名半盲**：一側の**視索**の障害により，両眼の反対側の視野が欠損する．
⑤ **上同名四分盲**：側頭葉の病変で**視放線**の下部が障害されると，両眼の反対側の上1/4の視野が欠損する．
⑥ **下同名四分盲**：頭頂葉の病変で**視放線**の上部が障害されると，両眼の反対側の下1/4の視野が欠損する．
⑦ **黄斑回避**：後頭葉の病変で**視放線**が障害されると両眼の反対側の視野が欠損するが，中心部の視覚は保たれる．

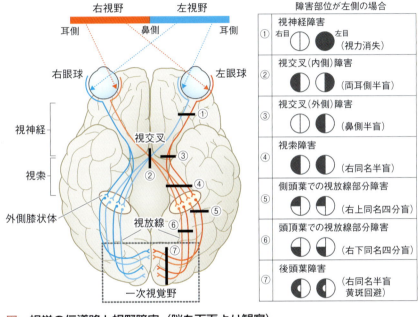

図　視覚の伝導路と視野障害（脳を下面より観察）

5　自律神経

1）自律神経の構成

- 内臓と血管に分布し，目的とする臓器を調整する働きをもつ．自律神経は**交感神経系**と**副交感神経系**によって構成されており，その多くは正反対の作用をもつ（表2）．
① **交感神経系**：運動器系の機能を向上させる役割をもち，身体を活動的・緊張状態にする．
② **副交感神経系**：内臓系の機能を向上させる役割をもち，身体を非活動的・休息状態にする．
- また，体性運動神経は中枢神経から出た神経線維が直接的に骨格筋を支配するのに対し，自律神経は中枢神経から出た後に**自律神経節**を形成して別のニューロンに乗り換え，標的の器官や組織へと分布する．その過程のうち，中枢神経から出て自律神経節までのニューロン・

表2 交感神経と副交感神経の作用

	交感神経	副交感神経
瞳孔	散瞳（散大）	縮瞳（縮小）
毛様体	弛緩，遠方視	収縮，近方視
唾液腺	分泌	
心臓	心拍増加，心収縮力増加	心拍減少，心収縮力減少
気管支	弛緩（拡張）	収縮
肝臓	グリコーゲン分解（血糖の上昇）	グリコーゲン合成（血糖の低下）
胃腸	蠕動抑制	蠕動促進
消化腺	分泌抑制	分泌促進
膵臓	膵液分泌抑制，インスリン分泌抑制	膵液分泌促進，インスリン分泌促進
膀胱	蓄尿促進	排尿促進
排尿筋	弛緩	収縮
男性生殖器	射精	勃起
副腎髄質	カテコールアミン分泌	―
汗腺	分泌	―
立毛筋	収縮（いわゆる鳥肌）	―
内臓血管	収縮	弛緩
皮膚血管	収縮	―

※膵臓は主に交感神経によって支配されていると記載される場合もある．

神経線維を**節前ニューロン・節前線維**，自律神経節から標的の器官・組織までのニューロン・神経線維を**節後ニューロン・節後線維**という．

2）交感神経系の経路

- 交感神経系の節前線維は第1胸神経〜第2・3腰神経の側角から起こる（副交感神経とは異なっていることに注意）．交感神経系の神経節（**交感神経節**）と経路には以下のものがある（図35）．

①**幹神経節（椎傍神経節）**：脊柱の両側に縦に並ぶ紡錘状の神経節で，約20個の幹神経節がその上下が交通枝で結ばれることによって**交感神経幹**を形成する．また，交感神経幹と脊髄神経は以下の交通枝によってつながっている（⇨図37）．
  - **白交通枝**：節前線維を脊髄神経から交感神経幹へと運ぶ交通枝．
  - **灰白交通枝**：節後線維を交感神経幹から脊髄神経へと運ぶ交通枝．

②**大動脈前神経節（椎前神経節）**：大動脈の前方に位置する神経節の総称で，**腹腔神経節**や**上腸間膜動脈神経節**，**下腸間膜動脈神経節**などが含まれる．大動脈前神経節へと向かう節前線維は交感神経幹から**内臓神経**（**大内臓神経**，**小内臓神経**，**最下内臓神経**，**腰内臓神経**）として起こる．

- また，幹神経節によって形成される交感神経幹には，以下の構造がみられる．

①**頸部の交感神経幹**：第1胸神経よりも上位の交感神経幹は胸郭上口を通過し，頭蓋底まで達

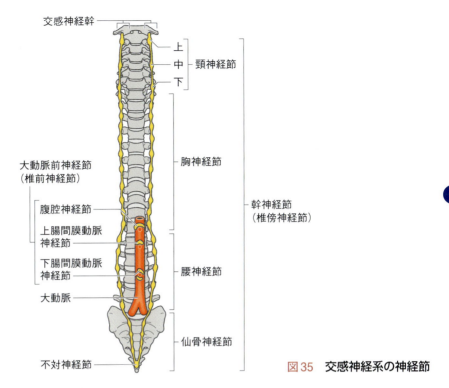

図35 交感神経系の神経節

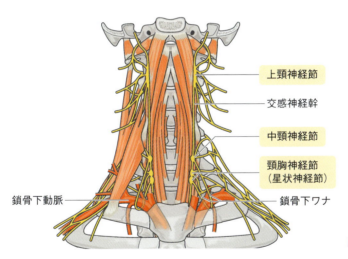

図36 頸部の交感神経幹

する．頸部の交感神経幹には以下の3つの神経節がある（図36）．

- ▶**下頸神経節**：3つのなかで唯一の独立していない神経節で，第1胸神経節と癒合して**頸胸神経節（星状神経節）**を形成する．星状神経節はその名のとおりに星形の形状をしており，神経性の疼痛に対する末梢神経ブロックの対象部位となる．
- ▶**中頸神経節**：第6頸椎の高さにある小型の神経節で，**中頸心臓神経**（心臓神経叢の深部に達する枝）を分岐する．
- ▶**上頸神経節**：第1・2頸椎の高さにある大型の神経節で，交感神経幹の最上部に位置する．**上頸心臓神経**（大動脈弓の心臓神経叢に達する枝）などを分岐する．

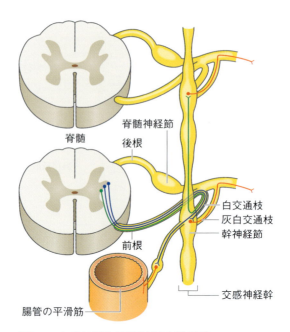

図37 交感神経と脊髄神経の神経節

②腰部の交感神経幹：交感神経幹は骨盤腔に入ると4つの**仙骨神経節**を通過しながら内側へ下行し，尾骨の前面で左右が合流して**不対神経節**を形成する（図35）．

- 上記をふまえ，交感神経系は以下の経路で標的の器官・組織へと向かう（図37）．
  ①節前線維は前根を通過して脊髄神経へと入り，**白交通枝**を通過して交感神経幹へと入る．
  ②**節前線維**は以下の交感神経節のうち，どちらかへと達した後に**節後線維**となる．
    ▶a. 幹神経節（椎傍神経節）：節後線維は**灰白交通枝**によって幹神経節から出るが，白交通枝と同じ高さのみではなく，交感神経幹を上行・下行して上位・下位からも出る（そのため，交感神経系の節前線維が起こらない頸部・頭部にも分布することができる）．
    ▶b. 大動脈前神経節（椎前神経節）：交感神経幹に入った後に**内臓神経**を通過し，**大動脈前神経節**（**椎前神経節**）で節後線維となって標的に分布する．

3）副交感神経系の経路

- 副交感神経系の節前線維は，以下の2部に分かれて起こる．
①脳神経〔動眼神経（Ⅲ），顔面神経（Ⅶ），舌咽神経（Ⅸ），迷走神経（Ⅹ）〕による部分：頭部の器官，胸部内臓（心臓，肺，食道），腹部内臓（胃腸，肝臓，膵臓，腎臓）に分布をする（⇨各脳神経の分布はp.359参照）．
②第2〜4仙骨神経による部分：骨盤内臓（膀胱，生殖器），消化管の末端部（下行結腸より遠位部）に分布をする．第2〜4仙骨神経は**骨盤内臓神経**（⇨p.321 国試のPoint）となった後に骨盤内の自律神経叢（**下下腹神経叢**）へ達し，節後線維となって標的に分布する．

国家試験練習問題

問1 感覚神経のみの脳神経はどれか．2つ選べ．[第58回PT_AM問27]
1. 第Ⅱ脳神経
2. 第Ⅳ脳神経
3. 第Ⅵ脳神経
4. 第Ⅷ脳神経
5. 第Ⅹ脳神経

問2 下行神経路はどれか．[第58回AM問52]
1. 後脊髄小脳路
2. 前脊髄視床路
3. 前脊髄小脳路
4. 外側脊髄視床路
5. 外側皮質脊髄路

問3 脊髄で正しいのはどれか．2つ選べ．[第58回PM問54]
1. 膨大部は3つある．
2. 前角は白質からなる．
3. 後根は脊髄神経節をつくる．
4. 交感神経は胸髄と腰髄とから出る．
5. 脊髄円錐は第3，4腰椎のレベルにある．

問4 脳の解剖で誤っているのはどれか．[第54回AM問53]
1. 黒質は中脳にある．
2. 海馬は側頭葉にある．
3. 中小脳脚は中脳と小脳を連絡する．
4. 脳梁は左右の大脳半球を連絡する．
5. 中心溝は前頭葉と頭頂葉の間にある．

問5 大脳の領野と部位の組合せで正しいのはどれか．[第53回PM問53]
1. 一次運動野 ─── 前頭葉
2. 一次体性感覚野 ─── 側頭葉
3. 聴覚野 ─── 頭頂葉
4. Broca野 ─── 側頭葉
5. Wernicke野 ─── 後頭葉

第11章

感覚器系

> **学習のポイント**
> - 外皮の層構造を説明することができる
> - 眼球の3層の膜について図示することができる
> - 外耳・中耳・内耳の構造と役割の違いを説明することができる

1 外皮

- **外皮**は人体の表層を覆う**皮膚**と，毛・爪・皮膚腺などの付属器から構成されている．

1）皮膚の構造（図1）

- 全身を覆う丈夫な被膜で，人体最大の器官である．総面積は成人で平均1.5〜2.0 m²で，重量は体重の15〜20％にも及ぶ．皮膚の厚さは約1〜4 mmで，部位によって厚さが異なる．浅層から順に，以下の3層に分かれる．

❶ 表皮：角化※した**重層扁平上皮**（⇨p.369）からなる．表皮の中には血管は存在しない．組織学的に浅層から順に，以下の5層に分かれる（図2）．

※ケラチンというタンパク質が蓄積し，細胞が固くなること．

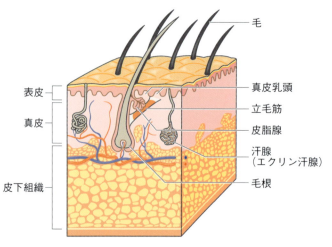

図1 皮膚の構造

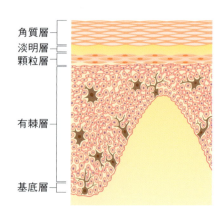

図2 表皮の構造

①角質層：表皮の最浅層．細胞質の中にケラチンが充満しており，その表層は約4週間で垢としてはがれ落ちる．
②淡明層：皮膚の厚い部分にあり，明るく見える層．
③顆粒層：ケラチンフィラメントが濃縮し，顆粒状になった層．
④有棘層：ケラチンを活発に合成する層．
⑤基底層：表皮の最深層にあり，立方体状の細胞によって構成されている．細胞分裂が活発に行われており，基底層で分裂・増殖した細胞は，表層へ向かって押し上げられる．また，基底層にあるメラニン細胞からは**メラニン**（皮膚の色をつくる色素）が産生される．

2 真皮：コラーゲン線維と弾性組織によって構成される線維性結合組織の層で，皮膚の強靱さをつくり出している．表層の表皮に向かって突き出た部分は**真皮乳頭**とよばれ，この部位に毛細血管や神経終末が入り込んでいる（動物の真皮をなめしたものが，財布などに用いられる革製品である）．

3 皮下組織：まばらなコラーゲン線維と脂肪組織によって構成される疎性結合組織の層で，表層の皮膚と深層の筋との間をつないでいる．また，この層は真皮に分布する血管や神経の通り道としての役割ももつ．

> **国試のPoint**
>
> **上皮組織の種類**
> 身体各部位の表層を覆う組織のことを**上皮組織**という．どの上皮組織がどの部位の表層を覆っているのかを正確に覚えよう．
> ①**単層扁平上皮**：薄く扁平な細胞が一層に並んだ上皮．**肺胞**や**腹膜**などでみられる．
> ②**単層円柱上皮**：円柱状の細胞が一層に並んだ上皮．**胃や腸の粘膜**などでみられる．
> ③**多列線毛上皮**：さまざまな高さの細胞が一層に並んだ上皮．**気管**や**気管支**などでみられる．
> ④**重層扁平上皮**：扁平な細胞が何層も重なり合った上皮．**表皮**や**消化管の一部**（口から食道まで），**腟**などでみられる．
> ⑤**移行上皮**：立方体や直方体の形をした細胞が重なり合った上皮．非常に伸展性があり，引き伸ばされると細胞の形状が変化する．**膀胱**や**尿管**，**腎盂（腎盤）**などでみられる．

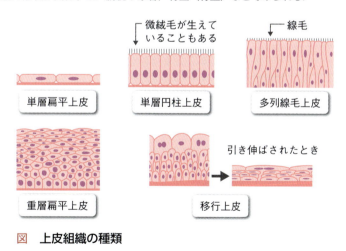

図　上皮組織の種類

臨床で重要！ ランガー線

皮膚の真皮にはコラーゲン線維が多く含まれており，部位ごとに一定の方向に走行している．その走行の方向を示した線は**ランガー線**とよばれる（**ランゲル線**，**割線**ともよばれる）．手術で皮膚切開を行う際に，ランガー線に対して平行に切開した場合には術創部は広がりにくく，瘢痕も小さい．しかし，直交した場合には術創部が広がり，瘢痕も残りやすい．

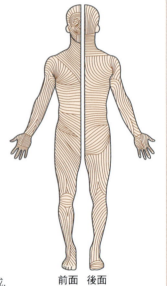

図　ランガー線
文献28をもとに作成．　前面　後面

Point 筋膜

筋膜は身体の各部で筋群を包み込んでおり，以下の役割をもっている．
・骨格筋の保護
・骨格筋の形状と位置の保持
・筋収縮の際の筋同士の摩擦の軽減

また，英米系の解剖学書では筋膜を**浅筋膜**と**深筋膜**に区分している（臨床では浅筋膜・深筋膜に区分する機会が多いため，本書でも同様に記載する）．
①**浅筋膜**：表皮の皮下組織のこと．
②**深筋膜**：骨格筋を包む膜で，密性結合組織によって形成されている（脂肪は含まない）．深筋膜は**筋間中隔**という「仕切り」になることにより，身体部位を2～3個の**筋区画（コンパートメント）**に分けている．また，筋区画の内圧が何らかの原因によって上昇し，筋の壊死や神経障害が起こることを**区画症候群（コンパートメント症候群）**という．
※深筋膜は部位により，大きく以下のように分かれる．
・上肢：上腕筋膜，前腕筋膜（⇒2章-4も参照）
・下肢：大腿筋膜，下腿筋膜（⇒3章-4も参照）
・頸部・体幹：頸筋膜，胸腰筋膜（⇒4章-6，8も参照）

Point 皮膚の役割

皮膚には大きく分けて，以下の役割がある．
①体内と体外を遮断し，保護する．
②発汗や動静脈吻合の拡張により，体温を調節する．
③体性感覚を感知し，中枢神経へと伝える．
④皮下脂肪として栄養分を貯蔵する．
⑤基底層にある**メラニン**により，発癌性のある紫外線が深部に到達することを防いでいる．
⑥水分の過剰な蒸発を防いでいる．そのため，開腹手術の際には1時間あたり500 mL近い輸液が必要となる．また，皮膚表面と呼吸による水分の蒸発は**不感蒸散（不感蒸泄）**とよばれている（1日あたり皮膚表面から約600 mL，呼気から約300 mLの水分が失われる）．
⑦以下の経路により，**経皮吸収**を行う．
　1）経毛包吸収：毛包から行われる経皮吸収で分子量が小さく，脂溶性の物質が吸収されやすい．
　2）経表皮吸収：表皮から行われる経皮吸収．

2) 皮膚の神経

- 皮膚は感覚装置としての役割をもち，多くの感覚神経が分布している．感覚受容器には以下のものがある（図3，表1）．

❶ 自由神経終末：神経の末端が露出した形状の皮膚の侵害受容器で，主に温度覚や痛覚にかかわる．また，順応速度が非常に遅い．

❷ Pacini小体※：深部の触圧覚や振動覚にかかわる受容器で，順応速度が非常に速い．玉ねぎの断面のような形状をしている． ※ファーター・パチニ小体と記載されることもある．

❸ Meissner小体※：触圧覚や振動覚にかかわる受容器で，0.1 mmほどの楕円形をしている．
※マイスナー小体と記載されることもある．

❹ Krause小体：触圧覚にかかわる受容器．

❺ Ruffini終末：細長い紡錘状の受容器で，皮膚を引っ張られた際の緊張などを感じる．

❻ Merkel盤：触圧覚の受容器で，順応速度が遅い．

❼ 毛包受容器：毛根の基部にある毛包を包み込むように走行する受容器で，毛の動きに対して鋭敏に反応する．

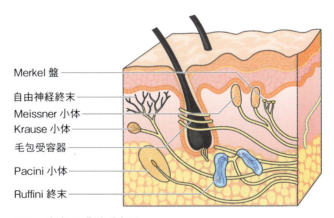

図3 皮膚の感覚受容器

表1 皮膚の感覚受容器

	触圧覚	振動覚	温度覚	痛覚
自由神経終末			○	○
Pacini小体	○	○		
Meissner小体	○	○		
Krause小体	○			
Ruffini終末	○			
Merkel盤	○			
毛包受容器	○			

熱傷

熱や化学薬品，放射線等によって生じる皮膚の外傷を**熱傷**という．皮膚は多くの機能を有しているため，熱傷の範囲が総面積の20％を超えるとショック，40％を超えると生命の危機が生じる．総面積の評価には成人では**9の法則**，小児では**5の法則**が用いられる．

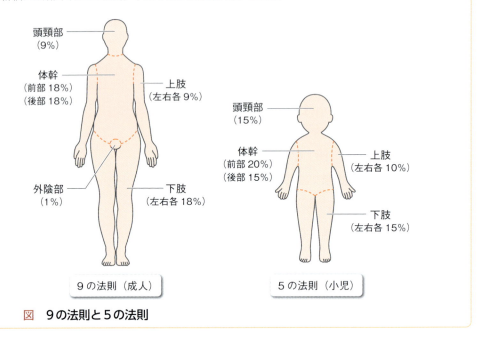

図　9の法則と5の法則

3）皮膚の付属器

- 皮膚の付属器のうち，**毛**と**爪**は表皮の細胞が変形したものである．また，**皮膚腺**は皮膚の表面に存在し，汗や皮脂などを分泌する役割をもつ．

1 毛：表皮の一部が角化して伸び出したもので，ほぼ全身の皮膚に存在している．毛の部位のうち，皮膚にもぐっている部分は**毛根**，体表から突き出ている部分は**毛幹**とよばれる．毛根には平滑筋性の**立毛筋**が付着しており（⇨図1），交感神経の働きによって収縮して，いわゆる「鳥肌」を引き起こす．

2 爪：手や足の末端部・背側の表皮が変形してできたものである．表面から見える部分を**爪体**，爪の深層の表皮を**爪床**，根元で皮膚に隠れた部位を**爪根**という（図4）．爪は爪根の上皮細胞が分裂することによって，徐々に遠位に向かって伸びる．爪の形態や色は，末梢の循環障害や代謝異常などの影響を非常に受けやすいため，臨床場面では観察が重要となる．

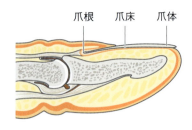

図4　爪の構造

3 皮膚腺：皮膚には以下の皮膚腺が存在する（⇨図1）．
①**汗腺**：汗を分泌する皮膚腺で，**エクリン汗腺**と**アポクリン汗腺**がある．
　▶**エクリン汗腺**：全身の皮膚に分布する汗腺で，特に手掌と足底に多い．水分量の多いさらさらとした汗（一般的にいう「汗」）を分泌する．
　▶**アポクリン汗腺**：エクリン汗腺とは異なり，腋窩や外耳道，会陰部の皮膚のみに分布する

汗腺．脂肪やタンパク質を含む汗を分泌する（この分泌物が細菌によって分解された際のにおいが「わきが」である）．
② (皮)脂腺：全身の皮膚に分布しており，**皮脂**を分泌する．皮脂は皮膚や毛をなめらかにすることにより，乾燥を防ぐ役割をもつ．
③ 乳腺：アポクリン汗腺が変形したもので，女性生殖器の補助器官に含められる．

2 視覚器（眼窩と眼球）

1）眼球

- 直径約25 mmの球状の構造物で，3層構造の壁によって覆われている．内部には**水晶体・硝子体・眼房水**が含まれており，後面の下内側からは太い**視神経**が出ている（図5）．

1 眼球壁：眼球の壁は**眼球外膜**，**眼球中膜**，**眼球内膜**の3層によって構成されている．

① **眼球外膜（眼球線維膜）**：眼球壁の最も外側にある膜で，非常に強靱な結合組織からなる．
  - **強膜**：眼球の後方5/6を覆っており，血管が少ないため白く見える（いわゆる「白目」として見える部位）．
  - **角膜**：眼球の前方1/6を覆う透明な膜で，光が通る入り口となっている（いわゆる「黒目」として見える部位）．角膜には神経が豊富に分布しており，刺激が加わると反射的に眼瞼が閉じる（**角膜反射**）．また，角膜には血管は分布しておらず，空気や涙液，**眼房水**（⇨p.376）によって酸素と栄養が供給されている．

② **眼球中膜（眼球血管膜，ブドウ膜）**：非常に血管が多い層で，以下の3部からなる．
  - **脈絡膜**：強膜のすぐ内面にある薄い膜で，血管とメラニン色素を多く含むため赤黒く見える．外部からの光の進入を防ぎ，網膜に栄養を与える役割をもつ．

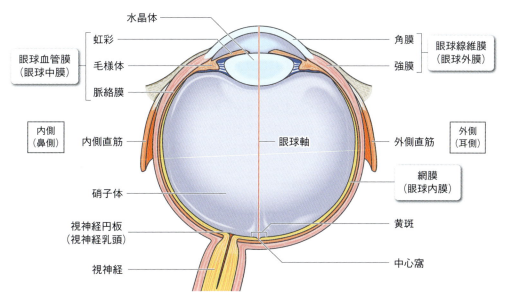

図5　眼球（右眼，水平断上面）

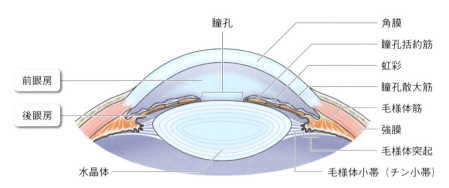

図6　眼球の前部

図7　瞳孔の収縮と拡大

▶ **毛様体**：脈絡膜の前縁から突き出る肥厚部で，水晶体の周囲を取り囲んでいる．その内部には，平滑筋性の**毛様体筋**がある．毛様体からは中心に向かって**毛様体突起**が伸び出ており，その尖端から出る**毛様体小帯（チン小帯）**によって水晶体と連結している（図6）．また，毛様体の表面の上皮細胞からは**眼房水**が分泌される．

▶ **虹彩**：毛様体の前方から突き出す膜で，**瞳孔**の周囲を取り囲んでいる（つまり，虹彩の中央の穴が瞳孔である）．虹彩はメラニン色素を多く含んでおり，光の進入をさえぎって光量の調整を行っている（瞳の色が黒目や茶目，青目に見えるのは，メラニン色素が影響している）．水晶体と角膜の間の空間は，虹彩によって前方の**前眼房**と後方の**後眼房**とに分けられる．また，虹彩には以下の2つの平滑筋が付着している（図6）．

- **瞳孔括約筋**：瞳孔の周囲を輪状に走行する筋で，副交感神経（動眼神経）の刺激によって収縮し，瞳孔を収縮させる（**縮瞳**，図7B）．
- **瞳孔散大筋**：虹彩の後面を放射状に走行する筋で，交感神経の刺激によって収縮し，瞳孔を拡大する（**散瞳**，図7C）．

> **国試のPoint　カメラの機能と眼球の構造**
> 眼球の構造はカメラの機能にたとえられることが多い．
> - カメラのレンズ系：角膜，水晶体，硝子体など．いずれも眼球内の光の通路のため，血管は存在しない．
> - カメラの絞り：虹彩．デジタル一眼レフカメラには「絞り」という機能があり，レンズから入る光の量を調整する部位がある．虹彩は絞りに近い役割をもつ．
> - カメラのフィルム：網膜．光を受容する視細胞が存在する．

臨床で重要！ 対光反射

網膜に光が照射されると，瞳孔括約筋の働きによって瞳孔が収縮（縮瞳）する．縮瞳によって網膜へ入る光の量は調整される．この作用は**対光反射**とよばれ，網膜の受容器，視神経，中脳，動眼神経，瞳孔括約筋を反射弓とする．対光反射の消失は中枢神経系の機能停止と判定されることから，**ヒトの死の判定基準の一つ**とされている（他には**自発呼吸の停止**，**心拍動の停止**がある）．

国試のPoint 眼の遠近調節

近方視や遠方視を行う場合には，毛様体筋の収縮と弛緩によって水晶体の厚みが調節されている（水晶体自体に弾性がある点が理解のポイントである）．

A 近方視

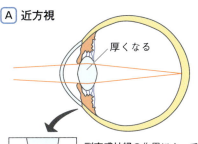
厚くなる

副交感神経の作用によって毛様体筋が収縮し，突き出ることによって毛様体小帯がゆるんで水晶体が厚くなる（水晶体自身の弾性による）

B 遠方視

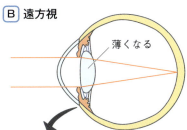
薄くなる

交感神経の作用によって毛様体筋が弛緩し，毛様体小帯が緊張することによって水晶体は外に引かれて薄くなる

図　眼の遠近調節

③**眼球内膜（網膜）**：眼球壁の最も内側にある膜で，光の受容器である**視細胞**が存在する．視細胞には以下の2種類がある．
- **錐体細胞（錐体）**：イオドプシン（アイオドプシン）という感光色素をもち，青錐体細胞・緑錐体細胞・赤錐体細胞がそれぞれ青・緑・赤色の光を感知して明所で働く．
- **杆体細胞（杆体）**※：**ロドプシン**という感光色素をもち，明暗を感知して暗所で働く．

※杆体は桿体と記載されることもある．

- 明るいところから暗いところへ移動すると，暗闇に眼がだんだんと慣れてくる．この現象は**暗順応**とよばれ，錐体細胞についで杆体細胞の順応が起こる．また，逆に暗いところから明るいところへ移動した際は**明順応**により，まぶしさに眼が慣れる．明順応は杆体細胞についで錐体細胞の順応が起こり，暗順応より速やかに行われる．

- また，網膜には以下の特徴的な部位がある（⇨図5）．
  - **黄斑**：網膜の後面の中央にある部位で，黄色の色素が沈着しているため黄色に見える．また，中央のくぼんだ部位は**中心窩**とよばれる．この部位は錐体細胞が非常に密集しているため，視力が非常に高い．黄斑の内側には**視神経乳頭**が位置している．
  - **視神経円板（視神経乳頭）**：視神経細胞の軸索が網膜から出る部位で，眼球軸の内側（鼻側）に位置している．視神経乳頭には視細胞がないため，光を感じることができない．また，頭蓋内圧が亢進すると網膜からの静脈還流が遅延し，視神経乳頭の腫脹が起こる．この状態を**うっ血乳頭（乳頭浮腫）**という．

盲点
視神経乳頭は眼球軸の内側（鼻側）に位置し，この領域には視細胞が存在しない．そのため，注視した点の外側約15°の位置に視覚のない部位がある．この部位は**盲点**（**盲斑**，マリオットの盲点）とよばれる．下の図で盲点を体感してみよう．

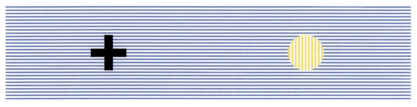

① 左眼を閉じ，右眼で十字を見る．
② 本書から 20 cm 前後離れると，黄色い円が見えなくなってしまう．また，見えない部分は周囲の横縞の背景に埋められてしまう．この部位が盲点（盲斑，マリオットの盲点）である．

図　盲点

2 眼球内の光の通路

① **角膜**：⇨p.373
② **眼房水（前眼房，後眼房）**：角膜と水晶体の間には，**眼房水**によって満たされた空間がある．この空間は虹彩を境として，前方の**前眼房**と後方の**後眼房**に分かれる（⇨図6）．眼房水の成分は血漿に近く，血管が分布していない角膜・水晶体・硝子体などを栄養している．また，眼房水は**毛様体突起**の上皮から産生され，虹彩角膜角から**強膜静脈洞**（**シュレム管**）へと入り，静脈血中に吸収される．
③ **水晶体**：瞳孔や虹彩の後方にある直径約10 mmの透明な構造物で，一定の弾力性を有する．その周縁には**毛様体小帯**が付着しており，遠近調節に伴って水晶体の厚みを変化させている（カメラのレンズのような役割をもつ．⇨p.375国試のPoint）．
④ **硝子体**：水晶体の後方の空間を満たす透明なゼリー状の物質で，眼球の内圧と形状を保つ役割をもつ．胎児期には血管がみられるが，出生後には消失する．

 白内障と緑内障
高齢者の転倒リスクは視覚情報と密接に関係しており，リハビリテーションを実施するうえで視覚器にかかわる疾患を把握することはきわめて重要である．代表的なものとして**白内障**と**緑内障**があるが，発症機序や症状は異なるため整理して理解する必要がある．

① 白内障
　水晶体は弾力性をもつ構造物であるが，その弾性は加齢に伴って低下する．低下した結果として遠近調節が困難になる状態を**老視**という．また，加齢に伴って水晶体が白濁し，視力が低下した状態を**白内障**という．白内障は糖尿病の慢性合併症としても起こる．

② 緑内障
　眼房水は常に産生と吸収が行われ，14.5 mmHg程度の内圧が保たれている．眼房水の吸収障害によって内圧が亢進すると，視神経の障害や視野の異常（視野欠損）が起こる．この状態を**緑内障**という．緑内障は進行すると失明に至る可能性もある．

2）副眼器

1 眼瞼と結膜：眼瞼は眼球の前面を覆う皮膚のヒダで，一般的に「まぶた」とよばれる部位である（図8）．

①**上眼瞼・下眼瞼**：眼瞼は上眼瞼と下眼瞼に分かれる．また，その間は**眼瞼裂**とよばれ，必要に応じて開閉することによって眼球を保護し，光の量を調整する役割をもつ．眼瞼裂の開閉には，以下の筋が関与する．
  - **上眼瞼挙筋**（動眼神経支配）：上眼瞼を引き上げ，眼瞼裂を開く．
  - **眼輪筋**（顔面神経支配）：眼瞼裂を閉じる．

②**睫毛**：眼瞼の前縁の皮膚の柔らかい部位に生えた毛で，一般的に「まつげ」とよばれる．

③**上瞼板・下瞼板**：眼瞼の内部にある固い結合組織の板で，上瞼板と下瞼板に分かれる．その中には**眼瞼腺**（**マイボーム腺**）という巨大な皮脂腺があり，眼瞼の後縁に開口している．

④**眼瞼結膜**：眼瞼の内面を覆う血管と神経に富む粘膜（眼瞼の外面は皮膚が覆っている）．上眼瞼の眼瞼結膜は**上結膜円蓋**，下眼瞼の眼瞼結膜は**下結膜円蓋**という部位で折り返し，**眼球結膜**（眼球の表面を覆う結膜）に移行している．

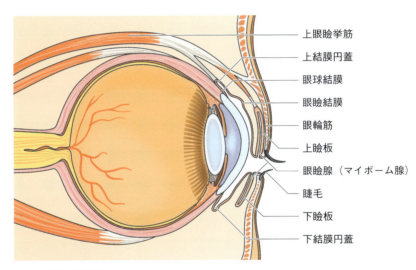

図8　眼瞼と結膜

2 涙器：涙液を分泌する**涙腺**と，流出させる**涙路**によって構成されている（図9）．涙液は眼球を潤わせ，乾燥などから角膜を保護する役割をもつ．

①**涙腺**：涙液を分泌する漿液腺で，眼球の上外側に位置する．副交感神経の働きにより，涙液を分泌する．

②**涙路**：以下の3部によって構成されている．
  - **涙小管**：涙液を涙嚢まで運ぶ，上下の細い管．眼瞼の内側端に開口部（**涙点**）がある．
  - **涙嚢**：上下の涙小管が流入する袋状の部位で，**鼻涙管**につながっている．
  - **鼻涙管**：涙嚢から下方に伸びる1.5～2 cmの細い管で，鼻腔の**下鼻道**（⇨p.259）に開口している．

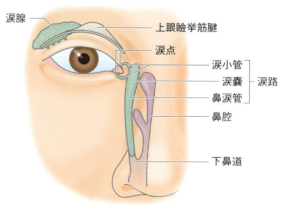

図9　涙器

3) 眼筋（外眼筋）（図10）

- 眼窩（⇨p.178）の中にある骨格筋で4つの直筋と2つの斜筋，上眼瞼挙筋※の計7つの筋から構成される．

  ※上眼瞼挙筋は眼球の運動には関与しないが，眼筋に含まれる．

1 **4つの直筋**：いずれの筋も**総腱輪**（視神経管を取り囲む結合組織）から起始し，眼球の**強膜**に停止している．

①上直筋（支配神経：動眼神経の上枝）
②下直筋（支配神経：動眼神経の下枝）
③内側直筋（支配神経：動眼神経の下枝）
④外側直筋（支配神経：外転神経）

2 **2つの斜筋**

①上斜筋（支配神経：滑車神経）
▶総腱輪から起始した後に眼窩内の**滑車**で外後方へと向きを変え，眼球の上面に停止する．

②下斜筋（支配神経：動眼神経の下枝）
▶鼻涙管のすぐ外側から起始し，眼球の下外側面に停止する．

3 **上眼瞼挙筋**（支配神経：動眼神経の上枝）：眼窩の最上部に位置する筋で眼筋のなかで唯一，眼球に付着していない．上眼瞼を挙上させる作用がある．

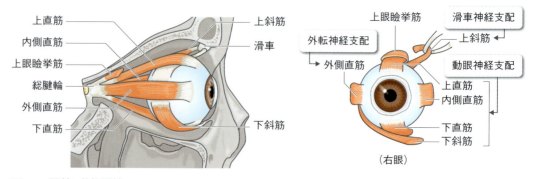

図10　眼筋（外眼筋）

3 平衡聴覚器（耳）

- 聴覚と平衡覚の感覚器で，**外耳**，**中耳**，**内耳**の3部からなる（図11）．

1）外耳

- 外界と接する部分で，音を鼓膜まで伝える働きをもつ．**耳介**と**外耳道**から構成されている．

① 耳介：頭部の外側に張り出た部位で，音を集める役割がある．**耳介軟骨**（弾性軟骨により形成）がその骨組みとなっており，表面にはいくつかの凹凸がある．また，耳介の下端部は**耳垂**（いわゆる「耳たぶ」）とよばれ，耳介軟骨以外の軟部組織によって形成されている．

② 外耳道：長さ2～3cmの細長い管で，外側1/3は耳介軟骨の延長として起こり，内側2/3は側頭骨によって囲まれている．外側部の皮膚では**耳道腺**というアポクリン汗腺（⇨p.372）が発達しており，その分泌物と剥離した上皮が合わさったものが**耳垢**（いわゆる「耳あか」）である．

2）中耳（図12）

- 側頭骨の**錐体**（⇨p.175）の中にある空洞で，外耳とは**鼓膜**で隔てられている．

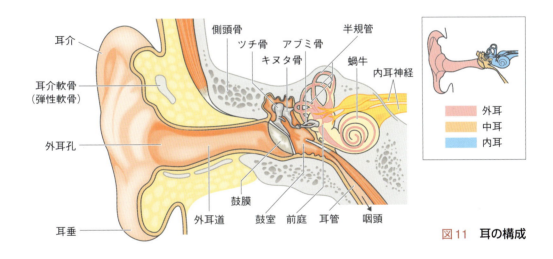

図11 耳の構成

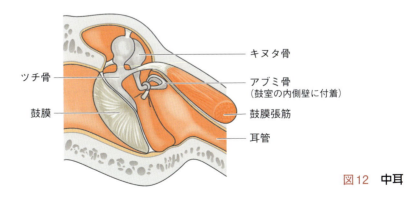

図12 中耳

1 **鼓膜**：外耳と中耳の間を隔てる，直径約1 cmの薄い膜．内側面には**ツチ骨条**という部位があり，**ツチ骨**が付着している．

2 **鼓室**：側頭骨の中にある空洞で，**耳管**によって咽頭鼻部（上咽頭）の**耳管咽頭口**（⇨p.282）とつながっている．また，内側の壁の中には**内耳**が収められている．内耳と鼓室の間には，**前庭窓**（卵円窓）と**蝸牛窓**（正円窓）がある．

3 **耳小骨**：鼓室の中にある小さな骨で，鼓膜側から順に**ツチ骨・キヌタ骨・アブミ骨**がある（図13）．ツチ骨は鼓膜に接しており，キヌタ骨体と関節を形成している．キヌタ骨はキヌタ骨体・短脚・長脚から構成されており，短脚は靱帯によって鼓室の後壁とつながり，長脚はアブミ骨と関節を形成する．最も内側にあるアブミ骨は，内耳の**前庭窓**にはまり込んでいる．3つの耳小骨は鼓膜の振動を増幅させ，効率よく前庭窓へと伝える役割をもつ．また，ツチ骨には**鼓膜張筋**（下顎神経支配），アブミ骨には**アブミ骨筋**（顔面神経支配）が停止しており，音の伝導を抑制する働きをもつ．

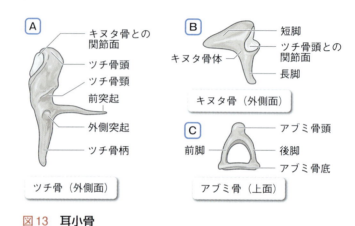

図13 耳小骨

> **国試のPoint　耳管の働き**
>
> 飛行機やトンネル，高層ビルのエレベーターなどに乗った際に，耳が「キーン」となったことは誰もがあるだろう．これは気圧が急激に変化したことにより，鼓膜内外の気圧差が大きくなることが原因である．また，その際に唾液を飲み込むとキーンとした感じが改善されるのは，耳管が開口することによって気圧差が解消されるからである（スキューバダイビングの「耳抜き」もこの原理である）．

3) 内耳

- 側頭骨の錐体の中にある複雑な形状の部位で，音や直線加速度・回転加速度を感知する役割をもつ．その内部は**骨迷路**と**膜迷路**によって構成されている（図14）．
  ① **骨迷路**：側頭骨の中にある複雑な形の空洞で，その中に**膜迷路**を収める．
  ② **膜迷路**：骨迷路とほぼ同じ形状の膜の袋．膜迷路の中は**内リンパ**※，膜迷路の外（骨迷路と膜迷路の間の空間）は**外リンパ**※という液体で満たされている．
  ※内リンパ液，外リンパ液と記載されることもある．

- また，内耳は音を感知する**蝸牛**，直線加速度を感知する**前庭**，回転加速度（角加速度）を感知する**半規管**の3部からなる．
  ① **蝸牛**：内耳の前下方に位置し，音の振動を感知する役割をもつ（蝸牛の殻に似ていることが

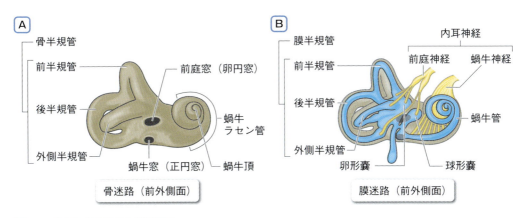

図14 内耳（骨迷路と膜迷路）

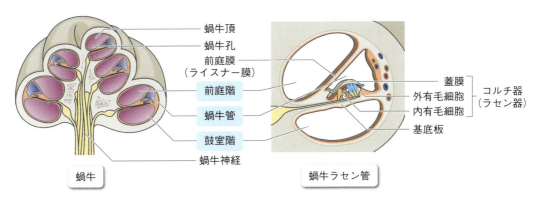

図15 蝸牛の内部（前額断）

語源とされる）．骨性の管が軸の周囲を2巻き半したような構造をしており，その頂点は**蝸牛頂**とよばれている．管の内部は**前庭階**，**鼓室階**，**蝸牛管**の3部に分かれる（図15）．

▶ **前庭階**：管の上の区画で，鼓室の**前庭窓（卵円窓）**とつながっている．
▶ **鼓室階**：管の下の区画で，鼓室の**蝸牛窓（正円窓）**とつながっている．
※前庭階と鼓室階は膜迷路の外の空間で，**外リンパ**を収めている．また，前庭階と鼓室階は蝸牛頂でつながっている．
▶ **蝸牛管**：前庭階と鼓室階の間に位置しており，蝸牛の**膜迷路**に相当する．断面は三角形で，その内部は**内リンパ**によって満たされている．上辺の前庭階に接している面を**前庭膜（ライスナー膜，ライスネル膜ともよばれる）**，下辺の鼓室階に接している面を**基底板**という．
▶ **コルチ器（ラセン器）**：蝸牛管の基底板にある聴覚受容器で，**内耳神経**（⇨p.361）の枝の**蝸牛神経**が分布する．感覚細胞である**内有毛細胞**と**外有毛細胞**を**蓋膜**が覆うような構造をしている．前庭窓から伝わってきた音波によってコルチ器が刺激されると，周波数として感知される（蝸牛の近位の太い部分は高音，遠位の細い部分は低音を感知する）．

② **前庭**：内耳の中央部（蝸牛と半規管の間）にあり，2つの**耳石器（球形嚢・卵形嚢）**によって構成されている．いずれも袋状の膜迷路で，その壁には**平衡斑**という感覚装置がある．平衡斑には有毛細胞があり，その表面は耳石を載せたゼリー状の膜によって覆われている（平衡斑には**内耳神経**の枝の**前庭神経**が分布する）．
▶ **球形嚢**：平衡斑が垂直面に位置し，垂直方向の加速度を感知する．
▶ **卵形嚢**：平衡斑が水平面に位置し，水平方向の加速度を感知する．

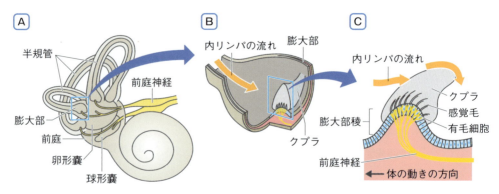

図16 半規管の膨大部の構造

③ **半規管**：前庭の卵形囊から突き出た3本のC字状の管（**外側半規管・前半規管・後半規管**）で，骨半規管の内部に一回り小さい膜半規管が収まっている（図14）．いずれも角加速度の受容器で，頭部の回転運動を三次元的に感知する働きをもつ．各半規管の根元にはそれぞれ**外側膨大部・前膨大部・後膨大部**があり，感覚装置の**膨大部稜**がある．また，膨大部稜には有毛細胞があり，その細胞の毛は**クプラ**とよばれる**ゼラチン膜**の中に埋まっている（膨大部稜には**内耳神経**の枝の**前庭神経**が分布する）（図16）．

> **臨床で重要！** **前庭動眼反射**
> われわれが歩行を行う際には，経済的な運動効率を得るために重心が上下・左右に移動する．それに伴って頭部が動揺するにもかかわらず，歩行時の視野がぶれることはない．これは**前庭動眼反射**の作用がかかわっている．前庭動眼反射とは頭部の回転方向に対して，眼球を逆方向へと回転させる反射である．この反射によって，われわれは全身運動時でも視野を一定に保つことができる（スマホの動画撮影時の手ぶれ防止機能をイメージするとよい）．これは内耳の半規管で感知された平衡覚が，前庭神経（内耳神経の枝）を介して動眼神経・滑車神経・外転神経などに伝達された結果として起こる．また，前庭動眼反射は歩行のみではなく姿勢制御にもかかわっている．

4 嗅覚器（⇨鼻の構造についてはp.259参照）

1. **嗅細胞**：鼻腔の最上部は**嗅上皮**とよばれ，においを感知する**嗅細胞**が分布している．嗅細胞から出た軸索は束となって**嗅神経**を形成する．
2. **嗅神経**：感覚性の神経からなる第1番目の脳神経（Ⅰ）で，**篩板**（⇨p.176）を通り抜けた後に**嗅脳**の**嗅球**に入る．

5 味覚器

- 味覚の受容器は花の蕾のような形状をしているため，**味蕾**（⇨p.279）とよばれる．
- 舌の前2/3の味覚は**鼓索神経**（顔面神経の枝），後1/3は**舌咽神経**によって大脳皮質の**味覚野**へと伝えられる（⇨p.280国試のPointも参照）．

国家試験練習問題

問1 眼球で誤っているのはどれか． [第58回AM問58]
1. 視細胞には錐体と桿体とがある．
2. 視神経乳頭は黄斑より内側にある．
3. 錐体は中心窩にある．
4. 前眼房は眼房水で満たされている．
5. 毛様体は瞳孔の大きさを調節する．

問2 平衡聴覚器で正しいのはどれか． [第58回PM問58]
1. 蝸牛は鼓室にある．
2. 鼓膜にはアブミ骨が接している．
3. 耳管は上咽頭につながる．
4. 耳小骨は外リンパ液に覆われている．
5. 半規管膨大部にコルチ器がある．

問3 光が角膜から網膜に達する経路で正しいのはどれか． [第57回AM問59]
1. 硝子体 ― 前眼房 ― 瞳孔 ― 水晶体
2. 水晶体 ― 瞳孔 ― 前眼房 ― 硝子体
3. 前眼房 ― 瞳孔 ― 硝子体 ― 水晶体
4. 前眼房 ― 瞳孔 ― 水晶体 ― 硝子体
5. 瞳孔 ― 前眼房 ― 水晶体 ― 硝子体

問4 視覚伝導路に含まれるのはどれか． [第54回PM問52]
1. 下垂体
2. 松果体
3. 乳頭体
4. 扁桃体
5. 外側膝状体

問5 皮膚の侵害受容器はどれか． [第54回PM問61]
1. 毛包受容体
2. Pacini小体
3. Ruffini終末
4. 自由神経終末
5. Meissner小体

◆巻末付録

1 人体の骨格，筋，動静脈

■ 全身の骨（前面）

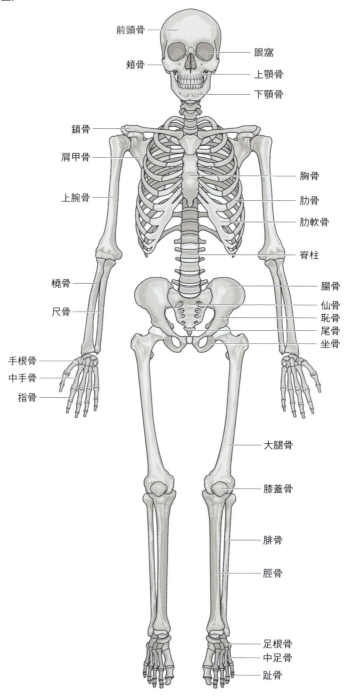

■ 全身の骨（後面）

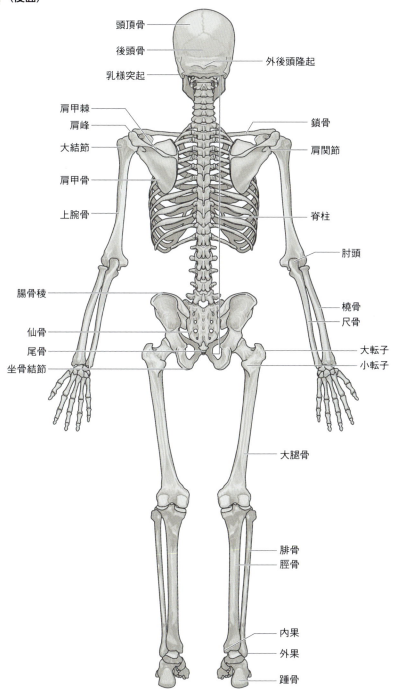

■ 全身の筋（前面）

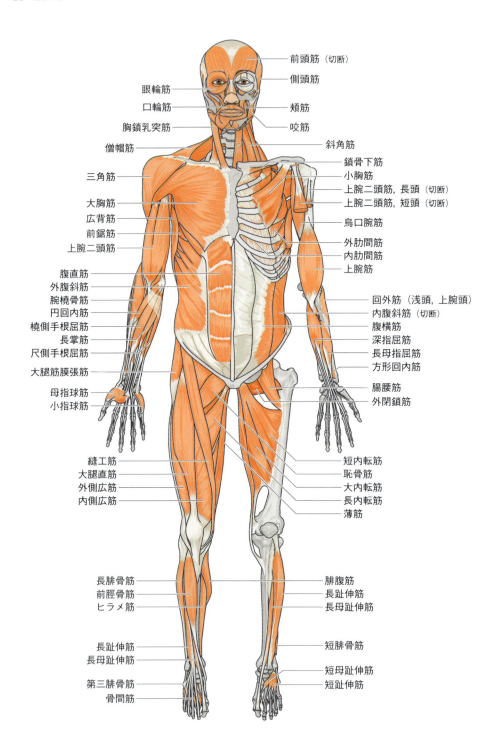

全身の筋（後面）

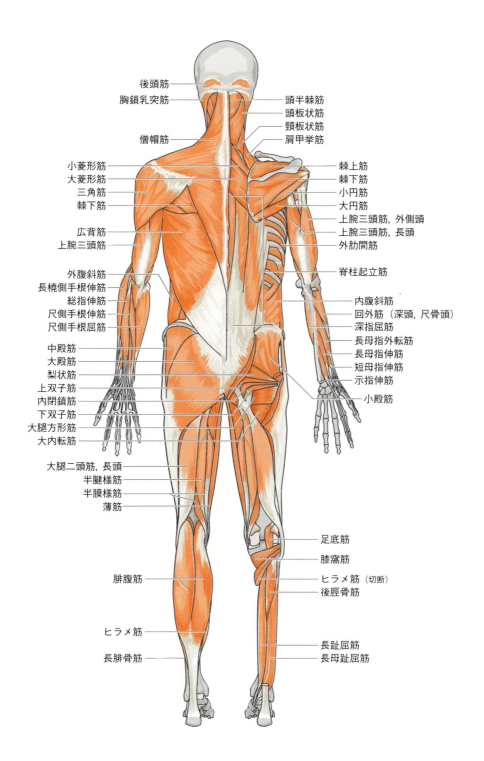

■ 全身の動脈

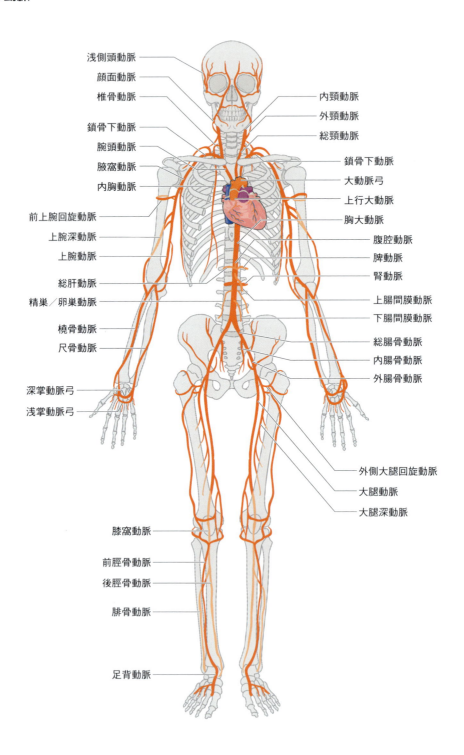

■ 全身の静脈

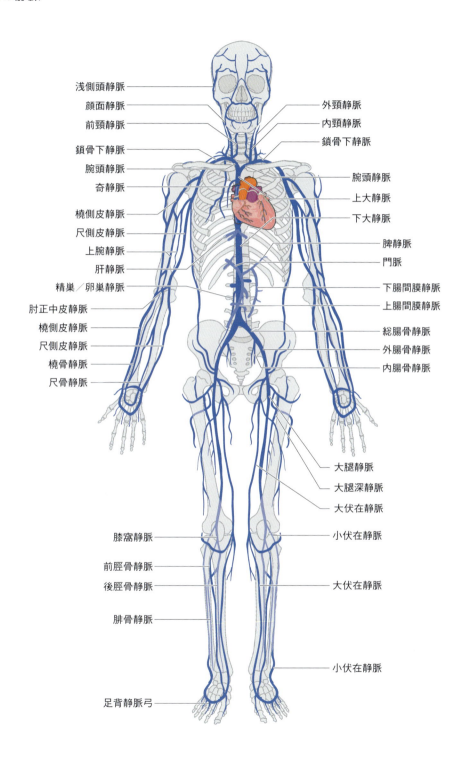

2 筋の起始・停止部

■ 上肢の骨（前面）への筋の付着部（文献24より作成）

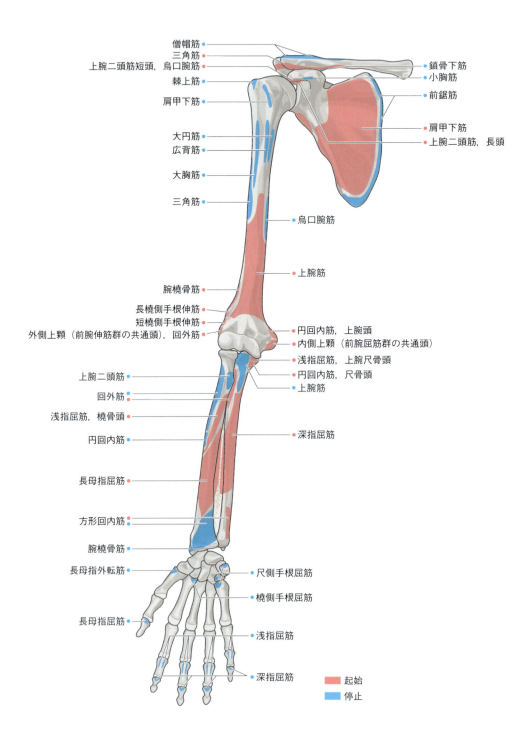

上肢の骨（後面）への筋の付着部 (文献24より作成)

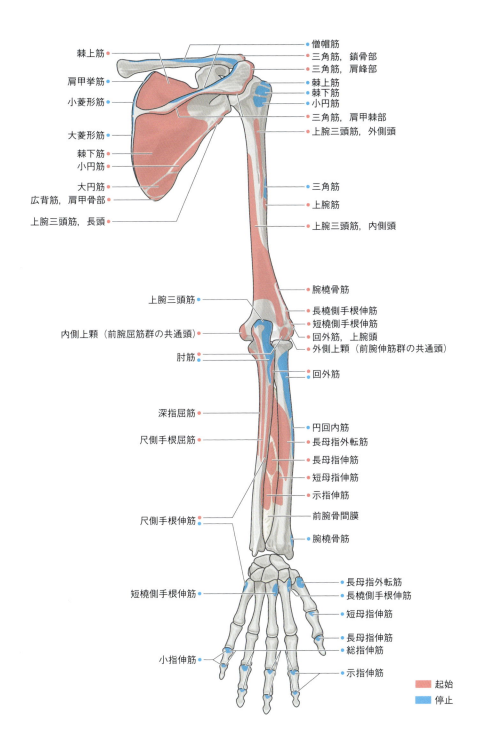

■ 下肢の骨（前面）への筋の付着部 (文献24より作成)

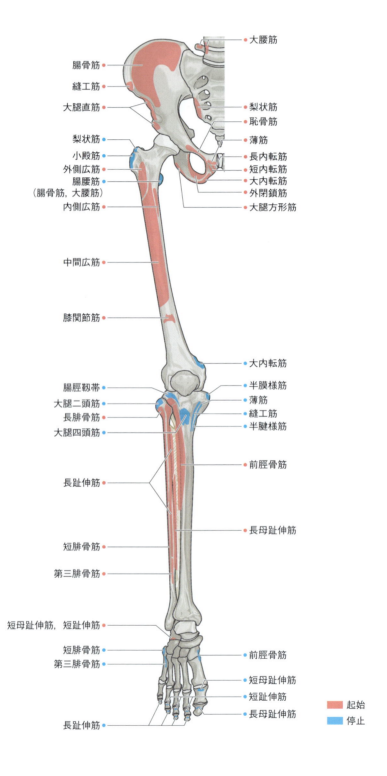

下肢の骨（後面）への筋の付着部 (文献24より作成)

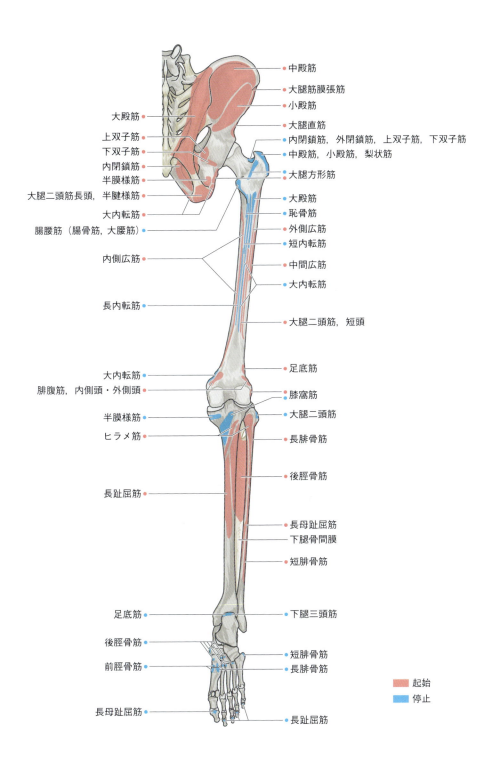

■ 手の骨（掌側面，背側面）への筋の付着部 (文献24より作成)

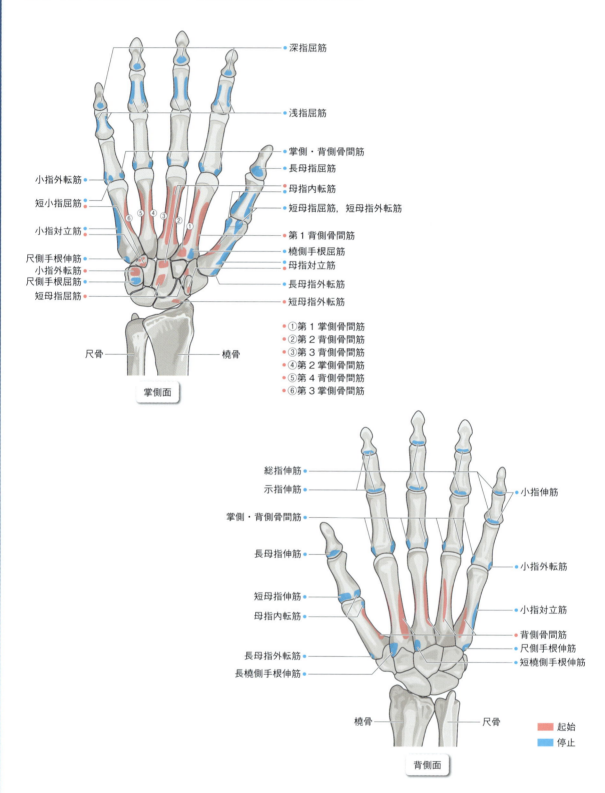

■ 足の骨（底側面）への筋の付着部 （文献24より作成）

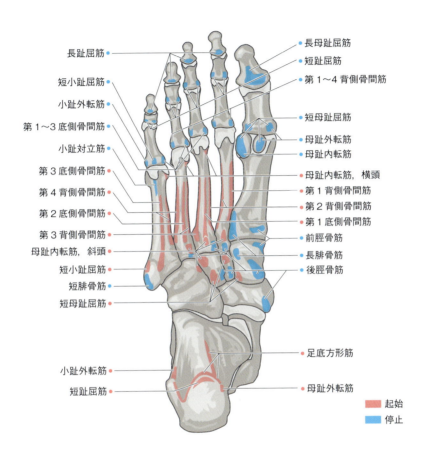

- 長趾屈筋
- 短小趾屈筋
- 小趾外転筋
- 第1〜3底側骨間筋
- 小趾対立筋
- 第3底側骨間筋
- 第4背側骨間筋
- 第2底側骨間筋
- 第3背側骨間筋
- 母趾内転筋，斜頭
- 短小趾屈筋
- 短腓骨筋
- 短母趾屈筋
- 小趾外転筋
- 短趾屈筋

- 長母趾屈筋
- 短趾屈筋
- 第1〜4背側骨間筋
- 短母趾屈筋
- 母趾外転筋
- 母趾内転筋
- 母趾内転筋，横頭
- 第1背側骨間筋
- 第2背側骨間筋
- 第1底側骨間筋
- 前脛骨筋
- 長腓骨筋
- 後脛骨筋
- 足底方形筋
- 母趾外転筋

■ 起始
■ 停止

3 筋の英名

■ 上肢の筋

筋	英名	筋	英名
胸部の筋		**前腕の屈筋群（中間層）**	
大胸筋	pectoralis major	浅指屈筋	flexor digitorum superficialis
小胸筋	pectoralis minor	**前腕の屈筋群（深層）**	
鎖骨下筋	subclavius	深指屈筋	flexor digitorum profundus
前鋸筋	serratus anterior	長母指屈筋	flexor pollicis longus
背部浅層の筋		方形回内筋	pronator quadratus
僧帽筋	trapezius	**前腕の伸筋群（浅層）**	
広背筋	latissimus dorsi	腕橈骨筋	brachioradialis
肩甲挙筋	levator scapulae	長橈側手根伸筋	extensor carpi radialis longus
小菱形筋	rhomboid minor	短橈側手根伸筋	extensor carpi radialis brevis
大菱形筋	rhomboid major	総指伸筋（指伸筋）	extensor digitorum
肩甲骨周辺の筋		小指伸筋	extensor digiti minimi
三角筋	deltoid	尺側手根伸筋	extensor carpi ulnaris
棘上筋	supraspinatus	**前腕の伸筋群（深層）**	
棘下筋	infraspinatus	回外筋	supinator
小円筋	teres minor	長母指外転筋	abductor pollicis longus
大円筋	teres major	短母指伸筋	extensor pollicis brevis
肩甲下筋	subscapularis	長母指伸筋	extensor pollicis longus
上腕の屈筋群		示指伸筋	extensor indicis
上腕二頭筋 長頭	biceps brachii long head	**手掌の筋（母指球筋）**	
上腕二頭筋 短頭	biceps brachii short head	短母指外転筋	abductor pollicis brevis
上腕筋	brachialis	母指対立筋	opponens pollicis
烏口腕筋	coracobrachialis	短母指屈筋	flexor pollicis brevis
上腕の伸筋群		母指内転筋	adductor pollicis
上腕三頭筋 長頭	triceps brachii long head	**手掌の筋（小指球筋）**	
上腕三頭筋 外側頭	triceps brachii lateral head	短掌筋	palmaris brevis
上腕三頭筋 内側頭	triceps brachii medial head	小指外転筋	abductor digiti minimi
肘筋	anconeus	短小指屈筋	flexor digiti minimi brevis
前腕の屈筋群（浅層）		小指対立筋	opponens digiti minimi
円回内筋	pronator teres	**手掌の筋（中手筋）**	
橈側手根屈筋	flexor carpi radialis	虫様筋	lumbrical
長掌筋	palmaris longus	掌側骨間筋	palmar interossei
尺側手根屈筋	flexor carpi ulnaris	背側骨間筋	dorsal interossei

■ 下肢の筋

筋		英名	筋		英名
大腿前面の筋			**下腿前面の筋**		
腸腰筋 iliopsoas	腸骨筋	iliacus	前脛骨筋		tibialis anterior
	大腰筋	psoas major	長趾伸筋		extensor digitorum longus
小腰筋		psoas minor	長母趾伸筋		extensor hallucis longus
恥骨筋		pectineus	第三腓骨筋		fibularis tertius
縫工筋		sartorius	**下腿外側の筋**		
大腿四頭筋 quadriceps femoris	大腿直筋	rectus femoris	長腓骨筋		fibularis longus
	外側広筋	vastus lateralis	短腓骨筋		fibularis brevis
	内側広筋	vastus medialis	**下腿後面の筋（浅層）**		
	中間広筋	vastus intermedius	下腿三頭筋 triceps surae	腓腹筋 外側頭	gastrocnemius lateral head
膝関節筋		articularis genus		腓腹筋 内側頭	gastrocnemius medial head
大腿内側の筋				ヒラメ筋	soleus
長内転筋		adductor longus	足底筋		plantaris
短内転筋		adductor brevis	**下腿後面の筋（深層）**		
大内転筋		adductor magnus	膝窩筋		popliteus
薄筋		gracilis	長母趾屈筋		flexor hallucis longus
外閉鎖筋		obturator externus	長趾屈筋		flexor digitorum longus
殿部の筋（浅層）			後脛骨筋		tibialis posterior
大殿筋		gluteus maximus	**足背の筋**		
中殿筋		gluteus medius	短趾伸筋		extensor digitorum brevis
小殿筋		gluteus minimus	短母趾伸筋		extensor hallucis brevis
大腿筋膜張筋		tensor fasciae latae	**足底の筋（第1層）**		
殿部の筋（深層）			母趾外転筋		abductor hallucis
梨状筋		piriformis	短趾屈筋		flexor digitorum brevis
上双子筋		gemellus superior	小趾外転筋		abductor digiti minimi
内閉鎖筋		obturator internus	**足底の筋（第2層）**		
下双子筋		gemellus inferior	足底方形筋		quadratus plantae
大腿方形筋		quadratus femoris	虫様筋		lumbrical
大腿後面の筋			**足底の筋（第3層）**		
ハムストリングス hamstrings	半腱様筋	semitendinosus	短母趾屈筋		flexor hallucis brevis
	半膜様筋	semimembranosus	母趾内転筋		adductor hallucis
	大腿二頭筋 長頭	biceps femoris long head	短小趾屈筋		flexor digiti minimi brevis
	大腿二頭筋 短頭	biceps femoris short head	**足底の筋（第4層）**		
			底側骨間筋		plantar interossei
			背側骨間筋		dorsal interossei

4 正常MRI画像

■ MRI画像の各種撮像方法

T1強調画像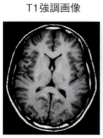
形態を把握しやすい．陳旧性損傷部位は黒く描出される．

T2強調画像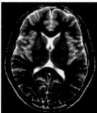
炎症部位や急性期の変化を鋭敏に白く描出する．

拡散強調画像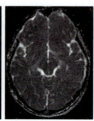
脳梗塞急性期に異常を検出しやすい．病巣を白く描出する．

フレア画像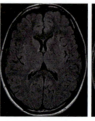
T2強調画像に似る．髄液を黒く描出するために，より白く描出される病巣が検出しやすい．

T2*画像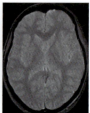
ヘモジデリンが黒く描出されることから，挫傷などの出血病巣が鋭敏に検出される．

渡邉 修：画像検査―X線，CT，MRI，SPECT，PET.『リハビリテーション医学』（安保雅博／監，渡邉 修，松田雅弘／編），p118，羊土社，2018より引用．

■ 脳の正常MRI（T1強調画像，矢状断）

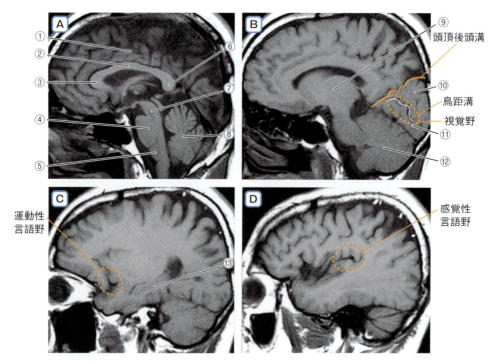

①帯状回，②脳梁体部，③脳梁膝部，④橋，⑤延髄，⑥脳梁膨大部，⑦中脳，⑧小脳虫部，⑨視床，⑩楔部，⑪舌状回，⑫小脳半球，⑬海馬・海馬傍回．
小西淳也：脳の正常画像解剖．レジデントノート増刊 Vol.16 No.8, p1435, 羊土社，2014より引用．

■ 脳の正常MRI（T1強調画像，軸位断）

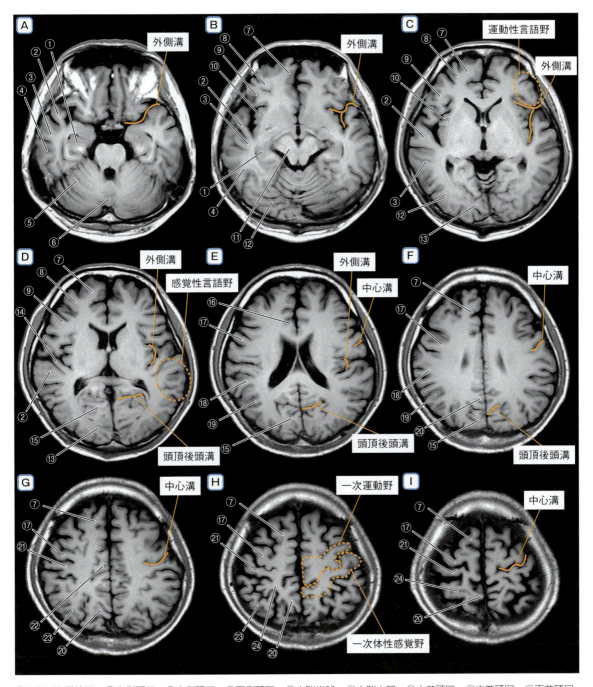

①海馬・海馬傍回，②上側頭回，③中側頭回，④下側頭回，⑤小脳半球，⑥小脳虫部，⑦上前頭回，⑧中前頭回，⑨下前頭回，⑩島，⑪中脳，⑫後頭葉，⑬舌状回，⑭Heschl回，⑮楔部，⑯帯状回，⑰中心前回，⑱縁上回，⑲角回，⑳楔前部，㉑中心後回，㉒中心傍小葉，㉓下頭頂小葉，㉔上頭頂小葉．
小西淳也：脳の正常画像解剖．レジデントノート増刊 Vol.16 No.8，p1434，羊土社，2014より引用．

■ **胸部の正常MRI**（左：上行大動脈レベル，右：大動脈弓レベル，矢状断）

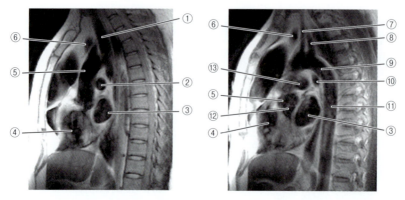

①気管，②右肺動脈，③左心房，④右心室，⑤上行大動脈，⑥腕頭動脈，⑦左総頸動脈，⑧左鎖骨下動脈，⑨大動脈弓，⑩左主気管支，⑪下行大動脈，⑫大動脈弁，⑬肺動脈幹．
大場啓一郎，他：正常胸部CT（MRI）像．『正常画像と並べてわかる胸部CT・MRI』（櫛橋民生，藤澤英文／編），pp68-69，羊土社，2010より引用．

■ **胸部の正常MRI**（左：腕頭動脈レベル，右：上行大動脈レベル，冠状断）

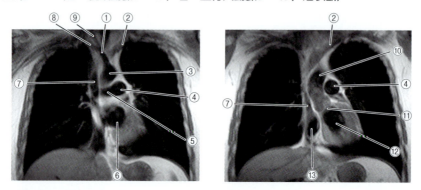

①腕頭動脈，②左腕頭静脈，③大動脈弓，④肺動脈幹，⑤右肺動脈，⑥左心房，⑦上大静脈，⑧右鎖骨下動脈，⑨右総頸動脈，⑩上行大動脈，⑪大動脈弁，⑫左心室，⑬右心房．
大場啓一郎，他：正常胸部CT（MRI）像．『正常画像と並べてわかる胸部CT・MRI』（櫛橋民生，藤澤英文／編），pp73-74，羊土社，2010より引用．

■ **腹部の正常MRI**（左：脾静脈-上腸間膜静脈合流レベル，右：十二指腸水平脚レベル，水平断）

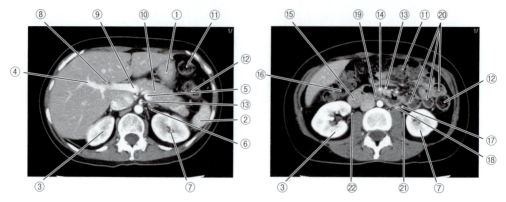

①胃，②脾臓，③右腎，④門脈右前枝，⑤脾静脈，⑥左副腎，⑦左腎，⑧右肝管，⑨門脈本幹，⑩膵臓，⑪横行結腸，⑫下行結腸，⑬上腸間膜動脈，⑭上腸間膜静脈，⑮十二指腸，⑯上行結腸，⑰下腸間膜静脈，⑱左卵巣静脈，⑲十二指腸水平脚，⑳空腸，㉑左尿管，㉒右尿管．
西田典史：正常解剖．レジデントノート増刊 Vol.13 No.6，pp974-975，羊土社，2011より引用．

■ 肩関節の正常MRI（左：T1強調画像，斜冠状断，右：T2強調画像，斜矢状断）

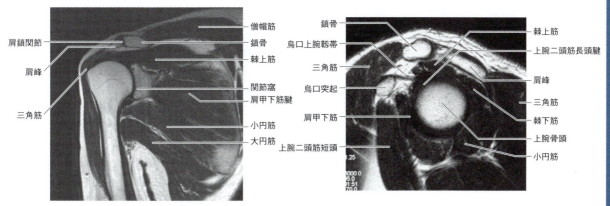

■ 肘関節の正常MRI（左：T1強調画像，斜冠状断，右：T2*強調画像，矢状断）

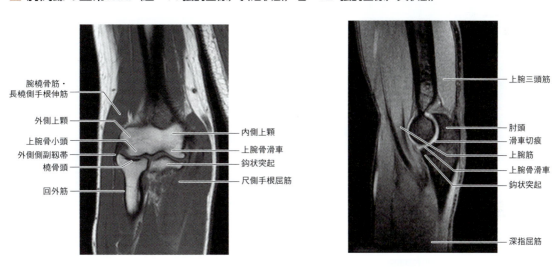

■ 手関節の正常MRI（左：T2*強調画像，冠状断，右：T1強調画像，矢状断）

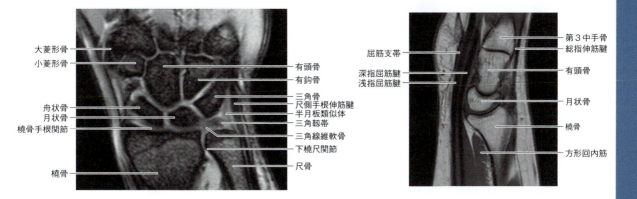

福田国彦：基本撮影と正常解剖．『救急・当直で必ず役立つ！骨折の画像診断　改訂版』（福田国彦，他／編），pp73，91，124，羊土社，2014より引用．

■ 股関節の正常MRI（左：T1強調画像，冠状断，右：T1強調画像，水平断）

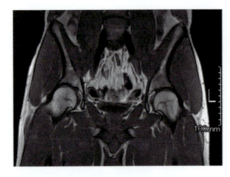
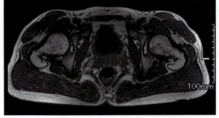

■ 膝関節の正常MRI（左：T2*強調画像，冠状断，右：プロトン密度強調画像，矢状断）

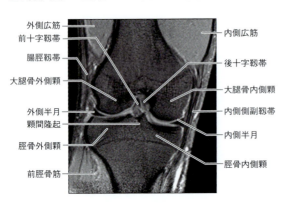
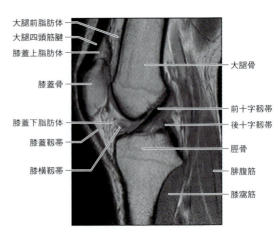

■ 足関節の正常MRI（左：プロトン密度強調画像，冠状断，右：プロトン密度強調画像，矢状断）

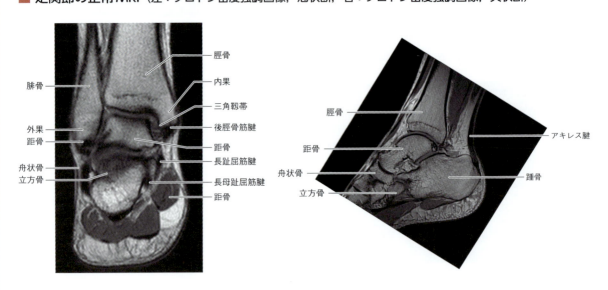

福田国彦：基本撮影と正常解剖. 『救急・当直で必ず役立つ！骨折の画像診断　改訂版』（福田国彦，他／編），pp180, 213, 246, 247, 羊土社，2014より引用.

◆参考文献

1) 「15レクチャーシリーズ 理学療法・作業療法テキスト 運動学」(小島 悟/責任編集，石川 朗，種村留美/総編集)，中山書店，2012
2) 「PT・OTのための運動学テキスト 基礎・実習・臨床」(小柳磨毅，他/編)，金原出版，2015
3) 「オーチスのキネシオロジー 身体運動の力学と病態力学 原著第2版」(山﨑 敦，他/監訳)，ラウンドフラット，2012
4) 「解剖学用語 改訂13版」(日本解剖学会/監，解剖学用語委員会/編)，医学書院，2007
5) 「解剖実習カラーテキスト」(坂井建雄/著)，医学書院，2013
6) 「解剖実習の手びき 第11版」(寺田春水，藤田恒夫/著)，南山堂，2004
7) 「カラー図解 脳神経ペディア「解剖」と「機能」が見える・つながる事典」(渡辺雅彦/著)，羊土社，2017
8) 「基礎運動学 第6版」(中村隆一，他/著)，医歯薬出版，2003
9) 「筋骨格系のキネシオロジー」(Donald A. Neumann/著，嶋田智明，平田総一郎/監訳)，医歯薬出版，2005
10) 「グレイ解剖学 原著第3版」(Richard L. Drake，他/著，塩田浩平，秋田恵一/監訳)，エルゼビア・ジャパン，2016
11) 「グレイ解剖学アトラス 原著第2版」(Richard L. Drake，他/著，塩田浩平，秋田恵一/監訳)，エルゼビア・ジャパン，2015
12) 「系統看護学講座 専門基礎分野 人体の構造と機能1 解剖生理学 第10版」(坂井建雄，岡田隆夫/著)，医学書院，2018
13) 「消して忘れない 解剖学要点整理ノート 改訂第2版」(井上 馨，松村讓兒/編)，羊土社，2014
14) 「シンプル生理学 改訂第6版」(貴邑冨久子，根来英雄/著)，南江堂，2008
15) 「図解 解剖学事典 第3版」(Heinz Feneis/原著，山田英智/監訳，石川春律，他/訳)，医学書院，2013
16) 「ぜんぶわかる 人体解剖図」(坂井建雄，橋本尚詞/著)，成美堂出版，2010
17) 「動作分析 臨床活用講座 バイオメカニクスに基づく臨床推論の実践」(石井慎一郎/編著)，メジカルビュー社，2013
18) 「日本人体解剖学 上巻(解剖学総論・骨格系・筋系・神経系) 改訂20版」(金子丑之助/原著，金子勝治/監修，穐田真澄/編著)，南山堂，2020
19) 「標準解剖学」(坂井建雄/著)，医学書院，2017
20) 「標準整形外科学 第12版」(松野丈夫，中村利孝/総編集，馬場久敏，他/編)，医学書院，2014
21) 「標準生理学 第9版」(本間研一/監修，大森治紀，大橋俊夫/総編集，河合康明，他/編)，医学書院，2019
22) 「標準理学療法学・作業療法学 専門基礎分野 解剖学 第5版」(奈良 勲，鎌倉矩子/シリーズ監修，野村 嶬/編)，医学書院，2020
23) 「標準理学療法学・作業療法学 専門基礎分野 内科学 第3版」(奈良 勲，鎌倉矩子/シリーズ監修，前田眞治，他/著)，医学書院，2014
24) 「プロメテウス解剖学アトラス 解剖学総論／運動器系」(坂井建雄，松村讓兒/監訳)，医学書院，2007
25) 「プロメテウス解剖学アトラス 頭頸部／神経解剖 第2版」(坂井建雄，河田光博/監訳)，医学書院，2014
26) 「ムーア臨床解剖学」(坂井建雄/訳)，医学書院エムワイダブリュー，1997
27) 「理学療法学 ゴールド・マスター・テキスト1 理学療法評価学」(柳澤 健/編)，メジカルビュー社，2010
28) 「臨床のための解剖学 第2版」(佐藤達夫，坂井建雄/監訳)，メディカル・サイエンス・インターナショナル，2016
29) 「日本人体解剖学 下巻(循環器系・内臓学・感覚器系) 改訂20版」(金子丑之助/原著，金子勝治/監修，穐田真澄/編著)，南山堂，2020
30) 「グラント解剖学図譜 第8版」(Anne M. R. Agur, Arthur F. Dalley/原著，坂井建雄/監訳)，医学書院，2022

◆国家試験練習問題 正答・解説

第1章

問1
正答 ❺
❶髄腔は短骨ではなく長骨の骨幹にあり，その中には骨髄を収めている（⇨p.28）．
❷造血機能を有しているのは黄色骨髄ではなく，赤色骨髄である（⇨p.29）．
❸Havers（ハバース）管は海綿骨ではなく，緻密骨（緻密質）の骨単位の中心にある（⇨p.29）．
❹骨芽細胞は骨吸収でなく骨形成にかかわっている．骨吸収にかかわるのは破骨細胞である（⇨p.29）．
❺皮質骨（緻密質，緻密骨）表面は骨膜で覆われている．また，骨の関節面は骨膜ではなく，関節軟骨によって覆われている（⇨p.37）．

問2
正答 ❷
❶手指のPIP関節（近位指節間関節）は1軸性の蝶番関節である（⇨p.38）．
❷橈骨手根関節は2軸性の楕円関節（顆状関節）である（⇨p.38）．
❸腕尺関節は1軸性のらせん関節である（⇨p.38）．なお，らせん関節は蝶番関節の変形であるため，腕尺関節は蝶番関節でもある（ただし，❶のPIP関節は蝶番関節ではあるが，らせん関節ではないので注意）．
❹上橈尺関節は1軸性の車軸関節である（⇨p.38）．
❺肩甲上腕関節（肩関節）は多軸性の球関節である（⇨p.39）．

問3
正答 ❹
❶骨梁から形成されるのは皮質骨（緻密質，緻密骨）ではなく，海綿骨（海綿質）である（⇨p.29）．
❷幼児期の骨髄は造血機能をもつ赤色骨髄である．出生後は造血機能が低下し，思春期以降には黄色骨髄となる（⇨p.29）．
❸皮質骨（緻密質，緻密骨）の表面は骨膜で覆われている．ただし，関節軟骨および筋の付着部の領域は覆われていない（⇨p.28）．
❹皮質骨（緻密質，緻密骨）は骨単位から構成されており，その中心の管がHavers管である（⇨p.29）．
❺プロテオグリカンを豊富に含むのは骨ではなく，軟骨である（⇨p.28）．

問4
正答 ❷
結合組織から起こる骨の発生は膜性骨化（膜内骨化）とよばれ，頭蓋骨の大部分や鎖骨が該当する．また，肋骨・上腕骨・手根骨・大腿骨などは，骨端軟骨から起こる軟骨内骨化によって形成されている（⇨p.38）．

問5
正答 ❸
❶肩関節（肩甲上腕関節）は多軸性の球関節である（⇨p.39）．
❷肘関節は厳密には腕尺関節（蝶番関節・らせん関節），腕橈関節（球関節），上橈尺関節（車軸関節）からなる．腕橈関節以外であれば不正解となるため，本問題では正解の選択肢とはならない（⇨p.38, 39, 62）．
❸上橈尺関節は1軸性の車軸関節である（⇨p.38）．
❹橈骨手根関節は2軸性の楕円関節（顆状関節）である（⇨p.38）．
❺母指のCM関節（手根中手関節）は2軸性の鞍関節である．また，母指以外のCM関節は平面関節である（⇨p.38, 39）．

第2章

問1
正答 ❶
腱板は回旋筋腱板（rotator cuff）ともよばれ，棘上筋・棘下筋・小円筋・肩甲下筋によって構成されている．4つの筋はYシャツの袖口（cuff）のようにぐるり

と肩関節の周囲を覆い，肩関節の保護と安定化に関与している（⇨p.73）．

問2
正答 ④

① 肘筋は上腕の伸筋群の1つで，**上腕骨の外側上顆・肘関節包**から起始した後に，**尺骨の肘頭と後面の上部**に停止している（⇨p.76）．
② 上腕筋は**上腕骨の前面の下部と内側・外側上腕筋間中隔**から起始した後に，**尺骨粗面**に停止している（⇨p.74）．
③ 腕橈骨筋は**上腕骨の外側顆上稜の近位2/3と外側上腕筋間中隔**から起始した後に，**橈骨の茎状突起**に停止している（⇨p.82）．
④ 上腕二頭筋は長頭と短頭から構成されており，長頭は**肩甲骨の関節上結節**，短頭は**烏口突起**から起始している．2つの筋腹は上腕の中央からやや遠位で癒合し，**橈骨粗面・前腕筋膜**に停止している（⇨p.74）．
⑤ 橈側手根屈筋は**上腕骨の内側上顆**から起始した後に，**第2中手骨の底**に停止している（⇨p.79）．

問3
正答 ④

手の筋は前腕から起始した後に手に停止する**外在筋**（**外来筋，手外筋**）と，手に起始・停止をもつ**内在筋**（**手内筋**）に区分される（⇨p.84）．内在筋は母指球筋・小指球筋・中手筋の3部から構成されており，①②③⑤はいずれも内在筋である．④の**短母指伸筋**は橈骨と前腕骨間膜の後面の中間1/3から起始するため，外来筋である（⇨p.83）．

問4
正答 ②

解剖学的嗅ぎタバコ入れ（anatomical snuff box）は母指を伸展・外転した際にみられるくぼみで，内側は**長母指伸筋**の腱，外側は**短母指伸筋・長母指外転筋**の腱によって形成されている．図の矢印は内側にある長母指伸筋の腱を示している．また，長母指伸筋の腱の外側には短母指伸筋・長母指外転筋の順に腱が位置しているため，実際に触って確認してみよう．また，解剖学的嗅ぎタバコ入れの底は**舟状骨と大菱形骨**によって構成され，その中央では**橈骨動脈**の拍動を触れることができる（⇨p.83）．

問5
正答 ④

外側腋窩裂隙（四角間隙）は小円筋，大円筋，上腕骨，上腕三頭筋長頭によって形成される小窓で，**腋窩神経と後上腕回旋動静脈**が通過している（⇨p.76）．肩甲下筋も外側腋窩裂隙の形成にかかわってはいるが，国家試験出題事例として大円筋が正解となっている（⇨p.76の注釈も参照）．また，**内側腋窩裂隙（三角間隙）**は小円筋，大円筋，上腕三頭筋長頭によって形成され，**肩甲回旋動静脈**が通過している．

第3章

問1
正答 ③

① 股関節は顆状関節ではなく，多軸性の**球関節（臼状関節）**である（⇨p.122）．
② 大腿骨頸部は強靱かつ，ゆるみがある**関節包**によって包まれている（⇨p.122）．
③ 寛骨臼は**前外側**を向いており，大腿骨頭と関節して**股関節**を形成している（⇨p.110）．
④ 寛骨臼は**腸骨・坐骨・恥骨**によって構成されている（⇨p.110）．
⑤ **腸骨大腿靱帯**は，股関節の**関節包前面**を補強している．また，関節包の下方と前面は**恥骨大腿靱帯**，後面は**坐骨大腿靱帯**によって補強されている（⇨p.123）．

問2
正答 ①と②

距骨は足根骨の1つで，**距骨体・距骨頸・距骨頭**からなる．距骨体は**踵骨と距骨下関節（距踵関節）**，距骨頭は**舟状骨と距踵舟関節**を構成している（距踵舟関節は距骨頭・距骨頸の下面と踵骨上面にも関節面をもつ）．また，距骨は筋や腱の付着部をもたない唯一の足根骨である（⇨p.117, 129～131）．

問3
正答 ④と⑤

Lisfranc関節（リスフラン）（足根中足関節）とChopart関節（ショパール）（横

足根関節）は，足部の切断を行う際の指標となる部位である．Lisfranc関節は滑膜性の平面関節で，**遠位の足根骨（内側・中間・外側楔状骨，立方骨）**と中足骨の底によって構成されている．また，Chopart関節は距踵舟関節と踵立方関節からなり，**距骨・踵骨・舟状骨・立方骨**によって構成されている（⇨p.131～133．立方骨はLisfranc関節・Chopart関節の両方の構成にかかわっている点に注意）．

問4

正答 ❹

足関節外側面において外果の前方を走行するのは，❹の**第三腓骨筋**である．第三腓骨筋は長趾伸筋の一部が分かれたもので，日本人では約4～8%で欠如する（⇨p.144）．❶の**後脛骨筋**と❺の**長母指屈筋（長母趾屈筋）**は，**足根管**を通過する筋である．足根管は内果の下方にある屈筋支帯・距骨・踵骨によって囲まれたトンネル様の構造で，他にも**長趾屈筋，脛骨神経，後脛骨動静脈**が通過している（⇨p.164）．❷の**短腓骨筋**と❸の**長腓骨筋**は，いずれも外果の内側後方にある**外果溝**を通過している（⇨p.116, 146）．

問5

正答 ❺

下肢には**腰神経叢，仙骨神経叢**の枝がそれぞれ分布している．腰神経叢の枝には**腸骨下腹神経，腸骨鼠径神経，陰部大腿神経，外側大腿皮神経，大腿神経，閉鎖神経**がある．そのため，❺の**大腿神経**が正解となる．また，その他の選択肢はすべて，仙骨神経叢の枝である（仙骨神経叢の枝は**陰部神経，下殿神経，坐骨神経，上殿神経**以外にも**後大腿皮神経**がある）（⇨p.161～164）．

第4章

問1

正答 ❺

❶**横隔膜**は収縮時に**下方移動**することにより，安静吸気を行う（⇨p.221, 222, 273）．

❷**外肋間筋**は収縮時に**肋骨を挙上**することにより，安静吸気を行う（⇨p.219, 220, 273）．

❸**胸膜腔**は外界よりも**陰圧**になっているため，壁側胸膜と臓側胸膜は常に密着している．そのため，それらが呼吸時に離れることはない（⇨p.269）．

❹**腹横筋**は安静吸気ではなく，**努力性呼気**にかかわっている．また，他の腹筋群（腹直筋，外腹斜筋，内腹斜筋）も同様に，努力性呼気に関与している（⇨p.222～224, 273）．

❺安静吸気の際に上部肋骨は**前上方**へ移動し，上部胸郭の前後径が拡張する（⇨p.205）．

問2

正答 ❶と❺

❶第1頸椎は**環椎**とよばれ，**椎体**や**棘突起**はなく輪のような形状をしている（⇨p.185）．

❷**軸椎に上関節面**はある．軸椎の上関節面は環椎の下関節面と関節し，この部位で環椎が回旋する（⇨p.186）．

❸**第4頸椎に鉤状突起**はある．第3～7頸椎では，外側の縁から上へ伸びる鉤状突起がみられる．鉤状突起と上位の椎体の間の関節を臨床上，**Luschkaの椎体鉤状関節（ルシュカ関節，鉤椎関節）**とよぶ（⇨p.201）．

❹第5頸椎の横突孔は椎骨動脈が貫通する．頸椎の横突起には**横突孔**という孔があり，椎骨動静脈が通過しているが，第7頸椎だけは例外的に通らない（⇨p.185）．

❺頸椎の棘突起先端は二分しているものが多いが，**第7頸椎は分かれていない**（⇨p.187）．

問3

正答 ❸

❶①は**胸鎖乳突筋胸骨頭**である（⇨p.212, 214）．

❷②は**胸鎖乳突筋鎖骨頭**である（⇨p.212, 214）．

❸③は**中斜角筋**である（⇨p.214, 215）．

❹④は**肩甲挙筋**である（⇨p.70, 71）．

❺⑤は**僧帽筋上部（下行部）**である（⇨p.70, 71）．
⇨p.216も参照．

問4

正答 ❸

❶**頸長筋**は椎前筋群の1つで，両側の収縮で**頭頸部の屈曲**，片側の収縮で頭頸部の同側への側屈の作用をもつ（⇨p.214, 215）．

❷**頭長筋**は椎前筋群の1つで，頸長筋と同様の作用を

もつ（⇨p.214, 215）．

❸ 頸板状筋は固有背筋の浅層の筋で，両側の収縮で頸部の伸展，片側の収縮で頭部の同側への回旋・側屈の作用をもつ（⇨p.228）．

❹ 後斜角筋は斜角筋群の1つで，第1肋骨の挙上（努力性吸気），両側の収縮で頭頸部の屈曲，片側の収縮で頭頸部の同側への側屈の作用をもつ（⇨p.214, 215）．

❺ 前頭直筋は椎前筋群の1つで，両側の収縮で環椎後頭関節の屈曲，片側の収縮で環椎後頭関節の同側への側屈の作用をもつ（⇨p.214, 215）．

問5
正答 ❶と❷

❶ 咬筋は咀嚼筋の1つである（⇨p.211, 212）．

❷ 側頭筋は咀嚼筋の1つである．また，咀嚼筋には咬筋と側頭筋の他に，**外側翼突筋**と**内側翼突筋**がある（⇨p.211, 212）．

❸ 口輪筋は咀嚼筋ではなく，顔面筋（表情筋）である．口のまわりを輪のように取り囲み，**口裂**をつくっている（⇨p.209〜211）．

❹ 小頰骨筋は咀嚼筋ではなく，顔面筋（表情筋）である．頰骨の前面から起こって上唇の皮膚に付着する筋で，上唇を外側上方に引き上げる役割をもつ（⇨p.208〜210）．

❺ オトガイ筋は咀嚼筋ではなく，顔面筋（表情筋）である．下顎体から起こってオトガイ（下顎の先端部のこと）の皮膚に付着する筋である．オトガイの皮膚を隆起させ，疑いの表情をつくる（⇨p.209〜211）．

第5章

問1
正答 ❶と❺

❶ **右房室弁は三尖弁**である．また**左房室弁は二尖弁**，もしくは**僧帽弁**とよばれている（⇨p.243, 244）．

❷ 冠静脈洞（冠状静脈洞）は心臓壁の静脈血を，**右心房**へ注ぐ部位である（⇨p.248）．

❸ 腱索は左右の**房室弁**に付着しているが，大動脈弁と肺動脈弁には付着していない（⇨p.244, 245）．

❹ Valsalva洞（大動脈洞）は上行大動脈の起始部に位置しており，そこから左右の**冠状動脈（冠動脈）**が起こっている（⇨p.250）．

❺ 左冠動脈（左冠状動脈）は心室中隔前方2/3に加え，**左心房・左心室・右心室の一部**にも血液を送っている．また右冠動脈（右冠状動脈）は**右心房・右心室・左心室の下部・心室中隔後方1/3**を栄養している（⇨p.247）．

問2
正答 ❺

❶ 浅側頭動脈は，**外耳孔の前方**で触知が可能である（⇨p.251）．

❷ 総頸動脈は，**胸鎖乳突筋の内縁**で触知が可能である（⇨p.251）．

❸ 上腕動脈は，**上腕遠位部の上腕二頭筋腱の内側**で触知が可能である（⇨p.100）．

❹ 大腿動脈は，**鼠径部（鼡径部）の腸腰筋の内側**もしくはScarpa三角の中で触知が可能である（⇨p.138, 167）．

❺ 足背動脈は，**足背の長母趾伸筋腱と長趾伸筋腱の間**で触知が可能である（⇨p.168）．

問3
正答 ❶と❸

大動脈が心囊から出た後に，左後方に向かって大きくカーブした部位は**大動脈弓**とよばれている．大動脈弓からは❶の**腕頭動脈**と❸の**左鎖骨下動脈**に加え，**左総頸動脈**が直接，分岐している．腕頭動脈は大動脈弓から起こった後に，**右総頸動脈と右鎖骨下動脈**に分かれている．❹の右椎骨動脈と❺の左椎骨動脈は，いずれも左右の鎖骨下動脈の枝である（⇨p.99, 251）．なお，腕頭動脈は右側にしかないのに対し，**腕頭静脈は左右一対に存在する**ので注意しよう（⇨p.254）．

問4
正答 ❸と❺

❶ リンパ液を濾過するのは脾臓ではなく，**リンパ節**である（⇨p.240）．

❷ 胸管は右鎖骨下静脈ではなく，**左静脈角**に入る．また，右静脈角に入るのは**右リンパ本幹**である（⇨p.239, 240）．

❸ 腸管由来のリンパ液を**乳糜**という（⇨p.239）．

❹リンパ管には**弁機構**が存在しており，筋ポンプの働きによってリンパ液を静脈へと運ぶ（⇨p.239）．
❺右下肢のリンパ液は**右腰リンパ本幹**となり，胸管に流入する．また胸管には他にも**左腰リンパ本幹，腸リンパ本幹**が合流している（⇨p.239, 240）．

問5
正答 ❶

心筋は心筋層を構成する**固有心筋**と，興奮の自動発生とその伝導を行う**特殊心筋**に分けられる（⇨p.32）．特殊心筋には**洞房結節**（キース-フラック結節，洞結節），**房室結節**（田原結節），His束（房室束），右脚・左脚，Purkinje線維などがあり，これらをまとめて**刺激伝導系**という．そのため，❶の固有心筋以外はすべて，心臓の刺激伝導系となる（⇨p.246）．

第6章

問1
正答 ❹

❶左・右主気管支が肺門を通って肺に入った後に，枝分かれしたものが**葉気管支**である．葉気管支の本数は肺の葉の数に対応しており，**左肺は2本，右肺は3本**が存在している（⇨p.264）．
❷区域気管支の本数は，左右の肺の**肺区域**の数に対応している．肺区域は**右肺では10区域，左肺では8〜9区域**となるため，6本は誤りである（⇨p.265〜268）．
❸左肺の肺区域は8〜9区域であるため，12本は誤りである（⇨p.268）．
❹細気管支は直径1〜2mmの気管支で，**軟骨はみられない**（⇨p.265）．
❺左右の肺にある肺胞の総数は，約5,000万個ではなく**約3億個**である（⇨p.266）．

問2
正答 ❺

❶胸腔の中央部に位置し，左右の肺に挟まれた領域を**縦隔**という．後面は**胸椎**，前面は**胸骨**と接している（⇨p.271）．
❷肺の血管は**機能血管**と**栄養血管**に分かれる．肺の栄養血管は**気管支動静脈**である．**肺動脈**は**肺静脈**とともに，肺の機能血管としての役割をもつ（⇨p.270）．
❸肺の区域気管支は**右肺では10本，左肺では8〜9本**である（⇨p.265〜268）．
❹**胸骨柄**は第3肋骨ではなく，**第1・2肋軟骨**との間に**胸肋関節**を形成する．また，**鎖骨の胸骨端・第1肋軟骨**とも連結し，**胸鎖関節**を形成する（⇨p.58, 195, 205）．
❺胸腔内を覆う薄い漿膜を**胸膜**という．胸膜は**臓側胸膜（肺胸膜）**と**壁側胸膜**に分かれる．2つの胸膜は肺門のところで折れ曲がり，**連続している**（⇨p.268）．

問3
正答 ❶

❶気管と気管支の壁は**平滑筋**と**気管軟骨**によって構成されている．また，気管の後面と細気管支・終末細気管支・呼吸細気管支は軟骨に覆われていない（⇨p.264, 265）．
❷左主気管支は右主気管支より**細く，長い**（⇨p.266）．
❸気管や気管支の内表面は，**多列線毛上皮**によって覆われている（⇨p.264, 369）．
❹**気管**は食道の第1狭窄部ではなく，**第4・5胸椎**の高さで左・右主気管支となる（⇨p.264）．
❺気管の延長線に対する気管支の分岐角度は，**右が約25°**であるのに対して**左は約45°**である（⇨p.266）．

問4
正答 ❸と❹

❶1秒率＝1秒量÷努力性肺活量×100
❷機能的残気量＝予備呼気量＋残気量
❸最大吸気量＝予備吸気量＋1回換気量
❹残気量＝全肺気量－肺活量
❺肺活量＝予備吸気量＋1回換気量＋予備呼気量
⇨❶〜❺はp.274参照．

問5
正答 ❺

肺活量を測定する機器は，**スパイロメーター（肺活量計，スパイロメータ）**とよばれている．肺活量検査では**残気量**（最大呼気後に肺に残る空気量）は測定できないため，スパイロメーターによる計測はできない．したがって，❺の**機能的残気量は予備呼気量＋残気量**

で求めるため，計測できない値となる．また同様に**全肺気量**も肺活量（予備吸気量＋1回換気量＋予備呼気量）＋残気量で求めるため，スパイロメーターで計測することはできない（⇨p.274）．

第7章

問1
正答 ❷と❹
❶ 胃の粘膜から分泌される**ヒスタミン**は壁細胞に作用し，**胃酸分泌を促進させる**働きをもつ（⇨p.287）．
❷ 迷走神経刺激は，胃酸分泌を促進させる働きをもつ（⇨p.287）．
❸ タンパク質の消化酵素（分解酵素）はガストリンではなく，**ペプシン**である（⇨p.287）．
❹ 壁細胞から分泌される**内因子**は，**ビタミンB_{12}の吸収**に関与する（⇨p.287）．
❺ ペプシノーゲンは壁細胞ではなく，**主細胞**から分泌される．壁細胞からは胃酸（塩酸）が分泌される（⇨p.287）．

問2
正答 ❸
❶ 胃の筋層は浅層から順に縦筋層，輪筋層，斜線維の3層の平滑筋からなる（⇨p.286）．
❷ 小腸は十二指腸・空腸・回腸によって構成されている．約6mの全長のうち，約2/5を空腸，約3/5を回腸が占める．よって**回腸は空腸より長い**（⇨p.288）．
❸ 食道は上食道狭窄・中食道狭窄・下食道狭窄の3カ所の狭窄部をもつ（⇨p.285）．
❹ 十二指腸は腹膜後器官の1つであるため，**腸間膜をもたない**．腸間膜を有するのは空腸と回腸である（⇨p.287, 288）．
❺ 内肛門括約筋は平滑筋，外肛門括約筋は骨格筋（横紋筋）からなる（⇨p.292）．

問3
正答 ❸
❶ 口腔の天井に相当する部分を**口蓋**という．また，口蓋の前2/3は硬口蓋，後1/3は軟口蓋とよばれている（⇨p.277）．
❷ 口峡は口腔と咽頭の境である（⇨p.277）．
❸ 口腔粘膜は重層扁平上皮からなる（⇨p.277, 369）．
❹ 舌乳頭は舌根ではなく，**舌粘膜の表面**に存在している．糸状乳頭・茸状乳頭・葉状乳頭・有郭乳頭の4種類のうち，**糸状乳頭以外**には**味蕾**（味覚を感じる部分）が備わっている（⇨p.278, 279）．
❺ 舌小帯は舌背ではなく，**舌の下面中央**に存在している．また，舌小帯の両側には**舌下小丘**という小さい高まりがあり，一部の大唾液腺（顎下腺と舌下腺）の開口部となっている（⇨p.278, 282）．

問4
正答 ❺
❶ **幽門**（幽門部）は食道ではなく，**十二指腸**に連なる．食道に連なるのは**噴門**である（⇨p.285, 286）．
❷ 胃切痕（角切痕）は大弯側ではなく，**小弯側**に存在しており，胃癌や胃潰瘍の好発部位として知られている（⇨p.286）．
❸ 胃底は胃体の下端部ではなく，**左上方**の部位である（⇨p.285）．
❹ 噴門は第1腰椎の右側ではなく，**第11胸椎**の高さにある．第1腰椎の高さにあるのは，幽門部である（⇨p.285, 286）．
❺ 胃の**大弯**は**大網**を介して横行結腸と結合する．また，胃の**小弯**には**小網**（肝胃間膜・肝十二指腸間膜）が付着している（⇨p.286, 301）．

問5
正答 ❸
❶ 膵頭は膵臓の右端の膨らんだ部分で，脾臓ではなく**十二指腸**に接している（⇨p.298）．
❷ 膵尾は膵臓の左端の細長い部分で，十二指腸ではなく**脾臓**に接している（⇨p.298）．
❸ 膵管は膵臓の主な導管で，総胆管とともに十二指腸に開口している（⇨p.299）．
❹ 膵体は横行結腸前面ではなく，**第1・2腰椎の前面**を横走している（⇨p.298）．
❺ 膵臓の内分泌部は島のように点々と存在するため，**Langerhans島**（ランゲルハンス島）とよばれている．Langerhans島は膵尾に多く存在している（⇨p.309）．

第8章

問1
正答 ❶と❺
❶ レニンは腎臓の傍糸球体装置から分泌されるホルモンで，レニン-アンギオテンシン-アルドステロン系によって血圧を上昇させる作用をもつ（⇨p.312）．
❷ メラトニンは松果体から分泌されるホルモンで，概日リズム（サーカディアンリズム）にかかわる（⇨p.307）．
❸ カルシトニンは甲状腺の傍濾胞細胞から分泌され，骨吸収の抑制と血漿Ca^{2+}濃度の低下の作用をもつ（⇨p.308）．
❹ バソプレシン（抗利尿ホルモン）は下垂体後葉から分泌され，水の再吸収を促進させて尿量を減少させる働きをもつ（⇨p.307）．
❺ エリスロポエチンは腎臓から分泌されるホルモンで，赤血球の生成を増加させる作用をもつ（⇨p.312）．

問2
正答 ❺
❶ エリスロポエチンは骨髄ではなく，腎臓で産生される（⇨p.312）．
❷ グルカゴンは膵臓のLangerhans島（ランゲルハンス）B細胞ではなく，A細胞から分泌される．B細胞から分泌されるのは，インスリンである（⇨p.309, 310）．
❸ ソマトスタチンは黄体ではなく，Langerhans島D細胞で産生される（⇨p.310）．
❹ トリヨードサイロニンは上皮小体ではなく，甲状腺で産生される．上皮小体で産生されるのは，副甲状腺ホルモン（パラソルモン，上皮小体ホルモン）である（⇨p.307, 308）．
❺ バソプレシン（抗利尿ホルモン）が分泌されるのは下垂体後葉ではあるが，産生される部位は視床下部である．また同様に，オキシトシンも視床下部でつくられている（⇨p.307）．

問3
正答 ❹
エリスロポエチンは動脈血酸素分圧が低下すると産生と分泌が促進され，赤血球の生成を増加させるホルモンである（⇨p.312）．

問4
正答 ❺
❶ レニンは腎臓の傍糸球体装置から分泌される（⇨p.312）．
❷ アンドロゲンは副腎皮質や精巣から分泌される（⇨p.311, 313）．
❸ コルチゾールは副腎皮質から分泌される（⇨p.311）．
❹ アルドステロンは副腎皮質から分泌される（⇨p.311）．
❺ ノルアドレナリンはカテコールアミンの一種で，副腎髄質から分泌される．また，カテコールアミンはノルアドレナリン，アドレナリン，ドーパミンなどの神経伝達物質の総称である（⇨p.311）．

問5
正答 ❹
❶ プロラクチンは乳腺ではなく下垂体前葉から分泌されるホルモンで，乳汁の産生を促進する作用をもつ（⇨p.306）．
❷ 卵胞刺激ホルモンは視床下部ではなく下垂体前葉から分泌されるホルモンで，女性であれば卵胞の発育，男性であれば精子の形成を促す（⇨p.307）．
❸ エストロゲンは生殖腺から分泌されるホルモンで，卵胞期の子宮内膜を増殖させるとともに，卵胞の成長を促進させる作用をもつ（⇨p.313）．
❹ 黄体化ホルモン（黄体形成ホルモン）はプロゲステロンの分泌を促進させる作用をもつ（⇨p.307）．
❺ 性腺刺激ホルモン放出ホルモン（ゴナドトロピン放出ホルモン）は下垂体ではなく，視床下部から分泌される（⇨p.305）．

第9章

問1
正答 ❸
❶ 糸球体はBowman嚢（ボウマン）とともに，腎小体（マルピギー小体）を形成する構造物である．腎小体は腎髄質ではなく，腎皮質に集まっている（⇨p.317, 318）．
❷ 輸出細動脈は腎小体の血管極に出入りするため，誤りである．集合管につながるのは，遠位尿細管である（⇨p.318, 319）．
❸ ネフロン（腎単位）は糸球体と尿細管からなる．厳

密に言えば、腎小体（糸球体＋Bowman嚢）と尿細管から構成されている（⇨p.318）．

❹ Henle係蹄につながるのは輸入細動脈ではなく、近位尿細管である（⇨p.318, 319）．

❺ 腎乳頭は腎錐体の先端部位であるため、Bowman嚢には覆われていない（⇨p.317）．

問2
正答 ❶と❷

❶ 陰部神経（体性神経）は**外尿道括約筋を弛緩**させ、排尿を行う働きをもつ（⇨p.321）．

❷ 下腹神経（交感神経）は、膀胱壁の**排尿筋の弛緩・内尿道括約筋の収縮**の作用をもつ（⇨p.321）．

❸ 上殿神経（体性神経）は仙骨神経叢から起こる枝で、**中殿筋・小殿筋・大腿筋膜張筋**を支配している（⇨p.164）．

❹ 閉鎖神経（体性神経）は腰神経叢の枝で、**短内転筋・長内転筋・大内転筋・薄筋・恥骨筋・外閉鎖筋**を支配している（⇨p.162）．

❺ 迷走神経は脳神経の1つで、咽頭・喉頭の運動と感覚、味覚の一部を支配し、胸部内臓と腹部内臓に副交感神経の枝を出す．しかし、排尿や排便にはかかわっていない（⇨p.361）．

問3
正答 ❶

❶ 膀胱括約筋は内尿道括約筋の別名であり、**平滑筋**によって構成されている（⇨p.321）．

❷ 膀胱三角は左右の尿管口と内尿道口に囲まれた三角形の領域で、**膀胱底**に位置している（⇨p.320）．

❸ 膀胱底は膀胱の前方ではなく、**後方**に位置している（⇨p.320）．

❹ 尿管は**大腰筋や総腸骨動脈の前方**を下行し、骨盤腔に入る（⇨p.320）．

❺ 尿管は長さ約25～30 cmの左右一対の平滑筋性の管で、**尿管壁は粘膜・筋層・外膜**の3層からなる（⇨p.320）．

問4
正答 ❹

❶ 勃起中枢は仙髄（S2～4）に存在しており、陰茎の内部の静脈洞に血液を充満させることによって勃起を引き起こす（⇨p.324）．

❷ 陰茎海綿体神経（骨盤内臓神経の枝）は陰茎深動脈に分布し、**動脈弛緩作用**をもつ．その結果、陰茎海綿体への動脈血流入量が増加し、海綿体の膨張（勃起）が起こる（⇨p.324）．

❸ 射精は交感神経の作用を介して起きる．また、**副交感神経の作用で起こるのは勃起**である（⇨p.364）．

❹ 性的刺激による勃起には、**大脳辺縁系**が関与している（⇨p.324, 340）．

❺ 女性の腟内は酸性に保たれているため、射精後の精子は約24～48時間（約1～2日）しか生きられない（⇨p.326）．

問5
正答 ❷

❶ Bowman嚢は集合管ではなく、**近位尿細管**に接続する（⇨p.318）．

❷ 近位尿細管ではNa^+（ナトリウムイオン）の約80％が再吸収される．Na^+以外にもグルコース・アミノ酸・ビタミン・微量の血漿タンパク質の約100％、水・K^+（カリウムイオン）・Ca^{2+}（カルシウムイオン）・HCO_3^-（重炭酸イオン）・HPO_4^{2-}（リン酸水素イオン）・Cl^-（塩化物イオン）の約80％の再吸収が行われている．また、再吸収のみではなく、尿酸・NH_3（アンモニア）・PAH（パラアミノ馬尿酸）・H^+（水素イオン）が分泌されている（⇨p.318, 319）．

❸ ネフロン（腎単位）は糸球体と尿細管からなる．厳密に言えば、腎小体（糸球体＋Bowman嚢）と尿細管から構成されている（⇨p.318）．

❹ **糸球体は大量の血液**（血漿などの水分）は濾過するが、アルブミンなどの血漿タンパク質は濾過しない（⇨p.318）．

❺ **糸球体濾過量**は、健常成人では1日に**約160 L**である（⇨p.320）．

第10章

問1
正答 ❶と❹

❶ 第Ⅱ脳神経は**視神経**である．視神経は視覚を伝える

役割をもつ特殊感覚性の神経である（⇨p.360）．
❷第Ⅳ脳神経は**滑車神経**である．滑車神経は**上斜筋**を支配する体性運動性の神経である（⇨p.360）．
❸第Ⅵ脳神経は**外転神経**である．外転神経は**外側直筋**を支配する体性運動性の神経である（⇨p.361）．
❹第Ⅷ脳神経は**内耳神経**である．内耳神経は**聴覚と平衡覚**を支配する特殊感覚性の神経である（⇨p.361）．
❺第Ⅹ脳神経は**迷走神経**である．迷走神経は**咽頭・喉頭の運動と感覚，味覚の一部**を支配し，**胸部内臓と腹部内臓に副交感神経の枝**を出す体性運動性・体性感覚性・特殊感覚性・副交感性の神経である（⇨p.361）．

問2
正答 ❺
❶後脊髄小脳路は下半身の位置と動き・感覚に関する情報を小脳皮質に伝える**上行神経路**である（⇨p.353）．
❷前脊髄視床路は触覚小体や毛包からの粗大な触圧覚を伝える**上行神経路**である（⇨p.353）．
❸前脊髄小脳路は下半身の位置と動き・感覚に関する情報を小脳皮質に伝える**上行神経路**である（⇨p.353）．
❹外側脊髄視床路は皮膚の自由神経終末からの温痛覚を伝える**上行神経路**である（⇨p.353）．
❺外側皮質脊髄路は皮質脊髄路（錐体路）の75～90％を占める経路で，対側の四肢の遠位部の筋を支配し，精巧で熟練した随意運動にかかわる**下行神経路**である．また，残りの10～25％を占める経路は**前皮質脊髄路**とよばれ，両側の体幹や四肢の近位部の筋を支配している（⇨p.353）．

問3
正答 ❸と❹
❶脊髄の膨大部は，**頸膨大と腰膨大**の2つである（⇨p.351）．
❷脊髄の**前角（前柱）**は白質ではなく，灰白質からなる．白質から構成されるのは**前索・側索・後索**である（⇨p.352, 353）．
❸脊髄神経の後根は，**脊髄神経節**をつくる（⇨p.356）．
❹交感神経は**胸髄と腰髄（第1胸神経～第2・3腰神経の側角）**から起こる．その後に**交感神経幹**を形成し，身体の各部に分布している（⇨p.364）．
❺脊髄の下端部は**脊髄円錐**とよばれ，第1・2腰椎のレベルにある（⇨p.351）．

問4
正答 ❸
❶黒質は中脳の**大脳脚**に存在している大脳基底核で，メラニン色素を多く含んでいるため黒く見える．また，黒質背内側にある緻密部は，ドーパミン作動性ニューロンを多く含んでいる（⇨p.340）．
❷海馬は側頭葉の深層に位置しており，**大脳辺縁系やPapez（パペッツ）の回路**の形成にかかわっている（⇨p.337, 340）．
❸中小脳脚は中脳と小脳ではなく，**小脳と橋**を連絡している（⇨p.345）．
❹脳梁は最大の交連線維であり，**左右の大脳半球**を連絡している（⇨p.342）．
❺中心溝はRolando（ローランド）溝ともよばれ，**前頭葉と頭頂葉**の間にある（⇨p.335）．

問5
正答 ❶
❶一次運動野（4野）は前頭葉の**中心前回**にある（⇨p.339）．
❷一次体性感覚野（3・1・2野）は側頭葉ではなく，**頭頂葉の中心後回**にある（⇨p.339）．
❸聴覚野（41・42野）は頭頂葉ではなく，**側頭葉**にある（⇨p.339）．
❹Broca（ブローカ）野（運動性言語野，44・45野）は側頭葉ではなく，**優位半球の前頭葉**にある（⇨p.336, 339）．
❺Wernicke（ウェルニッケ）野（感覚性言語野）は後頭葉ではなく，**優位半球の側頭葉**にある（⇨p.337, 339）．

第11章

問1
正答 ❺
❶眼球内膜（網膜）には，光の受容器である**視細胞**が存在している．視細胞には**錐体（錐体細胞）と桿体（桿体細胞）**の2種類がある（⇨p.375）．
❷視神経乳頭（視神経円板）は視神経細胞の軸索が網膜から出る部位で，**黄斑より内側（もしくは眼球軸の内側）**に位置している（⇨p.375）．

❸網膜中央のくぼんだ部位は**中心窩**とよばれ，**錐体（錐体細胞）**が多く密集しているため，視力が非常に高い（⇨p.375）．
❹角膜と水晶体の領域は**前眼房**と**後眼房**に区分され，いずれも**眼房水**で満たされている（⇨p.376）．
❺毛様体は瞳孔の大きさではなく，水晶体の厚みを調整する働きをもつ．瞳孔の大きさを調節するのは，**虹彩**である（⇨p.374, 375）．

問2
正答 ❸

❶蝸牛は**内耳**の構造物で，音を感知する役割をもつ．鼓室は側頭骨の中にある空洞で，**中耳**の構造物である（⇨p.380）．
❷鼓膜にはアブミ骨ではなく，**ツチ骨**が接している．耳小骨は鼓膜側から順に**ツチ骨**，**キヌタ骨**，**アブミ骨**が並ぶ（⇨p.380）．
❸耳管は鼓室の一部で，**上咽頭（咽頭鼻部）の耳管咽頭口**とつながっている（⇨p.380）．
❹外リンパ液は内耳の骨迷路と膜迷路の間を満たす液体であり，耳小骨は**覆っていない**（⇨p.380）．
❺コルチ器は半規管膨大部ではなく，**蝸牛管**にある構造物である．半規管の膨大部は**外側膨大部・前膨大部・後膨大部**に区分され，その内部には感覚装置の**膨大部稜**がある（⇨p.381, 382）．

問3
正答 ❹

眼球内の光の通路は**角膜**を通過した後に，**前眼房，瞳孔，水晶体，硝子体**の順に通過する．その後，**眼球内膜（網膜）**に達し，視細胞を介して**視覚野**へと伝えられる（⇨p.373, 374）．

問4
正答 ❺

❶下垂体は多くのホルモンの分泌を行う部位であるため，視覚伝導路には含まれない（⇨p.306）．
❷松果体はメラトニンを分泌する内分泌腺であるため，視覚伝導路には含まれない（⇨p.307）．
❸乳頭体は視床下部の下面が脳底に向かって突き出た部分で，**Papezの回路**に含まれる．よって，視覚伝導路には含まれない（⇨p.340, 347）．
❹扁桃体は大脳辺縁系の一部であるため，視覚伝導路には含まれない（⇨p.340）．
❺外側膝状体は視床枕の下部外側にある部位で，**視覚伝導路**に含まれる（⇨p.346, 363）．

問5
正答 ❹

❶毛包受容体（毛包受容器）は毛根の基部にある毛包を包み込むように走行する受容器で，毛の動きに対して鋭敏に反応する（⇨p.371）．
❷**Pacini**小体は深部の触圧覚や振動覚にかかわる感覚受容器である（⇨p.371）．
❸**Ruffini**終末は細長い紡錘状の受容器で，皮膚を引っ張られた際の緊張などを感じる（⇨p.371）．
❹自由神経終末は神経の末端が露出した形状の**皮膚の侵害受容器**で，主に温度覚や痛覚にかかわっている（⇨p.371）．
❺**Meissner**小体は触圧覚や振動覚にかかわる受容器で，楕円形をしている（⇨p.371）．

索引

*和文の索引語は見出しごとにカタカナ，ひらがな，漢字の順で並べている．漢字の索引語は1文字目の読みで五十音順とし，読みが同じ場合は，画数の少ない順で並べている．
*下線は主要な解説ページを示す．

記号・数字

％肺活量 274
1回換気量 274
1型糖尿病 310
1軸性関節 38
1秒率 274
1秒量 274
2型糖尿病 310
2軸性関節 38
5の法則 372
9の法則 372

欧文

A

acceleration 46
ACE 312
ACE阻害薬 312
Adsonテスト 216
anatomical snuff box 83
angiotensin converting enzyme 312
astrocyte 332
Atlas 185
A細胞 309
A帯 35
α運動ニューロン 352
α細胞 309

B

Betzの巨大錐体細胞 338
Bowman嚢 318
Broca失語 339
Broca野 336, 339
Brodmannの領野 337
B細胞 309
β細胞 309

C

cardiothoracic ratio 249
cervical nerve 356
Chopart関節 131, 133
chronic obstructive pulmonary disease 265
CKC 35
closed kinetic chain 35
CM関節 55, 65
coccygeal nerve 356
COPD 265, 272
costo-phrenic angle 249
C-Pアングル 249
CTR 249

D

deceleration 46
deep venous thrombosis 170
DIP関節［足の］ 132
DIP関節［手の］ 67, 79
Duchenne徴候 141
DVT 170
D細胞 309
δ細胞 309

E, F

edema 238
Edenテスト 216
EPSP 331
excitatory postsynaptic potential 331
foot flat 46

G, H

Garden分類 113
Gerdy結節 114, 157
Guyon管 91, 101
G細胞 287, 313
γ運動ニューロン 352
Havers管 29
heel contact 46
heel off 46
Henle係蹄 319
Henleのワナ 319
Henleループ 319
His束 246
H帯 35

I, J

inhibitory postsynaptic potential 331
initial contact 46
initial swing 46
IPSP 331
IP関節［足の］ 132
IP関節［手の］ 67, 80
I帯 35
Jefferson骨折 185

K, L

Keystone［内側縦アーチの］ 119
Krause小体 371
Langerhans島 298, 309
Lisfranc関節 131, 133
loading response 46
lumbar nerve 356
Luschkaの椎体鉤状関節 201

M

magnetic resonance angiography 253
magnetic resonance imaging 253
Meissner小体 371
Merkel盤 371
microglia 332
mid stance 46
mid swing 46
MP関節 66, 79
MRA 253
MRI 253
MRアンギオグラフィー 253
MTP関節 132
M線 35

O, P

Oddi括約筋 288, 297, 299
OKC 35
oligodendrocyte 331
open kinetic chain 35
Osborneバンド 77
Pacini小体 371
Papezの回路 337, 340
PIP関節［足の］ 132
PIP関節［手の］ 67, 79
PQ間隔 247
pre-swing 46
Purkinje細胞層 346
Purkinje線維 246
P波 247

Q, R

QRS群 247
RAA系 312
Ranvier絞輪 332
Rolando溝 335
rotator cuff 73
Ruffini終末 371

S

sacral nerve 356
Scarpa三角 138
Schwann細胞 332
Screw-home movement 127
sliding theory 35
spring ligament 131
ST部分 247
Sylvius溝 335
S状結腸 291
S状結腸間膜 291, 292, 301
S状結腸動脈 253
S状静脈洞 256

T

terminal stance 46
terminal swing 46
TFCC 65
thoracic nerve 356
toe off 46
Trendelenburg徴候 141
triangular fibrocartilage complex 65
TypeⅠ線維 147
TypeⅡ線維 147
T波 247

V

Valsalva洞 247, 250
Vater乳頭 288, 297, 299
Volkmann管 29

W, Z

Wernicke失語 339
Wernicke野 337, 339
Willisの動脈輪 252
Wrightテスト 216
Z帯／Z膜 35

和文

【あ】

アウエルバッハ神経叢 288
アキレス腱 147, 150
アクチンフィラメント 35
アストロサイト 332
アダムの林檎 261
アデノイド 283
アドソンテスト 216
アドレナリン 311
アブミ骨 380
アブミ骨筋 380
アポクリン汗腺 372
アライメント 20
アランチウス管 242, 294
アルドステロン 311, 312

アンギオテンシノゲン	312		
アンギオテンシンⅠ	312		
アンギオテンシンⅡ	312		
アンギオテンシンⅡ受容体拮抗薬	312		
アンギオテンシン変換酵素	312		
アンドロゲン	313		
「足-」→「そく-」も参照			
足	18		
――の関節	129		
――の筋	150		
――の筋膜	158		
圧受容器	252		
安静吸気	219, 222, 273		
安静呼気	273		
暗順応	375		
暗帯	35		
鞍隔膜	344		
鞍関節	38, 58, 65		
鞍結節	175		
鞍背	175		

【い】

インスリン	309, 310
胃	285, 313
――の形状	285
――の周辺の間膜	300
胃酸	287, 313
胃小窩	287
胃腺	287
胃体	285
胃体部	287
胃底	285
胃底腺	287
胃粘膜ヒダ	287
胃壁の構造	286
移行上皮	369
一次運動野	336, 339
一次視覚野	339
一次性腹膜後器官	300
一次体性感覚野	336, 339, 353
一次聴覚野	339
咽頭	260, 282
咽頭口部	282
咽頭喉頭部	282
咽頭鼻部	282
咽頭壁の筋	283
咽頭扁桃	282, 283
咽頭縫線	283
陰核	327
陰茎	324
陰茎海綿体	324
陰茎海綿体神経	324
陰嚢	322, 324
陰嚢中隔	324
陰部神経	164, 292, 321
陰部大腿神経	161
陰毛	326
陰裂	327

【う】

ウィリスの動脈輪	252
ウィンスロー孔	301
ウェルニッケ失語	339
ウェルニッケ野	337, 339
うっ血	170
うっ血乳頭	375
右横隔神経	222
右肝管	297
右冠状動脈	247
右気管支縦隔リンパ本幹	240
右気管支静脈	270
右気管支動脈	270
右脚［横隔膜の］	222
右脚［心臓の］	246
右頸リンパ本幹	240
右結腸曲	291
右結腸動脈	253
右鎖骨下動脈	251
右鎖骨下リンパ本幹	240
右三角間膜	294
右主気管支	264
右静脈角	240
右心耳	244
右心室	244
右心不全	249
右心房	243
右総頸動脈	251
右肺	267
右肺静脈	270
右肺動脈	244, 270
右反回神経	362
右房室口	243
右房室弁	243
右葉［肝臓の］	294
右葉気管支	264
右リンパ本幹	240
羽状筋	34
烏口肩峰アーチ	61
烏口肩峰弓	61
烏口肩峰靱帯	61
烏口鎖骨靱帯	50, 59
烏口上腕靱帯	60
烏口突起	49, 60, 75
烏口腕筋	75
内がえし	26, 45
運動器系	48
運動神経	31, 355, 359
運動性言語野	336, 339
運動性失語	339
運動前野	339
運動連鎖	35
運搬角	61

【え】

エクリン汗腺	372
エストロゲン	311, 313
エデンテスト	216
エナメル質	281
エリスロポエチン	312
会陰	327
永久歯	280
栄養血管	247, 270
栄養障害性浮腫	238
腋窩筋膜	89
腋窩後壁	73
腋窩静脈	69, 103
腋窩神経	76, 96
腋窩前壁	68, 69
腋窩動脈	69, 95, 98, 100
腋窩リンパ節	240
円回内筋	77
円回内筋症候群	77
円錐靱帯	50, 59
円錐靱帯結節	50, 59
延髄	281, 348, 350
延髄橋溝	350
延髄網様体	355
塩酸	287, 313
遠位	22
――の手根骨	55
遠位曲尿細管	319
遠位指節間関節	67, 79
遠位趾節間関節	132
遠位直尿細管	319
遠位尿細管	319
遠心性収縮	33
遠心性神経	355
遠方視	375
縁上回	336
嚥下	302
――の過程	302
――の相	302

【お】

オキシトシン	307
オズボーンバンド	77
オッディ括約筋	288, 297, 299
オトガイ	211
オトガイ筋	211
オトガイ結節	177
オトガイ孔	177
オトガイ神経	177
オトガイ舌筋	177, 279
オトガイ舌骨筋	177, 213
オトガイ動静脈	177
オトガイ隆起	177
オリーブ	351
オリゴデンドロサイト	331
黄色骨髄	29
黄色靱帯	201
黄体	307
黄体ホルモン	313
黄体化ホルモン	307
黄体形成ホルモン	305, 307
黄斑	375
黄斑回避	363
横下腿筋間隙	147, 159

横隔神経	214, 221, 358
横隔膜	192, 221, 273, 358
横筋	262
横筋筋膜	223
横行結腸	291
横行結腸間膜	291, 292, 300, 301
横静脈洞	256
横舌筋	279
横線［仙骨の］	189
横足根関節	131
横側頭回	337
横突間筋	230
横突間靱帯	202
横突起	184
横突棘筋	229
横突孔	185
横突肋骨窩	188
横披裂筋	262
横紋	31
横紋筋	31, 32

【か】

カウパー腺	323
カテコールアミン／カテコラミン	308, 311
カルシウム代謝	309
カルシトニン	308, 309
カンパー筋膜	233
ガーデン分類	113
ガス交換	258
ガストリン	287, 313
かなめ石［内側縦アーチの］	119
下咽頭	282
下咽頭収縮筋	261, 283
下オトガイ棘	177
下オリーブ核	351
下下腹神経叢	366
下角［肩甲骨の］	49
下角［甲状軟骨の］	261
下角［側脳室の］	343
下顎窩	174, 177, 197
下顎角	177, 198
下顎骨	177
下顎枝	177
下顎小舌	198
下顎神経	175, 211, 361
下顎体	177
下顎頭	174, 177, 197
下関節上腕靱帯	60
下関節突起	184
下関節面［脛骨の］	116
下関節面［頸椎の］	185
下眼窩裂	178
下眼瞼	377
下眼静脈	178
下気道	258
下丘	346, 349
下頸心臓神経	248
下頸神経節	365

索引 415

下結膜円蓋	377	
下肩甲下神経	96	
下瞼板	377	
下甲状腺動脈	99	
下行結腸	291	
下行膝動脈	167	
下行神経路	353	
下行（性）伝導路	353	
下行線維	342	
下後鋸筋	227	
下後腸骨棘	107	
下喉頭神経	262, 362	
下項線	174	
下矢状静脈洞	256	
下肢	18	
——の関節	122	
——の筋	134	
——の筋膜	156	
——の骨	105	
——の静脈	169	
——の神経	160	
——の深静脈	169	
——の動脈	166	
——の皮静脈	169	
——の脈管	166	
下肢帯	18	
下歯槽動脈	251	
下斜筋	360, 378	
下尺側側副動脈	101	
下縦舌筋	279	
下縦束	342	
下小脳脚	345, 351	
下食道狭窄	285	
下伸筋支帯	158	
下神経幹	94	
下神経節［迷走神経の］	361	
下唇	277	
——の筋	211	
下唇下制筋	211	
下垂手	97	
下垂体	306, 347	
下垂体窩	175	
下垂体後葉	307	
下垂体静脈洞	256	
下垂体前葉	306	
下膵十二指腸動脈	253	
下制	24	
下前腸骨棘	107	
下前頭回	336	
下前頭溝	336	
下双子筋	142	
下側頭回	337	
下側頭溝	337	
下側頭線	174	
下腿	18	
——の筋区画	145, 159	
——の筋膜	158	
——のコンパートメント	145, 159	
——外側の筋	146, 147	
——後面の筋	147, 150	
——前面の筋	144, 147	
下腿骨間膜	115, 116, 127, 145, 159	
下腿三頭筋	147	
下大静脈	222, 243, 254, 294	
下大静脈口	243	
下恥骨靱帯	207	
下腸間膜静脈	294	
下腸間膜動脈	253	
下腸間膜動脈神経節	364	
下直筋	360, 378	
下直腸横ヒダ	292	
下直腸神経	292	
下椎切痕	184	
下殿筋線	107	
下殿神経	164	
下殿皮神経	164	
下頭斜筋	231	
下頭頂小葉	336	
下橈尺関節	53, 54, 63	
下同名四分盲	363	
下腓骨筋支帯	158	
下鼻甲介	176, 259	
下鼻道	259, 377	
下腹神経	321	
下腹壁動脈	254	
下方回旋	25	
下葉［肺の］	266	
下肋骨窩	188, 193	
化学受容器	252	
可動性の連結	37	
加速期	46	
仮肋	192	
果	30	
荷重応答期	46	
窩	30	
蝸牛	361, 380	
蝸牛管	381	
蝸牛神経	175, 361, 381	
蝸牛窓	380, 381	
蝸牛頂	381	
顆	30	
顆間窩	113	
顆間隆起	114	
顆状関節	38, 64, 66, 129, 131, 132, 197, 203	
顆粒層［小脳皮質の］	346	
顆粒層［表皮の］	369	
鵞足	136, 138, 142	

かい

介在板	32	
灰白交通枝	358, 364, 366	
灰白質	333, 335, 352	
灰白隆起	347	
回	335, 338	
回外	24, 45	
回外筋	82	
回結腸動脈	253	
回旋	24	
回旋運動	127	
回旋筋	230	
回旋筋腱板	61, 73	
回旋枝［左冠状動脈の］	248	
回腸	288	
回内	24, 45	
回盲弁	288	
海馬	337, 340, 343	
海馬溝	337	
海馬傍回	337, 340	
海綿間静脈洞	256	
海綿骨	29	
海綿質	29	
海綿静脈洞	256	
開放運動連鎖	35	
解剖学的嗅ぎタバコ入れ	83, 101	
解剖学的死腔	274	
解剖学的正位	19	
解剖学的立位肢位	19	
解剖頸	52, 60	

がい

外陰部	326	
外果	116	
外果窩	116	
外果関節面	116	
外果溝	116, 146	
外果面	117	
外眼筋	378	
外頸動脈	251	
外肛門括約筋	292, 327	
外後頭隆起	174, 180	
外在筋	84	
外子宮口	325	
外耳	379	
——の筋	211	
外耳孔	175, 179	
外耳道	175, 379	
外痔核	292	
外生殖器	322	
外精筋膜	323	
外節［淡蒼球の］	340	
外舌筋	279, 362	
外旋	24	
外側	23	
外側腋窩隙	76, 96, 100	
外側縁［肩甲骨の］	49	
外側下膝動脈	167	
外側顆［脛骨の］	114	
外側顆［大腿骨の］	112	
外側顆間結節	114	
外側顆上線	111	
外側顆上稜	52, 80	
外側塊	185, 215	
外側核群	348	
外側環軸関節	203	
外側弓状靱帯	225	
外側距踵靱帯	129	
外側胸筋神経	95	
外側胸動脈	100	
外側区画［下腿の］	145, 159	
外側結節	117	
外側楔状骨	119	
外側コンパートメント［下腿の］	145	
外側口	343, 344	
外側広筋	136	
外側甲状舌骨靱帯	261	
外側後頭側頭回［側頭葉の］	337	
外側溝	335	
外側膝蓋支帯	125	
外側膝状体	339, 346, 348, 349, 360	
外側膝状体背側核群	348	
外側手根側副靱帯	64	
外側上顆［上腕骨の］	52, 77	
外側上顆［大腿骨の］	112	
外側上膝動脈	167	
外側上腕筋間中隔	90	
外側神経束	95	
外側唇［大腿骨の］	111	
外側靱帯	197	
外側髄板	340, 348	
外側脊髄視床路	353	
外側仙骨稜	190	
外側前庭脊髄路	355	
外側前腕筋間隙	90	
外側前腕皮神経	95	
外側足底神経	163	
外側足底動脈	168	
外側足根動脈	168	
外側側副靱帯［膝関節の］	112, 125	
外側側副靱帯［足関節の］	128	
外側側副靱帯［肘関節の］	62	
外側大腿回旋動脈	167	
外側大腿筋間中隔	157	
外側大腿皮神経	161	
外側縦アーチ	131, 147	
外側直筋	361, 378	
外側頭直筋	215	
外側半規管	382	
外側半月	114, 127	
外側皮枝［肋間神経の］	358	
外側皮質脊髄路	350, 353	
外側腓腹皮神経	163	
外側部［仙骨の］	190	
外側腹側核群	348	
外側膨大部	382	
外側毛帯	350	
外側翼突筋	212	
外側輪状披裂筋	261, 262	
外側肋横突靱帯	203	
外腸骨静脈	169	
外腸骨動脈	166, 254	
外転	24	

外転神経	178, 350, 361
外頭蓋底の構造物	180
外尿道括約筋	321
外尿道口	321, 327
外胚葉	334
外皮	368
外鼻	259
――の筋	208
外鼻孔	259
外腹斜筋	223, 273
外腹斜筋腱膜	223
外分泌腺	276, 304
外閉鎖筋	138
外包	340
外膜［血管の］	237
外膜［小腸壁の］	288
外有毛細胞	381
外来筋	84
外リンパ（液）	380, 381
外肋間筋	117, 219, 273
外肋間膜	219
概日リズム	307
蓋膜［蝸牛の］	381
蓋膜［環軸関節の］	203

かか

踵接地	46
踵離地	46

かく

角化	368
角回	336
角質層	369
角切痕	286
角速度	33
角膜	373, 376
角膜反射	373
核	331
核磁気共鳴画像法	253

がく

顎下腺	282, 361
顎下腺管	282
顎関節	174, 177, 197
――の運動	198
顎舌骨筋	177, 213
顎舌骨筋線	177
顎動脈	251
顎二腹筋	213
顎二腹筋前腹	177
「肩-」→「けん-」を参照	

かつ

活性型ビタミンD	309
括約筋	34
割線	370
滑液	37
――の「色」	38
滑液鞘	91
滑車神経	178, 349, 360
滑車神経核	349
滑車切痕	53, 62

滑走説	35
滑膜	37
滑膜性の連結	37

かん

汗腺	372
杆体	375
杆体細胞	375
肝胃間膜	286, 301
肝円索	242, 294
肝円索裂	294
肝鎌状間膜	294
肝冠状間膜	294
肝細胞	296
肝十二指腸間膜	286, 287, 301
肝小葉	296
肝静脈	254, 294
肝性浮腫	238
肝臓	293
――の機能	296
――の組織構造	296
――の脈管	294
肝門	294
冠状溝	247
冠状静脈口	243
冠状静脈洞	243, 248, 254
冠状靱帯	127
冠状動脈	247, 250
冠状縫合	21, 179
冠状面	21
冠静脈洞	248
冠動脈	247
桿体	375
貫通動脈	138, 167
間質液	238
間質細胞	323
間脳	343, 346, 349
間膜	300
間膜ヒモ	292
寛骨	106, 190
寛骨臼	107, 110
寛骨臼縁	110
寛骨臼横靱帯	122
寛骨臼窩	110
寛骨臼切痕	110
幹神経節	364
感覚器系	368
感覚神経	355, 359
感覚性言語野	337, 339
感覚性失語	339
関節	36
――の形状と動き	38
――の構造	37
関節円板	28, 37
下橈尺関節の――	63
顎関節の――	197
胸鎖関節の――	58
肩鎖関節の――	59
三角線維軟骨の――	65
関節下結節	49

関節可動域	40
関節可動域表示ならびに測定法	41, 45
関節窩［関節の構造の］	37
関節窩［肩甲骨の］	49
関節窩［橈骨の］	54
関節腔	37
関節結節［側頭骨の］	197
関節上結節	49, 74
関節唇	28, 37
肩関節の――	60
股関節の――	122
関節頭	37
関節突起［下顎骨の］	177
関節内胸肋靱帯	205
関節内肋骨頭靱帯	203
関節軟骨	28, 37
関節半月	28, 37
関節包	28, 37
関節包外靱帯	125
関節包内靱帯	126
環指	25
環椎関節	203
環椎	185
環椎横靱帯	203
環椎後頭関節	174, 203
環椎十字靱帯	203

がん

含気骨	27
岩様部［側頭骨の］	175
眼窩	178, 373
――を構成する骨	178
眼窩下孔	177, 178
眼窩下神経	177, 178
眼窩下動静脈	177, 178
眼窩上縁	172
眼窩上孔	173, 178
眼窩上神経	173
眼窩上切痕	173, 178
眼窩上動静脈	173
眼窩部［前頭葉の］	336
眼角筋	210
眼球	373
眼球外膜	373
眼球血管膜	373
眼球結膜	377
眼球線維膜	373
眼球中膜	373
眼球内膜	375
眼球壁	373
眼筋	378
眼瞼	377
眼瞼結膜	377
眼瞼腺	377
眼瞼裂	377
眼神経	178, 360
眼動脈	175, 251
眼房水	373, 374, 376
眼輪筋	208, 377

眼裂の筋	208
顔面の筋／顔面筋	208
顔面静脈	256
顔面神経	175, 350, 361
顔面頭蓋	172
顔面動脈	251

き

キース-フラック結節	246
キーセルバッハ部位	259
キヌタ骨	380
ギャップ結合	32
ギヨン管	91, 101
気管	264
気管支	264
――の分岐部	266
気管支縦隔リンパ本幹	239
気管支静脈	270
気管支動脈	253, 270
気管支軟骨	28
気管前葉［頸筋膜の］	218
気管軟骨	28, 261, 264
気胸	269
気道	258
希突起膠細胞	331
奇静脈	222, 254, 256
奇静脈系	256, 270
起坐呼吸	249
起始	32
基節骨［足の］	121
基節骨［手の］	57
基底層	369
基底板［蝸牛の］	381
基底膜	238
基本肢位	19
基本的運動方向	23
基本的立位肢位	19
亀頭	324
稀突起膠細胞	331
機能血管	247, 270
機能的残気量	274
機能的終動脈	239, 248
偽関節	56
脚間窩	349

きゅう

弓状膝窩靱帯	126
弓状静脈	319
弓状線［腸骨の］	107
弓状線［腹直筋の］	223
弓状動脈［腎臓の］	319
弓状動脈［足部の］	168
臼状関節	39, 110, 122
吸気	273
吸気筋	273
吸息	273
求心性収縮	33
求心性神経	355
球海綿体筋	324
球関節	39, 60, 62, 122

索引 417

球形嚢	381
球状核	346
球状帯	311
嗅覚器	382
嗅覚野	339
嗅球	360
嗅細胞	382
嗅上皮	259, 360
嗅神経	176, 360, 382
嗅脳	337
嗅部	259

きょ, きょう

挙上	24
虚血性心疾患	248
許容作用	311
距骨	117
距骨下関節	129
距骨外側突起	117
距骨滑車	117
距骨頸	117
距骨後突起	117
距骨体	117
距骨頭	117
距踵関節	129
距踵舟関節	131
距腿関節	117, 128, 168
狭心症	248
胸横筋	220
胸回旋筋	230
胸郭	191
――の骨	191
胸郭下口	192
胸郭口	191
胸郭上口	191
胸郭出口症候群	94, 216
――の誘発テスト	216
胸管	222, 239, 240
胸棘筋	229
胸筋筋膜	89
胸腔	19, 191
胸肩峰動脈	100
胸骨	195
胸骨下角	195
胸骨角	196
胸骨剣結合	196
胸骨甲状筋	213, 261
胸骨心膜靱帯	246
胸骨舌骨筋	213
胸骨体	196
胸骨端	50
胸骨部［横隔膜の］	222
胸骨柄	195
胸骨膜	205
胸鎖関節	50, 58, 60, 195
胸鎖乳突筋	175, 212, 216, 217, 273, 362
胸最長筋	228
胸式呼吸	205, 219
胸心臓神経	248
胸神経	356
胸水	269
胸髄	281, 352
胸腺	299
胸多裂筋	229
胸大動脈	253
胸腸肋筋	228
胸椎	187, 192
胸背神経	96
胸背動脈	100
胸半棘筋	229
胸部	18
――の筋	68, 219
――浅層の筋膜	89
胸部X線写真	272
胸壁	191
胸膜	268, 300
――の疾患	269
胸膜腔	269
胸膜洞	269
胸腰筋膜	89, 234
胸肋関節	195, 196, 205
強制吸気	273
強制呼気	273
強膜	373
強膜静脈洞	376
頬咽頭筋膜	218
頬筋	211
頬骨	176
頬骨弓	174, 176, 179
頬骨神経	178
頬骨突起［側頭骨の］	174, 176
頬腺	281
橋	348, 350
橋核	350
橋底部	350
橋動脈	252
橋被蓋	350
橋網様体	355

きょく

曲精細管	322
棘	30
棘下窩	49, 72
棘下筋	51, 72, 73
棘下筋膜	89
棘間筋	230
棘間靱帯	202
棘筋	229
棘孔	175, 181
棘上窩	49, 72
棘上筋	51, 72, 73
棘上筋膜	89
棘上靱帯	202, 234
棘突起	184

きん

近位	22
――の手根骨	55
近位曲尿細管	318
近位指節間関節	67, 79
近位趾節間関節	132
近位直尿細管	319
近位尿細管	318
近方視	375
筋	31
――の形状による分類	34
――の種類	31
――の収縮の種類	33
筋間中隔	370
筋区画	88, 370
下腿の――	145, 159
上腕の――	90
前腕の――	90
大腿の――	136, 157
筋性動脈	237
筋節	35
筋層［胃壁の］	286
筋層［小腸壁の］	288
筋頭	32
筋突起［下顎骨の］	177
筋突起［披裂軟骨の］	261
筋尾	32
筋皮神経	75, 95
筋フィラメント	35
筋腹	32
筋紡錘	352
筋膜	88, 370
筋裂孔	108, 157, 161

く

クプラ	382
クモ膜	344
クモ膜下腔	343, 344
クモ膜下出血	344
クモ膜顆粒	343
クモ膜絨毛	343
クモ膜小柱	344
クラウゼ小体	371
グリア細胞	331
グリコーゲン	309
グリソン鞘	296
グルカゴン	310
グルコース	309
グレリン	313
区域気管支	265
区画症候群	370
空腸	288
屈曲	23
屈筋区画［上腕の］	90
屈筋区画［前腕の］	90
屈筋支帯［足の］	158
屈筋支帯［手の］	91
屈伸運動	127

け

ケラチン	368
毛	372
外科頸	52

けい

茎状突起［尺骨の］	53
茎状突起［側頭骨の］	175, 179, 198
茎状突起［中手骨の］	57
茎状突起［橈骨の］	54, 83
茎突咽頭筋	283
茎突下顎靱帯	198
茎突舌筋	279
茎突舌骨筋	175, 213
茎乳突孔	175, 181
茎乳突動脈	175
経皮吸収	370
経表皮吸収	370
経毛包吸収	370
脛骨	114
――の縁	115
――の面	115
脛骨神経	143, 162, 163, 164
脛骨粗面	115
脛骨体	115
脛骨大腿関節	125
脛側	22
脛腓関節	114, 127
脛腓靱帯結合	116, 128
頸横神経	357
頸横動脈	99
頸回旋筋	230
頸神経節	365
頸棘間筋	230
頸棘筋	229
頸筋膜	217
頸最長筋	228
頸静脈孔	181, 361, 362
頸神経	356
頸神経叢	357
頸神経ワナ	357
頸髄	352
頸切痕	195
頸多裂筋	229
頸体角［大腿骨の］	112
頸長筋	185, 214
頸腸肋筋	228
頸椎	185
頸動脈管	175, 181
頸動脈小体	252
頸動脈鞘	218, 251, 361
頸動脈洞	252
頸反射	355
頸半棘筋	229
頸板状筋	228
頸部	18
――の筋	212
――の筋膜	217
――の交感神経幹	364
――側面の筋	216
頸膨大	351
頸リンパ節	240
頸リンパ本幹	239

けつ

鶏冠	176, 181

けつ

血圧	238
血液脳関門	332, 344
血管	236
——の構造	237
血管極	318
血管裂孔	108, 157, 166
血栓	239
血栓症	239
血栓性塞栓症	239
血糖値	309
結節	30
結節間溝	51, 60, 74
結腸	291
結腸半月ヒダ	292
結腸ヒモ	292
結腸膨起	292
結膜	377
楔状束 [脊髄の]	351, 353
楔状束核	351, 353
楔状束結節	351
楔状軟骨	261
楔部	337

げつ

月状骨	55
月状面	110

けん

犬歯	281
肩関節	48, 51, 60
——の外旋筋群	51
——の内旋, 外旋	45
——の内旋筋	51
——の内旋筋群	51
肩甲下窩	50
肩甲下筋	50, 51, 73
肩甲下神経	96
肩甲下動脈	100
肩甲回旋静脈	76
肩甲回旋動脈	76, 100
肩甲挙筋	71, 185, 227
肩甲胸郭関節	48, 50, 61
肩甲棘	48
肩甲骨	48
——周辺の筋	71
——周辺の筋膜	89
肩甲上神経	97
肩甲上動脈	99
肩甲上腕関節	48, 51, 60
肩甲上腕リズム	73
肩甲切痕	49, 97
肩甲舌骨筋	213
肩甲帯	18
——の筋	73
肩甲背神経	97
肩甲背動脈	99
肩鎖関節	48, 50, 59, 60
肩鎖靱帯	59
肩峰	48
肩峰下関節	61
肩峰角	49
肩峰端	50
剣状突起	196
腱	32
腱画	223
腱鏡	71
腱索	244
腱鞘	91
腱中心 [横隔膜の]	222, 246, 294
腱板	73

げん

原尿	320
原皮質 [大脳の]	337
減圧反射	252
減速期	46

こ

コールラウシュヒダ	292
コーレス筋膜	233
コラーゲン線維	369
コルチ器	381
コルチゾール/コルチゾル	311
コレシストキニン	313
コンパートメント	88, 370
下腿の——	145, 159
上腕の——	90
前腕の——	90
大腿の——	136, 157
コンパートメント症候群	370
ゴナドトロピン	307
ゴナドトロピン放出ホルモン	305
ゴル束	353
古小脳	345
古皮質 [大脳の]	337
呼気	273
呼気筋	273
呼吸器系	258
呼吸筋	273
呼吸細気管支	265
呼吸時の胸郭の運動	205
呼息	273
固有肝動脈	294
固有口腔	277
固有掌側指動脈	102
固有心筋	32, 246
固有背筋	188, 228, 234, 356
固有卵巣索	324
股関節	110, 122
股関節包	112
孤束核	252
鼓索神経	280, 361, 382
鼓室	380
鼓室階	381
鼓室部 [側頭骨の]	174
鼓膜	380
鼓膜張筋	380
誤嚥性肺炎	264

こう

蓋	277
蓋咽頭弓	278
蓋咽頭筋	278, 283
蓋骨	177
蓋垂	277
蓋垂筋	278
蓋舌弓	278
蓋舌筋	278, 279
蓋腺	281
蓋帆	277
蓋帆挙筋	278
蓋帆張筋	278
蓋扁桃	282
角	277
角下制筋	211
角挙筋	210
峡	277, 282
腔	277
腔前庭	277
腔底	213
腔壁の筋	211
唇	277
唇腺	281
輪筋	211
裂	211, 277
孔	30
広頸筋	212
広背筋	51, 71, 73, 227, 234
甲状咽頭部	283
甲状頸動脈	99
甲状喉頭蓋靱帯	261
甲状舌骨筋	213, 261
甲状腺	307
甲状腺ホルモン	307
甲状腺刺激ホルモン	305, 306
甲状腺刺激ホルモン放出ホルモン	305
甲状軟骨	177, 261
甲状披裂筋	262
交感神経	355
交感神経幹	364
交感神経系	363
——の経路	364
交感神経節	358, 364
交感神経線維	270
交通枝 [肋間神経の]	358
交連線維	342
抗利尿ホルモン	307
肛門	292, 327
肛門管	225, 292, 328
肛門挙筋	225, 328
肛門挙筋腱弓	328
肛門三角	327
拘束性換気障害	274
岬角 [仙骨の]	189
虹彩	360, 374
咬筋	177, 211
咬筋粗面	177
後腋窩ヒダ	73
後下行枝 [右冠状動脈の]	247
後下小脳動脈	252
後下腿筋間中隔	145, 159
後顆間区	115
後外側核	348
後外側溝 [脊髄の]	351
後角 [脊髄の]	352
後角 [側脳室の]	343
後環椎後頭膜	203
後眼房	374, 376
後脚 [内包の]	353
後弓 [環椎の]	186
後距踵靱帯	129
後距腓靱帯	116, 128
後胸鎖靱帯	58
後筋	262
後区画 [下腿の]	145
——深層	159
——浅層	159
後区画 [上腕の]	90
後区画 [前腕の]	90
後区画 [大腿の]	136, 157
後屈	23
後脛骨筋	116, 149, 164
後脛骨静脈	164, 169
後脛骨動脈	164, 168, 169
後脛腓靱帯	128
後結節 [頸椎の]	185
後交通動脈	252
後骨間神経	82, 96
後骨間静脈	64
後骨間動脈	64, 101
後根 [脊髄の]	351, 356
後索 [脊髄の]	353
後索-内側毛帯路	353
後枝 [脊髄神経の]	356
後篩骨蜂巣	176
後耳介筋	211
後耳介筋	251
後室間枝 [右冠状動脈の]	247
後斜角筋	185, 214, 216, 273
後十字靱帯	112, 115, 126
後縦隔	271
後縦靱帯	200
後上腕回旋静脈	76
後上腕回旋動脈	76, 96, 100
後神経束	96
後正中溝 [脊髄の]	351
後脊髄小脳路	353
後脊髄動脈	252
後仙骨孔	189
後仙腸靱帯	207
後側頭泉門	182
後大腿筋間隙	157
後大腿皮神経	164
後大脳動脈	252

後中間溝［脊髄の］ ……… 351	項靱帯 ……… 202, 234	**ころ**	坐骨恥骨枝 ……… 108
後柱［脊髄の］ ……… 352	鉱質コルチコイド ……… 311	転がり運動 ……… 127	坐骨尾骨筋 ……… 225, 328
後殿筋線 ……… 107	溝 ……… 335		坐骨包 ……… 139
後頭下筋 ……… 230, 358	構音 ……… 263	**【さ】**	再分極 ……… 247
後頭下三角 ……… 232, 358	睾丸 ……… 322	サーカディアンリズム ……… 307	細気管支 ……… 265
後頭下神経 ……… 232, 358	膠質浸透圧 ……… 238	サイロキシン ……… 307	細小心臓静脈 ……… 248
後頭顆 ……… 174, 181	興奮の伝導 ……… 332	左胃動静脈の食道枝 ……… 222	細静脈 ……… 238
後頭蓋窩 ……… 182	興奮性シナプス後電位 ……… 331	左胃動脈 ……… 253	細動脈 ……… 237, 238
後頭筋 ……… 211		左肝管 ……… 297	細胞骨格 ……… 35
後頭骨 ……… 174	**こく**	左冠状動脈 ……… 247	細胞体 ……… 331
後頭前頭筋 ……… 211	黒質 ……… 340, 349	左気管支縦隔リンパ本幹 ……… 239	最内内臓神経 ……… 364
後頭側頭溝 ……… 337		左気管支静脈 ……… 270	最外包 ……… 340
後頭動脈 ……… 251	**こつ**	左気管支動脈 ……… 270	最上胸動脈 ……… 100
後頭部の筋 ……… 230	骨 ……… 27	左脚［横隔膜の］ ……… 222	最上肋間動脈 ……… 99, 253
後頭葉 ……… 337	──の機能 ……… 27	左脚［心臓の］ ……… 246	最大吸気量 ……… 274
後頭鱗 ……… 174	──の構造 ……… 28	左頸リンパ本幹 ……… 239	最長筋 ……… 228
後頭連合野 ……… 339	──の再構築 ……… 29	左結腸曲 ……… 291	最内肋間筋 ……… 195, 219
後肺神経叢 ……… 270	──の分類 ……… 27	左結腸動脈 ……… 253	載距突起 ……… 117
後半規管 ……… 382	──のリモデリング ……… 29	左鎖骨下動脈 ……… 251	臍静脈 ……… 242
後半月大腿靱帯 ……… 127	──の連結 ……… 36	左鎖骨下リンパ本幹 ……… 239	臍動脈 ……… 242
後腓骨頭靱帯 ……… 127	骨芽細胞 ……… 29	左三角間膜 ……… 294	臍動脈索 ……… 242
後鼻孔 ……… 259, 282	骨格筋 ……… 31	左主気管支 ……… 264	猿手 ……… 97
後部コンパートメント［下腿の］	──の収縮 ……… 35	左静脈角 ……… 239, 240	三角間隙 ……… 76
……… 145	骨格筋線維 ……… 352	左心耳 ……… 244	三角筋 ……… 52, 72
後部コンパートメント［大腿の］	骨間距踵靱帯 ……… 129	左心室 ……… 244	三角筋胸筋三角 ……… 69, 102
……… 136	骨間楔中足靱帯 ……… 132	左心室後静脈 ……… 248	三角筋筋膜 ……… 89
後腹側核 ……… 348	骨間仙腸靱帯 ……… 207	左心不全 ……… 249	三角筋粗面 ……… 52
後腹壁の筋 ……… 224	骨間中手靱帯 ……… 65	左心房 ……… 244	三角骨 ……… 55
後膨大部 ……… 382	骨間中足靱帯 ……… 132	左総頸動脈 ……… 251	三角靱帯 ……… 128
後迷走神経幹 ……… 362	骨幹 ……… 28	左肺 ……… 268	三角線維軟骨 ……… 63, 65
後有孔質 ……… 349	骨吸収 ……… 29, 308	左肺静脈 ……… 270	三角線維軟骨複合体 ……… 65
後葉［下垂体の］ ……… 307	骨形成 ……… 29	左肺動脈 ……… 244, 270	三角部［前頭葉の］ ……… 336
後葉［胸腰筋膜の］ ……… 234	骨質 ……… 29	左反回神経 ……… 362	三叉神経 ……… 178, 211, 350, 360
後葉［腹直筋の］ ……… 223	骨髄 ……… 29	左房室口 ……… 244	三叉神経節 ……… 360
後輪状披裂筋 ……… 261, 262	骨性耳道 ……… 174	左房室弁 ……… 243, 244, 245	三叉軟骨 ……… 109
鉤 ……… 337	骨層板 ……… 29	左葉［肝臓の］ ……… 294	三尖構造 ……… 244
鉤状束 ……… 342	骨単位 ……… 29	左葉気管支 ……… 264	三尖弁 ……… 243, 244
鉤状突起［頸椎の］ ……… 201	骨端 ……… 28	鎖胸三角 ……… 69	三頭筋 ……… 34
鉤状突起［尺骨の］ ……… 53	骨端線 ……… 28, 38	鎖骨 ……… 50	三頭筋裂孔 ……… 76
鉤椎関節 ……… 201	骨端軟骨 ……… 28, 38	鎖骨下筋 ……… 50, 69, 219	散瞳 ……… 374
鉤突窩 ……… 53	骨半規管 ……… 382	鎖骨下筋溝 ……… 50	残気量 ……… 274
喉頭 ……… 260	骨盤 ……… 18, 106, 190	鎖骨下筋神経 ……… 97	
──の筋 ……… 262	──の構造 ……… 190	鎖骨下静脈 ……… 103, 194	**し**
──の軟骨 ……… 261	──の性差 ……… 110	鎖骨下静脈溝 ……… 194	シナプス ……… 331
喉頭蓋 ……… 282	後面の通路 ……… 108	鎖骨下動脈 ……… 94, 98, 99, 194, 214	シャーピー線維 ……… 28
喉頭蓋軟骨 ……… 28, 261	前面の筋膜 ……… 157	鎖骨下動脈溝 ……… 194	シュレム管 ……… 376
喉頭蓋谷 ……… 282	前面の通路 ……… 108	鎖骨下リンパ本幹 ……… 239	シュワン細胞 ……… 332
喉頭腔 ……… 262	骨盤下口 ……… 190	鎖骨間靱帯 ……… 58	ショパール関節 ……… 131, 133
喉頭口 ……… 262, 282	骨盤隔膜 ……… 225, 292, 327, 328	鎖骨胸筋膜 ……… 89	ショパールの鍵 ……… 133
喉頭室 ……… 262	骨盤腔 ……… 19, 190	鎖骨上神経 ……… 357	シルビウス溝 ……… 335
喉頭前庭 ……… 262	骨盤上口 ……… 190	鎖骨切痕 ……… 195	ジェファーソン骨折 ……… 185
喉頭軟骨 ……… 28	骨盤帯 ……… 18	坐骨 ……… 107	ジェルディ結節 ……… 114, 157
喉頭隆起 ……… 261	骨盤底 ……… 225, 328	坐骨海綿体筋 ……… 324	子宮 ……… 325
硬口蓋 ……… 180, 277	──の筋 ……… 225	坐骨棘 ……… 108	子宮外膜 ……… 326
硬膜 ……… 343	骨盤内臓神経 ……… 321, 366	坐骨結節 ……… 108	子宮峡部 ……… 325
硬膜外板 ……… 343	骨鼻中隔 ……… 178	坐骨枝 ……… 108	子宮筋層 ……… 326
硬膜静脈洞 ……… 254, 343	骨膜 ……… 28, 38	坐骨神経 ……… 162, 165	子宮腔 ……… 325
硬膜内板 ……… 343	骨迷路 ……… 380	坐骨体 ……… 107	子宮頸 ……… 325
項筋膜 ……… 217, 218	骨梁 ……… 29	坐骨大腿靱帯 ……… 123	子宮広間膜 ……… 324, 326

子宮体	325	歯髄腔	281	膝関節筋	136	舟状骨［足の］	119
子宮腟部	325	歯尖靱帯	186, 203	膝関節動脈網	167	舟状骨［手の］	55, 56
子宮底	325	歯槽突起	177	膝内側の筋	139	舟状骨関節面	117
子宮内膜	326	歯槽部	177	櫛状筋	244	舟状骨結節	55
子宮壁	325	歯突起	186			舟状骨粗面	119
支持細胞	331	歯突起窩	186	**しゃ, しゃく, しゃっ**		終動脈	239
支帯	158	歯突起尖	186	車軸関節	38, 62, 63, 203	終脳	335
四角間隙	76	歯列弓	277	射精管	321, 323	終末強制回旋運動	127
四丘体	349	篩骨	176, 360	斜角筋群	214	終末細気管支	265
四頭筋	34	篩骨洞	176, 260	斜角筋隙	94, 214	集合管	307, 319
矢状縫合	21, 179	篩骨蜂巣	176, 260	斜角筋隙症候群	216	集合リンパ管	239
矢状面	21	篩板	176, 181	斜索	63	十字部［指の線維鞘の］	92
糸球体	318	示指	25	斜膝窩靱帯	125, 142	十二指腸	287, 313
糸球体濾過量	320	示指伸筋	83	斜線［甲状軟骨の］	261	十二指腸球部	287
糸状乳頭	279	耳	379	斜線維	286	十二指腸空腸曲	288
刺激伝導系	32, 246	耳下腺	281, 361	斜台	174	十二指腸腺	290
指骨	57	耳下腺管	281	斜披裂筋	262	十二指腸提筋	288
指伸筋	82	耳介	379	斜裂［右肺の］	267	重層扁平上皮	277, 368, 369
指節間関節	67, 80	耳介軟骨	28, 379	斜裂［左肺の］	268	縦隔	241, 271
指背腱膜	82	耳管	380	尺側	22	縦筋層［胃壁の］	286
脂腺	373	——の働き	380	尺側手根屈筋	56, 77	縦筋層［小腸壁の］	288
脂肪細胞	314	耳管咽頭筋	283	——の腱	77	縦走筋	283
脂肪被膜	310	耳管咽頭口	278, 282, 380	尺側手根伸筋	82	縦束［環椎十字靱帯の］	203
視蓋脊髄路	355	耳管扁桃	282	尺側内転	25		
視覚の伝導路	363	耳垢	379	尺側皮静脈	102	**しゅく, じゅん**	
視覚器	373	耳小骨	380	尺屈	24	縮瞳	374
視覚性言語中枢	336	耳状面［仙骨の］	190	尺骨	53	循環器系	236
視覚野	339, 346	耳状面［腸骨の］	107	尺骨茎状突起	53		
視交叉	360, 363	耳垂	281, 379	尺骨静脈	79, 91, 103	**しょ, じょ**	
視細胞	375	耳石器	381	尺骨神経	52, 77, 91, 95	処女膜	326
視索	363	耳道腺	379	尺骨神経管	91, 101	初期接地	46
視床	346	自由神経終末	371	尺骨神経溝	52, 95	女性の外生殖器	326
視床下核	340	自由ヒモ	292	尺骨切痕	53, 54	女性生殖器	324
視床下部	305, 340, 347	自律神経	32, 355, 363	尺骨粗面	53	鋤骨	176
視床核の区分	348	自律神経節	363	尺骨体	53		
視床間橋	346	茸状乳頭	279	尺骨頭	53, 54	**しょう**	
視床後外側腹側核	353	痔	297	尺骨動脈	79, 91, 98, 101	小陰唇	327
視床後部	348	軸索	331			小円筋	51, 72, 73
視床上部	347	軸椎	186	**しゅ, じゅ**		小角［舌骨の］	177
視床枕	346			手外筋	84	小角軟骨	261
視床枕核群	348	**しつ**		手関節	79	小臼歯	281
視神経	175, 360, 363, 373	室間孔	343	手根	55	小胸筋	69, 219
視神経円板	375	室頂核	346	手根管	79, 91	小胸筋症候群	216
視神経管	175, 178, 181, 360	膝横靱帯	127	手根間関節	64	小頬骨筋	208
視神経乳頭	375	膝窩筋	148	手根骨	55	小結節	51
視放線	346, 363	膝窩筋溝	113, 148	手根中央関節	65	小結節稜	51
視野障害	363	膝窩筋膜	142	手根中手関節	65	小後頭神経	357
視力消失	363	膝窩静脈	138, 169	手掌腱膜	92	小後頭直筋	230
趾骨	121	膝窩動脈	138, 167, 169	手内筋	84	小膠細胞	332
趾節間関節	132	膝蓋下滑膜ヒダ	125	手背筋膜	92	小骨盤	190
歯	277, 280	膝蓋下脂肪体	125	手背静脈網	102	小坐骨孔	108
歯冠	281	膝蓋骨	113	主気管支	264	小坐骨切痕	108
歯頸	281	膝蓋骨尖	113	主細胞	287	小指	25
歯根	281	膝蓋骨底	113	主膵管	288, 299	小指外転筋	86
歯根管	281	膝蓋上包	125	種子骨［第1中足骨の］	120	小指球	86
歯根膜	281	膝蓋靱帯	115, 125, 136	種子骨［骨の分類の］	27	小指球筋	86
歯状回	337, 340	膝蓋大腿関節	125	樹状突起	331	小指伸筋	82
歯状核	346	膝蓋面	113			小指対立筋	86
歯髄	281	膝関節	112, 114, 124	**しゅう, じゅう**		小趾外転筋	152
				収縮	33	小趾対立筋	154
				収縮筋	283	小十二指腸乳頭	288, 299

索引 421

小循環	236	踵骨腱	117, 147, 150	――の動脈	98	――の屈筋群	74
小心臓静脈	248	踵骨突起	117	――の皮静脈	102	――のコンパートメント	90
小腎杯	316, 317	踵骨隆起	117	――の脈管	98	――の伸筋群	75
小泉門	182	踵骨隆起外側突起	117	上肢帯	18	上腕横靱帯	60, 74
小唾液腺	281	踵骨隆起内側突起	117	上耳介筋	211	上腕筋	53, 75
小腸	287	踵腓靱帯	116, 128	上斜筋	360, 378	上腕筋膜	89
――の間膜	301	踵立方関節	131	上尺側側副動脈	101	上腕骨	51
小腸壁の構造	288	**じょう**		上縦隔	271	上腕骨顆	53
小殿筋	139	上咽頭	282	上縦舌筋	279	上腕骨滑車	53, 62
小転子	112	上咽頭収縮筋	177, 283	上縦束	342	上腕骨小頭	53, 54, 62
小内臓神経	364	上オトガイ棘	177	上小脳脚	345	上腕骨体	52
小内転筋	138	上横隔動脈	253	上小脳動脈	252	上腕骨頭	51
小脳	345	上顆	30	上食道狭窄	285	上腕三頭筋	75
小脳窩	182	上外側上腕皮神経	96	上伸筋支帯	158	――外側頭	76
小脳回	346	上角［肩甲骨の］	49	上神経節［迷走神経の］	361	――長頭	50, 76
小脳核	346	上角［甲状軟骨の］	261	上神経幹	94	――内側頭	76
小脳鎌	344	上顎骨	176	上唇	277	上腕静脈	75, 103
小脳脚	345	上顎神経	175, 360	――の筋	208	上腕深動脈	76, 101
小脳溝	346	上顎洞	176, 260	上唇挙筋	210	上腕動脈	75, 98, 100
小脳髄質	346	上関節上腕靱帯	60	上唇鼻翼挙筋	210	上腕二頭筋	74
小脳虫部	345	上関節突起	184	上錐体静脈洞	256	――腱膜	75, 90
小脳テント	344	上関節面［脛の］	114	上前腸骨棘	107	――短頭	54, 75
小脳半球	345	上関節面［第1頸椎の］	185	上前頭回	336	――長頭	50, 51, 54, 74
小脳皮質	346	上関節面［第2頸椎の］	186	上前頭溝	336	静脈	236, 237, 254
小伏在静脈	169	上眼窩裂	178, 360	上双子筋	141	静脈角	240
小網	286, 301	上眼瞼	377	上側頭回	337	静脈管	242, 294
小葉間静脈［肝臓の］	296	上眼瞼挙筋	360, 377, 378	上側頭溝	337	静脈管索	242, 294
小葉間静脈［腎臓の］	319	上眼静脈	178	上側頭線	174	静脈管索裂	294
小葉間胆管	296, 297	上気道	258	上大静脈	243, 254	静脈還流	237
小葉間動脈［肝臓の］	296	上丘	346, 349	上大静脈口	243	静脈血	236
小葉間動脈［腎臓の］	319	上頸神経節	365	上恥骨靱帯	207	静脈洞交会	256
小腰筋	134	上頸心臓神経	248, 365	上腸間膜静脈	294	静脈弁	237
小翼	175	上結膜円蓋	377	上腸間膜動脈	253	**しょく**	
小菱形筋	71, 227	上肩甲横靱帯	97	上腸間膜動脈神経節	364	食道	222, 285
小菱形骨	56	上肩甲下神経	96	上直筋	360, 378	――の生理的狭窄部	285
小弯	286	上瞼板	377	上直腸横ヒダ	292	食道癌	285
昇圧反射	252	上甲状腺動脈	99, 251	上直腸動脈	253	食道静脈瘤	297
松果体	307, 347	上行咽頭動脈	251	上椎切痕	184	食道神経叢	362
消化管	276	上行頸動脈	99	上殿神経	139, 164	食道動脈	253
消化器系	276	上行結腸	291	上殿動静脈	139	食道裂孔	222, 362
笑筋	210	上行神経路	353	上殿皮神経	164	**しん**	
掌屈	23	上行(性)伝導路	353	上頭斜筋	231	心圧痕	267
掌側	22	上行線維	342	上頭頂小葉	336	心外膜	245, 246
掌側外転	25	上行大動脈	244, 250	上橈尺関節	51, 53, 62	心拡大	249
掌側骨間筋	86	上後鋸筋	227	上同名四分盲	363	心陥凹	268
掌側尺骨手根靱帯	65	上後腸骨棘	107	上皮小体	308	心胸郭比	249
掌側手根靱帯	91	上後頭前頭束	342	上皮小体ホルモン	308	心筋	32
掌側靱帯	67	上頂線	174, 180	上皮組織	369	心筋梗塞	248
掌側中手動脈	102	上喉頭神経	262, 361	上腓骨筋支帯	158	心筋細胞	32
掌側橈骨手根靱帯	64	上矢状静脈洞	173, 256	上鼻甲介	259	心筋層	245
掌側内転	25	上矢状洞溝［前頭骨の］	173	上鼻道	259, 260	心軸	242
硝子体	376	上肢	18	上方回旋	25	心室中隔	243
硝子軟骨	28, 37, 109, 190, 195	――の関節	58	上葉［肺の］	266	――の筋性部	246
睫毛	377	――の筋	68	上肋横突靱帯	203	――の膜性部	246
漿液	246	――の筋膜	88	上肋骨窩	188, 193	心性浮腫	238
漿膜［胃壁の］	286	――の骨	48	上腕	18, 74	心切痕	268
漿膜［小腸壁の］	288	――の静脈	102	――の筋	74	心尖	241
漿膜性心膜	246	――の神経	93	――の筋区画	90	心尖拍動	242
踵骨	117	――の深静脈	103	――の筋膜	89		

心臓	236, 241, 314	深頸動脈	99	錘外筋線維	352	声門	263	
──の位置と外形	241	深指屈筋	79	錘内筋線維	352	声門下腔	263	
──の静脈	248	深膝蓋下包	125	錐体［延髄の］	350	声門裂	263	
──の神経支配	248	深掌動脈弓	102	錐体［視細胞の］	375	性腺	313	
──の内景	243	深静脈［下肢の］	169	錐体［側頭骨の］	175, 379	性腺刺激ホルモン	307	
──の弁	244	深静脈［上肢の］	102	錐体外路	355	性腺刺激ホルモン放出ホルモン		
心臓神経叢	248	深鼡径リンパ節	240	錐体筋	223		305	
心臓壁	245	深層外旋六筋	138, 141	錐体交叉	350, 353	星状膠細胞	332	
心底	241	深足底動脈	168	錐体細胞	375	星状神経節	365	
心電図	247	深足底動脈弓	168	錐体前索路	353	静水圧	238	
心内膜	245	深腸骨回旋動脈	254	錐体側索路	353	精管	323	
心嚢	246	深腓骨神経	163	錐体路	349, 353	精管膨大部	323	
心拍出量	238	深部静脈血栓症	170	随意筋	31	精丘	321	
心不全	249	深葉［頸筋膜の］	218	髄核	199	精細管	322	
心房性ナトリウム利尿ペプチド		新小脳	345	髄腔	29	精細胞	323	
	314	新生児の頭蓋骨	182	髄質［神経系の］	333	精索	224, 323	
心房中隔	243	新皮質［大脳の］	337	髄質［副腎の］	310, 311	精巣	322	
心膜	245, 300	──の機能局在	339	髄鞘	331, 332	精巣挙筋	224, 323	
心膜腔	246			髄板内核群	348	精巣挙筋膜	323	
伸筋区画［上腕の］	90	**じん**		髄膜	343	精巣小葉	322	
伸筋区画［前腕の］	90	腎盂	316, 317	皺眉筋	208	精巣上体	322, 323	
伸筋支帯［手の］	91	腎小体	317, 318	滑り説	35	精巣上体管	322	
伸展	23	腎静脈	254, 319			精巣網	322	
神経下垂体	307	腎錐体	317	**せ**		精巣輸出管	322	
神経核	333	腎髄質	316, 317	セクレチン	313	精巣動脈	254	
神経幹	94	腎性浮腫	238	セメント質	281	精嚢	323	
神経管	334	腎臓	312, 316	セルトリ細胞	323			
──の発生	334	腎単位	318	ゼラチン膜	382	**せき**		
神経系	330	腎柱	317			赤核	349	
神経溝	334	腎洞	317	**せい**		赤核脊髄路	355	
神経膠細胞	331	腎動脈	254, 319	正円孔	175, 181, 360	赤筋線維	147	
神経根	94	腎乳頭	317	正円窓	380, 381	赤色骨髄	29	
神経細胞	331	腎盤	316, 317	正中核群	348	赤脾髄	299	
神経周膜	355	腎皮質	316, 317	正中環軸関節	203	脊索	334	
神経終末	331	腎不全	318	正中口	343, 344	脊髄	330, 351	
神経上膜	355	腎門	317	正中臍索	320	──の下行路	353	
神経線維	332	腎葉	317	正中臍ヒダ	320	──の外形	351	
──の分類	333	靱帯	37	正中矢状面	21	──の区分	352	
神経叢	357			正中神経	75, 77, 79, 95	──の上行路	353	
神経束	95	**す**		──の外側根	95	──の内部構造	352	
神経堤	334	スカルパ筋膜	233	──の内側根	95	脊髄円錐	351	
神経伝達物質	331	スカルパ三角	138	正中仙骨動脈	254	脊髄硬膜	344	
神経頭蓋	172	ステロイド療法	311	正中仙骨稜	189	脊髄終糸	190, 351	
神経内分泌	307	スパイロメータ／		正中中心核	348	脊髄神経	184, 185, 330, 355	
神経内膜	355	スパイロメーター	274	正中面	21	──の構成	356	
神経板	334	スパイロメトリー	274	生殖管	322	脊髄神経溝	185	
神経ヒダ	334	すべり運動	127	生殖器	322	脊髄神経節	356	
神経麻痺	97	水晶体	376	生殖腺	322	脊柱	183	
真皮	369	水平屈曲	24	──のホルモン	313	──の関節	198	
真皮乳頭	369	水平伸展	24	生理的外反肘	61	脊柱管	19, 184, 351	
真肋	192	水平面	21	生理的狭窄部［食道の］	285	脊柱起立筋	228	
深	23	水平裂［肺の］	267	生理的狭窄部［尿管の］	320			
深横中手靱帯	67, 92	垂直舌筋	279	成長ホルモン	305, 306	**せつ**		
深横中足靱帯	132	膵管	288, 299	成長ホルモン放出ホルモン	305	切痕	30	
深鵞足	142	膵臓	298, 309	成長ホルモン抑制ホルモン	305	切歯	280	
深外陰部動脈	254	──の導管	299	声帯	263	切歯窩	180	
深胸筋	219	膵体	298	声帯筋	262	節後線維	358, 364, 366	
深筋膜	88, 370	膵島	309	声帯靱帯	261	節後ニューロン	364	
深頸筋	214	膵頭	298	声帯突起	261	節前線維	358, 364, 366	
		膵尾	298	声帯ヒダ	262	節前ニューロン	364	

索引 423

ぜつ

舌	278
——の神経支配	280
舌咽神経	181, 252, 280, 350, 351, 361, 382
舌下小丘	278, 282
舌下神経	174, 279, 280, 350, 351, 362
舌下神経管	174, 182, 362
舌下腺	282, 361
舌筋	279, 362
舌腱膜	278, 279
舌骨	177
——の大角	261
舌骨下筋群	197, 213, 357
舌骨上筋群	197, 213
舌骨舌筋	279
舌状回	337
舌小帯	278
舌神経	280, 361
舌腺	281
舌苔	279
舌動脈	251
舌乳頭	278
舌粘膜	278
舌扁桃	282

せん

仙棘靱帯	108
仙結節靱帯	108
仙骨	188, 190
——と腸骨の連結	206
仙骨角	190
仙骨管	189
仙骨神経	189, 356
仙骨神経節	366
仙骨神経叢	160, 162, 358
仙骨尖	189
仙骨底	189
仙骨裂孔	190
仙髄	352
仙腸関節	107, 190, 206
仙椎	188
仙尾関節	189, 190, 207
浅	23
浅横中手靱帯	92
浅外陰部動脈	254
浅胸筋	219
浅筋膜	88, 370
浅頸筋	212
浅頸動脈	99
浅指屈筋	79
——の腱	77
浅掌動脈弓	102
浅鼠径リンパ節	240
浅鼠径輪	223
浅側頭動脈	251
浅腸骨回旋動脈	167
浅腓骨神経	163
浅腹壁動脈	167

浅葉［頸筋膜の］	217
栓状核	346
腺	304
腺下垂体	306
腺性下垂体	306
線	30
線維性心膜	246
線維軟骨	28
線維被膜	316
線維膜［関節包の］	37
線維輪［心臓の］	245
線維輪［椎間円板の］	199
線条体	340

ぜん

全肺気量	274
前腋窩ヒダ	68
前下行枝［左冠状動脈の］	248
前下小脳動脈	252
前下腿筋間中隔	145, 159
前顆間区	114
前外側脛骨結節	114
前外側溝［延髄の］	350
前外側溝［脊髄の］	351
前角［脊髄の］	352
前角［側脳室の］	343
前核群	348
前額面	21
前環椎後頭膜	203
前眼房	374, 376
前弓［環椎の］	185
前距腓靱帯	128
前鋸筋	69, 194, 219
前鋸筋粗面	194
前胸鎖靱帯	58
前筋	262
前区画［下腿］	145, 159
前区画［上腕］	90
前区画［前腕］	90
前区画［大腿］	136, 157
前屈	23
前脛骨筋	144, 147
前脛骨静脈	169
前脛骨動脈	167
前脛腓靱帯	128
前結節［頸椎の］	185
前交通動脈	252
前骨間神経	95
前骨間動静脈貫通枝	64
前骨間動脈	101
前根［脊髄の］	351, 356
前索［脊髄の］	353
前枝［脊髄神経の］	356
前篩骨蜂巣	176
前耳介筋	211
前室間枝［左冠状動脈の］	248
前斜角筋	185, 194, 214, 216, 273, 358
前斜角筋結節	194
前十字靱帯	112, 114, 126

前縦隔	271
前縦靱帯	200
前障	337, 340
前踵骨関節面	117
前上腕回旋動脈	100
前心臓静脈	248
前正中裂［延髄の］	350
前正中裂［脊髄の］	351
前脊髄視床路	353
前脊髄小脳路	353
前脊髄動脈	252
前仙骨孔	189
前仙腸靱帯	207
前側索	353
前側頭泉門	182
前大脳動脈	251, 252
前柱［脊髄の］	352
前庭	361, 381
前庭階	381
前庭頸反射	355
前庭神経	175, 361, 381, 382
前庭神経外側核	355
前庭神経内側核	355
前庭脊髄反射	355
前庭脊髄路	355
前庭窓	380, 381
前庭動眼反射	382
前庭ヒダ	262
前庭膜	381
前庭裂	262
前殿筋線	107
前頭蓋窩	181
前頭眼野	339
前頭筋	211
前頭骨	172
前頭直筋	215
前頭洞	173, 260
前頭突起［頰骨の］	176
前頭突起［上顎骨の］	177
前頭縫合	182
前頭面	21
前頭葉	336
前頭稜	173
前頭鱗	173
前頭連合野	339
前捻角	112
前脳胞	334
前肺神経叢	270
前半規管	382
前半月大腿靱帯	127
前皮枝［肋間神経の］	358
前皮質脊髄路	350, 353
前腓骨頭靱帯	127
前部コンパートメント［下腿の］	145
前部コンパートメント［大腿の］	136
前腹側核	348
前腹壁の筋	222

前膨大部	382
前迷走神経幹	362
前遊脚期	46
前葉［下垂体の］	306
前葉［胸腰筋膜の］	234
前葉［腹直筋の］	223
前立腺	321, 323
前立腺癌	323
前立腺肥大症	323
前腕	18, 77
——の筋	77
——の筋区画	90
——の筋膜	90
——の屈筋群	77
——のコンパートメント	90
——の伸筋群	80
前腕筋膜	75, 90
前腕骨間膜	63, 90
蠕動運動	285

そ

ソマトスタチン	310
咀嚼	211, 277
咀嚼筋	197, 211, 360
鼠径下裂孔	108
鼠径靱帯	109, 223
粗線［大腿骨の］	110
粗面	30
組織液	238, 239
双顆関節	38
爪	372
爪根	372
爪床	372
爪体	372
僧帽筋	71, 217, 227, 358, 362
僧帽弁	243, 244, 245
総肝管	294, 297
総肝動脈	253
総頸動脈	218
総腱輪	378
総骨間動脈	101
総指伸筋	82
総掌側指動脈	102
総胆管	288, 297, 299
総腸骨静脈	254
総腸骨動脈	166, 254
総腓骨神経	116, 141, 143, 162, 163
総鼻道	259
象牙質	281
造血機能	29
臓性感覚性	359
臓性神経	355
臓側胸膜	268
臓側板［心膜の］	246
臓側腹膜	293, 300
束状帯	311
束傍核	348
足関節	128

足根管 163, 164, 168	体液 316	大腿骨頭 111	第2のてこ 40, 198	
足根管症候群 164	体幹 18	大腿骨頭窩 111	第2頸椎 186	
足趾の関節 131	——の筋 219	大腿骨頭靱帯 111, 122	第2肩関節 61	
足底の筋	——の筋膜 233	大腿三角 138	第2中足骨 120	
——第1層 152	体腔 19	大腿四頭筋 136	第2肋骨 194	
——第2層 153	体循環 236	大腿四頭筋腱 113, 136	第3のてこ 40	
——第3層 154	体性運動性 359	大腿静脈 138, 169	第3後頭神経 358	
——第4層 155	体性運動野 339	大腿神経 136, 161	第5中足骨 120	
足底筋 148	体性感覚性 359	大腿深静脈 169	第5中足骨粗面 120	
足底腱膜 159	体性感覚野 339	大腿深動脈 167	第7頸椎 187	
足底接地 46	体性神経 355, 359	大腿直筋 136	第11・12肋骨 194	
足底方形筋 149, 153	体内の腔所 19	大腿動脈 138, 167, 169, 254	第三脳室	
足背の筋 152	体表での区分 18	大腿二頭筋 143	...... 305, 307, 343, 346, 349	
足背筋膜 159	対光反射 375	——短頭 142, 143	第三腓骨筋 144	
足背静脈弓 169	対立 26	——長頭 142, 143	第四脳室 343, 349, 351	
足背動脈 168, 169	苔状線維 346	大腿方形筋 142	**だつ**	
足根骨 117	胎児の循環 242	大大脳静脈 256	脱分極 247	
足根中足関節 131	胎盤 242	大腸 290	**たん**	
速筋線維 147	帯状回 337, 340	——の間膜 301	単関節筋 144	
側角［脊髄の］ 352	帯状束 342	大腸壁の構造 291	単層円柱上皮 369	
側筋 262	**だい**	大転子 112	単層扁平上皮 369	
側屈 24	大陰唇 327	大殿筋 139, 157	胆汁 296, 297	
側索［脊髄の］ 353	大円筋 51, 73	大動脈 222, 249	胆石 297	
側頭窩 179	大角［舌骨の］ 177	大動脈弓 99, 251, 252	胆石疝痛 297	
側頭筋 174, 177, 179, 211	大臼歯 281	大動脈口 244	胆道 297	
側頭筋膜 174, 211	大胸筋 51, 68, 219, 273	大動脈小体 252	胆嚢 297	
側頭骨 174	大頬骨筋 208	大動脈前神経節 364, 366	胆嚢窩 294	
側頭突起［骨の］ 174, 176	大結節 51	大動脈洞 247, 250	胆嚢管 297	
側頭弁蓋 337	大結節稜 51	大動脈弁 243, 244	淡蒼球 340	
側頭葉 337	大孔［後頭骨の］ ... 174, 180	大動脈裂孔 222, 256	淡明層 369	
側頭連合野 339	大後頭孔 174, 180, 182	大内臓神経 364	短回旋筋 230	
側脳室 343	大後頭神経 356, 358	大内転筋 138	短骨 27	
側副循環 239	大後頭直筋 230	大脳 335	短趾屈筋 152	
側副靱帯［足の］ 132	大骨盤 190	大脳窩 182	短趾伸筋 152	
側副靱帯［手の］ 67	大坐骨孔 108	大脳鎌 173, 176, 256, 344	短小指屈筋 86	
側腹壁の筋 223	大坐骨切痕 108	大脳基底核 340	短小趾屈筋 154	
塞栓症 239	大耳介神経 357	大脳脚 349, 353	短掌筋 86	
外がえし 26, 45	大十二指腸乳頭 288, 297, 299	大脳縦裂 335	短橈側手根伸筋 55, 80	
【た】	大循環 236	大脳新皮質の細胞構築 338	短内転筋 138	
タバチエール 83	大静脈孔 222	大脳髄質 340	短腓骨筋 116, 147	
ダグラス窩 300	大静脈溝 294	大脳動脈輪 99, 252	短母指外転筋 55, 85	
手綱 347	大心臓静脈 248	大脳半球 335	短母指屈筋 55, 85	
手綱三角 347	大腎杯 316, 317	大脳皮質 335	短母指伸筋 82	
田原結節 246	大泉門 182	大脳辺縁系 337, 340	短母趾屈筋 154	
多羽状筋 34	大前庭腺 327	大伏在静脈 157, 169	短母趾伸筋 152	
多軸性関節 38	大唾液腺 281	大網 286, 287, 300	**だん**	
多頭筋 34	大腿 18	大網ヒモ 292	男性生殖器 322	
多腹筋 34	——の筋区画 ... 136, 157	大腰筋 134, 157	男性ホルモン 311, 313	
多列線毛上皮 264, 369	——のコンパートメント	大翼 175	弾性線維 237	
多裂筋 229	.... 136, 157	大菱形筋 71, 227	弾性動脈 237	
唾液腺 281	——後面の筋 142	大菱形骨 55	弾性軟骨 28	
楕円関節 38, 64, 66, 129, 131, 132, 197, 203	——前面の筋 134	大菱形骨結節 55	**ち**	
たい	——内側の筋 137	大弯 286	チロキシン 308	
体［舌骨の］ 177	大腿筋膜 136, 157, 233	第1のてこ 40	チン小帯 374	
体［中手骨の］ 57	大腿筋膜張筋 139, 157	第1頸椎 185	恥丘 326	
体［中足骨の］ 120	大腿骨 110	第1中足骨 120	恥骨 109	
体［蝶形骨の］ 175	大腿骨頸 111	第1中足骨粗面 120	恥骨下角 190	
	大腿骨頸部骨折 113	第1背側骨間筋 101	恥骨下枝 109	
	大腿骨体 110	第1肋骨 194		

恥骨間円板	207
恥骨弓	190
恥骨筋	136
恥骨筋線	111, 112
恥骨結合	28, 109, 190, 207
恥骨結節	109
恥骨櫛	109
恥骨上枝	109
恥骨体	109
恥骨大腿靱帯	123
恥骨直腸筋	225, 328
恥骨尾骨筋	225, 328
恥骨稜	109
智歯	281
遅筋線維	147
緻密骨	29
緻密質	29
緻密部［黒質の］	340
蓄尿反射	321
蓄膿	260
腟	225, 326
腟口	326, 327
腟前庭	327

ちゅう

中咽頭	282
中咽頭収縮筋	283
中隔核	340
中間楔状骨	119
中間広筋	136
中間仙骨稜	189
中間帯	352
中間尿細管	319
中関節上腕靱帯	60
中頸心臓神経	248, 365
中頸神経節	365
中結腸動脈	253
中硬膜動脈	175
中指	25
中篩骨蜂巣	176
中耳	175, 379
中膝動脈	167
中斜角筋	185, 214, 216, 273
中手	57
中手間関節	65
中手筋	86
中手骨	57
中手指節関節	66, 79
中縦隔	271
中小脳脚	345, 350
中踵骨関節面	117
中食道狭窄	285
中心窩	375
中心管	343
中心後回	336
中心後溝	336
中心溝	335
中心静脈［肝小葉の］	296
中心前回	336

中心前溝	336
中心臓静脈	248
中神経幹	94
中枢神経の発生	334
中枢神経系	330
──の構成	335
中節骨［足の］	121
中節骨［手の］	57
中前頭回	336
中足間関節	132
中足骨	120
中足趾節関節	132
中側頭回	337
中側副動脈	101
中大脳動脈	251, 252
中直腸横ヒダ	292
中殿筋	139, 157
中殿筋歩行	141
中殿皮神経	164
中頭蓋窩	181
中脳	348, 349
中脳蓋	349
中脳水道	343, 349
中脳被蓋	349
中脳胞	334
中胚葉	334
中鼻甲介	259
中鼻道	259, 260
中膜［血管の］	237
中葉［右肺の］	266
中葉［胸腰筋膜の］	234
虫垂	290
虫垂炎	290
虫様筋［足の］	149, 153
虫様筋［手の］	86, 87
肘窩	77
肘角	61
肘関節	51, 61
肘筋	76
肘正中皮静脈	102
肘頭	53
肘頭窩	53

ちょう

長回旋筋	230
長管骨	27
長胸神経	97
長骨	27
長趾屈筋	116, 149, 164
長趾伸筋	144, 147
長掌筋	77
──の腱	77
長足底靱帯	119, 131
長橈側手根伸筋	80
長内転筋	137
長腓骨筋	116, 117, 119, 147
長腓骨筋腱溝	119
長母指外転筋	82
長母指屈筋	80

長母指伸筋	55, 83
長母趾屈筋	117, 148, 164
長母趾屈筋腱溝	117
長母趾伸筋	144
鳥距溝	337
跳躍靱帯	131
跳躍伝導	332
腸間膜	300, 301
腸間膜根	288
腸脛靱帯	114, 139, 157
腸骨	107
腸骨下腹神経	161
腸骨窩	107
腸骨筋	134
腸骨筋筋膜	157
腸骨鼡径神経	161
腸骨粗面	107
腸骨体	107
腸骨大腿靱帯	112, 123
腸骨尾骨筋	225, 328
腸骨翼	107
腸骨稜	107, 139
腸絨毛	290
腸恥窩	138
腸恥筋膜弓	108, 157
腸腰筋	134, 157, 224
腸腰筋筋膜	157
腸腰靱帯	207
腸リンパ本幹	239
腸肋筋	193, 228
蝶下顎靱帯	198
蝶形骨	175
蝶形骨棘	198
蝶形骨洞	175, 260
蝶篩陥凹	260
蝶番関節	38, 62, 67, 132
聴覚	361
聴覚野	339, 346
聴放線	346

ちょく

直静脈洞	256
直精細管	322
直腸	292
直腸子宮窩	300
直腸静脈叢	292
直腸膀胱窩	300
直腸膨大部	292

つ

ツチ骨	380
ツチ骨条	380
椎間円板	28, 184, 199
椎間関節	184, 201
椎間孔	184
椎間板ヘルニア	200
椎弓	184
──の連結	201
椎弓根	184
椎弓板	184, 201

椎孔	184
椎骨	183
椎骨静脈	185
椎骨動脈	99, 185, 232
椎前筋群	214
椎前神経節	364, 366
椎前葉［頸筋膜の］	218
椎体	184
──の連結	199
椎傍神経節	364
爪先離地	46
爪	372

て

テストステロン	307, 311, 313
デュシェンヌ徴候	141
デルマトーム	359
デンプン	281
てこ	40
「手-」→「しゅ-」も参照	
手	18
──の異常肢位	97
──の筋	84
──の筋膜	92
──の内在筋プラス肢位	67, 87
──の内在筋マイナス肢位	87
──の領域の関節	65
底［中手骨の］	57
底［中足骨の］	120
底屈	23
底側	22
底側骨間筋	155
底側踵舟靱帯	131
底側踵舟靱帯関節面	117
底側踵立方靱帯	117, 131
底側靱帯	132
底側足根中足靱帯	132
底側中足靱帯	132
底側中足動脈	168
底側二分踵舟靱帯関節面	117
抵抗血管	237
停止	32
転子	30
転子窩	112
転子間線	112
転子間稜	112
転子包	139
伝達	331
伝導	331
電解質コルチコイド	311
殿筋腱膜	157
殿筋粗面	111, 112, 139
殿筋大腿包	139
殿溝	139
殿部	139
──と大腿の筋膜	157
──の筋	139

殿部滑液包	139	
殿裂	139	

と

トライツ靱帯	288	
トリヨードサイロニン	307	
トルコ鞍	175, 181, 306	
トレンデレンブルグ徴候	141	
トレンデレンブルグ歩行	141	
ドーパミン/ドパミン	311	
登上線維	346	
努力（性）吸気	69, 212, 214, 219, 222, 273	
努力（性）呼気	219, 222, 223, 273	
努力性肺活量	274	
豆状骨	55	
豆状骨関節	65	
投射線維	342	
島	335, 337	
等尺性収縮	33	
等速性収縮	33	
等張性収縮	33	
頭［中手骨の］	57	
頭［中足骨の］	120	
頭蓋	172	
——と頸椎の連結	202	
——の下面の構造物	180	
——の後面の構造物	180	
——の上面の構造物	179	
——の前面の構造物	178	
——の内面の構造物	179	
頭蓋腔	19	
頭蓋泉門	182	
頭棘筋	229	
頭頸部の筋	208	
頭最長筋	228	
頭側	22	
頭長筋	185, 215	
頭頂溝	336	
頭頂後頭溝	335	
頭頂骨	174	
頭頂弁蓋	337	
頭頂葉	336	
頭頂連合野	339	
頭半棘筋	229, 358	
頭板状筋	228	
頭皮の筋	211	
頭部	18, 172	
——の関節	197	
——の骨	172	
橈屈	24	
橈骨	54	
——の茎状突起	54, 83	
橈骨窩	53	
橈骨頸	54	
橈骨手根関節	55, 64	
橈骨静脈	103	
橈骨神経	52, 76, 96	

——の深枝	82	
橈骨神経溝	52	
橈骨切痕	53, 62, 63	
橈骨粗面	54, 75	
橈骨体	54	
橈骨頭	53, 54, 62, 63	
橈骨動脈	83, 98, 101	
橈骨輪状靱帯	62, 63	
橈側	22	
橈側外転	25	
橈側手根屈筋	77	
——の腱	77	
橈側側副動脈	101	
橈側皮静脈	69, 102	
糖質	281	
糖質コルチコイド	306, 311	
糖新生	311	
糖尿病	310	
同時定着時期	46	
同名半盲	363	
洞結節	246	
洞房結節	246	
洞様毛細血管	296	
動眼神経	178, 349, 360	
動眼神経核	349	
動静脈吻合	239	
動脈	236, 237, 249	
動脈円錐	244	
動脈管	242	
動脈管索	242	
動脈血	236	
瞳孔	374	
瞳孔括約筋	360, 374	
瞳孔散大筋	374	
特殊感覚性	359	
特殊心筋	32, 246	
特発性浮腫	238	
突起	184	

【な】

内因子	287	
内果	195	
内果関節面	115	
内果溝	116	
内果面	116	
内胸動脈	99	
内筋	262	
内頸静脈	181, 218, 254, 256	
内頸動脈	175, 251	
内後頭稜	182	
内肛門括約筋	292	
内在筋	84	
内子宮口	325	
内耳	175, 380	
内耳孔［側頭骨の］	175	
内耳神経	175, 350, 361	
内耳道	361	
内痔核	292	
内生殖器	322	

内精筋膜	323	
内節［淡蒼球の］	340	
内舌筋	279, 362	
内旋	24	
内臓神経	364, 366	
内側	23	
内側腋窩隙	76, 100	
内側縁［肩甲骨の］	49	
内側下膝動脈	167	
内側顆［脛骨の］	114	
内側顆［大腿骨の］	112	
内側顆間結節	114	
内側顆上線	111	
内側顆上稜	52	
内側核群	348	
内側弓状靱帯	134, 157	
内側距踵靱帯	129	
内側胸筋神経	95	
内側区画［大腿の］	136, 157	
内側結節	117	
内側楔状骨	119	
内側コンパートメント［大腿の］	136	
内側広筋	136	
内側後頭側頭回［側頭葉の］	337	
内側膝蓋支帯	125	
内側膝状体	339, 346, 348, 349	
内側膝状体核	348	
内側縦束	350	
内側手根側副靱帯	64, 65	
内側上顆［上腕骨の］	52, 77	
内側上顆［大腿骨の］	112	
内側上膝動脈	167	
内側上腕筋間中隔	90	
内側上腕皮神経	95	
内側神経束	95	
内側唇［大腿骨の］	111	
内側靱帯［距腿関節の］	128	
内側髄板	340, 348	
内側前庭脊髄路	355	
内側前腕皮神経	95	
内側足底神経	163	
内側足底動脈	168	
内側側副靱帯［膝関節の］	112, 125	
内側側副靱帯［肘関節の］	62	
内側大腿回旋動脈	167	
内側大腿筋間中隔	157	
内側縦アーチ	131, 147, 149	
——のかなめ石	119	
内側直筋	360, 378	
内側半月	114, 126	
内側腓腹皮神経	163	
内側毛帯	350, 353	
内側毛帯交叉	353	
内側翼突筋	177, 212	
内腸骨動脈	254	
内転	24	
内転筋管	167	

内転筋群	137	
内転筋結節	112	
内転筋腱裂孔	138, 167	
内頭蓋底の構造物	181	
内尿道括約筋	321	
内尿道口	320, 321	
内胚葉	334	
内皮	237	
内皮細胞	238	
内腹斜筋	224, 234, 273	
内腹斜筋腱膜	223	
内分泌	304	
内分泌異常	314	
内分泌器官	304	
内分泌系	304	
内分泌細胞	304	
内分泌性浮腫	238	
内分泌腺	304	
内閉鎖筋	108, 141	
内包	340, 342, 346	
内膜［血管の］	237	
内有毛細胞	381	
内リンパ（液）	380, 381	
内肋間筋	117, 219, 273	
内肋間膜	219	
軟口蓋	277	
軟骨の組織学的分類	28	
軟骨間関節	205	
軟骨質	28	
軟骨内骨化	38	
軟膜	344	

に

ニューロン	331	
二関節筋	76, 136, 138, 142, 144	
二次視覚野	339	
二次性腹膜後器官	300	
二次体性感覚野	339	
二次聴覚野	339	
二尖構造	244	
二尖弁	243, 244, 245	
二頭筋	34	
二腹筋窩	177	
二分靱帯	133	
肉柱	244	
肉様膜	324	
乳化	296	
乳歯	280	
乳腺	373	
乳頭筋	244	
乳頭体	347	
乳頭突起［腰椎の］	188	
乳頭浮腫	375	
乳糜	239	
乳糜槽	239	
乳様突起	175, 179	
尿管	316, 320	
尿管口	320	
尿細管	318	

尿細管極	318	——の形状	281	薄束結節	351	腓骨関節面	114
尿生殖隔膜	321	——の種類	280	発声	263	腓骨筋滑車	117
尿生殖三角	327	——の組織構造	281	鼻	259	腓骨頸	116
尿生殖裂孔	225, 328	馬尾	189, 351	半羽状筋	34	腓骨静脈	169
尿生成	320	肺	258, 266	半関節	39, 206	腓骨切痕	116
尿道	225, 316, 321	——の栄養血管	270	半規管	361, 382	腓骨体	116
尿道海綿体	321, 324	——の外形	266	半奇静脈	256	腓骨頭	116
尿道球	323, 324	——の機能血管	270	半棘筋	229	腓骨頭関節面	116
尿道球腺	323	——の血管	270	半月ヒダ	292	腓骨頭尖	116
尿膜管	320	——の神経	270	半腱様筋	142	腓骨動脈	168
		肺うっ血	249	半交叉	363	腓側	22
【ね】		肺活量	274	半膜様筋	142	腓腹筋	147, 150
ネフロン	318	肺活量計	274	板状筋	228	腓腹神経	163
熱傷	372	肺気腫	265			尾骨	190
粘液	287	肺胸膜	268	**【ひ】**		尾骨角	190
粘液水腫	238	肺区域	266	ヒス束	246	尾骨筋	225, 328
粘膜［胃壁の］	287	肺血栓塞栓症	170	ヒスタミン	287	尾骨神経	356
粘膜［小腸壁の]	290	肺循環	236, 270	ヒューター三角	55	尾骨神経叢	164, 358
		肺静脈	244, 270	ヒューター線	55	尾状核	340
【の】		肺静脈口	244	ヒラメ筋	147, 150	尾状葉	294
ノルアドレナリン	311	肺尖	266	ヒラメ筋腱弓	147, 167	尾髄	352
脳	330	肺底	266	ヒラメ筋線	115	尾側	22
——の静脈	254	肺動脈	244, 270	ビゲロウのY靱帯	123	尾椎	190
——の発生	334	肺動脈幹	244, 270	皮下静脈叢	292	眉弓	173
脳幹	333, 348	肺動脈口	244	皮下組織	369	鼻	259
脳硬膜	343	肺動脈弁	243, 244	皮筋	32, 208	鼻筋	208
脳室	342	肺胞	265, 266	皮脂	373	鼻腔	178, 259
脳室系	334	肺胞換気量	274	皮脂腺	373	鼻骨	176
脳神経	330, 355, 359	肺門	264, 266, 270	皮質［神経系の］	333	鼻根	259
脳脊髄液	342	背外側核	348	皮質［副腎の］	310, 311	鼻根筋	208
——の循環	343	背屈	23	皮質核路	349, 355	鼻尖	259
脳底溝	350	背側［掌側に対する］	22	皮質骨	29	鼻前庭	259
脳底静脈洞	256	背側［底側に対する］	22	皮質脊髄路	350, 353	鼻側半盲	363
脳底動脈	99, 252, 350	背側［腹側に対する］	23	皮静脈［下肢の］	169	鼻中隔	259
脳頭蓋	172	背側結節	55	皮静脈［上肢の］	102	鼻背	259
脳ナトリウム利尿ペプチド	314	背側骨間筋［足の］	155	皮膚	368	鼻翼	259
脳梁	342	背側骨間筋［手の］	86	——の感覚受容器	371	鼻涙管	176, 377
脳梁吻	337	背側踵立方靱帯	131	——の構造	368	「膝-」→「しつ-」を参照	
		背側足根中足靱帯	132	——の神経	371	「肘-」→「ちゅう-」を参照	
【は】		背側中足靱帯	132	——の付属器	372	「左-」→「さ-」も参照	
ハバース管	29	背側橈骨手根靱帯	64	——の役割	370	左回旋	24
ハムストリングス	142	背部		皮膚腺	372	左側屈	24
ハンター管	167	——の筋	227	泌尿器系	316	表情筋	208
バウヒン弁	288	——の筋膜	234	披裂喉頭蓋ヒダ	261	表皮	368
バソプレシン/バソプレッシン/バゾプレシン	307, 319, 320	——浅層の筋	70	披裂軟骨	261	標的器官	304
バルサルバ洞	247, 250	——浅層の筋膜	89	披裂軟骨尖	261	標的細胞	304
バルトリン腺	327	排尿	321	披裂軟骨底	261		
パーキンソン病	349	排尿中枢	321	被殻	340	**【ふ】**	
パイエル板	290	排尿反射	321	脾索	299	ファーター乳頭	288, 297, 299
パチニ小体	371	白筋線維	147	脾腫	297	ファーター・パチニ小体	371
パペッツの回路	337, 340	白交通枝	358, 364, 366	脾静脈	294	フォルクマン管	29
パラソルモン/パラトルモン	308, 309	白質	333, 340, 353	脾臓	299	ブドウ糖	309
パンクレオザイミン	313	白線	223, 224	脾柱	299	ブドウ膜	373
ばね靱帯	131	白内障	376	脾洞	299	ブルダッハ束	353
破骨細胞	29	白脾髄	299	脾動脈	253	ブルンネル腺	290
破裂孔	175, 181	白膜	324	脾門	299	ブローカ失語	339
跛行	141	薄筋	138, 139	腓骨	116	ブローカ野	336, 339
歯	277, 280	薄束［脊髄の]	351, 353	——の縁	116	ブロードマンの領野	337
		薄束核	351, 353	——の面	116	プルキンエ細胞層	346

プルキンエ線維	246	腹膜垂	292	補助呼吸筋	273	慢性気管支炎	265
プロゲステロン	307, 313	腹膜内器官	300	補足運動野	339	慢性閉塞性肺疾患	265
プロラクチン	305, 306	吻側	22	母指	25	**み**	
プロラクチン抑制ホルモン	305	吻側脊髄小脳路	353	―― の手根中手関節	55	ミエリン鞘	331
不感蒸散	370	噴門	285	―― の中手骨の底	83	ミオシンフィラメント	35
不感蒸泄	370	分界溝［舌の］	279	母指球	84	ミクログリア	332
不規則骨	27	分界線	190	母指球筋	84	味覚器	382
不随意筋	32	分子層［小脳の］	346	母指主動脈	102	味覚野	339, 382
不対神経節	366	分節状の固有背筋	230	母指対立筋	55, 85	味蕾	279, 382
不動性の連結	36	分節状皮膚神経支配	359	母指内転筋	85	「右-」→「う-」も参照	
付属腺	322	分泌	304	母趾外転筋	152	右回旋	24
浮腫	238	分回し運動	59	母趾内転筋	154	右側屈	24
浮遊肋	192	**へ**		方形回内筋	80	水チャネル	319
伏在神経	162	ヘーリング-ブロイエル反射	271	方形筋	34	耳	379
伏在裂孔	157, 169	ヘンレ係蹄	319	方形結節	112	脈絡叢	343
副眼器	377	ヘンレのワナ	319	方形靱帯	62	脈絡膜	373
副甲状腺	308	ヘンレループ	319	方形葉	294	**む**	
副甲状腺ホルモン	308	ベッツの巨大錐体細胞	338	包皮	324	ムチン	282
副交感神経	355, 359	ベルタン柱	317	放射状胸肋靱帯	205	無漿膜野	294
副交感神経系	363	ベル-マジャンディの法則	356	放射状肋骨頭靱帯	203	無髄神経線維	332
―― の経路	366	ペースメーカー	246	放線冠	342, 353	無腐性壊死	56
副交感神経線維	270	ペプシノゲン／ペプシノーゲン	287	縫工筋	136, 139	**め**	
副交感性	359	ペプシン	287	房室結節	246	メズサ（メデューサ）の頭	297
副硬膜動脈	175	平滑筋	31, 264	房室束	246	メラトニン	307
副睾丸	323	平滑筋細胞	31	紡錘状筋	34	メラニン	369, 370
副細胞	287	平衡覚	361	傍糸球体装置	312, 318, 319	メルケル盤	371
副神経	181, 350, 351, 362	平衡聴覚器	379	帽状腱膜	211	眼の遠近調節	375
副腎	310	平衡斑	381	膀胱	316, 320	明順応	375
副腎アンドロゲン	306, 311	平面関節	39, 59, 64, 65, 125, 127, 131, 132, 201, 203	膀胱括約筋	321	明帯	35
副腎髄質	310, 311			膀胱三角	320	迷走神経	181, 218, 252, 350, 351, 361
副腎皮質	310, 311	閉鎖運動連鎖	35	膀胱尖	320		
副腎皮質刺激ホルモン	305, 306	閉鎖管	108, 109	膀胱体	320	迷走神経幹	222
副腎皮質刺激ホルモン放出ホルモン	305	閉鎖孔	109, 162	膀胱底	320	免疫系	240
		閉鎖神経	109, 136, 137, 162	膨大部稜	382	面	30
副膵管	288, 299	閉鎖動静脈	109	傍濾胞細胞	308	**も**	
副突起	188	閉鎖膜	109	頰	277	モンロー孔	343
副半奇静脈	256	閉塞性換気障害	265, 274	勃起	324	毛幹	372
副鼻腔	173, 175, 176, 260	壁細胞	287, 313	勃起中枢	324	毛根	372
副鼻腔炎	260	壁側胸膜	268	**【ま】**		毛細血管	236, 238
腹横筋	224, 234, 273	壁側板［心膜の］	246	マイスネル小体／マイスナー小体	371	毛細リンパ管	239
腹横筋腱膜	223	壁側腹膜	300			毛包受容器	371
腹腔	19	辺縁系	340	マイスネル神経叢／マイスナー神経叢	290	毛様体	360, 374
腹腔神経節	364	辺縁葉	337, 340			毛様体筋	360, 374
腹腔動脈	253	扁桃体	340	マイボーム腺	377	毛様体小帯	374, 376
腹式呼吸	205, 222	扁平筋	34	マジャンディー孔	343, 344	毛様体神経節	360
腹側	23	扁平骨	27	マックバーニー点	290	毛様体突起	374, 376
腹側視床	340	弁蓋部［前頭葉の］	336, 337	マリオットの盲点	376	盲腸	290
腹大動脈	253	弁尖	244	マルピギー小体／マルピーギ小体	318	盲点	376
腹直筋	222, 273	**ほ**				盲斑	376
腹直筋鞘	223, 224	ホルモン	304	膜性骨化	38, 182	網状帯	311
腹部	18	ボウマン嚢	318	膜性壁	264	網嚢	301
―― の筋	222	ボクサー筋	69	膜内骨化	38	網嚢孔	301
―― の筋膜	233	ボタロ管	242	膜半規管	382	網膜	375
腹膜［胃壁の］	286	歩行周期	45	膜迷路	361, 380	網様核	348
腹膜［内臓の］	300	歩調とり	246	末梢神経系	330	網様体	333, 349, 350
腹膜腔	300			―― の構成	355	網様体脊髄路	355
腹膜後器官	287, 291, 298, 300, 316			末節骨［足の］	121		
腹膜後隙	300			末節骨［手の］	57		

網様部［黒質の］	340	腰膨大	351	梨状筋症候群	165	連合線維	342
門脈	294	腰リンパ節	319	梨状口	176, 178	連合野	339
門脈圧亢進症	238, 297	腰リンパ本幹	239, 319	理想的アライメント	20		
門脈系	256	抑制性シナプス後電位	331	立脚後期	46	**【ろ】**	
門脈三つ組	294	翼状肩甲	69	立脚終期	46	ローランド溝	335
		翼状靱帯	203	立脚相	45, 46	ロドプシン	375
【や】		翼状突起	175	立脚中期	46	濾胞	308
野	338	翼状ヒダ	125	立方骨	119	濾胞上皮細胞	308
		翼突筋静脈叢	256	立方骨粗面	119	老視	376
【ゆ】		翼突筋粗面	177	立毛筋	372	漏斗	307, 344, 347
輸入・輸出細動脈	318	横アーチ［足部の］	154	流行性耳下腺炎	282	肋横突関節	193, 203
有郭乳頭	279			隆起	30	肋横突靱帯	193, 203
有棘層	369	**【ら】**		隆椎	187	肋鎖症候群	216
有鈎骨	56	ライスナー膜／ライスネル膜		両耳側半盲	363	肋鎖靱帯	58
有鈎骨鈎	56		381	菱形窩	350, 351	肋鎖靱帯圧痕	50
有髄神経線維	332, 340	ライディッヒ細胞	323	菱形靱帯	50, 59	肋椎関節	192, 203
有頭骨	56	ライトテスト	216	菱形靱帯線	50, 59	肋軟骨	28, 192, 195
幽門	286	ラセン器	381	菱脳胞	334	肋下筋	220
幽門括約筋	286	ラムダ縫合	179	梁下束	342	肋下動脈	253
幽門管	286	ランガー線	370	梁下野	337	肋下神経	358
幽門口	286	ランゲル線	370	稜	30	肋間筋	219
幽門腺	287	ランゲルハンス島	298, 309	緑内障	376	肋間隙	195, 219
幽門前庭	286	ランビエ絞輪	332	輪筋	34	肋間静脈	193, 195, 219, 254
幽門洞	286	らせん関節	38, 62, 124, 128	輪筋層［胃壁の］	286	肋間神経	193, 195, 358
幽門部	286	卵円窩	242, 243	輪筋層［小腸壁の］	288	肋間動脈	193, 195, 219, 253
遊脚後期	46	卵円孔［心臓の］	242, 243	輪状咽頭筋	283	肋頸動脈	99
遊脚終期	46	卵円孔［蝶形骨の］		輪状咽頭部	283	肋骨	192
遊脚初期	46		175, 181, 361	輪状甲状関節	261	──と胸椎の連結	203
遊脚相	45, 46	卵円窓	380, 381	輪状甲状筋	262	肋骨烏口膜	89
遊脚中期	46	卵管	324	輪状軟骨	261	肋骨横隔洞	269
優位半球	339	卵管峡部	325	輪状軟骨板	261	肋骨横隔膜角	249
指の線維鞘	92	卵管采	325	輪状ヒダ	290	肋骨窩	188
		卵管子宮口	324	輪状部［指の線維鞘の］	92	肋骨角	193, 234
【よ】		卵管子宮部	325	輪帯	122	肋骨弓	195
予備吸気量	274	卵管腹腔口	324, 325	鱗状縫合	174, 179	肋骨挙筋	221, 230
予備呼気量	274	卵管膨大部	325	鱗部［側頭骨の］	174	肋骨頸	193
容量血管	237	卵管漏斗	325			肋骨結節	188, 193
葉［大脳の］	338	卵形嚢	381	**【る】**		肋骨溝	193
葉間静脈	319	卵巣	324	ルシュカ孔	343, 344	肋骨縦隔洞	269
葉間動脈	319	卵巣間膜	324	ルシュカの椎体鈎状関節／		肋骨切痕［胸骨体の］	196
葉状乳頭	279	卵巣動脈	254	ルシュカ関節	201	肋骨切痕［胸骨柄の］	195
腰回旋筋	230	卵胞刺激ホルモン	305, 307	ルフィニ終末	371	肋骨体	193
腰外側横突間筋	230	卵胞ホルモン	313	涙液	377	肋骨頭	193
腰棘間筋	230			涙器	377	肋骨頭関節	203
腰筋筋膜	157	**【り】**		涙骨	176	肋骨頭稜	193
腰静脈	254	リスター結節	55	涙小管	377	肋骨突起	188
腰神経	356	リスフラン関節	131, 133	涙腺	361, 377	肋骨部［横隔膜の］	222
腰神経叢	134, 160, 161, 358	リンパ	239	涙点	377	肋骨肋軟骨連結	205
腰髄	352	リンパ液	239	涙嚢	377		
腰仙関節	207	リンパ管	222, 239	涙嚢溝	176	**【わ】**	
腰仙骨神経幹	161, 162	リンパ球	239	涙路	377	ワルダイエルの咽頭輪	283
腰仙靱帯	207	リンパ系	239	類洞	296	鷲手	87, 97
腰多裂筋	229	リンパ小節	290			腕尺関節	51, 53, 62
腰腸肋筋	228	リンパ節	239, 240	**【れ】**		腕神経叢	69, 93, 214, 358
腰椎	188	リンパ節腫脹（腫大）	240	レニン	312, 318, 320	腕頭静脈	103, 254
腰椎［横隔膜の］	222	リンパ本幹	239	レニン-アンギオテンシン-		腕頭動脈	99, 251
腰内臓神経	364	梨状陥凹	282	アルドステロン系	312	腕橈関節	39, 51, 53, 54, 62
腰内側横突間筋	230	梨状筋	141, 165	レプチン	314	腕橈骨筋	80
腰部の交感神経幹	366	梨状筋下孔	108, 141, 162	レンズ核	340	──の作用	82
腰方形筋	225, 234	梨状筋上孔	108, 141, 162	劣位半球	339		

監修者・著者プロフィール

坂井建雄（さかい たつお）

1953年大阪生まれ．1978年東京大学医学部卒．1978年東京大学医学部解剖学教室助手，1984～'86年ハイデルベルク大学解剖学研究室に留学．1986年東京大学医学部助教授．1990年順天堂大学医学部教授，2019年同保健医療学部特任教授．現在に至る．専門は解剖学，医学史，腎臓と血管の細胞生物学．主な著書・訳書：『からだの自然誌』（東京大学出版会），『カラー図解 人体の正常構造と機能』（日本医事新報社），『人体観の歴史』（岩波書店），『標準解剖学』（医学書院），『図説 医学の歴史』（医学書院）など多数．

町田志樹（まちだ しき）

了德寺大学 健康科学部 理学療法学科・医学教育センター．博士（医学），理学療法士．新潟リハビリテーション専門学校（現．新潟リハビリテーション大学）卒業後，2010年より順天堂大学大学院医学研究科 解剖学・生体構造科学講座で研究生として解剖学を学ぶ．2015年に同大学博士課程を修了（入学資格審査合格のため修士課程免除）し，博士（医学）を取得．現在は大学にて，理学療法士・看護師・柔道整復師の解剖学教育に従事している．現職者を対象とした教育講演・講習会実績は，全国で200回以上開催．主な著書に，『町田志樹の聴いて覚える起始停止』（三輪書店 2019），『Stay's Anatomy 神経・循環器編』（羊土社 2020），『町田志樹の聴いて覚える中枢・末梢神経編』（三輪書店 2020），『病態動画から学ぶ臨床整形外科的テスト～的確な検査法に基づく実践と応用』（ヒューマン・プレス 2021），『Stay's Anatomy 臓器編』（羊土社 2021），『Stay's Anatomy 運動器編』（羊土社 2021），『動画×書籍で学ぶ解剖学・生理学 7日間で総復習できる本』（羊土社 2023）などがある．

PT・OTビジュアルテキスト専門基礎
解剖学　第2版

2018年12月15日　第1版第1刷発行	監　修	坂井建雄
2021年 2月10日　第1版第3刷発行	著　者	町田志樹
2023年12月 1日　第2版第1刷発行	発行人	一戸敦子
	発行所	株式会社 羊　土　社
		〒101-0052
		東京都千代田区神田小川町2-5-1
		TEL　　03（5282）1211
		FAX　　03（5282）1212
		E-mail　eigyo@yodosha.co.jp
		URL　　www.yodosha.co.jp/
ⓒ YODOSHA CO., LTD. 2023	表紙・大扉デザイン	辻中浩一＋村松亨修（ウフ）
Printed in Japan	印刷所	広研印刷株式会社
ISBN978-4-7581-1436-3		

本書に掲載する著作物の複製権，上映権，譲渡権，公衆送信権（送信可能化権を含む）は（株）羊土社が保有します．
本書を無断で複製する行為（コピー，スキャン，デジタルデータ化など）は，著作権法上での限られた例外（「私的使用のための複製」など）を除き禁じられています．研究活動，診療を含み業務上使用する目的で上記の行為を行うことは大学，病院，企業などにおける内部的な利用であっても，私的使用には該当せず，違法です．また私的使用のためであっても，代行業者等の第三者に依頼して上記の行為を行うことは違法となります．

JCOPY ＜（社）出版者著作権管理機構 委託出版物＞
本書の無断複写は著作権法上での例外を除き禁じられています．複写される場合は，そのつど事前に，（社）出版者著作権管理機構（TEL 03-5244-5088，FAX 03-5244-5089，e-mail：info@jcopy.or.jp）の許諾を得てください．

乱丁，落丁，印刷の不具合はお取り替えいたします．小社までご連絡ください．

理学療法士・作業療法士をめざす学生のための新定番教科書

PT・OT ビジュアルテキストシリーズ

シリーズの特徴
- 臨床とのつながりを重視した解説で，座学〜実習はもちろん現場に出てからも役立ちます
- イラスト・写真を多用した，目で見てわかるオールカラーの教科書です
- 国試の出題範囲を意識しつつ，PT・OTに必要な知識を厳選．基本から丁寧に解説しました

B5判

リハビリテーション基礎評価学　第2版
潮見泰藏，下田信明／編
定価 6,600円（本体 6,000円＋税10%）　488頁
ISBN 978-4-7581-0245-2

ADL　第2版
柴 喜崇，下田信明／編
定価 5,720円（本体 5,200円＋税10%）　341頁
ISBN 978-4-7581-0256-8

義肢・装具学　第2版
異常とその対応がわかる動画付き
髙田治実／監，豊田 輝，石垣栄司／編
定価 7,700円（本体 7,000円＋税10%）　399頁
ISBN 978-4-7581-0263-6

地域リハビリテーション学 第2版
重森健太，横井賀津志／編
定価 4,950円（本体 4,500円＋税10%）　334頁
ISBN 978-4-7581-0238-4

国際リハビリテーション学
国境を越えるPT・OT・ST
河野 眞／編
定価 7,480円（本体 6,800円＋税10%）　357頁
ISBN 978-4-7581-0215-5

リハビリテーション管理学
齋藤昭彦，下田信明／編
定価 3,960円（本体 3,600円＋税10%）　239頁
ISBN 978-4-7581-0249-0

理学療法概論
課題・動画を使ってエッセンスを学びとる
庄本康治／編
定価 3,520円（本体 3,200円＋税10%）　222頁
ISBN 978-4-7581-0224-7

局所と全身からアプローチする 運動器の運動療法
小柳磨毅，中江徳彦，井上 悟／編
定価 5,500円（本体 5,000円＋税10%）　342頁
ISBN 978-4-7581-0222-3

エビデンスから身につける 物理療法　第2版
庄本康治／編
定価 6,050円（本体 5,500円＋税10%）　343頁
ISBN 978-4-7581-0262-9

内部障害理学療法学
松尾善美／編
定価 5,500円（本体 5,000円＋税10%）　335頁
ISBN 978-4-7581-0217-9

神経障害理学療法学
潮見泰藏／編
定価 5,500円（本体 5,000円＋税10%）　366頁
ISBN 978-4-7581-0225-4

小児理学療法学
平賀 篤，平賀ゆかり，畑中良太／編
定価 5,500円（本体 5,000円＋税10%）　359頁
ISBN 978-4-7581-0266-7

姿勢・動作・歩行分析 第2版
臨床歩行分析研究会／監，畠中泰彦／編
定価 5,940円（本体 5,400円＋税10%）　324頁
ISBN 978-4-7581-0264-3

身体障害作業療法学 1 骨関節・神経疾患編
小林隆司／編
定価 3,520円（本体 3,200円＋税10%）　263頁
ISBN 978-4-7581-0235-3

身体障害作業療法学 2 内部疾患編
小林隆司／編
定価 2,750円（本体 2,500円＋税10%）　220頁
ISBN 978-4-7581-0236-0

専門基礎
リハビリテーション医学
安保雅博／監，渡邉 修，松田雅弘／編
定価 6,050円（本体 5,500円＋税10%）　430頁
ISBN 978-4-7581-0231-5

専門基礎
解剖学　第2版
坂井建雄／監，町田志樹／著
定価 6,380円（本体 5,800円＋税10%）　431頁
ISBN 978-4-7581-1436-3

専門基礎
運動学　第2版
山﨑 敦／著
定価 4,400円（本体 4,000円＋税10%）　223頁
ISBN 978-4-7581-0258-2

専門基礎
精神医学
先崎 章／監，仙波浩幸，香山明美／編
定価 4,400円（本体 4,000円＋税10%）　248頁
ISBN 978-4-7581-0261-2